MAUPASSANT

Bel-Ami

●

CHRONOLOGIE
PRÉSENTATION
NOTES
DOSSIER
BIBLIOGRAPHIE

par Adeline Wrona

GF Flammarion

© Flammarion, Paris, 1999, pour la présente édition
ISBN : 2-08-071071-0

SOMMAIRE

Bel-Ami

CHRONOLOGIE

	REPÈRES HISTORIQUES ET CULTURELS	VIE ET ŒUVRES DE MAUPASSANT
1850		Naissance de Guy de Maupassant au château de Miromesnil, près de Dieppe. Sa mère, Laure Le Poittevin, est la sœur d'Alfred Le Poittevin, grand ami de jeunesse de Flaubert, mort prématurément. Elle entretient des relations d'étroite amitié avec le romancier, qui deviendra le maître en littérature de Maupassant.
1851	(2 décembre) Coup d'État de Louis-Napoléon Bonaparte. (21 décembre) Ratification du coup d'État par le plébiscite.	
1852	(2 décembre) Louis-Napoléon Bonaparte est proclamé empereur des Français sous le nom de Napoléon III, avec des pouvoirs accrus par un sénatus-consulte du 25 décembre. Karl Marx, *Le Dix-Huit Brumaire de Louis Bonaparte*. Proudhon, *La Révolution sociale démontrée par le coup d'État du Deux Décembre*. Théophile Gautier, *Émaux et camées* ; Leconte de Lisle, *Poèmes antiques*.	

1853	Victor Hugo publie *Les Châtiments*. Napoléon III épouse Eugénie de Montijo. Il nomme Haussmann préfet de la Seine. La France occupe la Nouvelle-Calédonie.	
1854	La France déclare la guerre à la Russie. (20 septembre) Victoire de l'Alma. Protocole de Vienne entre les alliés et l'Autriche.	Les Maupassant s'installent au Havre. La mésentente grandit entre les deux parents.
1855	Lois sur les travaux de Paris. Exposition universelle de Paris. Mort de Gérard de Nerval.	
1856	(30 mars) Le traité de Paris met fin à la guerre de Crimée. Flaubert publie *Madame Bovary* ; Victor Hugo, *Les Contemplations*.	Naissance du frère de Guy, Hervé de Maupassant.
1857	Parution des *Fleurs du mal* de Baudelaire, qui, comme *Madame Bovary* cette même année, font l'objet d'un procès pour immoralité. Mort d'Alfred de Musset.	

REPÈRES HISTORIQUES ET CULTURELS	VIE ET ŒUVRES DE MAUPASSANT
1858 (14 janvier) Attentat manqué d'Orsini contre Napoléon III. Création d'un ministère de l'Algérie.	
1858-1863	Gustave et Laure de Maupassant se sont séparés à l'amiable. Le père de Maupassant vit à Paris, où il exerce la fonction de caissier des titres d'une banque parisienne. Laure assure la garde de ses enfants ; tous trois vivent à Étretat. Les deux frères y mènent l'existence libre des enfants de paysans et de pêcheurs normands.
1859 (3 mai) Déclaration de guerre à l'Autriche. (Juin) Victoires de Magenta et de Solférino. (11 juillet) Paix de Villafranca entre Napoléon III et François-Joseph. Occupation de Saïgon par les Français ; début des travaux du canal de Suez. Victor Hugo, en exil à Guernesey, publie *La Légende des siècles* (première série).	
1860 Traité de Nice, qui cède Nice et la Savoie à la France.	

C H R O N O L O G I E

1861	Victor-Emmanuel II est sacré roi d'Italie. Début de la guerre de Sécession aux États-Unis. Abolition du servage en Russie. Début de la construction de l'Opéra de Paris, sous la direction de Charles Garnier.
1862	Guerre du Mexique. Siège de Puebla. Victor Hugo publie *Les Misérables* ; Leconte de Lisle, *Poésies barbares* ; Flaubert, *Salammbô*.
1863	Création du Salon des Refusés où Manet expose *Le Déjeuner sur l'herbe*. Annexion de la Basse-Cochinchine ; prise de Puebla, au Mexique.	Guy de Maupassant entre en sixième à l'Institution ecclésiastique d'Yvetot. Il tente de s'enfuir à plusieurs reprises, car la rigueur de la discipline lui est insupportable. Il s'y familiarise toutefois avec la littérature classique, ainsi qu'avec les écrivains du XVIIIe siècle. Guy lit notamment avec passion *La Nouvelle Héloïse* : « Ce livre m'a servi en même temps de désinfectant et de pieuse lecture pour la semaine sainte », confie-t-il à son cousin Louis Le Poittevin, dans une lettre d'avril 1868.

	REPÈRES HISTORIQUES ET CULTURELS	VIE ET ŒUVRES DE MAUPASSANT
1864	Discours de Thiers sur les libertés nécessaires. Loi sur les coalitions instaurant le droit à la grève et autorisant aussi sa répression. Fondation de l'Association internationale des travailleurs. Offenbach, *La Belle Hélène*.	Pendant les vacances, Guy porte secours au poète anglais Swinburne, qui était en train de se noyer. En guise de remerciement, le poète l'invite chez lui et lui montre notamment une main d'écorché, qui hantera l'œuvre du romancier, au point de lui inspirer son premier conte.
1865	Fin de la guerre de Sécession aux États-Unis et abolition de l'esclavage. Manet peint *L'Olympia*. Claude Bernard publie *L'Introduction à la médecine expérimentale*.	
1866	(3 juillet) Victoire des Prussiens sur les Autrichiens à Sadowa : première manifestation de la puissance de l'armée prussienne. Publication du premier *Parnasse contemporain*. Verlaine, *Poèmes saturniens* ; Théodore de Banville, *Les Exilés* ; Dostoïevski, *Crime et châtiment* ; Offenbach, *La Vie parisienne* ; Victor Hugo, *Les Travailleurs de la mer*.	

CHRONOLOGIE

1867

Exposition universelle de Paris.
Exécution de Maximilien, empereur du Mexique.
Lettre de Napoléon III annonçant des réformes libérales.
Mort de Charles Baudelaire.

1868

Lois sur la presse et les réunions.

1869

Inauguration du canal de Suez. Grève des mineurs à la Ricamarie ; la troupe tire et fait 14 morts.
L'empereur annonce des réformes.
Mort de Lamartine et de Sainte-Beuve.
Flaubert publie *L'Éducation sentimentale* ; Verlaine, *Fêtes galantes* ; Offenbach, *Les Brigands* ; Victor Hugo, *L'Homme qui rit*.

Maupassant est renvoyé du séminaire pour avoir commis de nombreuses infractions à la discipline. Il a notamment organisé le pillage de la cave du supérieur, et s'est saoulé à l'eau-de-vie et au vin.
Il entre comme interne au lycée de Rouen, où il a pour correspondants Louis Bouilhet, bibliothécaire à Rouen, et Flaubert. Introduit dans le milieu littéraire, il commence à écrire, sous le regard exigeant et sévère de ce dernier.

Maupassant est reçu bachelier à la faculté de Caen. Il s'inscrit à la faculté de droit de Paris, où il doit rejoindre son père.

CHRONOLOGIE	REPÈRES HISTORIQUES ET CULTURELS	VIE ET ŒUVRES DE MAUPASSANT
1870	(19 juillet) La France déclare la guerre à la Prusse. (2 septembre) Capitulation de Sedan. (4 septembre) Déchéance de l'Empire et proclamation de la République. (19 septembre) Début du siège de Paris.	À la déclaration de guerre, Maupassant est mobilisé et dirigé sur Rouen dans l'intendance. Il assiste à la débâcle en Normandie et en tire une haine tenace pour la guerre et les militaires.
1871	(18 janvier) Guillaume Ier est proclamé empereur d'Allemagne. (28 janvier) Armistice franco-allemand et capitulation de Paris. Thiers est nommé chef du pouvoir exécutif. (Mars) Début de la Commune de Paris. (10 mai) Traité de Francfort : la France perd l'Alsace et la Lorraine. (21-28 mai) La Semaine sanglante ; Paris est en flammes. Émile Zola publie *La Fortune des Rougon*, premier tome des *Rougon-Macquart*.	
1872	Jules Verne publie *Le Tour du monde en 80 jours* ; Victor Hugo, *L'Année terrible*. Mort de Théophile Gautier.	Sur l'intercession de son père, Maupassant entre comme bénévole, et à titre provisoire, dans l'administration centrale du ministère de la Marine et des Colonies.

1873

Mort de Napoléon III en exil. Chute de Thiers ; Mac-Mahon devient président de la République et le duc de Broglie vice-président du Conseil. C'est la période de « l'ordre moral », coalition monarchiste et conservatrice. Vote d'une loi déclarant d'utilité publique l'érection d'un sanctuaire à Montmartre.
Rimbaud publie *Une saison en enfer*.

Maupassant obtient enfin des appointements et devient officiellement fonctionnaire. Mais il supporte mal le caractère machinal de son emploi : « Quant à moi », écrit-il ainsi à Flaubert, « je suis dans la merde jusqu'au bout, plongé dans des embarras et des tristesses inexprimables. » « Mon bureau est un enfer », ajoute-t-il. C'est le moment où commencent ses parties de canotage sur la Seine, à Argenteuil, Bougival, Chatou ou Sartrouville. Bel-Ami mènera lui aussi joyeuse vie avec Clotilde de Marelle dans cette région.

1874

Monet peint *Impressions, soleil levant*. Flaubert publie *La Tentation de saint Antoine* ; Victor Hugo, *Quatrevingt-treize* ; Verlaine, *Romances sans paroles* ; Rimbaud, *Les Illuminations*.

Chez Flaubert, Maupassant est mis en relation avec Tourguéniev, Alphonse Daudet, Émile Zola, Edmond de Goncourt et Huysmans. Dans le salon de Zola, il fréquente aussi Paul Cézanne, Duranty, Taine, Ernest Renan et Maxime Du Camp.

1875

Des lois constitutionnelles définissent le nouvel équilibre républicain. Le régime parlementaire limite les pouvoirs du président de la République.
Bizet, *Carmen*.

Maupassant fait ses premières tentatives littéraires. Il semble d'abord plus attiré par le théâtre. Il présente, devant un cercle d'amis, une pièce érotique et comique, dédiée au « Grand Marquis » : *À la feuille de rose, maison Turque*. Il signe aussi, d'un pseudonyme, un conte, *La Main d'écorché*, publié dans *L'Almanach lorrain de Pont-à-Mousson*.

REPÈRES HISTORIQUES ET CULTURELS	VIE ET ŒUVRES DE MAUPASSANT
1876 Mallarmé publie *L'Après-midi d'un faune*. Mort de George Sand.	(Mars) Publication, sous la signature de Guy de Valmont, du poème « Au bord de l'eau », dans *La République des lettres* de Catulle Mendès.
1877 (16 mai) Jules Simon, président du Conseil, démissionne, et la Chambre est dissoute. Aux élections législatives, les républicains obtiennent la majorité des voix. Émile Zola publie *L'Assommoir* ; Victor Hugo, *La Légende des siècles* (nouvelle série).	Célèbre dîner au restaurant Trapp, avec Gustave Flaubert, Edmond de Goncourt, Émile Zola, Alexis, Hennique, Huysmans. C'est l'acte de naissance officiel du naturalisme. Premier témoignage du projet d'un roman intitulé *Une vie*.
1878 Exposition universelle. Lancement d'un programme de travaux publics. Révocation ou déplacement des préfets s'étant opposés à la République. Mort du pape Pie IX, avènement de Léon XIII.	Maupassant parvient à passer au ministère de l'Instruction publique, grâce à l'intervention de Flaubert auprès du ministre Agénor Bardoux. Il emménage au 19 de la rue Clauzel, dans une maison de rendez-vous du quartier des Lorettes.

C H R O N O L O G I E

1879

Démission de Mac-Mahon. Jules Grévy est le premier républicain élu à la présidence de la République. Jules Ferry est nommé ministre de l'Instruction publique.

Publication d'un article, « Gustave Flaubert », dans *La République des Lettres* et du poème intitulé, en 1876, « Au bord de l'eau », sous le titre de « Une fille ». Le parquet d'Étampes l'invite alors à comparaître.

1880

Lois instituant l'école laïque et obligatoire. Loi d'amnistie des communards. Le 14 juillet devient fête nationale. Jules Ferry forme un nouveau gouvernement. C'est l'époque de la République « opportuniste », dont les initiatives en matière coloniale sont très précisément décrites, quoique transposées, dans *Bel-Ami*. L'expansion coloniale doit relever l'honneur national, humilié par la défaite de 1870, et donner des débouchés à l'industrie face à la montée du protectionnisme : « la politique coloniale », expliquera Ferry, « est fille de la politique industrielle ».
Mort de Gustave Flaubert et d'Offenbach.

(Avril) Maupassant publie *Boule de Suif* dans le recueil *Les Soirées de Médan*, auquel ont collaboré Zola, Huysmans, Hennique et Alexis. C'est le début des années les plus productives de sa carrière : en dix ans, Maupassant va publier six romans, seize recueils de nouvelles, trois livres d'impressions de voyage et de nombreux articles de journaux.
Il se fait mettre en disponibilité auprès du ministère, trois mois avec traitement, trois mois en demi-traitement, puis sans traitement pour toute l'année 1881. Il souffre de troubles nerveux et de migraines et perd par moments la vue de l'œil droit.

REPÈRES HISTORIQUES ET CULTURELS	VIE ET ŒUVRES DE MAUPASSANT
Jules Ferry obtient le vote de crédits militaires, pour réprimer la rébellion des kroumirs qui a éclaté en Algérie. Signature du traité instituant un protectorat par le bey de Tunisie. Ce succès est compromis par une insurrection qui entraîne une intervention française, puis la chute du gouvernement Ferry, remplacé par Gambetta. (29 juillet) Loi établissant un régime très libéral pour la presse.	Maupassant déménage de la rue Clauzel pour s'installer rue Dulong, aux Batignolles. (Mai) Publication de *La Maison Tellier*. (Juillet) Il se rend en Algérie en tant qu'envoyé spécial du *Gaulois*. Il y rencontre Jules Lemaître.
Chute du ministère Gambetta et krach de l'Union générale. Lois sur l'enseignement obligatoire et la laïcité de l'enseignement. Le gouvernement formé par Freycinet, est renversé à propos de l'intervention en Égypte, où l'on craint un conflit. Le parlement vote à l'unanimité le crédit pour une intervention au Tonkin. Mort de Gambetta.	(11 janvier) Le ministre Paul Bert raye Maupassant du cadre des employés du ministère. (Mai) Publication de *Mademoiselle Fifi*. Maupassant passe le printemps à Sartrouville et à Menton, et l'été en Bretagne.

1881

1882

C H R O N O L O G I E

1883

Formation du deuxième ministère Ferry, qui poursuit la politique d'expansion coloniale en obtenant le protectorat sur l'Annam. Conventions signées entre l'État et les compagnies de chemin de fer, assurant ainsi la tutelle publique sur cet important secteur économique. C'est l'un des acquis de la « politique d'affaires » des gouvernements opportunistes. La Bourse baisse jusqu'à la fin de l'année.

Mort de Richard Wagner et de Karl Marx.

Publication de *La Légende des siècles* (série complémentaire).

Maupassant consulte un ophtalmologiste en raison de ses troubles oculaires laissant prévoir, selon le médecin consulté, « à cause des troubles fonctionnels qui les accompagnaient, la fin lamentable » qui attend l'écrivain.

(Mars) Publication d'une étude sur *Émile Zola*.

(Avril) Parution de son premier roman, *Une vie*, d'abord en feuilleton dans *Gil Blas*, puis en volume. Ce roman est dans un premier temps interdit de diffusion dans les bibliothèques de gare, mais l'interdiction est levée en juin.

(Juin) Publication de son troisième recueil de contes, *Les Contes de la Bécasse*.

(27 janvier) Naissance de Lucien Litzelmann, fils (non reconnu) de Maupassant et d'une donneuse d'eau de Châtelguyon, où Maupassant séjourne régulièrement pour des cures.

REPÈRES HISTORIQUES ET CULTURELS	VIE ET ŒUVRES DE MAUPASSANT
1884 Promulgation de lois autorisant la constitution de syndicats professionnels (loi Waldeck-Rousseau) et le divorce. Révision constitutionnelle supprimant les prières publiques à l'ouverture de la session parlementaire, ainsi que l'inamovibilité des sénateurs. (Août) Ouverture du Salon des Indépendants. Verlaine publie *Jadis et naguère* ; *Les Poètes maudits*. Huysmans, *À rebours*.	L'écrivain quitte la rue Dulong pour la rue Montchanin (aujourd'hui rue Jacques Bigen), au rez-de-chaussée d'un hôtel particulier que son cousin Louis Le Poittevin avait fait construire. C'est un signe de promotion sociale. (Janvier) Publication de *Au Soleil* et *Clair de lune*. (Avril) *Miss Harriet.* (Juillet) *Les Sœurs Rondoli.*
1885 Le gouvernement de Jules Ferry, au sommet de son impopularité, est renversé après l'annonce de l'évacuation de Lang Son, au Tonkin. L'actualité sociale passe au premier plan car l'économie française est en phase de stagnation, voire de récession. Mort de Victor Hugo ; funérailles nationales : deux millions de personnes suivent le corbillard. Émile Zola publie *Germinal* ; Paul Bourget, *Nouveaux Essais de psychologie contemporaine* ; Mallarmé, *Prose pour des Esseintes* ; Jean Lorrain, *Modernités*.	(Avril) Maupassant voyage en Italie, avec le peintre Gervex. Il visite Gênes, Venise, Pise, Florence, puis le sud de la Péninsule : Naples, le Vésuve, Sorrente, Capri, Amalfi, Salerne, Pæstum et Ischia, qu'un tremblement de terre vient de dévaster. (Mai) Il se rend en Sicile et s'attarde à Palerme, au moment où *Bel-Ami* paraît à Paris. (12 septembre) Son roman en est à la trente-septième édition. Cette même année, il publie *Yvette*, *Toine* et les *Contes du jour et de la nuit*, ainsi qu'une préface à *Manon Lescaut*.

1886	Le général Boulanger est nommé ministre de la Guerre. Drumont publie *La France juive* ; Rimbaud, *Les Illuminations*.	Pendant l'été, Maupassant est invité en Angleterre, dans le château du baron Ferdinand de Rothschild, puis visite Oxford. Il publie *Monsieur Parent* et *La Petite Roque*.
1887	L'affaire Schnaebelé, du nom d'un commissaire de police de Moselle inculpé à Leipzig pour espionnage, fait craindre une nouvelle guerre avec l'Allemagne. Le scandale des décorations provoque la démission du président de la République Jules Grévy. Sadi Carnot est élu à la présidence.	Dans sa villa d'Étretat, Maupassant écrit une *Étude sur le roman*, et une partie de *Pierre et Jean*. L'écrivain est touché du « souffle redoutable des sciences occultes », qui lui inspire notamment *Le Horla*, publié après *Mont-Oriol*, son troisième roman.
1888	Boulanger est mis à la retraite par le gouvernement. Le premier emprunt russe est lancé sur la place de Paris.	(Janvier) Publication de *Pierre et Jean*, *Sur l'eau* et du *Rosier de Madame Husson*.

CHRONOLOGIE

	REPÈRES HISTORIQUES ET CULTURELS	VIE ET ŒUVRES DE MAUPASSANT
1888-1889		Maupassant retourne explorer les côtes de Gênes et de Naples à bord de son yacht, le *Bel-Ami*. Il voyage aussi en Tunisie, à Sousse et à Kairouan. Il semble atteint des premiers symptômes d'une grave maladie nerveuse : une hallucination confiée à un médecin l'a mis en présence de son double, apparu « la tête dans la main » pendant qu'il écrivait. Son frère Hervé est lui aussi atteint de folie ; à l'asile où Guy l'a conduit, il lui crie au moment de le quitter : « C'est toi qui es fou. » Malgré tout, Maupassant publie *La Main gauche* et *Fort comme la mort.*
1889	Boulanger est élu triomphalement député à Paris, mais il doit rapidement s'enfuir en Belgique car il est menacé de passer en Haute Cour devant le Sénat pour « attentat contre la sûreté de l'État ». À l'occasion de l'Exposition universelle, et du centenaire de la Révolution française, on inaugure la tour Eiffel. Paul Bourget publie *Le Disciple*.	

1890

Lors du « toast d'Alger », le cardinal Lavigerie, primat d'Afrique, invite les catholiques français à accepter la République.

Maupassant va de plus en plus mal ; son irritabilité s'accentue. Il tente un procès contre le propriétaire de son nouvel appartement, avenue Victor-Hugo, sous prétexte qu'il y souffre du bruit. Il publie *La Vie errante*, *L'Inutile Beauté* et *Notre cœur*.

1891

On célèbre le 1er mai pour la deuxième fois, mais ce jour est marqué par de graves incidents à Fourmies. L'encyclique *Rerum novarum* exprime le souci, de la part des autorités catholiques, de répondre au défi socialiste.

(Juin) Maupassant part pour Divonne prendre les eaux et réclame la « douche de Charcot ». Sa nervosité s'aggrave de façon inquiétante ; il engage des procès contre ses éditeurs, pour des faits sans importance. Il écrit à son avoué, Me Jacob : « Je suis tellement malade que j'ai bien peur d'être à la mort dans quelques jours par suite d'un traitement qu'on m'a fait suivre. » *Musotte*, drame en trois actes qu'il a écrit en collaboration avec Jacques Normand, est représenté au Théâtre du Gymnase.

1892

Les nouveaux tarifs douaniers marquent une tendance au protectionnisme. Le développement de l'anarchisme et la multiplication des attentats sont réprimés par des lois rigoureuses dites « lois scélérates ».
À l'automne éclate le scandale de Panama : on apprend que la Compagnie du canal de Panama avait acheté la bienveillance des parlementaires pour le vote d'une loi l'autorisant à émettre des obligations à lots.

À l'occasion du nouvel an, Maupassant dîne à Nice chez sa mère. Il repart très tôt pour Cannes et tente de se suicider au cours de la nuit.
(8 janvier) Il entre à la clinique du Dr Blanche, à Passy, où il s'enfonce dans un gâtisme provoqué par la paralysie générale.

REPÈRES HISTORIQUES ET CULTURELS | VIE ET ŒUVRES DE MAUPASSANT

1893

Le scandale de Panama se poursuit jusqu'en mars. Le grand public a reçu la preuve de cette collusion entre le monde des affaires, la presse et le personnel politique, si précisément décrite dans *Bel-Ami*. Aux élections législatives de l'été 1893, les républicains, et plus particulièrement les radicaux-socialistes, sortent largement vainqueurs ; le personnel politique est profondément renouvelé.
Émile Zola publie *Le Docteur Pascal*, vingtième et dernier tome des *Rougon-Macquart*.

(6 mars) Représentation de *La Paix du ménage*, comédie en deux actes publiée le même mois.
(6 juillet) Maupassant meurt à la clinique de Passy. Il est inhumé au cimetière Montparnasse.

« Nul aujourd'hui ne gaspille moins de coups que lui ; et nul ne frappe plus juste. » C'est en ces termes que Henry James, dans un essai consacré à Guy de Maupassant, analyse l'efficacité singulière de son œuvre narrative [1]. Le récit, chez Maupassant, réussit « à tous les coups ». Et dans le registre des récits longs, on peut estimer que *Bel-Ami* offre une illustration exemplaire de ce don pour ce que l'on pourrait appeler la « rentabilité » narrative. Or, si Maupassant-romancier fait feu de tout bois, il semble bien que son héros lui-même, Georges Duroy, soit doté d'une aptitude fort comparable. En ce sens, la réussite du roman répond à la réussite *dans* le roman. Et cette tendance ascensionnelle du récit constitue bien, dans l'ensemble de l'œuvre de Maupassant, une forme d'exception.

D'UNE VIE À BEL-AMI

Publié en 1885, *Bel-Ami* est le deuxième roman de Maupassant. À bien des égards, l'histoire de l'ascension fulgurante de ce journaliste parisien apparaît comme le symétrique inverse du premier roman, publié en 1883, *Une vie*. Si *Bel-Ami* semble en effet dominé par l'urgence de l'ambition, *Une vie* relate au contraire le lent itinéraire d'une femme vers la désillusion et le malheur. Au récit d'un ennui provincial répond donc l'histoire d'une carrière parisienne menée tambour battant, à la passivité aliénée de la femme, l'activité conquérante, voire guerrière, de l'homme. Ce rythme interne

---

1. Henry James, *Guy de Maupassant* (1888), rééd., Bruxelles, Éditions Complexe, 1987, p. 90.

reflète d'ailleurs les conditions mêmes de création romanesque : *Bel-Ami* fut achevé en sept mois, quand le projet d'*Une vie* connut une maturation de près de six années. Au moment où il invente l'histoire de Georges Duroy, autour de 1884, Maupassant a déjà des dizaines de contes et de chroniques derrière lui. Il n'en allait pas de même en 1877, quand il confiait à Flaubert : « J'ai fait le plan d'un roman », et recevait de son maître cette réponse encourageante : « Ah ! oui cela est excellent, voilà un vrai roman, une vraie idée. »

D'un roman à l'autre, Maupassant s'éloigne quelque peu du double modèle normand et flaubertien. La dédicace d'*Une vie* rappelait le « souvenir d'un ami mort ». Flaubert, l'ami de la famille, qui écrivait à Maupassant en l'appelant « mon chéri », est mort en 1880. Son ombre plane sur l'existence de Jeanne, l'héroïne normande d'*Une vie*, qui s'ennuie au moins autant qu'Emma Bovary. De son côté, l'univers de *Bel-Ami* met délibérément à distance la Normandie natale, qui n'existe plus guère qu'au titre de souvenir nostalgique, ou d'alibi nobiliaire. Si Georges Duroy prend le risque d'emprunter le nom de son village d'origine (Canteleu) en guise de complément à son nouveau patronyme – il devient alors « George du Roy du Cantel » –, c'est bien parce que ce lieu est assez reculé pour décourager toute entreprise de vérification.

ROMAN D'ACTUALITÉ OU ROMAN À CLEFS ?

Monté à Paris pour faire fortune, Georges Duroy s'inscrit plus naturellement dans la lignée des héros balzaciens. Le milieu d'affaires auquel il réussit à se mêler, la galerie des puissants qui gravitent autour de son journal, enfin la description de la « flexible morale parisienne » apparentent ce roman à une continuation de *La Comédie humaine*.

L'intérêt documentaire ne doit pas pour autant être laissé de côté. Car *Bel-Ami* a pour particularité, on l'a souvent souligné, de restreindre la distance existant entre l'univers décrit et le moment de la rédaction. En d'autres termes, quelques années seulement séparent l'époque à laquelle doivent se dérouler les événements évoqués dans le récit (1880-1883) et l'année de publication du roman en feuilleton dans *Gil Blas* (1885). Cette proximité devait d'ailleurs causer au romancier quelques difficultés : nombreux, en effet, sont les lecteurs contemporains qui ne se sont que trop bien reconnus dans le miroir qui leur était ainsi tendu. *Bel-Ami*, roman d'actualité, devient alors roman à clefs ; et l'on se plaît à désigner les personnalités visées derrière les personnages de fiction, Aurélien Scholl derrière Jacques Rival ou Georges Duroy, Théodore de Banville derrière Norbert de Varenne... Maupassant s'expliqua très vite sur cette confusion : « Quelqu'un peut-il se reconnaître dans un seul de mes personnages ? Non. – Peut-on affirmer même que j'ai songé à quelqu'un ? Non. – Car je n'ai visé personne [1]. »

L'AMBIGUÏTÉ DE L'INSPIRATION AUTOBIOGRAPHIQUE

Collant à l'actualité comme pourrait le faire une chronique journalistique, *Bel-Ami* renvoie aussi à l'expérience autobiographique. Non que Georges Duroy puisse être considéré comme un double du romancier : il n'en a ni l'exigence esthétique ni les caractéristiques morales. Pour autant, il lui doit certaines de ses expériences. Arrivant comme Duroy à Paris après une jeunesse normande, Maupassant mène pendant près de dix ans la médiocre existence d'un petit fonctionnaire, au ministère de

---

1. Lettre de Maupassant adressée au rédacteur en chef du *Gil Blas*, et publiée dans ce journal le 7 juin 1885. Voir le dossier, p. 401-405.

la Marine et des Colonies tout d'abord, puis au ministère de l'Instruction publique. C'est le travail de sa plume qui lui permet d'échapper à la vie de bureau, véritable école d'humiliation, dont il se souvient encore dans une chronique publiée en 1882 : « Sur la porte des Ministères, on devrait écrire en lettres noires la célèbre phrase de Dante : *Laissez toute espérance, vous qui entrez* [1]. »

Le succès immédiat de *Boule de Suif*, publié en 1880 dans *Les Soirées de Médan*, assure à Maupassant la notoriété, et lui ouvre la porte des journaux, en l'autorisant à claquer celle de son bureau, « cercueil de vivant [2] ». Après l'ennui de la fonction publique, il découvre donc, comme son héros, l'excitation permanente des salles de rédaction, et côtoie ces « messieurs de la chronique » – ceux qui font ce « métier terrible d'écrire tous les jours, d'avoir de l'esprit tous les jours, de plaire tous les jours au public [3] ». *Le Gaulois*, *Gil Blas*, *Le Figaro*, *L'Écho de Paris*, accueillent ses articles et ses contes, ses chroniques et ses romans découpés en feuilletons, les uns et les autres balayant un éventail de sujets étonnamment divers, tour à tour objets de fiction ou de considérations plus générales : de l'art de rompre aux erreurs des grands financiers, de la peur de la mort à l'évolution du roman contemporain, des injustices commises dans les colonies à l'apparition de nouveaux types féminins...

---

1. « Les employés », article publié dans *Le Gaulois*, le 4 janvier 1882, repris par Gérard Delaisement in *Maupassant journaliste et chroniqueur*, Albin Michel, 1956, p. 51.
2. *Ibid.*, p. 52.
3. « Messieurs de la chronique », article publié dans *Gil Blas,* le 11 novembre 1884, repris par Gérard Delaisement, *op. cit.*, p. 30.

DEUX UNIVERS D'ÉCRITURE :
LITTÉRATURE ET JOURNALISME

Plongé dans l'effervescence de cet univers de parole, Maupassant ne pouvait manquer de questionner la spécificité de l'écriture littéraire. Tout en lui donnant les moyens d'étendre ses relations aux plus grands salons parisiens (celui de Mme Adam, de la princesse Mathilde, par exemple), l'exercice journalistique aiguise aussi chez le romancier la conscience de la liberté propre à la fiction. Et *Bel-Ami* offre une expression privilégiée de cette réflexion : on y voit en effet Duroy s'initier péniblement à l'exercice de la chronique, peiner devant la page blanche, puis acquérir les ficelles d'un métier qui joue beaucoup du recyclage et des effets rhétoriques. Différentes leçons d'écriture jalonnent le roman ; la première, celle de Madeleine Forestier, met l'accent sur la nécessité propre à la chronique de susciter une relation de familiarité avec le lecteur, directement pris à partie par le choix d'une forme prétendument épistolaire : « D'abord, nous supposons que vous adressez à un ami vos impressions, ce qui vous permet de dire un tas de bêtises, de faire des remarques de toute espèce, d'être naturel et drôle, si nous pouvons [1]. » Saint-Potin, au chapitre suivant, enseigne au jeune homme l'art du ragot mondain, qui doit répondre mot pour mot à l'attente du lectorat : « Vous êtes encore naïf, vous ! Alors vous croyez comme ça que je vais aller demander à ce Chinois et à cet Indien ce qu'ils pensent de l'Angleterre. Comme si je ne le savais pas mieux qu'eux, ce qu'ils doivent penser pour les lecteurs de *La Vie française* [2]. » Plus loin, Duroy s'essaie, seul, à la rédaction d'une nouvelle chronique ; mais la leçon s'apparente ici à un contre-modèle, car les procédés employés accumu-

---

1. *Bel-Ami*, I, 3, p. 83.
2. *Ibid.*, I, 4, p. 100.

lent les erreurs et la confusion des genres, tombant dans le mauvais roman « romanesque » si souvent condamné par les naturalistes : « Il continua l'aventure commencée par Mme Forestier, accumulant des détails de roman-feuilleton, des péripéties surprenantes et des descriptions ampoulées, avec une maladresse de style de collégien et des formules de sous-officier [1]. »

Ce n'est que dans la seconde moitié du roman que le héros semble avoir tout à fait assimilé la méthode de l'écriture journalistique. En l'occurrence, la clé du succès est ici de préférer la réécriture à l'inédit – qu'il s'agisse de colporter des nouvelles déjà diffusées par d'autres journaux, ou de maquiller par quelques artifices un texte déjà publié. Ainsi le premier article de Duroy, « Souvenirs d'un chasseur d'Afrique », qui avait assuré ses débuts à la *Vie française*, reparaît-il, à l'occasion de l'affaire marocaine, « débaptisé, retapé et modifié » sous le titre « De Tunis à Angers » : « En trois quarts d'heure, la chose fut refaite, rafistolée, mise au point, avec une saveur d'actualité, et des louanges pour le nouveau cabinet [2]. » Ailleurs, c'est le « discours plein d'esprit » d'un député de la droite qui nourrit dix articles du héros, achevant ainsi « toute sa série interrompue lors de ses débuts au journal ».

L'école de l'écriture journalistique est celle d'une drastique économie de moyens, qui valorise l'effet, et ne lésine pas sur le conditionnement du lecteur. Toute l'habileté de Duroy tient à l'art consommé par lequel il manipule la croyance de son public : « Du Roy, parfois, ajoutait quelques lignes qui rendaient plus profonde et plus puissante la portée d'une attaque. Il savait en outre l'art des sous-entendus perfides, qu'il avait appris en aiguisant des échos ; et quand un fait donné pour certain par Madeleine lui paraissait douteux ou compro-

1. *Ibid.*, I, 4, p. 102.
2. *Ibid.*, II, 4, p. 280.

mettant, il excellait à le faire deviner et à l'imposer à l'esprit avec plus de force que s'il l'eût affirmé [1]. » Les articles qu'il publie à la rédaction politique du journal font de l'écriture un acte exceptionnellement efficace : « L'attaque, toujours adroite et nourrie de faits, tantôt ironique, tantôt sérieuse, parfois plaisante, parfois virulente, frappait avec une sûreté et une continuité dont tout le monde s'étonnait [2]. » La dimension pragmatique du langage domine donc en régime journalistique ; et il est tentant de penser que cette relation d'immédiateté entre le mot et le monde constitue la représentation d'un pouvoir inédit pour l'homme de lettres.

Alors que l'exercice journalistique se définit par l'étroitesse du lien qui l'unit à l'actualité – actualité politique, mais aussi actualité de sa production et de sa réception –, l'art de la fiction tend, dans les écrits théoriques de Maupassant, à gagner en liberté. À mesure que son nom s'impose dans les journaux et dans les cercles littéraires, Maupassant élabore en effet une théorie de la création romanesque qui s'éloigne de la recherche d'une « humble vérité » (sous-titre d'*Une vie*), pour reconnaître le rôle crucial de l'illusion : « L'art consiste à user de précautions et de préparations, à ménager des transitions savantes et dissimulées, à mettre en pleine lumière, par la seule adresse de la composition, les événements essentiels et à donner à tous les autres le degré de relief qui leur convient, suivant leur importance, pour produire la sensation profonde de la vérité spéciale qu'on veut montrer [3]. »

De « l'humble vérité » à la « vérité spéciale », c'est le rôle du document et de l'observation qui se voit redéfini. D'où l'ambiguïté majeure de *Bel-*

---

1. *Ibid.*, II, 2, p. 238.
2. *Ibid.*, II, 2, p. 239.
3. « Le roman », étude publiée en préface de *Pierre et Jean*, en 1887 ; GF-Flammarion, 1992, p. 21-22.

Ami, qui décrit sous un jour unilatéralement négatif un monde journalistique qui a longtemps constitué aussi la famille de l'écrivain. Il en va de même de l'évocation du Maghreb, qui doit beaucoup aux différents voyages effectués par l'auteur dans les années 1880, tout en prenant le contre-pied radical de ses propres idées concernant la colonisation. L'intérêt majeur de l'emprunt autobiographique de *Bel-Ami* réside très précisément dans l'opération de transposition, et même de formalisation, auquel il se prête systématiquement, non sans produire un effet d'ironie. Comme Georges Duroy, Maupassant a visité l'Afrique du Nord : en 1881, il est envoyé spécial en Algérie pour *Le Gaulois*. Les « Souvenirs d'un chasseur d'Afrique » publiés par Georges Duroy dans le roman font écho à la « Lettre d'Afrique », et à la « Lettre d'un colon » envoyées au journal par Maupassant en juillet et en août 1881. Seul le titre demeure toutefois, car Maupassant prête à son héros des opinions et des comportements contre lesquels il s'élève avec virulence dans ses propres chroniques. Le romancier y dénonce en effet les iniquités du gouvernement colonisateur, s'indigne contre l'injustice du traitement infligé aux Arabes : « Les soldats [...] ont fait accepter à tout le monde [...] que l'Arabe demande à être massacré ; et on le massacre à toute occasion... on le bat comme plâtre, on le pille, on le ruine et on le force à mourir de faim. L'Arabe demande à vivre et il ne se révolte guère qu'à la dernière extrémité [1]. »

Duroy, lui, ne peut contenir un « sourire cruel et gai » quand il se remémore « [le] souvenir d'une escapade qui avait coûté la vie à trois hommes de la tribu des Ouled-Alane et qui leur avait valu, à ses camarades et à lui, vingt poules, deux moutons et de l'or, de quoi rire pendant six mois [2]. »

---

1. « Lettre d'un colon », 21 juillet 1881, voir le dossier p. 381. On se reportera à l'ensemble du chapitre 4 du dossier.
2. *Bel-Ami*, I, 1, p. 48.

L'autoportrait ironique
d'un bourgeois

Cette ambiguïté ironique s'étend à l'ensemble de
la société représentée, cette société parisienne qui
mêle affairistes, journalistes et hommes (ou
femmes) politiques. *Bel-Ami* ne relève pas de l'inspiration rurale ou vernaculaire commune à de nombreux contes ou romans de Maupassant. La Normandie, on l'a vu, n'est présente que le temps
d'une visite à Canteleu – mais l'épisode est évoqué
à travers le point de vue de Madeleine, parisienne
effarée par la rusticité des attitudes locales. L'univers décrit dans le roman correspond de beaucoup
plus près à l'environnement bourgeois côtoyé par
Maupassant dès que sa réussite le lui a permis. Et
cet environnement ne saurait se réduire au simple
exercice professionnel (la pratique journalistique),
ni même à des mœurs peu rigoureuses, traditionnellement associées à cette classe sociale – ainsi du
caractère quasiment institutionnel de l'« adultère
bourgeois ». Il y a, dans *Bel-Ami*, les éléments
nécessaires à la construction d'un portrait fort complet du goût bourgeois à la fin du XIXe siècle. Or ce
goût est aussi celui du romancier.

L'intérêt de ce portrait d'époque vient de ce qu'il
s'agit d'abord d'un autoportrait, et d'un autoportrait empreint d'une ironie très déstabilisatrice.
Ainsi, l'ensemble du territoire arpenté par les personnages, cette rive droite autour des grands boulevards et du quartier des « lorettes », est-il très familier au romancier, puisqu'il y rejoignit son père dès
son arrivée à Paris, à l'âge de vingt-trois ans. Plus
précisément, quand, au septième chapitre de la
seconde partie, Maupassant décrit la grande réception organisée chez les Walter, il se livre à une amusante parodie de ses propres goûts domestiques et
artistiques. La spectaculaire mise en lumière du
tableau pompier, *Le Christ marchant sur les flots*,
ne fait que transposer son propre désir de confort et

de visibilité. L'hôtel particulier qu'il habite rue Montchanin comprend en effet, comme celui de Walter, un jardin d'hiver orné d'une verrière peinte, une serre privée, un mobilier confortable mêlant tous les styles, et surtout une installation électrique, dans son cabinet de travail, qui faisait toute sa fierté. Edmond de Goncourt, expert en « bon goût », critique d'ailleurs le peu de discernement dont souffre cette passion de l'ameublement, et condamne ce qui n'est pour lui qu'un « mobilier de putain [1] ». Ainsi, la mise en scène du goût bourgeois pour le spectacle et la pompe se double-t-elle d'un procédé d'autodérision, qui mène Maupassant à se montrer lui-même dans son attirance pour « la montre ».

Le tableau d'une classe, désignée par un effet de mise en abyme à travers ses tableaux privilégiés, relève du même procédé. Il faut noter tout d'abord que les œuvres appréciées par la société des Walter sont loin de constituer des repoussoirs aux yeux de Maupassant lui-même : le romancier apprécie en effet à la fois les représentants de la modernité en peinture – les œuvres des impressionnistes, Monet, Manet – et les représentants d'une peinture histo-rique pompière (Meissonnier), ou d'un certain aca-démisme (Puvis de Chavannes, Alfred Roll).

Dans le roman, la soirée chez Walter constitue un point culminant pour la carrière de Georges Duroy : c'est le moment où il abandonne une femme pour une autre (prenant conscience de l'infidélité de Madeleine, il décide d'épouser la fille de Walter, Suzanne), se débarrasse d'une maî-tresse encombrante – mettant en pratique cet art de rompre sur lequel Maupassant badinait dans des chroniques journalistiques – et finit, au terme de la soirée, par obtenir la Légion d'honneur. Or le comble de ces succès réside dans l'étonnante res-semblance qui unit Duroy au Christ représenté sur

---

1. Cité par Albert-Marie Schmidt dans *Maupassant par lui-même*, Le Seuil, 1962, p. 81.

le tableau. Comme le héros du peintre pompier incarne, pour la foule réunie chez Walter, l'expression parfaitement adéquate des goûts et même des valeurs bourgeoises (un christianisme esthétisant, fort compromis par ses relations avec l'argent, et privilégiant le paraître), de même le personnage de Maupassant apparaît-il comme le type incarnant le plus synthétiquement possible le cours d'une existence dans ce milieu semi-intellectuel, relativement doué pour les affaires, qui fut aussi le sien. Il est tentant d'établir une relation d'analogie entre le rapport d'identification qui lie Duroy à la foule réunie, et celui qui unit le sujet du roman à l'expérience autobiographique de son auteur. Dans un cas comme dans l'autre – et c'est bien le fondement de cette analogie –, le rapport d'identification se double d'une très forte ironie : pas plus que Duroy ne respecte ce Christ dont il est l'image, Maupassant n'est dupe de ce jeu de pouvoir qui lui donne notoriété et aisance matérielle. L'un comme l'autre, ils utilisent avec habileté les ressorts d'un jeu social froidement analysé. En ce sens, la scène finale qui montre le triomphe de Duroy à la Madeleine, dans un mariage orné de toutes les pompes religieuses, où le héros croit voir « l'Homme-Dieu » descendu sur terre pour consacrer son triomphe, correspond aussi à l'accomplissement par l'auteur d'un programme narratif articulé autour du même impératif – celui de la carrière.

LES MARCHES DE LA GLOIRE

L'histoire de Georges Duroy dans *Bel-Ami* est celle d'une réussite accomplie en un temps record, sans un seul faux pas, ni un seul revers de fortune. Une telle linéarité dans l'itinéraire social du héros fait du roman l'illustration d'un modèle narratif traditionnel, celui du roman de formation.

Georges Duroy, jeune homme « neuf » au début du récit, subit en effet un certain nombre d'épreuves, qui vont lui assurer l'entrée dans l'univers des adultes – ou plus précisément de ceux qui sont superlativement adultes, c'est-à-dire les puissants. Le roman se concentre très exactement sur l'histoire de son ascension : les premières pages le saisissent dans une attitude de disponibilité et d'attente vis-à-vis de son destin, les dernières le montrent au sommet de sa gloire, envisageant, du parvis de la Madeleine, la porte de la Chambre des députés, de l'autre côté de la Seine. À la fin du roman, son succès est assuré, mais sa carrière n'a pas encore atteint son terme. La dynamique de réussite qui caractérise son personnage domine encore cette dernière scène. La poétique de la « tranche de vie » naturaliste – qui consiste à saisir l'existence moyenne dans un continuum se déroulant sans coups de théâtre, ni effets de conclusion artificiels – semble ici réinterprétée selon une formule plus dirigiste : il y a peu de temps morts dans la course à la gloire de Georges Duroy.

DES BAPTÊMES EN SÉRIE

Les différentes étapes de ce parcours s'organisent tout d'abord autour d'une série de baptêmes successifs. L'identité de ce personnage qui se « forme », au sens professionnel et au sens esthétique du terme, tout au long du récit, connaît différents points forts. Tout d'abord, le nom initial de Georges Duroy acquiert une existence publique dès lors qu'il accède au statut de signature d'auteur, et donc de nom lu massivement par un public anonyme. L'émoi du jeune homme avant la publication de son premier article tient à cette entrée dans la famille des noms connus, publics : « Son cœur se mit à battre ; il ouvrit la feuille, et il eut une forte émotion en lisant, au bas d'une colonne, en grosses lettres : "Georges Duroy". Ça y était ! quelle joie ! » Dès cette première publicité autour de son nom, Duroy s'empresse de démissionner de son bureau, afin de pouvoir faire imprimer de nouvelles cartes de visite qui portent sous son patronyme la mention de sa nouvelle profession.

Le second baptême dote le personnage de son nom de héros : il s'agit de ce surnom, « Bel-Ami », qui lui est très significativement donné par une enfant, la fille de Clotilde de Marelle. L'expression évoque à la fois la séduction du personnage – voué à ne réussir que par ceux, ou celles, dont il sera l'*ami* – et son statut de quasi-adolescent, très lié encore au monde de l'enfance et du plaisir de jouer.

Un troisième baptême fait entrer Duroy dans le monde des adultes ; comme par empathie avec les femmes dont il est l'éternel « bel-ami », le jeune homme change de nom en se mariant. C'est en effet sur l'instance de son épouse, Madeleine, que Georges Duroy devient Georges du Roy du Cantel. L'ajout d'une particule coïncide ainsi, non sans ironie, avec cette alliance conjugale : épouser Madeleine, c'est monter d'un cran dans la société. L'apport de cette union ne s'arrête pas là – tant il est vrai qu'un couple d'ambitieux progresse plus vite encore qu'un carriériste célibataire. Le détournement d'héritage auquel procède Duroy, qui s'approprie jusqu'à la fortune des anciens amants de sa femme, lui procure à la fois la richesse et un nouveau titre. Au sortir de l'étude notariée, le journaliste entraîne Madeleine chez un bijoutier, lui offre un bracelet, et choisit pour lui un chronomètre qu'il fait graver de ses initiales, « enlacées au-dessous d'une couronne de baron ». Duroy, comme le symbolise l'achat de ce chronomètre, ne perd pas de temps : « Maintenant qu'il avait des rentes, il lui fallait un titre, c'était juste [1]. » Symétriquement, la rupture avec sa femme lui ouvre encore de nouvelles perspectives de carrière. Duroy surprend en effet Madeleine en flagrant délit d'adultère avec le ministre Laroche-Mathieu ; la publication d'un article dénonçant ce scandale débarrasse le jeune

---

1. *Bel-Ami*, II, 6, p. 313.

homme d'une femme dont il a épuisé tous les atouts, et lui permet de renverser un ministère, donc d'envisager un avenir politique.

L'ÉPREUVE DE LA MORT

À cette réussite sans faute du héros, répond, sur le plan romanesque, une exceptionnelle concentration des moyens. La mise en scène de la carrière du héros dicte sa loi à l'organisation du récit, qu'il s'agisse de la répartition des épisodes, ou du rôle structurant d'un certain nombre de motifs romanesques. Les différentes étapes menant Duroy à son triomphe ménagent ainsi, dans les derniers chapitres de la première partie, trois rencontres avec la mort, qui relancent en quelque sorte la dynamique ascensionnelle et conquérante de son itinéraire.

Il s'agit d'abord du sombre discours auquel se livre Norbert de Varenne, en sortant d'un dîner chez Forestier (I, 6). Le pessimisme absolu du poète renvoie un écho très familier aux lecteurs de Maupassant, qu'il s'agisse de ses contes ou des chroniques journalistiques : « Il arrive un jour, voyez-vous, et il arrive de bonne heure pour beaucoup, où c'est fini de rire, comme on dit, parce que derrière tout ce qu'on regarde c'est la mort qu'on aperçoit [1]. » Là encore, l'ironie intervient pour éloigner de telles pensées, qui menaceraient, à terme, la poursuite de la carrière rectiligne du héros ; aussi Duroy s'empresse-t-il de balayer ces idées noires, d'une boutade prononcée pour lui seul : « Bigre, ça ne doit pas être gai, chez lui. Je ne voudrais pas un fauteuil de balcon pour assister au défilé de ses idées, nom d'un chien. » Et joignant le geste à la parole, le jeune homme s'empresse de concentrer son attention sur un défilé plus riant, celui des femmes parfumées, puis des riches cavaliers de l'Étoile.

---

1. *Bel-Ami*, I, 6, p. 162.

Au chapitre suivant, la mort s'impose de nouveau à Duroy. Le journaliste est en effet provoqué
en duel, et connaît les affres de l'angoisse qui saisissent si souvent les héros de Maupassant. La nuit
qui précède cette épreuve présente des ressem-
blances frappantes avec certains contes d'inspiration fantastique. En fin de compte, la réussite de
cette épreuve apporte au héros un double bénéfice :
non seulement il sort vivant de l'affrontement, mais
en outre, il en retire un surplus de notoriété et de
charisme.

Enfin, la mort reparaît plus loin sous les traits de
Charles Forestier, qui s'éteint sous les yeux de
Duroy, et paye donc sa réussite par l'usure et
l'épuisement de ses forces vitales. Mais voir la
mort, pour le jeune ambitieux, c'est encore rem-
porter une manche : Madeleine Forestier accepte
de le prendre pour époux après cet épisode, qui a
fait la preuve de son feint dévouement. Le couple
d'ambitieux s'attarde peu aux considérations méta-
physiques : « Ils s'assirent en face l'un de l'autre
pour déjeuner avec une envie éveillée de parler de
choses consolantes, plus gaies, de rentrer dans la
vie, puisqu'ils en avaient fini avec la mort [1]. »

LES DEGRÉS DE LA RÉUSSITE

Ce n'est pas seulement à titre anecdotique, ou
pour reprendre un stéréotype galvaudé, que nous
évoquions les « marches de la gloire » gravies par
le héros. Décidant de consacrer son roman à la carrière d'un jeune ambitieux, Maupassant sature son
texte de l'évocation des escaliers qui jalonnent son
parcours. Retenons-en quelques-uns : au premier
chapitre, Duroy suit Walter dans les locaux de *La
Vie française*, et gravit avec lui les marches d'un
« escalier luxueux et sale que toute la rue

1. *Bel-Ami*, I, 8, p. 208.

voyait [1] » ; ce même escalier est désigné plus loin comme « escalier-réclame ».

Au second chapitre, Georges Duroy monte seul l'escalier qui mène chez Forestier, où il est attendu pour son premier dîner dans le monde. Cet épisode est resté célèbre, en raison de l'usage tout à fait saisissant du miroir qui orne chaque palier de cet immeuble bourgeois. Duroy rencontre en effet son image dans le miroir du premier palier gravi, sans se reconnaître tout d'abord : « Il montait lentement les marches, le cœur battant, l'esprit anxieux, harcelé surtout par la crainte d'être ridicule ; et, soudain, il aperçut en face de lui un monsieur en grande toilette qui le regardait. Ils se trouvaient si près l'un de l'autre que Duroy fit un mouvement en arrière, puis il demeura stupéfait : c'était lui-même, reflété par une haute glace en pied qui formait sur le palier du premier une longue perspective de galerie [2]. » La montée des marches s'apparente donc bien à une métamorphose ; le héros y gravit le premier échelon de l'ascension sociale. La descente de cet escalier en apporte d'ailleurs la confirmation, à la fin de ce même chapitre. La première des épreuves à laquelle s'est soumis le héros – celle du « déguisement » en homme du monde, à l'aide d'un costume chichement loué, et d'une conversation qui se modèle sur celle des autres convives – se voit franchie avec succès, et l'escalier en est la pierre de touche : « Quand il se retrouva dans l'escalier, il eut envie de descendre en courant, tant sa joie était véhémente, et il s'élança, enjambant les marches deux par deux [3]. »

Au chapitre suivant, Duroy se voit rappelé à son état de petit employé par la seule nécessité de monter l'escalier sordide qui mène à sa chambre, au cinquième étage d'une maison populaire : « [...] Il éprouva, en montant l'escalier, dont il

---

1. *Bel-Ami*, I, 1, p. 52.
2. *Bel-Ami*, I, 2, p. 61.
3. *Bel-Ami*, I, 2, p. 74.

éclairait avec des allumettes-bougies les marches sales où traînaient des bouts de papiers, des bouts de cigarettes, des épluchures de cuisine, une écœurante sensation de dégoût et une hâte de sortir de là, de loger comme les hommes riches, en des demeures propres, avec des tapis [1]. » Quelques épisodes plus tard, ce même escalier, chargé d'une « odeur lourde de nourriture, de fosse d'aisances et d'humanité », incitera Clotilde de Marelle, devenue l'amante de Duroy, à louer un garni. Et ce lieu de rendez-vous, plus sûr et moins compromettant que la maison de la rue Boursault, aura pour principal avantage de se trouver au rez-de-chaussée, comme le souligne Clotilde : « Est-ce gentil, dis, est-ce gentil ? Et pas à monter, c'est sur la rue, au rez-de-chaussée ! On peut entrer et sortir par la fenêtre sans que le concierge vous voie [2]. »

L'escalier incarne avec efficacité les hauts et les bas de la vie : c'est bien ce que semble suggérer l'un des tableaux de Walter, intitulé précisément *Le Haut et le bas*, qui montre « une jolie parisienne montant l'escalier d'un tramway en marche ». C'est surtout ce que théorise avec une certaine emphase le poète Norbert de Varenne, au cours de la conversation évoquée plus haut : « La vie est une côte. Tant qu'on monte, on regarde le sommet, et on se sent heureux ; mais, lorsqu'on arrive en haut, on aperçoit tout d'un coup la descente, et la fin, qui est la mort. Ça va lentement quand on monte, mais ça va vite quand on descend [3]. »

Dans les montées et les descentes se jouent donc la réussite et l'échec des personnages : Duroy croise, en sortant de chez Madeleine qui n'est pas encore sa femme, le comte de Vaudrec, qui mourra avant lui, et dont il détournera l'héritage. Et, le jour même où Duroy parvient à accaparer la moitié de la fortune léguée par le défunt, le récit le saisit une

---

1. *Bel-Ami*, I, 3, p. 75.
2. *Bel-Ami*, I, 5, p. 125.
3. *Bel-Ami*, I, 6, p. 161.

fois encore dans ce même escalier. Le jeune homme en gravit les marches à la lueur d'une bougie, accompagné cette fois de son épouse, Madeleine. Le reflet à la fois triomphal et effrayant que leur renvoie le miroir du premier palier avalise le franchissement d'une nouvelle étape dans l'ascension sociale du héros – celle de la richesse : « En arrivant sur le palier du premier étage, la flamme subite éclatant sous le frottement fit surgir dans la glace leurs deux figures illuminées au milieu des ténèbres de l'escalier. Ils avaient l'air de fantômes apparus et prêts à s'évanouir dans la nuit. Duroy leva la main pour bien éclairer leurs images, et il dit, avec un rire de triomphe : — Voilà des millionnaires qui passent. »

L'escalier vaut donc à la fois comme métaphore des hiérarchies sociales – le nouvel hôtel Walter dispose ainsi d'un « escalier monumental » dont la rampe est « une merveille de fer forgé » – et comme lieu où se noue et se dénoue l'intrigue. Il réunit dans un même motif romanesque la représentation d'une échelle de valeur et celle de l'itinéraire qui permet de la parcourir. Pensons par exemple aux moments de doute de Duroy, qui se demande « par quelle voie il escaladerait les hauteurs où l'on trouve la considération, la puissance et l'argent ».

Aussi ce motif romanesque illustre-t-il l'efficacité d'un récit qui ne s'attarde jamais en vain sur les objets décrits. Il en va de l'escalier, accessoire majeur de la réussite sociale, comme du miroir, qui reparaît à intervalles réguliers pour faire le point sur l'évolution physique ou morale des protagonistes, ou des fenêtres, qui sanctionnent la relation des personnages à l'univers environnant. À la cohésion d'un monde où domine la soif de pouvoir, répond donc une poétique romanesque pour laquelle l'évocation du détail renvoie toujours à la totalité de la représentation. L'extrême vitesse à laquelle Duroy parcourt les étapes de sa carrière n'a d'autre égale que ce rythme haletant imposé par

Maupassant à son lecteur, rapidement gagné à son tour par la frénésie de plaisirs et de pouvoir – plaisir et pouvoir d'un récit qui jamais, avant la dernière page, ne le laisse sur sa faim.

Adeline WRONA.

Bel-Ami

PREMIÈRE PARTIE

I

Quand la caissière lui eut rendu la monnaie de sa pièce de cent sous, Georges Duroy sortit du restaurant.

Comme il portait beau, par nature et par pose d'ancien sous-officier, il cambra sa taille, frisa sa moustache d'un geste militaire et familier, et jeta sur les dîneurs attardés un regard rapide et circulaire, un de ces regards de joli garçon qui s'étendent comme des coups d'épervier.

Les femmes avaient levé la tête vers lui, trois petites ouvrières, une maîtresse de musique entre deux âges, 10 mal peignée, négligée, coiffée d'un chapeau toujours poussiéreux et vêtue toujours d'une robe de travers, et deux bourgeoises avec leurs maris, habituées de cette gargote à prix fixe.

Lorsqu'il fut sur le trottoir, il demeura un instant immobile, se demandant ce qu'il allait faire. On était au 28 juin, et il lui restait juste en poche trois francs quarante pour finir le mois. Cela représentait deux dîners sans déjeuners, ou deux déjeuners sans dîners, au choix. Il réfléchit que les repas du matin étant de vingt-deux 20 sous, au lieu de trente que coûtaient ceux du soir, il lui resterait, en se contentant des déjeuners, un franc vingt centimes de boni [1], ce qui représentait encore deux collations au pain et au saucisson, plus deux bocks [2] sur le boulevard. C'était là sa grande dépense et son grand

---

1. *Boni* : excédent d'une somme affectée à une dépense sur la somme effectivement dépensée.
2. Le bock est un verre de bière d'une capacité d'environ un quart de litre.

plaisir des nuits, et il se mit à descendre la rue Notre-Dame-de-Lorette [1].

Il marchait ainsi qu'au temps où il portait l'uniforme des hussards, la poitrine bombée, les jambes un peu
30 entr'ouvertes comme s'il venait de descendre de cheval ; et il avançait brutalement dans la rue pleine de monde, heurtant les épaules, poussant les gens pour ne point se déranger de sa route. Il inclinait légèrement sur l'oreille son chapeau à haute forme assez défraîchi, et battait le pavé de son talon. Il avait l'air de toujours défier quelqu'un, les passants, les maisons, la ville entière, par chic de beau soldat tombé dans le civil.

Quoique habillé d'un complet de soixante francs, il gardait une certaine élégance tapageuse, un peu commune,
40 réelle cependant. Grand, bien fait, blond, d'un blond châtain vaguement roussi, avec une moustache retroussée, qui semblait mousser sur sa lèvre, des yeux bleus, clairs, troués d'une pupille toute petite, des cheveux frisés naturellement, séparés par une raie au milieu du crâne, il ressemblait bien au mauvais sujet des romans populaires.

C'était une de ces soirées d'été où l'air manque dans Paris. La ville, chaude comme une étuve, paraissait suer dans la nuit étouffante. Les égouts soufflaient par leurs bouches de granit leurs haleines empestées, et les cuisines
50 souterraines jetaient à la rue, par leurs fenêtres basses, les miasmes infâmes des eaux de vaisselle et des vieilles sauces.

Les concierges, en manches de chemise, à cheval sur des chaises en paille, fumaient la pipe sous les portes cochères, et les passants allaient d'un pas accablé, le front nu, le chapeau à la main.

Quand Georges Duroy parvint au boulevard, il s'arrêta encore, indécis sur ce qu'il allait faire. Il avait envie maintenant de gagner les Champs-Élysées et l'avenue du Bois

---

1. Le boulevard (c'est-à-dire le boulevard des Italiens, qui va du boulevard Montmartre à la Chaussée d'Antin), ainsi que le quartier Notre-Dame-de-Lorette, sont les nouveaux lieux du pouvoir dans la deuxième moitié du XIXe siècle. Après le règne de la rive gauche sous l'Ancien Régime, la Restauration et la monarchie de Juillet, la rive droite l'emporte à partir du Second Empire, avec le développement de la grande banque et des journaux à gros tirages.

de Boulogne pour trouver un peu d'air frais sous les 60
arbres ; mais un désir aussi le travaillait, celui d'une rencontre amoureuse.

Comment se présenterait-elle ? Il n'en savait rien, mais
il l'attendait depuis trois mois, tous les jours, tous les
soirs. Quelquefois cependant, grâce à sa belle mine et à sa
tournure galante, il volait, par-ci par-là, un peu d'amour,
mais il espérait toujours plus et mieux.

La poche vide et le sang bouillant, il s'allumait au
contact des rôdeuses qui murmurent à l'angle des rues
« Venez-vous chez moi, joli garçon ? », mais il n'osait les 70
suivre, ne les pouvant payer ; et il attendait aussi autre
chose, d'autres baisers, moins vulgaires.

Il aimait cependant les lieux où grouillent les filles
publiques, leurs bals, leurs cafés, leurs rues ; il aimait les
coudoyer, leur parler, les tutoyer, flairer leurs parfums violents, se sentir près d'elles. C'étaient des femmes enfin,
des femmes d'amour. Il ne les méprisait point du mépris
inné des hommes de famille.

Il tourna vers la Madeleine et suivit le flot de foule qui
coulait accablé par la chaleur. Les grands cafés, pleins de 80
monde, débordaient sur le trottoir, étalant leur public de
buveurs sous la lumière éclatante et crue de leur devanture
illuminée. Devant eux, sur de petites tables carrées ou
rondes, les verres contenaient des liquides rouges, jaunes,
verts, bruns, de toutes les nuances ; et dans l'intérieur des
carafes on voyait briller les gros cylindres transparents de
glace qui refroidissaient la belle eau claire.

Duroy avait ralenti sa marche et l'envie de boire lui
séchait la gorge.

Une soif chaude, une soif de soir d'été le tenait, et il 90
pensait à la sensation délicieuse des boissons froides cou-
lant dans la bouche. Mais s'il buvait seulement deux bocks
dans la soirée, adieu le maigre souper du lendemain, et il
les connaissait trop les heures affamées de la fin du mois.

Il se dit : « Il faut que je gagne dix heures, et je prendrai
mon bock à l'Américain. Nom d'un chien ! que j'ai soif
tout de même ! » Et il regardait tous ces hommes attablés
et buvant, tous ces hommes qui pouvaient se désaltérer
tant qu'il leur plaisait. Il allait, passant devant les cafés
d'un air crâne et gaillard, et il jugeait d'un coup d'œil, à la 100

mine, à l'habit, ce que chaque consommateur devait porter d'argent sur lui. Et une colère l'envahissait contre ces gens assis et tranquilles. En fouillant leurs poches, on trouverait de l'or, de la monnaie blanche et des sous. En moyenne, chacun devait avoir au moins deux louis ; ils étaient bien une centaine au café ; cent fois deux louis font quatre mille francs ! Il murmurait : « Les cochons ! » tout en se dandinant avec grâce. S'il avait pu en tenir un au coin d'une rue, dans l'ombre bien noire, il lui aurait tordu le
110   cou, ma foi, sans scrupule, comme il faisait aux volailles des paysans, aux jours de grandes manœuvres.

Et il se rappelait ses deux années d'Afrique, la façon dont il rançonnait les Arabes dans les petits postes du Sud. Et un sourire cruel et gai passa sur ses lèvres au souvenir d'une escapade qui avait coûté la vie à trois hommes de la tribu des Ouled-Alane et qui leur avait valu, à ses camarades et à lui, vingt poules, deux moutons et de l'or, et de quoi rire pendant six mois.

On n'avait jamais trouvé les coupables, qu'on n'avait
120   guère cherchés d'ailleurs, l'Arabe étant un peu considéré comme la proie naturelle du soldat [1].

À Paris, c'était autre chose. On ne pouvait pas marauder gentiment, sabre au côté et revolver au poing, loin de la justice civile, en liberté. Il se sentait au cœur tous les instincts du sous-off lâché en pays conquis. Certes, il les regrettait, ses deux années de désert. Quel dommage de n'être pas resté là-bas ! Mais voilà, il avait espéré mieux en revenant. Et maintenant !… Ah oui, c'était du propre, maintenant !

Il faisait aller sa langue dans sa bouche, avec un petit
130   claquement, comme pour constater la sécheresse de son palais.

La foule glissait autour de lui, exténuée et lente, et il pensait toujours : « Tas de brutes ; tous ces imbéciles-là ont des sous dans leur gilet. » Il bousculait les gens de

---

1. C'est la première allusion à la question coloniale, qui transpose l'expérience vécue par Maupassant lui-même, lors de son séjour en Algérie comme envoyé spécial du *Gaulois*. Il en revient révolté par l'attitude des colons français : « Ici, on s'accoutume à l'injustice, tant on vit dans l'injustice ; mais je défie un Français quelconque de ne pas s'indigner véhémentement s'il passe, comme je viens de le faire, vingt jours sous la tente. »

l'épaule, et sifflotait des airs joyeux. Des messieurs heurtés se retournaient en grognant ; des femmes prononçaient : « En voilà un animal ! »

Il passa devant le Vaudeville, et s'arrêta en face du Café Américain, se demandant s'il n'allait pas prendre son bock, tant la soif le torturait. Avant de se décider, il regarda 140 l'heure aux horloges lumineuses, au milieu de la chaussée. Il était neuf heures un quart. Il se connaissait : dès que le verre plein de bière serait devant lui, il l'avalerait. Que ferait-il ensuite, jusqu'à onze heures ?

Il passa. « J'irai jusqu'à la Madeleine, se dit-il, et je reviendrai tout doucement. »

Comme il arrivait au coin de la place de l'Opéra, il croisa un gros jeune homme, dont il se rappela vaguement avoir vu la tête quelque part.

Il se mit à le suivre, en cherchant dans ses souvenirs, et 150 répétant à mi-voix : « Où diable ai-je connu ce particulier-là ? »

Il fouillait dans sa pensée sans parvenir à se le rappeler ; puis, tout d'un coup, par un singulier phénomène de mémoire, le même homme lui apparut, moins gros, plus jeune, vêtu d'un uniforme de hussard. Il s'écria tout haut : « Tiens, Forestier » et, allongeant le pas, il alla frapper sur l'épaule du marcheur. L'autre se retourna, le regarda, puis dit : – Qu'est-ce que vous me voulez, Monsieur ?

Duroy se mit à rire : – Tu ne me reconnais pas ?   160

– Non.

– Georges Duroy du Sixième hussards.

Forestier tendit les deux mains : – Ah ! mon vieux ! comment vas-tu ?

– Très bien et toi ?

– Oh ! moi, pas trop ; figure-toi que j'ai une poitrine de papier mâché maintenant ; je tousse six mois sur douze, à la suite d'une bronchite que j'ai attrapée à Bougival [1], l'année de mon retour à Paris, voici quatre ans, mainte-nant.   170

---

1. Cette petite ville des Yvelines, sur les bords de Seine, est un lieu de villégiature très recherché des Parisiens au XIXᵉ siècle. Les peintres Corot et Renoir y ont séjourné. Maupassant lui-même y a souvent pratiqué le canotage.

– Tiens ! tu as l'air solide, pourtant.

Et Forestier, prenant le bras de son ancien camarade, lui parla de sa maladie, lui raconta les consultations, les opinions et les conseils des médecins, la difficulté de suivre leurs avis dans sa position. On lui ordonnait de passer l'hiver dans le Midi ; mais le pouvait-il ? Il était marié et journaliste, dans une belle situation.

– Je dirige la politique à *La Vie française*. Je fais le Sénat au *Salut*, et, de temps en temps, des chroniques lit-
180   téraires pour *La Planète*. Voilà. J'ai fait mon chemin.

Duroy, surpris, le regardait. Il était bien changé, bien mûri. Il avait maintenant une allure, une tenue, un costume d'homme posé, sûr de lui, et un ventre d'homme qui dîne bien. Autrefois il était maigre, mince et souple, étourdi, casseur d'assiettes, tapageur et toujours en train. En trois ans, Paris en avait fait quelqu'un de tout autre, de gros et de sérieux, avec quelques cheveux blancs sur les tempes, bien qu'il n'eût pas plus de vingt-sept ans.

Forestier demanda : – Où vas-tu ?

190   Duroy répondit : – Nulle part, je fais un tour avant de rentrer.

– Eh bien, veux-tu m'accompagner à *La Vie française*, où j'ai des épreuves à corriger ; puis nous irons prendre un bock ensemble ?

– Je te suis.

Et ils se mirent à marcher en se tenant par le bras, avec cette familiarité facile qui subsiste entre compagnons d'école et entre camarades de régiment.

– Qu'est-ce que tu fais à Paris ? dit Forestier.

200   Duroy haussa les épaules : – Je crève de faim, tout simplement. Une fois mon temps fini, j'ai voulu venir ici pour… pour faire fortune ou plutôt pour vivre à Paris ; et voilà six mois que je suis employé aux bureaux du chemin de fer du Nord, à quinze cents francs par an, rien de plus [1].

---

1. Maupassant a connu la condition difficile des employés, au ministère de la Marine, puis à l'Instruction publique. Devenu célèbre, il consacre plusieurs chroniques journalistiques à la misère de ces petits fonctionnaires : « Oh ! il y a bien des cœurs froissés dans ces vastes usines à papier noirci, et des cœurs tristes, et de grandes misères, et de pauvres gens, instruits, capables, qui auraient pu être quelqu'un, et qui ne seront jamais rien. »

Forestier murmura : – Bigre, ça n'est pas gras.

– Je te crois. Mais comment veux-tu que je m'en tire ? Je suis seul, je ne connais personne, je ne peux me recommander de personne. Ce n'est pas la bonne volonté qui me manque, mais les moyens.

Son camarade le regarda des pieds à la tête, en homme 210 pratique, qui juge un sujet, puis il prononça d'un ton convaincu : – Vois-tu, mon petit, tout dépend de l'aplomb, ici. Un homme un peu malin devient plus facilement ministre que chef de bureau. Il faut s'imposer et non pas demander. Mais comment diable n'as-tu pas trouvé mieux qu'une place d'employé au Nord ?

Duroy reprit : – J'ai cherché partout, je n'ai rien découvert. Mais j'ai quelque chose en vue en ce moment, on m'offre d'entrer comme écuyer au manège Pellerin. Là, j'aurai, au bas mot, trois mille francs. 220

Forestier s'arrêta net : – Ne fais pas ça, c'est stupide, quand tu devrais gagner dix mille francs. Tu te fermes l'avenir du coup. Dans ton bureau, au moins tu es caché, personne ne te connaît, tu peux en sortir si tu es fort, et faire ton chemin. Mais, une fois écuyer, c'est fini. C'est comme si tu étais maître d'hôtel dans une maison où Tout-Paris va dîner. Quand tu auras donné des leçons d'équitation aux hommes du monde ou à leurs fils, ils ne pourront plus s'accoutumer à te considérer comme leur égal.

Il se tut, réfléchit quelques secondes, puis demanda : 230

– Es-tu bachelier ?

– Non. J'ai échoué deux fois.

– Ça ne fait rien, du moment que tu as poussé tes études jusqu'au bout. Si on parle de Cicéron ou de Tibère, tu sais à peu près ce que c'est ?

– Oui, à peu près.

– Bon, personne n'en sait davantage, à l'exception d'une vingtaine d'imbéciles qui ne sont pas fichus de se tirer d'affaire. Ça n'est pas difficile de passer pour fort, va ; le tout est de ne pas se faire pincer en flagrant délit 240 d'ignorance. On manœuvre, on esquive la difficulté, on tourne l'obstacle, et on colle les autres au moyen d'un dictionnaire. Tous les hommes sont bêtes comme des oies et ignorants comme des carpes.

Il parlait en gaillard tranquille qui connaît la vie, et il souriait en regardant passer la foule. Mais tout d'un coup il se mit à tousser, et s'arrêta pour laisser finir la quinte, puis, d'un ton découragé : – Est-ce pas assommant de ne pouvoir se débarrasser de cette bronchite ? Et nous
250 sommes en plein été. Oh ! cet hiver, j'irai me guérir à Menton. Tant pis, ma foi, la santé avant tout.

Ils arrivèrent au boulevard Poissonnière, devant une grande porte vitrée, derrière laquelle un journal ouvert était collé sur les deux faces. Trois personnes arrêtées le lisaient.

Au-dessus de la porte s'étalait, comme un appel, en grandes lettres de feu dessinées par des flammes de gaz : *La Vie française*. Et les promeneurs, passant brusquement dans la clarté que jetaient ces trois mots éclatants, appa-
260 raissaient tout à coup en pleine lumière, visibles, clairs et nets comme au milieu du jour, puis rentraient aussitôt dans l'ombre.

Forestier poussa cette porte : – Entre, dit-il. Duroy entra, monta un escalier luxueux et sale que toute la rue voyait, parvint dans une antichambre, dont les deux garçons de bureau saluèrent son camarade, puis s'arrêta dans une sorte de salon d'attente, poussiéreux et fripé, tendu de faux velours d'un vert pisseux, criblé de taches et rongé par endroits, comme si des souris l'eussent grignoté.
270 – Assieds-toi, dit Forestier, je reviens dans cinq minutes.

Et il disparut par une des trois sorties qui donnaient dans ce cabinet.

Une odeur étrange, particulière, inexprimable, l'odeur des salles de rédaction, flottait dans ce lieu. Duroy demeurait immobile, un peu intimidé, surpris surtout. De temps en temps, des hommes passaient devant lui, en courant, entrés par une porte et partis par l'autre avant qu'il eût le temps de les regarder.
280 C'étaient tantôt des jeunes gens, très jeunes, l'air affairé, et tenant à la main une feuille de papier qui palpitait au vent de leur course ; tantôt des ouvriers compositeurs, dont la blouse de toile tachée d'encre laissait voir un col de chemise bien blanc et un pantalon de drap pareil à celui des gens du monde ; et ils portaient avec précaution

des bandes de papier imprimé, des épreuves fraîches, tout humides. Quelquefois un petit monsieur entrait, vêtu avec une élégance trop apparente, la taille trop serrée dans la redingote, la jambe trop moulée sous l'étoffe, le pied étreint dans un soulier trop pointu, quelque reporter mon- 290 dain apportant les échos de la soirée.

D'autres encore arrivaient, graves, importants, coiffés de hauts chapeaux à bords plats, comme si cette forme les eût distingués du reste des hommes.

Forestier reparut tenant par le bras un grand garçon maigre, de trente à quarante ans, en habit noir et en cravate blanche, très brun, la moustache roulée en pointes aiguës, et qui avait l'air insolent et content de lui.

Forestier lui dit : – Adieu, cher maître.

L'autre lui serra la main : – Au revoir, mon cher, – et il 300 descendit l'escalier en sifflotant, la canne sous le bras.

Duroy demanda : – Qui est-ce ?

– C'est Jacques Rival, tu sais, le fameux chroniqueur, le duelliste. Il vient de corriger ses épreuves. Garin, Montel, et lui sont les trois premiers chroniqueurs d'esprit et d'actualité que nous ayons à Paris. Il gagne ici trente mille francs par an pour deux articles par semaine.

Et comme ils s'en allaient, ils rencontrèrent un petit homme à longs cheveux, gros, d'aspect malpropre, qui montait les marches en soufflant. 310

Forestier salua très bas : – Norbert de Varenne, dit-il, le poète, l'auteur des *Soleils morts*, encore un homme dans les grands prix. Chaque conte qu'il nous donne coûte trois cents francs, et les plus longs n'ont pas deux cents lignes. Mais entrons au Napolitain, je commence à crever de soif.

Dès qu'ils furent assis devant la table du café, Forestier cria : « Deux bocks », et il avala le sien d'un seul trait, tandis que Duroy buvait la bière à lentes gorgées, la savou-rant et la dégustant, comme une chose précieuse et rare.

Son compagnon se taisait, semblait réfléchir, puis tout à 320 coup : – Pourquoi n'essaierais-tu pas du journalisme ?

L'autre, surpris, le regarda ; puis il dit : – Mais… c'est que… je n'ai jamais rien écrit.

– Bah ! on essaie, on commence. Moi, je pourrais t'employer à aller chercher des renseignements, à faire des démarches et des visites. Tu aurais, au début, deux cent

cinquante francs et tes voitures payées. Veux-tu que j'en
parle au directeur ?

– Mais certainement que je veux bien,

330   – Alors, fais une chose, viens dîner chez moi demain ;
j'ai cinq ou six personnes seulement ; le patron,
M. Walter, sa femme, Jacques Rival et Norbert de
Varenne, que tu viens de voir, plus une amie de
Mme Forestier. Est-ce entendu ?

Duroy hésitait, rougissant, perplexe. Il murmura enfin :

– C'est que… je n'ai pas de tenue convenable.

Forestier fut stupéfait : – Tu n'as pas d'habit ? Bigre !
en voilà une chose indispensable pourtant. À Paris, vois-
tu, il vaudrait mieux n'avoir pas de lit que pas d'habit.

340   Puis tout à coup, fouillant dans la poche de son gilet, il
en tira une pincée d'or, prit deux louis, les posa devant son
ancien camarade, et, d'un ton cordial et familier : – Tu me
rendras ça quand tu pourras. Loue ou achète au mois, en
donnant un acompte, les vêtements qu'il te faut ; enfin
arrange-toi, mais viens dîner à la maison, demain, sept
heures et demie, dix-sept, rue Fontaine.

Duroy, troublé, ramassait l'argent en balbutiant : – Tu
es trop aimable, je te remercie bien, sois certain que je
n'oublierai pas…

350   L'autre l'interrompit : – Allons, c'est bon. Encore un
bock, n'est-ce pas ? Et il cria : Garçon, deux bocks !

Puis, quand ils les eurent bus, le journaliste demanda :

– Veux-tu flâner un peu, pendant une heure ?

– Mais certainement.

Et ils se remirent en marche vers la Madeleine.

– Qu'est-ce que nous ferions bien ? demanda Forestier.
On prétend qu'à Paris un flâneur peut toujours s'occuper ;
ça n'est pas vrai. Moi, quand je veux flâner, le soir, je ne
sais jamais où aller. Un tour au bois n'est amusant qu'avec

360   une femme – et on n'en a pas toujours une sous la main ;
les cafés-concerts peuvent distraire mon pharmacien et
son épouse, mais pas moi. Alors, quoi faire ? Rien. Il
devrait y avoir ici un jardin d'été comme le parc Monceau,
ouvert la nuit, où on entendrait de la très bonne musique
en buvant des choses fraîches sous les arbres. Ce ne serait
pas un lieu de plaisir, mais un lieu de flâne ; et on paierait
cher pour entrer, afin d'attirer les jolies dames. On pourrait

marcher dans les allées bien sablées, éclairées à la lumière électrique, et s'asseoir quand on voudrait pour écouter la musique de près ou de loin. Nous avons eu à peu près ça 370 autrefois chez Musard, mais avec un goût de bastringue et trop d'airs de danse, pas assez d'étendue, pas assez d'ombre, pas assez de sombre. Il faudrait un très beau jardin, très vaste. Ce serait charmant. Où veux-tu aller ?

Duroy, perplexe, ne savait que dire ; enfin, il se décida :

– Je ne connais pas les Folies-Bergère. J'y ferais volontiers un tour.

Son compagnon s'écria : – Les Folies-Bergère, bigre ! nous y cuirons comme dans une rôtissoire. Enfin, soit, c'est toujours drôle. 380

Et ils pivotèrent sur leurs talons pour gagner la rue du Faubourg-Montmartre.

La façade illuminée de l'établissement jetait une grande lueur dans les quatre rues qui se joignent devant elle. Une file de fiacres attendait la sortie.

Forestier entrait, Duroy l'arrêta :

– Nous oublions de passer au guichet.

L'autre répondit d'un ton important :

– Avec moi on ne paie pas.

Quand il s'approcha du contrôle, les trois contrôleurs le 390 saluèrent. Celui du milieu lui tendit la main. Le journaliste demanda :

– Avez-vous une bonne loge ?

– Mais certainement, monsieur Forestier.

Il prit le coupon qu'on lui tendait, poussa la porte matelassée à battants garnis de cuir, et ils se trouvèrent dans la salle.

Une vapeur de tabac voilait un peu, comme un très fin brouillard, les parties lointaines, la scène et l'autre côté du théâtre. Et s'élevant sans cesse, en minces filets blan- 400 châtres, de tous les cigares et de toutes les cigarettes que fumaient tous ces gens, cette brume légère montait toujours, s'accumulait au plafond, et formait, sous le large dôme, autour du lustre, au-dessus de la galerie du premier chargée de spectateurs, un ciel ennuagé de fumée.

Dans le vaste corridor d'entrée qui mène à la promenade circulaire, où rôde la tribu parée des filles, mêlée à la foule sombre des hommes, un groupe de femmes attendait

les arrivants devant un des trois comptoirs où trônaient,
410 fardées et défraîchies, trois marchandes de boissons et
d'amour.

Les hautes glaces, derrière elles, reflétaient leurs dos et
les visages des passants.

Forestier ouvrait les groupes, avançait vite, en homme
qui a droit à la considération.

Il s'approcha d'une ouvreuse :

– La loge dix-sept ? – dit-il.

– Par ici, monsieur.

Et on les enferma dans une petite boîte en bois, décou-
420 verte, tapissée de rouge, et qui contenait quatre chaises de
même couleur, si rapprochées qu'on pouvait à peine se
glisser entre elles. Les deux amis s'assirent ; et, à droite
comme à gauche, suivant une longue ligne arrondie abou-
tissant à la scène par les deux bouts, une suite de cases
semblables contenait des gens assis également et dont on
ne voyait que la tête et la poitrine.

Sur la scène, trois jeunes hommes en maillot collant, un
grand, un moyen, un petit, faisaient, tour à tour, des exer-
cices sur un trapèze.

430 Le grand s'avançait d'abord, à pas courts et rapides, en
souriant, et saluait avec un mouvement de la main comme
pour envoyer un baiser.

On voyait, sous le maillot, se dessiner les muscles des
bras et des jambes ; il gonflait sa poitrine pour dissimuler son estomac trop saillant ; et sa figure semblait
celle d'un garçon coiffeur, car une raie soignée ouvrait
sa chevelure en deux parties égales, juste au milieu du
crâne. Il atteignait le trapèze d'un bond gracieux, et,
pendu par les mains tournait autour comme une roue
440 lancée ; ou bien, les bras roides, le corps droit, il se
tenait immobile, couché horizontalement dans le vide,
attaché seulement à la barre fixe par la force des poignets.

Puis il sautait à terre, saluait de nouveau en souriant
sous les applaudissements de l'orchestre et allait se coller
contre le décor en montrant bien, à chaque pas, la muscu-
lature de sa jambe.

Le second, moins haut, plus trapu, s'avançait à son tour et répétait le même exercice, que le dernier recommençait encore, au milieu de la faveur plus marquée du public. 450

Mais Duroy ne s'occupait guère du spectacle, et, la tête tournée, il regardait sans cesse derrière lui le grand promenoir plein d'hommes et de prostituées.

Forestier lui dit : – Remarque donc l'orchestre : rien que des bourgeois avec leurs femmes et leurs enfants, de bonnes têtes stupides qui viennent pour voir. Aux loges, des boulevardiers, quelques artistes, quelques filles de demi-choix ; et, derrière nous, le plus drôle de mélange qui soit dans Paris. Quels sont ces hommes ? Observe-les. Il y a de tout, de toutes les professions et de toutes les 460 castes, mais la crapule domine. Voici des employés, employés de banque, de magasin, de ministère, des reporters, des souteneurs, des officiers en bourgeois, des gommeux [1] en habit, qui viennent de dîner au cabaret et qui sortent de l'Opéra avant d'entrer aux Italiens, et puis encore tout un monde d'hommes suspects qui défient l'analyse. Quant aux femmes, rien qu'une marque : la soupeuse de l'Américain, la fille à un ou deux louis qui guette l'étranger de cinq louis et prévient ses habitués quand elle est libre. On les connaît toutes depuis dix ans ; on les voit 470 tous les soirs, toute l'année, aux mêmes endroits, sauf quand elles font une station hygiénique à Saint-Lazare ou à Lourcine [2].

Duroy n'écoutait plus. Une de ces femmes, s'étant accoudée à leur loge, le regardait. C'était une grosse brune à la chair blanchie par la pâte, à l'œil noir, allongé, souligné par le crayon, encadré sous des sourcils énormes et factices. Sa poitrine, trop forte, tendait la soie sombre de sa robe ; et ses lèvres peintes, rouges comme une plaie, lui

---

1. *Gommeux* : jeune homme que son élégance excessive et sa prétention rendent un peu ridicule ; le terme est dérivé de « gomme », sans doute parce que l'élégant a enduit ses vêtements de cette substance, pour les empeser. On emploie aussi l'expression « se gommer » au sens de « se pommader ». Au féminin, une gommeuse est une chanteuse de café-concert.
2. La prison pour femmes de Saint-Lazare faisait aussi office, comme l'hôpital de Lourcine (aujourd'hui Broca), de centre de soins pour les femmes atteintes de maladies vénériennes.

480 donnaient quelque chose de bestial, d'ardent, d'outré,
mais qui allumait le désir cependant.

Elle appela, d'un signe de tête, une de ses amies qui
passait, une blonde aux cheveux rouges, grasse aussi, et
elle lui dit d'une voix assez forte pour être entendue :

– Tiens, v'là un joli garçon : s'il veut de moi pour dix
louis, je ne dirai pas non.

Forestier se retourna, et, souriant, il tapa sur la cuisse de
Duroy : – C'est pour toi, ça, tu as du succès, mon cher.
Mes compliments.

490 L'ancien sous-off avait rougi ; et il tâtait, d'un mouvement machinal du doigt, les deux pièces d'or dans la
poche de son gilet.

Le rideau s'était baissé ; l'orchestre maintenant jouait
une valse.

Duroy dit : – Si nous faisions un tour dans la galerie ?

– Comme tu voudras.

Ils sortirent, et furent aussitôt entraînés dans le courant
des promeneurs. Pressés, poussés, serrés, ballottés, ils
allaient, ayant devant les yeux un peuple de chapeaux. Et
500 les filles, deux par deux, passaient dans cette foule
d'hommes, la traversaient avec facilité, glissaient entre les
coudes, entre les poitrines, entre les dos, comme si elles
eussent été bien chez elles, bien à l'aise, à la façon des
poissons dans l'eau, au milieu de ce flot de mâles.

Duroy, ravi, se laissait aller, buvait avec ivresse l'air
vicié par le tabac, par l'odeur humaine et les parfums des
drôlesses. Mais Forestier suait, soufflait, toussait.

– Allons au jardin, – dit-il.

Et, tournant à gauche, ils pénétrèrent dans une espèce de
510 jardin couvert, que deux grandes fontaines de mauvais
goût rafraîchissaient. Sous des ifs et des thuyas en caisse,
des hommes et des femmes buvaient sur des tables de zinc.

– Encore un bock ? – demanda Forestier.

– Oui, volontiers.

Ils s'assirent, en regardant passer le public.

De temps en temps, une rôdeuse s'arrêtait, puis demandait avec un sourire banal : – M'offrez-vous quelque
chose, monsieur ? Et comme Forestier répondait : – Un
verre d'eau à la fontaine –, elle s'éloignait en murmurant :
520 – Va donc, mufle !

Mais la grosse brune qui s'était appuyée tout à l'heure derrière la loge des deux camarades reparut, marchant arrogamment, le bras passé sous celui de la grosse blonde. Cela faisait vraiment une belle paire de femmes, bien assorties.

Elle sourit en apercevant Duroy, comme si leurs yeux se fussent dit déjà des choses intimes et secrètes ; et, prenant une chaise, elle s'assit tranquillement en face de lui et fit asseoir son amie, puis elle commanda d'une voix claire : – Garçon, deux grenadines ! – Forestier, surpris, 530 prononça : – Tu ne te gênes pas, toi !

Elle répondit : – C'est ton ami qui me séduit. C'est vraiment un joli garçon. Je crois qu'il me ferait faire des folies !

Duroy, intimidé, ne trouvait rien à dire. Il retroussait sa moustache frisée en souriant d'une façon niaise. Le garçon apporta les sirops que les femmes burent d'un seul trait ; puis elles se levèrent ; et la brune, avec un petit salut amical de la tête et un léger coup d'éventail sur le bras, dit à Duroy : – Merci, mon chat. Tu n'as pas la parole facile. 540

Et elles partirent en balançant leur croupe.

Alors Forestier se mit à rire : – Dis donc, mon vieux, sais-tu que tu as vraiment du succès auprès des femmes ? Il faut soigner ça. Ça peut te mener loin.

Il se tut une seconde, puis reprit, avec ce ton rêveur des gens qui pensent tout haut : – C'est encore par elles qu'on arrive le plus vite.

Et comme Duroy souriait toujours sans répondre, il demanda : – Est-ce que tu restes encore ? moi, je vais rentrer, j'en ai assez. 550

L'autre murmura : – Oui, je reste encore un peu. Il n'est pas tard.

Forestier se leva : – Eh bien, adieu, alors. À demain. N'oublie pas ? dix-sept, rue Fontaine, sept heures et demie.

– C'est entendu ; à demain. Merci.

Ils se serrèrent la main, et le journaliste s'éloigna.

Dès qu'il eut disparu, Duroy se sentit libre, et de nouveau il tâta joyeusement les deux pièces d'or dans sa poche ; puis, se levant, il se mit à parcourir la foule qu'il 560 fouillait de l'œil.

Il les aperçut bientôt, les deux femmes, la blonde et la brune, qui voyageaient toujours de leur allure fière de mendiantes, à travers la cohue des hommes.

Il alla droit sur elles, et, quand il fut tout près, il n'osa plus.

La brune lui dit : – As-tu retrouvé ta langue ?

Il balbutia : « Parbleu », sans parvenir à prononcer autre chose que cette parole.

570 Ils restaient debout tous les trois, arrêtés, arrêtant le mouvement du promenoir, formant un remous autour d'eux.

Alors tout à coup elle demanda : – Viens-tu chez moi ?

Et lui, frémissant de convoitise, répondit brutalement : – Oui, mais je n'ai qu'un louis dans ma poche.

Elle sourit avec indifférence : – Ça ne fait rien.

Et elle prit son bras en signe de possession.

Comme ils sortaient, il songeait qu'avec les autres vingt francs il pourrait facilement se procurer, en location, un 580 costume de soirée pour le lendemain.

II

– Monsieur Forestier, s'il vous plaît ?

– Au troisième, la porte à gauche.

Le concierge avait répondu cela d'une voix aimable où apparaissait une considération pour son locataire. Et Georges Duroy monta l'escalier.

Il était un peu gêné, intimidé, mal à l'aise. Il portait un habit pour la première fois de sa vie, et l'ensemble de sa toilette l'inquiétait. Il la sentait défectueuse en tout, par les bottines non vernies, mais assez fines cependant, car il avait la coquetterie du pied, par la chemise de quatre 10 francs cinquante achetée le matin même au Louvre, et dont le plastron trop mince se cassait déjà. Ses autres chemises, celles de tous les jours, ayant des avaries plus ou moins graves, il n'avait pu utiliser même la moins abîmée.

Son pantalon, un peu trop large, dessinait mal la jambe, semblait s'enrouler autour du mollet, avait cette apparence fripée que prennent les vêtements d'occasion sur les membres qu'ils recouvrent par aventure. Seul, l'habit n'allait pas mal, s'étant trouvé à peu près juste pour la taille.   20

Il montait lentement les marches, le cœur battant, l'esprit anxieux, harcelé surtout par la crainte d'être ridicule ; et, soudain, il aperçut en face de lui un monsieur en grande toilette qui le regardait. Ils se trouvaient si près l'un de l'autre que Duroy fit un mouvement en arrière, puis il demeura stupéfait : c'était lui-même, reflété par une haute glace en pied qui formait sur le palier du premier une longue perspective de galerie. Un élan de joie le fit tressaillir, tant il se jugea mieux qu'il n'aurait cru.

30   N'ayant chez lui que son petit miroir à barbe, il n'avait
pu se contempler entièrement, et comme il n'y voyait que
fort mal les diverses parties de sa toilette improvisée, il
s'exagérait les imperfections, s'affolait à l'idée d'être gro-
tesque.

Mais voilà qu'en s'apercevant brusquement dans la
glace, il ne s'était même pas reconnu ; il s'était pris pour
un autre, pour un homme du monde, qu'il avait trouvé fort
bien, fort chic, au premier coup d'œil.

Et maintenant, en se regardant avec soin, il reconnais-
40 sait que, vraiment, l'ensemble était satisfaisant.

Alors il s'étudia comme font les acteurs pour apprendre
leurs rôles. Il se sourit, se tendit la main, fit des gestes,
exprima des sentiments : l'étonnement, le plaisir,
l'approbation ; et il chercha les degrés du sourire et les
intentions de l'œil pour se montrer galant auprès des
dames, leur faire comprendre qu'on les admire et qu'on
les désire.

Une porte s'ouvrit dans l'escalier. Il eut peur d'être surpris et il se mit à monter fort vite, avec la crainte d'avoir
50 été vu minaudant ainsi, par quelque invité de son ami.

En arrivant au second étage, il aperçut une autre glace et
il ralentit sa marche pour se regarder passer. Sa tournure
lui parut vraiment élégante. Il marchait bien. Et une
confiance immodérée en lui-même emplit son âme.
Certes, il réussirait avec cette figure-là et son désir
d'arriver, et la résolution qu'il se connaissait et l'indépendance de son esprit. Il avait envie de courir, de sauter en
gravissant le dernier étage. Il s'arrêta devant la troisième
glace, frisa sa moustache d'un mouvement qui lui était
60 familier, ôta son chapeau pour rajuster sa chevelure, et
murmura à mi-voix, comme il faisait souvent : « Voilà une
excellente invention. » Puis, tendant la main vers le
timbre, il sonna.

La porte s'ouvrit presque aussitôt, et il se trouva en présence d'un valet en habit noir, grave, rasé, si parfait de
tenue que Duroy se troubla de nouveau sans comprendre
d'où lui venait cette vague émotion : d'une inconsciente
comparaison, peut-être, entre la coupe de leurs vêtements.
Ce laquais, qui avait des souliers vernis, demanda, en

prenant le pardessus que Duroy tenait sur son bras par peur de montrer les taches : 70

– Qui dois-je annoncer ?

Et il jeta le nom derrière une porte soulevée, dans un salon où il fallait entrer.

Mais Duroy, tout à coup, perdant son aplomb, se sentit perclus de crainte, haletant. Il allait faire son premier pas dans l'existence attendue, rêvée. Il s'avança, pourtant. Une jeune femme, blonde, était debout qui l'attendait, toute seule, dans une grande pièce bien éclairée et pleine d'arbustes, comme une serre. 80

Il s'arrêta net, tout à fait déconcerté. Quelle était cette dame qui souriait ? Puis il se souvint que Forestier était marié ; et la pensée que cette jolie blonde élégante devait être la femme de son ami acheva de l'effarer.

Il balbutia : – Madame, je suis… – Elle lui tendit la main : – Je le sais, monsieur. Charles m'a raconté votre rencontre d'hier soir, et je suis très heureuse qu'il ait eu la bonne inspiration de vous prier de dîner avec nous aujourd'hui.

Il rougit jusqu'aux oreilles, ne sachant plus que dire ; et 90 il se sentait examiné, inspecté des pieds à la tête, pesé, jugé.

Il avait envie de s'excuser, d'inventer une raison pour expliquer les négligences de sa toilette ; mais il ne trouva rien, et n'osa pas toucher à ce sujet difficile.

Il s'assit sur un fauteuil qu'elle lui désignait, et quand il sentit plier sous lui le velours élastique et doux du siège, quand il se sentit enfoncé, appuyé, étreint par ce meuble caressant dont le dossier et les bras capitonnés le soute- naient délicatement, il lui sembla qu'il entrait dans une vie 100 nouvelle et charmante, qu'il prenait possession de quelque chose de délicieux, qu'il devenait quelqu'un, qu'il était sauvé ; et il regarda Mme Forestier dont les yeux ne l'avaient point quitté.

Elle était vêtue d'une robe de cachemire bleu pâle qui dessinait bien sa taille souple et sa poitrine grasse.

La chair des bras et de la gorge sortait d'une mousse de dentelle blanche dont étaient garnis le corsage et les courtes manches ; et les cheveux relevés au sommet de la

110 tête, frisant un peu sur la nuque, faisaient un léger nuage
de duvet blond au-dessus du cou.

Duroy se rassurait sous son regard, qui lui rappelait,
sans qu'il sût pourquoi, celui de la fille rencontrée la veille
aux Folies-Bergère. Elle avait les yeux gris, d'un gris
azuré qui en rendait étrange l'expression, le nez mince, les
lèvres fortes, le menton un peu charnu, une figure irrégu-
lière et séduisante, pleine de gentillesse et de malice.
C'était un de ces visages de femme dont chaque ligne
révèle une grâce particulière, semble avoir une significa-
120 tion, dont chaque mouvement paraît dire ou cacher
quelque chose.

Après un court silence, elle lui demanda : – Vous êtes
depuis longtemps à Paris ?

Il répondit, en reprenant peu à peu possession de lui :

– Depuis quelques mois seulement, madame. J'ai un
emploi dans les chemins de fer ; mais Forestier m'a laissé
espérer que je pourrais, grâce à lui, pénétrer dans le journalisme.

Elle eut un sourire plus visible, plus bienveillant ; et elle
130 murmura en baissant la voix : – Je sais.

Le timbre avait tinté de nouveau. Le valet annonça :

– Mme de Marelle.

C'était une petite brune, de celles qu'on appelle des
brunettes.

Elle entra d'une allure alerte ; elle semblait dessinée,
moulée des pieds à la tête dans une robe sombre toute
simple.

Seule une rose rouge, piquée dans ses cheveux noirs,
attirait l'œil violemment, semblait marquer sa physio-
140 nomie, accentuer son caractère spécial, lui donner la note
vive et brusque qu'il fallait.

Une fillette en robe courte la suivait. Mme Forestier
s'élança :

– Bonjour, Clotilde.

– Bonjour, Madeleine.

Elles s'embrassèrent. Puis l'enfant tendit son front avec
une assurance de grande personne, en prononçant :

– Bonjour, cousine.

Mme Forestier la baisa ; puis fit les présentations :
150 – M. Georges Duroy, un bon camarade de Charles.

– Mme de Marelle, mon amie, un peu ma parente.

Elle ajouta : – Vous savez, nous sommes ici sans cérémonie, sans façon, et sans pose. C'est entendu, n'est-ce
pas ?

Le jeune homme s'inclina.

Mais la porte s'ouvrit de nouveau, et un petit gros monsieur, court et rond, parut, donnant le bras à une grande et
belle femme, plus haute que lui, beaucoup plus jeune, de
manières distinguées et d'allure grave. C'était M. Walter,
député, financier, homme d'argent et d'affaires, juif et 160
méridional, directeur de *La Vie française*, et sa femme, née
Basile-Ravalau, fille du banquier de ce nom.

Puis parurent, coup sur coup, Jacques Rival très élégant,
et Norbert de Varenne, dont le col d'habit luisait, un peu
ciré par le frottement des longs cheveux qui tombaient
jusqu'aux épaules, et semaient dessus quelques grains de
poussière blanche.

Sa cravate, mal nouée, ne semblait pas à sa première
sortie. Il s'avança avec des grâces de vieux beau et, prenant la main de Mme Forestier, mit un baiser sur son poi- 170
gnet. Dans le mouvement qu'il fit en se baissant, sa longue
chevelure se répandit comme de l'eau sur le bras nu de la
jeune femme.

Et Forestier entra à son tour, en s'excusant d'être en
retard. Mais il avait été retenu au journal par l'affaire
Morel. M. Morel, député radical, venait d'adresser une
question au ministère sur une demande de crédit relative à
la colonisation de l'Algérie.

Le domestique cria : – Madame est servie !

Et on passa dans la salle à manger. 180

Duroy se trouvait placé entre Mme de Marelle et sa
fille. Il se sentait de nouveau gêné, ayant peur de commettre quelque erreur dans le maniement conventionnel de
la fourchette, de la cuiller ou des verres. Il y en avait
quatre, dont un légèrement teinté de bleu. Que pouvait-on
boire dans celui-là ?

On ne dit rien pendant qu'on mangeait le potage, puis
Norbert de Varenne demanda : – Avez-vous lu ce procès
Gauthier ? Quelle drôle de chose !

Et on discuta sur le cas d'adultère compliqué de chan- 190
tage. On n'en parlait point comme on parle, au sein des

familles, des événements racontés dans les feuilles publiques, mais comme on parle d'une maladie entre médecins ou de légumes entre fruitiers. On ne s'indignait pas, on ne s'étonnait pas des faits ; on en cherchait les causes profondes, secrètes, avec une curiosité professionnelle et une indifférence absolue pour le crime lui-même. On tâchait d'expliquer nettement les origines des actions, de déterminer tous les phénomènes cérébraux dont était né
200 le drame, résultat scientifique d'un état d'esprit particulier. Les femmes aussi se passionnaient à cette poursuite, à ce travail. Et d'autres événements récents furent examinés, commentés, tournés sous toutes leurs faces, pesés à leur valeur, avec ce coup d'œil pratique et cette manière de voir spéciale des marchands de nouvelles, des débitants de comédie humaine à la ligne, comme on examine, comme on retourne et comme on pèse, chez les commerçants, les objets qu'on va livrer au public.

Puis il fut question d'un duel et Jacques Rival prit la
210 parole. Cela lui appartenait ; personne autre ne pouvait traiter cette affaire.

Duroy n'osait point placer un mot. Il regardait parfois sa voisine, dont la gorge ronde le séduisait. Un diamant tenu par un fil d'or pendait au bas de l'oreille, comme une goutte d'eau qui aurait glissé sur la chair. De temps en temps, elle faisait une remarque qui éveillait toujours un sourire sur les lèvres. Elle avait un esprit drôle, gentil, inattendu, un esprit de gamine expérimentée qui voit les choses avec insouciance et les juge avec un scepticisme
220 léger et bienveillant.

Duroy cherchait en vain quelque compliment à lui faire, et, ne trouvant rien, il s'occupait de sa fille, lui versait à boire, lui tenait ses plats, la servait. L'enfant, plus sévère que sa mère, remerciait avec une voix grave, faisait de courts saluts de la tête : – Vous êtes bien aimable, Monsieur – et elle écoutait les grandes personnes d'un petit air réfléchi.

Le dîner était fort bon ; et chacun s'extasiait. M. Walter mangeait comme un ogre, ne parlait presque pas, et consi
230 dérait d'un regard oblique, glissé sous ses lunettes, les mets qu'on lui présentait. Norbert de Varenne lui tenait

tête et laissait tomber parfois des gouttes de sauce sur son plastron de chemise.

Forestier, souriant et sérieux, surveillait, échangeait avec sa femme des regards d'intelligence, à la façon de compères accomplissant ensemble une besogne difficile et qui marche à souhait.

Les visages devenaient rouges, les voix s'enflaient. De moment en moment, le domestique murmurait à l'oreille des convives : « Corton – Château-Laroze ? »   240

Duroy avait trouvé le Corton de son goût et il laissait chaque fois emplir son verre. Une gaieté délicieuse entrait en lui ; une gaieté chaude, qui lui montait du ventre à la tête, lui courait dans les membres, le pénétrait tout entier. Il se sentait envahi par un bien-être complet, un bien-être de vie et de pensée, de corps et d'âme.

Et une envie de parler lui venait, de se faire remarquer, d'être écouté, apprécié comme ces hommes dont on savourait les moindres expressions.

Mais la causerie qui allait sans cesse, accrochant les   250
idées les unes aux autres, sautant d'un sujet à l'autre sur un mot, un rien, après avoir fait le tour des événements du jour et avoir effleuré, en passant, mille questions, revint à la grande interpellation de M. Morel sur la colonisation de l'Algérie.

M. Walter, entre deux services, fit quelques plaisante-ries, car il avait l'esprit sceptique et gras. Forestier raconta son article du lendemain, Jacques Rival réclama un gou-vernement militaire avec des concessions de terre accor-dées à tous les officiers après trente années de service   260
colonial.

– De cette façon, disait-il, vous créerez une société énergique, ayant appris depuis longtemps à connaître et à aimer le pays, sachant sa langue et au courant de toutes ces graves questions locales auxquelles se heurtent infaillible-ment les nouveaux venus.

Norbert de Varenne l'interrompit :

– Oui… ils sauront tout, excepté l'agriculture. Ils parle-ront l'arabe, mais ils ignoreront comment on repique des betteraves et comment on sème du blé. Ils seront même   270
forts en escrime, mais très faibles sur les engrais. Il fau-drait au contraire ouvrir largement ce pays neuf à tout le

monde. Les hommes intelligents s'y feront une place, les autres succomberont. C'est la loi sociale.

Un léger silence suivit. On souriait.

Georges Duroy ouvrit la bouche et prononça, surpris par le son de sa voix, comme s'il ne s'était jamais entendu parler : – Ce qui manque le plus là-bas, c'est la bonne terre. Les propriétés vraiment fertiles coûtent aussi cher
280 qu'en France, et sont achetées, comme placement de fonds, par des Parisiens très riches. Les vrais colons, les pauvres, ceux qui s'exilent faute de pain, sont rejetés dans le désert, où il ne pousse rien, par manque d'eau.

Tout le monde le regardait. Il se sentit rougir. M. Walter demanda : – Vous connaissez l'Algérie, monsieur ? »

Il répondit : – Oui, monsieur, j'y suis resté vingt-huit mois, et j'ai séjourné dans les trois provinces.

Et brusquement, oubliant la question Morel, Norbert de Varenne l'interrogea sur un détail de mœurs qu'il tenait
290 d'un officier. Il s'agissait du Mzab, cette étrange petite république arabe née au milieu du Sahara, dans la partie la plus desséchée de cette région brûlante.

Duroy avait visité deux fois le Mzab, et il raconta les mœurs de ce singulier pays où les gouttes d'eau ont la valeur de l'or, où chaque habitant est tenu à tous les services publics, où la probité commerciale est poussée plus loin que chez les peuples civilisés.

Il parla avec une certaine verve hâbleuse, excité par le vin et par le désir de plaire, il raconta des anecdotes de
300 régiment, des traits de la vie arabe, des aventures de guerre. Il trouva même quelques mots colorés pour exprimer ces contrées jaunes et nues, interminablement désolées sous la flamme dévorante du soleil.

Toutes les femmes avaient les yeux sur lui. Mme Walter murmura de sa voix lente : « Vous feriez avec vos souvenirs une charmante série d'articles. » Alors Walter considéra le jeune homme par-dessus le verre de ses lunettes, comme il faisait pour bien voir les visages. Il regardait les plats par-dessous.

310 Forestier saisit le moment : – Mon cher patron, je vous ai parlé tantôt de M. Georges Duroy, en vous demandant de me l'adjoindre pour le service des informations politiques. Depuis que Marambot nous a quittés, je n'ai per-

sonne pour aller prendre des renseignements urgents et confidentiels ; et le journal en souffre.

Le père Walter devint sérieux et releva tout à fait ses lunettes pour regarder Duroy bien en face. Puis il dit : – Il est certain que M. Duroy a un esprit original. S'il veut bien venir causer avec moi, demain à trois heures, nous arrangerons ça. Puis, après un silence, et se tournant tout à fait vers le jeune homme : – Mais faites-nous tout de suite une petite série fantaisiste sur l'Algérie. Vous raconterez vos souvenirs, et vous mêlerez à ça la question de la colonisation, comme tout à l'heure. C'est d'actualité, tout à fait d'actualité, et je suis sûr que ça plaira beaucoup à nos lecteurs. Mais dépêchez-vous ! il me faut le premier article pour demain ou après-demain, pendant qu'on discute à la Chambre, afin d'amorcer le public [1].

Mme Walter ajouta, avec cette grâce sérieuse qu'elle mettait en tout et qui donnait un air de faveurs à ses paroles : – Et vous avez un titre charmant : « Souvenirs d'un chasseur d'Afrique », n'est-ce pas, monsieur Norbert ?

Le vieux poète, arrivé tard à la renommée, détestait et redoutait les nouveaux venus. Il répondit d'un air sec :

– Oui, excellent, à condition que la suite soit dans la note, car c'est là la grande difficulté ; la note juste, ce qu'en musique on appelle le ton.

Mme Forestier couvrait Duroy d'un regard protecteur et souriant, d'un regard de connaisseur qui semblait dire : « Toi, tu arriveras. » Mme de Marelle s'était, à plusieurs reprises, tournée vers lui, et le diamant de son oreille tremblait sans cesse comme si la fine goutte d'eau allait se détacher et tomber.

La petite fille demeurait immobile et grave, la tête baissée sur son assiette.

Mais le domestique faisait le tour de la table, versant dans les verres bleus du vin de Johannisberg ; et Forestier

---

1. Les premiers chapitres du roman se déroulent pendant l'été 1880, moment où le gouvernement dirigé par Jules Ferry relance les projets d'expansion coloniale au Maghreb (non pas en Algérie, mais en Tunisie). Alors que la droite conservatrice manifestait peu d'intérêt pour cette question, les républicains « opportunistes », alors au pouvoir, voient dans la colonisation le moyen pour la France de reprendre « son rang de grande puissance » (Gambetta).

portait un toast en saluant M. Walter : « À la longue prospérité de *La Vie française* ! »

350 Tout le monde s'inclina vers le Patron qui souriait ; et
Duroy, gris de triomphe, but d'un trait. Il aurait vidé de
même une barrique entière, lui semblait-il ; il aurait
mangé un bœuf, étranglé un lion. Il se sentait dans les
membres une vigueur surhumaine, dans l'esprit une résolution invincible et une espérance infinie. Il était chez lui,
maintenant, au milieu de ces gens ; il venait d'y prendre
position, d'y conquérir sa place. Son regard se posait sur
les visages avec une assurance nouvelle, et il osa, pour la
première fois, adresser la parole à sa voisine :

360 – Vous avez, madame, les plus jolies boucles d'oreilles
que j'aie jamais vues.

Elle se tourna vers lui en souriant : – C'est une idée à
moi de pendre des diamants comme ça, simplement au
bout du fil. On dirait vraiment de la rosée, n'est-ce pas ?

Il murmura, confus de son audace et tremblant de dire
une sottise :

– C'est charmant… mais l'oreille aussi fait valoir la
chose.

Elle le remercia d'un regard, d'un de ces clairs regards
370 de femme qui pénètrent jusqu'au cœur.

Et comme il tournait la tête, il rencontra encore les yeux
de Mme Forestier, toujours bienveillants, mais il crut y
voir une gaieté plus vive, une malice, un encouragement.

Tous les hommes maintenant parlaient en même temps
avec des gestes et des éclats de voix ; on discutait le grand
projet du chemin de fer métropolitain. Le sujet ne fut
épuisé qu'à la fin du dessert, chacun ayant une quantité de
choses à dire sur la lenteur des communications dans
Paris, les inconvénients des tramways, les ennuis des
380 omnibus et la grossièreté des cochers de fiacre.

Puis on quitta la salle à manger pour aller prendre le
café. Duroy, par plaisanterie, offrit son bras à la petite fille.
Elle le remercia gravement et se haussa sur la pointe des
pieds pour arriver à poser la main sur le coude de son
voisin.

En entrant dans le salon, il eut de nouveau la sensation
de pénétrer dans une serre. De grands palmiers ouvraient
leurs feuilles élégantes dans les quatre coins de la pièce,

montaient jusqu'au plafond, puis s'élargissaient en jets
d'eau.   390

Des deux côtés de la cheminée, des caoutchoucs, ronds
comme des colonnes, étageaient l'une sur l'autre leurs
longues feuilles d'un vert sombre, et sur le piano deux
arbustes inconnus, ronds et couverts de fleurs, l'un tout
rose et l'autre tout blanc, avaient l'air de plantes factices,
invraisemblables, trop belles pour être vraies.

L'air était frais et pénétré d'un parfum vague, doux,
qu'on n'aurait pu définir, dont on ne pouvait dire le nom.

Et le jeune homme, plus maître de lui, considéra avec
attention l'appartement. Il n'était pas grand ; rien n'attirait 400
le regard en dehors des arbustes ; aucune couleur vive ne
frappait ; mais on se sentait à son aise dedans, on se sentait
tranquille, reposé ; il enveloppait doucement, il plaisait,
mettait autour du corps quelque chose comme une caresse [1].

Les murs étaient tendus avec une étoffe ancienne d'un
violet passé, criblée de petites fleurs de soie jaune, grosses
comme des mouches.

Des portières en drap bleu-gris, en drap de soldat où
l'on avait brodé quelques œillets de soie rouge, retom-
baient sur les portes ; et les sièges, de toutes les formes, de 410
toutes les grandeurs, éparpillés au hasard dans l'appartement, chaises longues, fauteuils énormes ou minuscules,
poufs et tabourets, étaient couverts de soie Louis XVI ou
du beau velours d'Utrecht, fond crème, à dessins grenat.

– Prenez-vous du café, monsieur Duroy ?

Et Mme Forestier lui tendait une tasse pleine, avec ce
sourire ami qui ne quittait point sa lèvre.

– Oui, madame, je vous remercie.

Il reçut la tasse, et comme il se penchait plein d'angoisse pour cueillir avec la pince d'argent un morceau de   420

---

1. L'appartement des Forestier incarne idéalement le type de l'intérieur
bourgeois de l'époque. Le confort moderne, le mélange de la nature et de
l'artifice, l'éclectisme du mobilier, enfin tout ce qui fait du logement une
« coquille » isolant de l'univers extérieur répondent à la description pro-
posée par Walter Benjamin dans *Le Paris du Second Empire chez
Baudelaire* : « L'appartement représente l'enveloppe de l'individu et il
l'y dépose avec tous ses accessoires, gardant ainsi fidèlement sa trace
comme la nature conserve dans le granit celle d'une faune disparue. »

sucre dans le sucrier que portait la petite fille, la jeune femme lui dit à mi-voix :

– Faites donc votre cour à Mme Walter.

Puis elle s'éloigna avant qu'il eût pu répondre un mot.

Il but d'abord son café qu'il craignait de laisser tomber sur le tapis ; puis, l'esprit plus libre, il chercha un moyen de se rapprocher de la femme de son nouveau directeur et d'entamer une conversation.

430   Tout à coup, il s'aperçut qu'elle tenait à la main sa tasse vide ; et, comme elle se trouvait loin d'une table, elle ne savait où la poser. Il s'élança.

– Permettez, madame.

– Merci, monsieur.

Il emporta la tasse, puis il revint : – Si vous saviez, madame, quels bons moments m'a fait passer *La Vie française*, quand j'étais là-bas dans le désert. C'est vraiment le seul journal qu'on puisse lire hors de France, parce qu'il est plus littéraire, plus spirituel et moins monotone que tous les autres. On trouve de tout là-dedans.

440   Elle sourit, avec une indifférence aimable, et répondit gravement :

– M. Walter a eu bien du mal pour créer ce type de journal qui répondait à un besoin nouveau.

Et ils se mirent à causer. Il avait la parole facile et banale, du charme dans la voix, beaucoup de grâce dans le regard et une séduction irrésistible dans la moustache. Elle s'ébouriffait sur sa lèvre, crépue, frisée, jolie, d'un blond teinté de roux avec une nuance plus pâle dans les poils hérissés des bouts.

450   Ils parlèrent de Paris, des environs, des bords de la Seine, des villes d'eaux, des plaisirs de l'été, de toutes les choses courantes sur lesquelles on peut discourir indéfiniment sans se fatiguer l'esprit [1].

Puis, comme M. Norbert de Varenne s'approchait, un verre de liqueur à la main, Duroy s'éloigna par discrétion.

---

1. « Il serait cent millions de fois plus intéressant d'entendre un charcutier parler boudin avec compétence, que d'écouter les messieurs corrects et les femmes du monde *en visite* ouvrir leur robinet à banalités sur les seules choses grandes et belles qui soient », commente Maupassant dans une chronique intitulée « Les causeurs » (1882).

Mme de Marelle, qui venait de causer avec Forestier, l'appela : – Eh bien ! monsieur, lui dit-elle brusquement, vous voulez donc tâter du journalisme ?

Alors il parla de ses projets, en termes vagues, puis recommença avec elle la conversation qu'il venait d'avoir avec Mme Walter ; mais, comme il possédait mieux son sujet, il s'y montra supérieur, répétant comme de lui des choses qu'il venait d'entendre. Et sans cesse il regardait dans les yeux sa voisine, comme pour donner à ce qu'il disait un sens profond.

Elle lui raconta à son tour des anecdotes, avec un entrain facile de femme qui se sait spirituelle et qui veut toujours être drôle ; et, devenant familière, elle posait la main sur son bras, baissait la voix pour dire des riens qui prenaient ainsi un caractère d'intimité. Il s'exaltait intérieurement à frôler cette jeune femme qui s'occupait de lui. Il aurait voulu tout de suite se dévouer pour elle, la défendre, montrer ce qu'il valait ; et les retards qu'il mettait à lui répondre indiquaient la préoccupation de sa pensée.

Mais tout à coup, sans raison, Mme de Marelle appela : « Laurine ! » et la petite fille s'en vint.

– Assieds-toi là, mon enfant, tu aurais froid près de la fenêtre.

Et Duroy fut pris d'une envie folle d'embrasser la fillette, comme si quelque chose de ce baiser eût dû retourner à la mère.

Il demanda d'un ton galant et paternel : – Voulez-vous me permettre de vous embrasser, mademoiselle ?

L'enfant leva les yeux sur lui d'un air surpris, Mme de Marelle dit en riant : – Réponds : « Je veux bien, monsieur, pour aujourd'hui ; mais ce ne sera pas toujours comme ça. »

Duroy, s'asseyant aussitôt, prit sur son genou Laurine, puis effleura des lèvres les cheveux ondés et fins de son front.

La mère s'étonna : – Tiens, elle ne s'est pas sauvée ; c'est stupéfiant. Elle ne se laisse d'ordinaire embrasser que par les femmes. Vous êtes irrésistible, monsieur Duroy.

Il rougit, sans répondre, et d'un mouvement léger il balançait la petite fille sur sa jambe.

Mme Forestier s'approcha et, poussant un cri d'étonnement : – Tiens, voilà Laurine apprivoisée, quel miracle !

Jacques Rival aussi s'en venait, un cigare à la bouche, et Duroy se leva pour partir, ayant peur de gâter par quelque mot maladroit la besogne faite, son œuvre de conquête commencée.

Il salua, prit et serra doucement la petite main tendue des femmes, puis secoua avec force la main des hommes. Il remarqua que celle de Jacques Rival était sèche et chaude et répondait cordialement à sa pression ; celle de Norbert de Varenne, humide et froide, et fuyait en glissant entre les doigts ; celle du père Walter, froide et molle, sans énergie, sans expression ; celle de Forestier, grasse et tiède. Son ami lui dit à mi-voix.

– Demain, trois heures, n'oublie pas.

– Oh ! non, ne crains rien.

Quand il se retrouva sur l'escalier, il eut envie de descendre en courant, tant sa joie était véhémente, et il s'élança, enjambant les marches deux par deux ; mais tout à coup il aperçut, dans la grande glace du second étage, un monsieur pressé qui venait en gambadant à sa rencontre, et il s'arrêta net, honteux comme s'il venait d'être surpris en faute.

Puis il se regarda longuement, émerveillé d'être vraiment aussi joli garçon ; puis il se sourit avec complaisance ; puis, prenant congé de son image, il se salua très bas avec cérémonie, comme on salue les grands personnages.

III

Quand Georges Duroy se retrouva dans la rue, il hésita
sur ce qu'il ferait. Il avait envie de courir, de rêver, d'aller
devant lui en songeant à l'avenir et en respirant l'air doux
de la nuit ; mais la pensée de la série d'articles demandés
par le père Walter le poursuivait, et il se décida à rentrer
tout de suite pour se mettre au travail.

Il revint à grands pas, gagna le boulevard extérieur, et le
suivit jusqu'à la rue Boursault qu'il habitait. Sa maison
haute de six étages était peuplée par vingt petits ménages
ouvriers et bourgeois, et il éprouva, en montant l'escalier, 10
dont il éclairait avec des allumettes-bougies les marches
sales où traînaient des bouts de papiers, des bouts de cigarettes, des épluchures de cuisine, une écœurante sensation
de dégoût et une hâte de sortir de là, de loger comme les
hommes riches, en des demeures propres, avec des tapis.
Une odeur lourde de nourriture, de fosse d'aisances et
d'humanité, une odeur stagnante de crasse et de vieille
muraille, qu'aucun courant d'air n'eût pu chasser de ce
logis, l'emplissait du haut en bas.

La chambre du jeune homme, au cinquième étage, don- 20
nait comme sur un abîme profond, sur l'immense tranchée
du chemin de fer de l'Ouest, juste au-dessus de la sortie du
tunnel, près de la gare des Batignolles. Duroy ouvrit sa
fenêtre et s'accouda sur l'appui de fer rouillé.

Au-dessous de lui, dans le fond du trou sombre, trois
signaux rouges immobiles avaient l'air de gros yeux de
bête ; et plus loin on en voyait d'autres, et encore d'autres,
encore plus loin. À tout instant des coups de sifflet pro-
longés ou courts passaient dans la nuit, les uns proches, les
autres à peine perceptibles, venus de là-bas, du côté 30

d'Asnières. Ils avaient des modulations comme des appels
de voix. Un d'eux se rapprochait, poussant toujours son cri
plaintif qui grandissait de seconde en seconde, et bientôt
une grosse lumière jaune apparut, courant avec un grand
bruit ; et Duroy regarda le long chapelet des wagons
s'engouffrer sous le tunnel.

Puis il se dit : « Allons, au travail ! » Il posa sa lumière
sur sa table ; mais au moment de se mettre à écrire, il
s'aperçut qu'il n'avait chez lui qu'un cahier de papier à
40 lettres.

Tant pis, il l'utiliserait en ouvrant la feuille dans toute sa
grandeur. Il trempa sa plume dans l'encre et écrivit en tête,
de sa plus belle écriture :

Souvenirs d'un chasseur d'Afrique.

Puis il chercha le commencement de la première phrase.

Il restait le front dans sa main, les yeux fixés sur le carré
blanc déployé devant lui.

Qu'allait-il dire ? Il ne trouvait plus rien maintenant de
ce qu'il avait raconté tout à l'heure, pas une anecdote, pas
50 un fait, rien. Tout à coup il pensa : « Il faut que je débute
par mon départ. » Et il écrivit : « C'était en 1874, aux
environs du 15 mai, alors que la France épuisée se reposait
après les catastrophes de l'année terrible… »

Et il s'arrêta net, ne sachant comment amener ce qui
suivrait, son embarquement, son voyage, ses premières
émotions.

Après dix minutes de réflexion, il se décida à remettre
au lendemain la page préparatoire du début, et à faire tout
de suite une description d'Alger.

60 Et il traça sur son papier : « Alger est une ville toute
blanche… » sans parvenir à énoncer autre chose. Il
revoyait en souvenir la jolie cité claire, dégringolant,
comme une cascade de maisons plates, du haut de sa montagne dans la mer, mais il ne trouvait plus un mot pour
exprimer ce qu'il avait vu, ce qu'il avait senti.

Après un grand effort, il ajouta : « Elle est habitée en
partie par des Arabes… » Puis il jeta sa plume sur la table
et se leva.

Sur son petit lit de fer, où la place de son corps avait fait
70 un creux, il aperçut ses habits de tous les jours jetés là,

vides, fatigués, flasques, vilains comme des hardes de la Morgue. Et, sur une chaise de paille, son chapeau de soie, son unique chapeau semblait ouvert pour recevoir l'aumône.

Ses murs, tendus d'un papier gris à bouquets bleus, avaient autant de taches que de fleurs, des taches anciennes, suspectes, dont on n'aurait pu dire la nature, bêtes écrasées ou gouttes d'huile, bouts de doigts graissés de pommade ou écume de la cuvette projetée pendant les lavages. Cela sentait la misère honteuse, la misère en garni de Paris. Et une exaspération le souleva contre la pauvreté de sa vie. Il se dit qu'il fallait sortir de là, tout de suite, qu'il fallait en finir dès le lendemain avec cette existence besogneuse.

Une ardeur de travail l'ayant soudain ressaisi, il se rassit devant sa table et recommença à chercher des phrases pour bien raconter la physionomie étrange et charmante d'Alger, cette antichambre de l'Afrique mystérieuse et profonde, l'Afrique des Arabes vagabonds et des nègres inconnus, l'Afrique inexplorée et tentante, dont on nous montre parfois, dans les jardins publics, les bêtes invraisemblables qui semblent créées pour des contes de fées, les autruches, ces poules extravagantes, les gazelles, ces chèvres divines, les girafes surprenantes et grotesques, les chameaux graves, les hippopotames monstrueux, les rhinocéros informes et les gorilles, ces frères effrayants de l'homme.

Il sentait vaguement des pensées lui venir ; il les aurait dites, peut-être, mais il ne les pouvait point formuler avec des mots écrits. Et son impuissance l'enfiévrant, il se leva de nouveau, les mains humides de sueur et le sang battant aux tempes.

Et ses yeux étant tombés sur la note de sa blanchisseuse, montée, le soir même, par le concierge, il fut saisi brusquement par un désespoir éperdu. Toute sa joie disparut en une seconde, avec sa confiance en lui et sa foi dans l'avenir. C'était fini ; tout était fini, il ne ferait rien, il ne serait rien ; il se sentait vide, incapable, inutile, condamné.

Et il retourna s'accouder à la fenêtre, juste au moment où un train sortait du tunnel avec un bruit subit et violent. Il s'en allait là-bas, à travers les champs et les plaines, vers la mer. Et le souvenir de ses parents entra au cœur de Duroy.

Il allait passer près d'eux, ce convoi, à quelques lieues seulement de leur maison. Il la revit, la petite maison, au haut de la côte, dominant Rouen et l'immense vallée de la Seine, à l'entrée du village de Canteleu [1].

Son père et sa mère tenaient un petit cabaret, une guinguette où les bourgeois des faubourgs venaient déjeuner le
120 dimanche : *À la Belle-Vue*. Ils avaient voulu faire de leur fils un monsieur, et l'avaient mis au collège. Ses études finies et son baccalauréat manqué, il était parti pour le service avec l'intention de devenir officier, colonel, général. Mais, dégoûté de l'état militaire bien avant d'avoir fini ses cinq années, il avait rêvé de faire fortune à Paris.

Il y était venu, son temps expiré, malgré les prières du père et de la mère, qui, leur songe envolé, voulaient le garder maintenant. À son tour, il espérait un avenir ; il entrevoyait le triomphe au moyen d'événements encore
130 confus dans son esprit, qu'il saurait assurément faire naître et seconder.

Il avait eu au régiment des succès de garnison, des bonnes fortunes faciles et même des aventures dans un monde plus élevé, ayant séduit la fille d'un percepteur qui voulait tout quitter pour le suivre, et la femme d'un avoué qui avait tenté de se noyer par désespoir d'être délaissée.

Ses camarades disaient de lui : « C'est un malin, c'est un roublard, c'est un débrouillard qui saura se tirer d'affaire. » Et il s'était promis en effet d'être un malin, un
140 roublard un débrouillard.

Sa conscience native de Normand, frottée par la pratique quotidienne de l'existence de garnison, distendue par les exemples de maraudages en Afrique, de bénefs illicites, de supercheries suspectes, fouettée aussi par les idées d'honneur qui ont cours dans l'armée, par les bravades militaires, les sentiments patriotiques, les histoires magnanimes racontées entre sous-offs et par la gloriole du

---

1. Cette commune de Normandie, à cinq kilomètres de Rouen, comprend la petite ville de Croisset, où vivait Flaubert. La mère de Maupassant était très liée à l'auteur de *Madame Bovary*, qui fit l'éducation littéraire de son jeune disciple.

métier, était devenue une sorte de boîte à triple fond où l'on trouvait de tout.

Mais le désir d'arriver y régnait en maître. 150

Il s'était remis, sans s'en apercevoir, à rêvasser, comme il faisait chaque soir. Il imaginait une aventure d'amour magnifique qui l'amenait, d'un seul coup, à la réalisation de son espérance. Il épousait la fille d'un banquier ou d'un grand seigneur rencontrée dans la rue et conquise à première vue.

Le sifflet strident d'une locomotive qui, sortie toute seule du tunnel, comme un gros lapin de son terrier, et courant à toute vapeur sur les rails, filait vers le garage des machines, où elle allait se reposer, le réveilla de son songe. 160

Alors, ressaisi par l'espoir confus et joyeux qui hantait toujours son esprit, il jeta, à tout hasard, un baiser dans la nuit, un baiser d'amour vers l'image de la femme attendue, un baiser de désir vers la fortune convoitée. Puis il ferma sa fenêtre et commença à se dévêtir en murmurant :

« Bah, je serai mieux disposé demain matin. Je n'ai pas l'esprit libre ce soir. Et puis, j'ai peut-être aussi un peu trop bu. On ne travaille pas bien dans ces conditions-là. »

Il se mit au lit, souffla la lumière, et s'endormit presque 170 aussitôt.

Il se réveilla de bonne heure, comme on s'éveille aux jours d'espérance vive ou de souci, et, sautant du lit, il alla ouvrir sa fenêtre pour avaler une bonne tasse d'air frais, comme il disait.

Les maisons de la rue de Rome, en face, de l'autre côté du large fossé du chemin de fer, éclatantes dans la lumière du soleil levant, semblaient peintes avec de la clarté blanche. Sur la droite, au loin, on apercevait les coteaux d'Argenteuil, les hauteurs de Sannois et les moulins 180 d'Orgemont dans une brume bleuâtre et légère, semblable à un petit voile flottant et transparent qui aurait été jeté sur l'horizon.

Duroy demeura quelques minutes à regarder la campagne lointaine, et il murmura : « Il ferait bougrement bon, là-bas, un jour comme ça. » Puis, il songea qu'il lui fallait travailler, et tout de suite, et aussi envoyer, moyen-

nant dix sous, le fils de sa concierge dire à son bureau qu'il
était malade.

190   Il s'assit devant sa table, trempa sa plume dans l'encrier,
prit son front dans sa main et chercha des idées. Ce fut en
vain. Rien ne venait.

Il ne se découragea pas cependant. Il pensa : « Bah, je
n'en ai pas l'habitude. C'est un métier à apprendre comme
tous les métiers. Il faut qu'on m'aide les premières fois. Je
vais trouver Forestier, qui me mettra mon article sur pied
en dix minutes. »

Et il s'habilla.

Quand il fut dans la rue, il jugea qu'il était encore trop
200   tôt pour se présenter chez son ami qui devait dormir tard.
Il se promena donc, tout doucement, sous les arbres du
boulevard extérieur.

Il n'était pas encore neuf heures, et il gagna le parc
Monceau tout frais de l'humidité des arrosages.

S'étant assis sur un banc, il se remit à rêver. Un jeune
homme allait et venait devant lui, très élégant, attendant
une femme sans doute.

Elle parut, voilée, le pied rapide, et, ayant pris son bras,
après une courte poignée de main, ils s'éloignèrent.

210   Un tumultueux besoin d'amour entra au cœur de Duroy,
un besoin d'amours distinguées, parfumées, délicates. Il se
leva et se remit en route en songeant à Forestier. Avait-il de
la chance, celui-là !

Il arriva devant sa porte au moment où son ami sortait.

– Te voilà ! à cette heure-ci ! Que me voulais-tu ?

Duroy, troublé de le rencontrer ainsi comme il s'en
allait, balbutia :

– C'est que… c'est que… je ne peux pas arriver à faire
mon article, tu sais, l'article que M. Walter m'a demandé
220   sur l'Algérie. Ça n'est pas bien étonnant, étant donné que
je n'ai jamais écrit. Il faut de la pratique pour ça comme
pour tout. Je m'y ferai bien vite, j'en suis sûr, mais, pour
débuter, je ne sais pas comment m'y prendre. J'ai bien les
idées, je les ai toutes, et je ne parviens pas à les exprimer.

Il s'arrêta, hésitant un peu. Forestier souriait avec
malice.

– Je connais ça.

Duroy reprit : – Oui, ça doit arriver à tout le monde en commençant. Eh bien, je venais… je venais te demander un coup de main… En dix minutes tu me mettrais ça sur pied, toi, tu me montrerais la tournure qu'il faut prendre. Tu me donnerais là une bonne leçon de style, et sans toi je ne m'en tirerais pas.

L'autre souriait toujours d'un air gai. Il tapa sur le bras de son ancien camarade et lui dit :

– Va-t'en trouver ma femme, elle t'arrangera ton affaire aussi bien que moi. Je l'ai dressée à cette besogne-là. Moi, je n'ai pas le temps ce matin, sans quoi je l'aurais fait bien volontiers.

Duroy, intimidé soudain, hésitait, n'osait point :

– Mais à cette heure-ci, je ne peux pas me présenter devant elle ?…

– Si, parfaitement. Elle est levée. Tu la trouveras dans mon cabinet de travail, en train de mettre en ordre des notes pour moi.

L'autre refusait de monter.

– Non… ça n'est pas possible…

Forestier le prit par les épaules, le fit pivoter sur ses talons, et le poussant vers l'escalier : – Mais, va donc, grand serin, quand je te dis d'y aller. Tu ne va pas me forcer à regrimper mes trois étages pour te présenter et expliquer ton cas.

Alors Duroy se décida : – Merci, j'y vais. Je lui dirai que tu m'as forcé, absolument forcé à venir la trouver.

– Oui. Elle ne te mangera pas, sois tranquille. Surtout n'oublie pas, tantôt, trois heures.

– Oh ! ne crains rien.

Et Forestier s'en alla de son air pressé tandis que Duroy se mit à monter lentement, marche à marche, cherchant ce qu'il allait dire et inquiet de l'accueil qu'il recevrait.

Le domestique vint lui ouvrir. Il avait un tablier bleu et tenait un balai dans ses mains.

– Monsieur est sorti, – dit-il, sans attendre la question.

Duroy insista : – Demandez à Mme Forestier si elle peut me recevoir, et prévenez-la que je viens de la part de son mari, que j'ai rencontré dans la rue.

Puis il attendit. L'homme revint, ouvrit une porte à droite, et annonça : – Madame attend monsieur.

Elle était assise sur un fauteuil de bureau, dans une
270 petite pièce dont les murs se trouvaient entièrement cachés
par des livres bien rangés sur des planches de bois noir.
Les reliures, de tons différents, rouges, jaunes, vertes, vio-
lettes et bleues, mettaient de la couleur et de la gaieté dans
cet alignement monotone de volumes.

Elle se retourna, souriant toujours, enveloppée d'un peignoir blanc garni de dentelle ; et elle tendit sa main, montrant son bras nu dans la manche largement ouverte.

– Déjà ? dit-elle. Puis elle reprit : – Ce n'est point un
reproche, c'est une simple question.

280 Il balbutia : – Oh ! madame, je ne voulais pas monter ;
mais votre mari, que j'ai rencontré en bas, m'y a forcé. Je
suis tellement confus que je n'ose pas dire ce qui
m'amène.

Elle montrait un siège : – Asseyez-vous et parlez.

Elle maniait entre deux doigts une plume d'oie en la
tournant agilement ; et, devant elle, une grande page de
papier demeurait écrite à moitié, interrompue à l'arrivée
du jeune homme.

Elle avait l'air chez elle devant cette table de travail, à
290 l'aise comme dans son salon, occupée à sa besogne ordinaire. Un parfum léger s'envolait du peignoir, le parfum
frais de la toilette récente. Et Duroy cherchait à deviner,
croyait voir le corps jeune et clair, gras et chaud, doucement enveloppé dans l'étoffe moelleuse.

Elle reprit, comme il ne parlait pas : – Eh bien, dites,
qu'est-ce que c'est ?

Il murmura, en hésitant : – Voilà... mais vraiment... je
n'ose pas... C'est que j'ai travaillé hier soir très tard... et
ce matin... très tôt... pour faire cet article sur l'Algérie
300 que M. Walter m'a demandé... et je n'arrive à rien de
bon... j'ai déchiré tous mes essais... Je n'ai pas l'habitude
de ce travail-là, moi ; et je venais demander à Forestier de
m'aider... pour une fois...

Elle l'interrompit, en riant de tout son cœur, heureuse,
joyeuse et flattée : – Et il vous a dit de venir me trouver... ? C'est gentil, ça...

– Oui, madame. Il m'a dit que vous me tireriez
d'embarras mieux que lui... mais, moi, je n'osais pas, je
ne voulais pas. Vous comprenez ?

Elle se leva : – Ça va être charmant de collaborer 310
comme ça. Je suis ravie de votre idée. Tenez, asseyez-vous
à ma place, car on connaît mon écriture au journal. Et nous
allons vous tourner un article, mais là, un article à succès.

Il s'assit, prit une plume, étala devant lui une feuille de
papier, et attendit.

Mme Forestier, restée debout, le regardait faire ses
préparatifs ; puis elle atteignit une cigarette sur la cheminée et l'alluma :

– Je ne puis pas travailler sans fumer, dit-elle, voyons,
qu'allez-vous raconter ?   320

Il leva la tête vers elle avec étonnement.

– Mais je ne sais pas, moi, puisque je suis venu vous
trouver pour ça.

Elle reprit : – Oui, je vous arrangerai la chose. Je ferai
la sauce, mais il me faut le plat.

Il demeurait embarrassé ; enfin il prononça, avec
hésitation : – Je voudrais raconter mon voyage depuis le
commencement…

Alors elle s'assit, en face de lui, de l'autre côté de la
grande table, et, le regardant dans les yeux :   330

– Eh bien, racontez-le-moi d'abord, pour moi toute
seule, vous entendez, bien doucement, sans rien oublier, et
je choisirai ce qu'il faut prendre.

Mais comme il ne savait par où commencer, elle se mit
à l'interroger comme aurait fait un prêtre au confessionnal, posant des questions précises qui lui rappelaient
des détails oubliés, des personnages rencontrés, des
figures seulement aperçues.

Quand elle l'eut contraint à parler ainsi pendant un petit
quart d'heure, elle l'interrompit tout à coup : – Maintenant, 340
nous allons commencer. D'abord, nous supposons que vous
adressez à un ami vos impressions, ce qui vous permet de
dire un tas de bêtises, de faire des remarques de toute
espèce, d'être naturel et drôle, si nous pouvons. Com-
mencez :

« Mon cher Henry, tu veux savoir ce que c'est que
l'Algérie, tu le sauras. Je vais t'envoyer, n'ayant rien à
faire dans la petite case de boue sèche qui me sert d'habi-
tation, une sorte de journal de ma vie, jour par jour, heure
par heure. Ce sera un peu vif, quelquefois, tant pis, tu n'es 350

pas obligé de le montrer aux dames de ta connaissance… »

Elle s'interrompit pour rallumer sa cigarette éteinte ; et,
aussitôt, le petit grincement criard de la plume d'oie sur le
papier s'arrêta.

– Nous continuons, dit-elle.

« L'Algérie est un grand pays français sur la frontière
des grands pays inconnus qu'on appelle le désert, le
Sahara, l'Afrique centrale, etc., etc.

360   « Alger est la porte, la porte blanche et charmante de cet
étrange continent.

« Mais d'abord il faut y aller, ce qui n'est pas rose pour
tout le monde. Je suis, tu le sais, un excellent écuyer,
puisque je dresse les chevaux du colonel, mais on peut être
bon cavalier et mauvais marin. C'est mon cas.

« Te rappelles-tu le major Simbretas, que nous appe-
lions le docteur Ipéca ? Quand nous nous jugions mûrs
pour vingt-quatre heures d'infirmerie, pays béni, nous pas-
sions à la visite.

370   « Il était assis sur sa chaise, avec ses grosses cuisses
ouvertes dans son pantalon rouge, ses mains sur ses
genoux, les bras formant pont, le coude en l'air, et il roulait ses gros yeux de loto en mordillant sa moustache
blanche.

« Tu te rappelles sa prescription :

"Ce soldat est atteint d'un dérangement d'estomac.
Administrez-lui le vomitif n° 3 selon ma formule, puis
douze heures de repos ; il ira bien."

« Il était souverain, ce vomitif, souverain et irrésistible.
380 On l'avalait donc, puisqu'il le fallait. Puis, quand on avait
passé par la formule du docteur Ipéca, on jouissait de
douze heures de repos bien gagné.

« Eh bien, mon cher, pour atteindre l'Afrique, il faut
subir, pendant quarante heures, une autre sorte de vomitif
irrésistible, selon la formule de la Compagnie transa-
tlantique… »

Elle se frottait les mains, tout à fait heureuse de son
idée.

Elle se leva et se mit à marcher, après avoir allumé une
390 autre cigarette, et elle dictait, en soufflant des filets de
fumée qui sortaient d'abord tout droit d'un petit trou

rond au milieu de ses lèvres serrées, puis s'élargissant, s'évaporaient en laissant par places, dans l'air, des lignes grises, une sorte de brume transparente, une buée pareille à des fils d'araignée. Parfois, d'un coup de sa main ouverte, elle effaçait ces traces légères et plus persistantes ; parfois aussi elle les coupait d'un mouvement tranchant de l'index et regardait ensuite, avec une attention grave, les deux tronçons d'imperceptible vapeur disparaître lentement.

Et Duroy, les yeux levés, suivait tous ses gestes, toutes ses attitudes, tous les mouvements de son corps et de son visage occupés à ce jeu vague qui ne prenait point sa pensée.

Elle imaginait maintenant les péripéties de la route, portraiturait des compagnons de voyage inventés par elle, et ébauchait une aventure d'amour avec la femme d'un capitaine d'infanterie qui allait rejoindre son mari.

Puis, s'étant assise, elle interrogea Duroy sur la topographie de l'Algérie, qu'elle ignorait absolument. En dix minutes, elle en sut autant que lui, et elle fit un petit chapitre de géographie politique et coloniale pour mettre le lecteur au courant et le bien préparer à comprendre les questions sérieuses qui seraient soulevées dans les articles suivants.

Puis elle continua par une excursion dans la province d'Oran, une excursion fantaisiste, où il était surtout question des femmes, des Mauresques, des Juives, des Espagnoles.

– Il n'y a que ça qui intéresse, disait-elle.

Elle termina par un séjour à Saïda, au pied des hauts plateaux, et par une jolie intrigue entre le sous-officier Georges Duroy et une ouvrière espagnole employée à la manufacture d'alfa [1] de Aïn-el-Hadjar. Elle racontait les rendez-vous, la nuit, dans la montagne pierreuse et nue, alors que les chacals, les hyènes et les chiens arabes crient, aboient et hurlent au milieu des rocs.

_____

1. Issu du mot arabe « halfa », ce terme désigne une graminée méditerranéenne, dont les feuilles sont utilisées pour confectionner des nattes ou des paniers, et surtout pour produire de la pâte à papier.

Et elle prononça d'une voix joyeuse : – La suite à demain ! Puis, se relevant : – C'est comme ça qu'on écrit
430 un article, mon cher monsieur. Signez, s'il vous plaît.

Il hésitait.

– Mais signez donc !

Alors, il se mit à rire et écrivit au bas de la page : « Georges Duroy. »

Elle continuait à fumer en marchant ; et il la regardait toujours, ne trouvant rien à dire pour la remercier, heureux d'être près d'elle, pénétré de reconnaissance et du bonheur sensuel de cette intimité naissante. Il lui semblait que tout ce qui l'entourait faisait partie d'elle, tout, jusqu'aux murs
440 couverts de livres. Les sièges, les meubles, l'air où flottait l'odeur du tabac avaient quelque chose de particulier, de bon, de doux, de charmant, qui venait d'elle.

Brusquement, elle demanda :

– Qu'est-ce que vous pensez de mon amie Mme de Marelle ?

Il fut surpris : – Mais… je la trouve… je la trouve très séduisante.

– N'est-ce pas ?

– Oui, certainement.

450 Il avait envie d'ajouter : – Mais pas autant que vous. Il n'osa point.

Elle reprit : – Et si vous saviez comme elle est drôle, originale, intelligente ! C'est une bohème, par exemple, une vraie bohème. C'est pour cela que son mari ne l'aime guère. Il ne voit que le défaut et n'apprécie point les qualités.

Duroy fut stupéfait d'apprendre que Mme de Marelle était mariée. C'était bien naturel, pourtant.

Il demanda : – Tiens… elle est mariée ? Et qu'est-ce que fait son mari ?

460 Mme Forestier haussa tout doucement les épaules et les sourcils d'un seul mouvement plein de significations incompréhensibles.

– Oh ! il est inspecteur de la ligne du Nord. Il passe huit jours par mois à Paris. Ce que sa femme appelle « le service obligatoire » ou encore « la corvée de semaine », ou encore « la semaine sainte ». Quand vous la connaîtrez mieux, vous verrez comme elle est fine et gentille. Allez donc la voir un de ces jours.

Duroy ne pensait plus à partir, il lui semblait qu'il allait rester toujours, qu'il était chez lui.   470

Mais la porte s'ouvrit sans bruit, et un grand monsieur s'avança, qu'on n'avait point annoncé.

Il s'arrêta en voyant un homme. Mme Forestier parut gênée une seconde, puis elle dit, de sa voix naturelle, bien qu'un peu de rose lui fût monté des épaules au visage :

– Mais entrez donc, mon cher. Je vous présente un bon camarade de Charles, M. Georges Duroy, un futur journaliste.

Puis, sur un ton différent, elle annonça : – Le meilleur et le plus intime de nos amis, le comte de Vaudrec.   480

Les deux hommes se saluèrent en se regardant au fond des yeux, et Duroy tout aussitôt se retira.

On ne le retint pas. Il balbutia quelques remerciements, serra la main tendue de la jeune femme, s'inclina encore devant le nouveau venu qui gardait un visage froid et sérieux d'homme du monde, et il sortit tout à fait troublé, comme s'il venait de commettre une sottise.

En se retrouvant dans la rue, il se sentit triste, mal à l'aise, obsédé par l'obscure sensation d'un chagrin voilé. Il allait devant lui, se demandant pourquoi cette mélan-   490 colie subite lui était venue ; il ne trouvait point, mais la figure sévère du comte de Vaudrec, un peu vieux déjà, avec des cheveux gris, l'air tranquille et insolent d'un particulier très riche et sûr de lui, revenait sans cesse dans son souvenir.

Et il s'aperçut que l'arrivée de cet inconnu, brisant un tête-à-tête charmant où son cœur s'accoutumait déjà, avait fait passer en lui cette impression de froid et de désespérance qu'une parole entendue, une misère entrevue, les moindres choses parfois suffisent à nous donner.   500

Et il lui semblait aussi que cet homme, sans qu'il devinât pourquoi, avait été mécontent de le trouver là.

Il n'avait plus rien à faire jusqu'à trois heures ; et il n'était pas encore midi. Il lui restait en poche six francs cinquante : il alla déjeuner au bouillon Duval [1]. Puis il

---

1. Les « bouillons » sont de petits restaurants populaires où l'on consommait spécialement du bouillon. Il en existe encore quelques-uns à Paris (le bouillon Chartier par exemple).

rôda sur le boulevard ; et comme trois heures sonnaient, il monta l'escalier-réclame de *La Vie française*.

Les garçons de bureau, assis sur une banquette, les bras croisés, attendaient, tandis que, derrière une sorte de petite
510 chaire de professeur, un huissier classait la correspondance qui venait d'arriver. La mise en scène était parfaite pour en imposer aux visiteurs. Tout le monde avait de la tenue, de l'allure, de la dignité, du chic, comme il convenait dans l'antichambre d'un grand journal.

Duroy demanda : – M. Walter, s'il vous plaît ?

L'huissier répondit : – M. le directeur est en conférence. Si monsieur veut bien s'asseoir un peu. Et il indiqua le salon d'attente, déjà plein de monde.

On voyait là des hommes graves, décorés, importants, et
520 des hommes négligés au linge invisible, dont la redingote, fermée jusqu'au col, portait sur la poitrine des dessins de taches rappelant les découpures des continents et des mers sur les cartes de géographie. Trois femmes étaient mêlées à ces gens. Une d'elles était jolie, souriante, parée, et avait l'air d'une cocotte ; sa voisine, au masque tragique, ridée, parée aussi d'une façon sévère, portait en elle ce quelque chose de fripé, d'artificiel qu'ont, en général, les anciennes actrices, une sorte de fausse jeunesse éventée, comme un parfum d'amour ranci.

530 La troisième femme, en deuil, se tenait dans un coin, avec une allure de veuve désolée. Duroy pensa qu'elle venait demander l'aumône.

Cependant on ne faisait entrer personne, et plus de vingt minutes s'étaient écoulées.

Alors Duroy eut une idée, et, retournant trouver l'huissier : – M. Walter m'a donné rendez-vous à trois heures, dit-il. En tout cas, voyez si mon ami M. Forestier n'est pas ici.

Alors on le fit passer par un long corridor qui l'amena
540 dans une grande salle où quatre messieurs écrivaient autour d'une large table verte.

Forestier, debout devant la cheminée, fumait une cigarette en jouant au bilboquet. Il était très adroit à ce jeu et piquait à tous coups la bille énorme en buis jaune sur la petite pointe de bois. Il comptait : « Vingt-deux, – vingt-trois, – vingt-quatre, – vingt-cinq. »

Duroy prononça : « Vingt-six. » Et son ami leva les yeux, sans arrêter le mouvement régulier de son bras :
– Tiens, te voilà ! – Hier, j'ai fait cinquante-sept coups de suite. Il n'y a que Saint-Potin qui soit plus fort que moi ici. 550
As-tu vu le patron ? Il n'y a rien de plus drôle que de regarder cette vieille bedole [1] de Norbert jouer au bilboquet. Il ouvre la bouche comme pour avaler la boule.

Un des rédacteurs tourna la tête vers lui :

– Dis donc, Forestier, j'en connais un à vendre, un superbe, en bois des îles. Il a appartenu à la reine d'Espagne, à ce qu'on dit. On en réclame soixante francs. Ça n'est pas cher.

Forestier demanda : – Où loge-t-il ? Et comme il avait manqué son trente-septième coup, il ouvrit une armoire où 560
Duroy aperçut une vingtaine de bilboquets superbes, rangés et numérotés comme des bibelots dans une collection. Puis ayant posé son instrument à sa place ordinaire, il répéta : – Où loge-t-il, ce joyau ?

Le journaliste répondit. – Chez un marchand de billets du Vaudeville. Je t'apporterai la chose demain, si tu veux.

– Oui, c'est entendu. S'il est vraiment beau, je le prends, on n'a jamais trop de bilboquets.

Puis se tournant vers Duroy : – Viens avec moi, je vais t'introduire chez le patron, sans quoi tu pourrais moisir 570
jusqu'à sept heures du soir.

Ils retraversèrent le salon d'attente, où les mêmes personnes demeuraient dans le même ordre. Dès que Forestier parut, la jeune femme et la vieille actrice, se levant vivement, vinrent à lui.

Il les emmena, l'une après l'autre, dans l'embrasure de la fenêtre, et, bien qu'ils prissent soin de causer à voix basse, Duroy remarqua qu'il les tutoyait l'une et l'autre.

Puis, ayant poussé deux portes capitonnées, ils pénétrèrent chez le directeur.   580

La conférence, qui durait depuis une heure, était une partie d'écarté avec quelques-uns de ces messieurs à chapeaux plats que Duroy avait remarqués la veille.

---

1. Sans doute emprunté à un dialecte normand, ce terme se rencontre aussi dans la corrrespondance de Flaubert, qui l'emploie au sens d'« imbécile ».

M. Walter tenait les cartes et jouait avec une attention concentrée et des mouvements cauteleux, tandis que son adversaire abattait, relevait, maniait les légers cartons coloriés avec une souplesse, une adresse et une grâce de joueur exercé. Norbert de Varenne écrivait un article, assis dans le fauteuil directorial, et Jacques Rival, étendu tout au
590 long sur un divan, fumait un cigare, les yeux fermés.

On sentait là-dedans le renfermé, le cuir des meubles, le vieux tabac et l'imprimerie ; on sentait cette odeur particulière des salles de rédaction que connaissent tous les journalistes.

Sur la table en bois noir aux incrustations de cuivre, un incroyable amas de papier gisait : lettres, cartes, journaux, revues, notes de fournisseurs, imprimés de toute espèce.

Forestier serra les mains des parieurs debout derrière les joueurs, et sans dire un mot regarda la partie ; puis, dès
600 que le père Walter eut gagné, il présenta :

– Voici mon ami Duroy.

Le directeur considéra brusquement le jeune homme de son coup d'œil glissé par-dessus le verre des lunettes, puis il demanda :

– M'apportez-vous mon article ? Ça irait très bien aujourd'hui, en même temps que la discussion Morel.

Duroy tira de sa poche les feuilles de papier pliées en quatre : – Voici, monsieur.

Le patron parut ravi, et, souriant : – Très bien, très bien.
610 Vous êtes de parole. Il faudra me revoir ça, Forestier ?

Mais Forestier s'empressa de répondre :

– Ce n'est pas la peine, monsieur Walter, j'ai fait la chronique avec lui pour lui apprendre le métier. Elle est très bonne.

Et le directeur, qui recevait à présent les cartes données par un grand monsieur maigre, un député du centre gauche, ajouta avec indifférence : – C'est parfait, alors.

Forestier ne le laissa pas commencer sa nouvelle partie ; et, se baissant vers son oreille : – Vous savez que vous
620 m'avez promis d'engager Duroy pour remplacer Marambot. Voulez-vous que je le retienne aux mêmes conditions ?

– Oui, parfaitement.

Et prenant le bras de son ami, le journaliste l'entraîna pendant que M. Walter se remettait à jouer.

Norbert de Varenne n'avait pas levé la tête, il semblait n'avoir pas vu ou reconnu Duroy. Jacques Rival, au contraire, lui avait serré la main avec une énergie démonstrative et voulue de bon camarade sur qui on peut compter en cas d'affaire.

Ils retraversèrent le salon d'attente, et comme tout le monde levait les yeux, Forestier dit à la plus jeune des femmes, assez haut pour être entendu des autres patients :

– Le directeur va vous recevoir tout à l'heure. Il est en conférence en ce moment avec deux membres de la commission du budget.

Puis il passa vivement, d'un air important et pressé, comme s'il allait rédiger aussitôt une dépêche de la plus extrême gravité.

Dès qu'ils furent rentrés dans la salle de rédaction, Forestier retourna prendre immédiatement son bilboquet, et, tout en se remettant à jouer, et en coupant ses phrases pour compter les coups, il dit à Duroy : – Voilà. Tu viendras ici tous les jours à trois heures et je te dirai les courses et les visites qu'il faudra faire, soit dans le jour, soit dans la soirée, soit dans la matinée. – Un, – je vais te donner d'abord une lettre d'introduction pour le chef du premier bureau de la préfecture de police, – deux, – qui te mettra en rapport avec un de ses employés. Et tu t'arrangeras avec lui pour toutes les nouvelles importantes, – trois, – du service de la préfecture, les nouvelles officielles et quasi officielles, bien entendu. Pour tout le détail, tu t'adresseras à Saint-Potin, qui est au courant, – quatre, – tu le verras tout à l'heure ou demain. Il faudra surtout t'accoutumer à tirer les vers du nez des gens que je t'enverrai voir, – cinq, – et à pénétrer partout malgré les portes fermées, – six. – Tu toucheras pour cela deux cents francs par mois de fixe, plus deux sous la ligne pour les échos intéressants de ton cru, – sept, – plus deux sous la ligne également pour les articles qu'on te commandera sur des sujets divers, – huit.

Puis il ne fit plus attention qu'à son jeu, et il continua à compter lentement, neuf, – dix, – onze, – douze, – treize. – Il manqua le quatorzième et, jurant : – Nom de Dieu de treize ; il me porte toujours la guigne, ce bougre-là. Je mourrai un treize certainement.

Un des rédacteurs qui avait fini sa besogne prit à son tour un bilboquet dans l'armoire ; c'était un tout petit homme qui avait l'air d'un enfant, bien qu'il fût âgé de trente-cinq ans ; et plusieurs autres journalistes étant
670 entrés, ils allèrent l'un après l'autre chercher le joujou qui leur appartenait. Bientôt ils furent six, côte à côte, le dos au mur, qui lançaient en l'air, d'un mouvement pareil et régulier, les boules rouges, jaunes ou noires, suivant la nature du bois. Et une lutte s'étant établie, les deux rédacteurs qui travaillaient encore se levèrent pour juger les coups.

Forestier gagna de onze points. Alors le petit homme à l'air enfantin, qui avait perdu, sonna le garçon de bureau et commanda : « Neuf bocks ». Et ils se remirent à jouer en
680 attendant les rafraîchissements.

Duroy but un verre de bière avec ses nouveaux confrères, puis il demanda à son ami :

– Que faut-il que je fasse ?

L'autre répondit :

– Je n'ai rien pour toi aujourd'hui. Tu peux t'en aller si tu veux.

– Et... notre... notre article... est-ce ce soir qu'il passera ?

– Oui, mais ne t'en occupe pas, je corrigerai les
690 épreuves. Fais la suite pour demain, et viens ici à trois heures, comme aujourd'hui.

Et Duroy, ayant serré toutes les mains sans savoir même le nom de leurs possesseurs, redescendit le bel escalier, le cœur joyeux et l'esprit allègre.

IV

Georges Duroy dormit mal, tant l'excitait le désir de voir imprimé son article. Dès que le jour parut, il fut debout et il rôdait dans la rue bien avant l'heure où les porteurs de journaux vont, en courant, de kiosque en kiosque.

Alors il gagna la gare Saint-Lazare, sachant bien que *La Vie française* y arriverait avant de parvenir dans son quartier. Comme il était encore trop tôt, il erra sur le trottoir.

Il vit arriver la marchande qui ouvrit sa boutique de verre, puis il aperçut un homme portant sur sa tête un tas de grands papiers pliés. Il se précipita : c'étaient *Le Figaro*, le *Gil Blas, Le Gaulois, L'Événement*, et deux ou trois autres feuilles du matin ; mais *La Vie française* n'y était pas.

Une peur le saisit : « Si on avait remis au lendemain les "Souvenirs d'un chasseur d'Afrique", ou si, par hasard, la chose n'avait pas plu, au dernier moment, au père Walter ? »

En redescendant vers le kiosque, il s'aperçut qu'on vendait le journal, sans qu'il l'eût vu apporter. Il se précipita, le déplia après avoir jeté les trois sous, et parcourut les titres de la première page. – Rien. – Son cœur se mit à battre ; il ouvrit la feuille, et il eut une forte émotion en lisant, au bas d'une colonne, en grosses lettres : « Georges Duroy ». Ça y était ! quelle joie !

Il se mit à marcher, sans penser, le journal à la main, le chapeau sur le côté, avec une envie d'arrêter les passants pour leur dire : « Achetez ça – achetez ça ! Il y a un article, de moi. » Il aurait voulu pouvoir crier de tous ses poumons, comme font certains hommes, le soir, sur les boulevards : « Lisez *La Vie française*, lisez l'article

de Georges Duroy : les "Souvenirs d'un chasseur
d'Afrique" ! » Et, tout à coup, il éprouva le désir de lire
lui-même cet article, de le lire dans un endroit public,
dans un café, bien en vue. Et il chercha un établissement
qui fût déjà fréquenté. Il lui fallut marcher longtemps. Il
s'assit enfin devant une espèce de marchand de vin où
plusieurs consommateurs étaient déjà installés et il
demanda : « Un rhum », comme il aurait demandé :
« Une absinthe », sans songer à l'heure. Puis il appela :
40   – Garçon, donnez-moi *La Vie française*.

Un homme à tablier blanc accourut :

– Nous ne l'avons pas, monsieur, nous ne recevons que
Le Rappel, Le Siècle, La Lanterne et *Le Petit Parisien*.

Duroy déclara, d'un ton furieux et indigné : – En voilà
une boîte ! Alors, allez me l'acheter. Le garçon y courut, la
rapporta. Duroy se mit à lire son article ; et plusieurs fois
il dit, tout haut : « *Très bien, très bien* ! » pour attirer
l'attention des voisins et leur inspirer le désir de savoir ce
qu'il y avait dans cette feuille. Puis il la laissa sur la table
50   en s'en allant. Le patron s'en aperçut, le rappela :

– Monsieur, monsieur, vous oubliez votre journal !

Et Duroy répondit : – Je vous le laisse, je l'ai lu. Il y a
d'ailleurs aujourd'hui, dedans, une chose très intéressante.

Il ne désigna pas la chose, mais il vit, en s'en allant, un
de ses voisins prendre *La Vie française* sur la table où il
l'avait laissée.

Il pensa : « Que vais-je faire, maintenant ? » Et il se
décida à aller à son bureau toucher son mois et donner sa
démission. Il tressaillait d'avance de plaisir à la pensée de
60   la tête que feraient son chef et ses collègues. L'idée de
l'effarement du chef, surtout, le ravissait.

Il marchait lentement pour ne pas arriver avant neuf
heures et demie, la caisse n'ouvrant qu'à dix heures.

Son bureau était une grande pièce sombre, où il fallait
tenir le gaz allumé presque tout le jour en hiver. Elle donnait sur une cour étroite, en face d'autres bureaux. Ils
étaient huit employés là-dedans, plus un sous-chef dans un
coin, caché derrière un paravent.

Duroy alla d'abord chercher ses cent dix-huit francs
70   vingt-cinq centimes, enfermés dans une enveloppe jaune
et déposés dans le tiroir du commis chargé des paiements,

puis il pénétra d'un air vainqueur dans la vaste salle de travail où il avait déjà passé tant de jours.

Dès qu'il fut entré, le sous-chef, M. Potel, l'appela :

– Ah ! c'est vous, monsieur Duroy ? Le chef vous a déjà
demandé plusieurs fois. Vous savez qu'il n'admet pas
qu'on soit malade deux jours de suite sans attestation du
médecin.

Duroy, qui se tenait debout au milieu du bureau, préparant son effet, répondit d'une voix forte :   80

– Je m'en fiche un peu, par exemple !

Il y eut parmi les employés un mouvement de stupéfaction, et la tête de M. Potel apparut, effarée, au-dessus du
paravent qui l'enfermait comme une boîte.

Il se barricadait là-dedans, par crainte des courants
d'air, car il était rhumatisant. Il avait seulement percé deux
trous dans le papier pour surveiller son personnel.

On entendait voler les mouches. Le sous-chef, enfin,
demanda avec hésitation :

– Vous avez dit ?   90

– J'ai dit que je m'en fichais un peu. Je ne viens
aujourd'hui que pour donner ma démission. Je suis entré
comme rédacteur à *La Vie française* avec cinq cents
francs par mois, plus les lignes. J'y ai même débuté ce
matin.

Il s'était pourtant promis de faire durer le plaisir ; mais
il n'avait pu résister à l'envie de tout lâcher d'un seul
coup.

L'effet, du reste, était complet. Personne ne bougeait.

Alors Duroy déclara : – Je vais prévenir M. Perthuis,   100
puis je viendrai vous faire mes adieux. Et il sortit pour
aller trouver le chef qui s'écria en l'apercevant :

– Ah ! vous voilà. Vous savez que je ne veux pas…

L'employé lui coupa la parole :

– Ce n'est pas la peine de gueuler comme ça…

M. Perthuis, un gros homme rouge comme une crête de
coq, demeura suffoqué par la surprise.

Duroy reprit : – J'en ai assez de votre boutique. J'ai
débuté ce matin dans le journalisme, où on me fait une très
belle position. J'ai bien l'honneur de vous saluer.   110

Et il sortit. Il était vengé.

Il alla en effet serrer la main de ses anciens collègues qui osaient à peine lui parler, par peur de se compromettre, car on avait entendu sa conversation avec le chef, la porte étant restée ouverte.

Et il se retrouva dans la rue avec son traitement dans sa poche. Il se paya un déjeuner succulent dans un bon restaurant à prix modérés, qu'il connaissait ; puis, ayant encore acheté et laissé *La Vie française* sur la table où il
120 avait mangé, il pénétra dans plusieurs magasins où il acheta de menus objets, rien que pour les faire livrer chez lui et donner son nom : – Georges Duroy –. Il ajoutait : « Je suis le rédacteur de *La Vie française*. »

Puis il indiquait la rue et le numéro, en ayant soin de stipuler : « Vous laisserez chez le concierge. »

Comme il avait encore du temps, il entra chez un lithographe qui fabriquait des cartes de visite à la minute, sous les yeux des passants ; et il s'en fit faire immédiatement une centaine, qui portaient, imprimée sous son nom, sa
130 nouvelle qualité.

Puis il se rendit au journal.

Forestier le reçut de haut, comme on reçoit un inférieur : – Ah ! te voilà, très bien. J'ai justement plusieurs affaires pour toi. Attends-moi dix minutes. Je vais d'abord finir ma besogne.

Et il continua une lettre commencée.

À l'autre bout de la grande table, un petit homme très pâle, bouffi, très gras, chauve, avec un crâne tout blanc et luisant, écrivait le nez sur son papier, par suite d'une
140 myopie excessive.

Forestier lui demanda : – Dis donc, Saint-Potin, à quelle heure vas-tu interviewer nos gens ?

– À quatre heures.

– Tu emmèneras avec toi le jeune Duroy ici présent et tu lui dévoileras les arcanes du métier.

– C'est entendu.

Puis se tournant vers son ami, Forestier ajouta :

– As-tu apporté la suite sur l'Algérie ? Le début de ce matin a eu beaucoup de succès.
150 Duroy, interdit, balbutia : – Non, j'avais cru avoir le temps dans l'après-midi, j'ai eu un tas de choses à faire, je n'ai pas pu…

L'autre leva les épaules d'un air mécontent : – Si tu n'es pas plus exact que ça, tu rateras ton avenir, toi. Le père Walter comptait sur ta copie. Je vais lui dire que ce sera pour demain. Si tu crois que tu seras payé pour ne rien faire, tu te trompes.

Puis, après un silence, il ajouta : – On doit battre le fer quand il est chaud, que diable !

Saint-Potin se leva : – Je suis prêt, dit-il.   160

Alors Forestier, se renversant sur sa chaise, prit une pose presque solennelle pour donner ses instructions, et, se tournant vers Duroy : – Voilà. Nous avons à Paris depuis deux jours le général chinois Li-Theng-Fao, descendu au Continental, et le rajah Taposahib Ramaderao Pali, descendu à l'Hôtel Bristol. Vous allez leur prendre une conversation.

Puis, se tournant vers Saint-Potin : – N'oublie point les principaux points que je t'ai indiqués. Demande au général et au rajah leur opinion sur les menées de l'Angle-   170
terre dans l'Extrême-Orient, leurs idées sur son système de colonisation et de domination, leurs espérances rela-tives à l'intervention de l'Europe, et de la France en parti-culier, dans leurs affaires.

Il se tut, puis il ajouta, parlant à la cantonade : – Il sera on ne peut plus intéressant pour nos lecteurs de savoir en même temps ce qu'on pense en Chine et dans les Indes sur ces questions, qui passionnent si fort l'opinion publique en ce moment.

Il ajouta, pour Duroy : – Observe comment Saint-   180
Potin s'y prendra, c'est un excellent reporter, et tâche d'apprendre les ficelles pour vider un homme en cinq minutes.

Puis il recommença à écrire avec gravité, avec l'inten-tion évidente de bien établir les distances, de bien mettre à sa place son ancien camarade et nouveau confrère.

Dès qu'ils eurent franchi la porte, Saint-Potin se mit à rire et dit à Duroy :

– En voilà un faiseur ! Il nous la fait à nous-mêmes. On dirait vraiment qu'il nous prend pour ses lecteurs.   190

Puis ils descendirent sur le boulevard, et le reporter demanda :

– Buvez-vous quelque chose ?

– Oui, volontiers. Il fait très chaud.

Ils entrèrent dans un café et se firent servir des boissons fraîches. Et Saint-Potin se mit à parler. Il parla de tout le monde et du journal avec une profusion de détails surprenants.

– Le patron ? Un vrai juif ! Et vous savez, les juifs, on
200 ne les changera jamais. Quelle race ! – Et il cita des traits étonnants d'avarice, de cette avarice particulière aux fils d'Israël, des économies de dix centimes, des marchandages de cuisinière, des rabais honteux demandés et obtenus, toute une manière d'être d'usurier, de prêteur à gages [1].

– Et avec ça, pourtant, un bon zig qui ne croit à rien et roule tout le monde. Son journal qui est officieux, catholique, libéral, républicain, orléaniste, tarte à la crème et boutique à treize, n'a été fondé que pour soutenir ses opé-
210 rations de bourse et ses entreprises de toute sorte. Pour ça, il est très fort, et il gagne des millions au moyen de sociétés qui n'ont pas quatre sous de capital…

Il allait toujours, appelant Duroy « mon cher ami ».

– Et il a des mots à la Balzac, ce grigou. Figurez-vous que l'autre jour, je me trouvais dans son cabinet avec cette antique bedole de Norbert, et ce Don Quichotte de Rival, quand Montelin, notre administrateur, arrive avec sa serviette en maroquin sous le bras, cette serviette que tout Paris connaît. Walter leva le nez et demanda : – Quoi de
220 neuf ?

« Montelin répondit avec naïveté : – Je viens de payer les seize mille francs que nous devions au marchand de papier.

« Le patron fit un bond, un bond étonnant.

– Vous dites ?

---

1. Comme tous les auteurs de l'époque, Maupassant reprend le stéréotype alors très répandu de l'affairiste juif. Les banquiers juifs de Balzac, comme ceux de Zola, dans *L'Argent*, ont les mêmes traits que Walter : avarice, absence de sens de l'honneur et enfin réussite irrésistible dans le domaine financier. Toutefois, la critique formulée par Maupassant dans l'ensemble du roman n'épargne pas plus la banque catholique. Le jeu avec les lieux communs racistes ne manque pas ici d'ambiguïté, puisqu'il s'insère d'emblée dans une tradition littéraire : M. Walter, en tant que financier juif, a, selon Saint-Potin, « des mots à la Balzac ».

– Que je viens de payer M. Privas.

– Mais vous êtes fou !

– Pourquoi ?

– Pourquoi… pourquoi… pourquoi…

« Il ôta ses lunettes, les essuya. Puis il sourit, d'un drôle de sourire qui court autour de ses grosses joues chaque fois qu'il va dire quelque chose de malin ou de fort, et avec un ton gouailleur et convaincu, il prononça : – Pourquoi ? Parce que nous pouvions obtenir là-dessus une réduction de quatre à cinq mille francs.

« Montelin, étonné, reprit : – Mais, monsieur le directeur, tous les comptes étaient réguliers, vérifiés par moi et approuvés par vous…

« Alors le patron, redevenu sérieux, déclara : – On n'est pas naïf comme vous. Sachez, monsieur Montelin, qu'il faut toujours accumuler ses dettes pour transiger. »

Et Saint-Potin ajouta, avec un hochement de tête de connaisseur : – Hein ? Est-il à la Balzac, celui-là ?

Duroy n'avait pas lu Balzac, mais il répondit avec conviction : – Bigre oui.

Puis le reporter parla de Mme Walter, une grande dinde, de Norbert de Varenne, un vieux raté, de Rival, une resucée de Fervacques. Puis, il en vint à Forestier. – Quant à celui-là, il a de la chance d'avoir épousé sa femme, voilà tout.

Duroy demanda :

– Qu'est-ce au juste que sa femme ?

Saint-Potin se frotta les mains : – Oh ! une rouée, une fine mouche. C'est la maîtresse d'un vieux viveur nommé Vaudrec, le comte de Vaudrec, qui l'a dotée et mariée…

Duroy sentit brusquement une sensation de froid, une sorte de crispation nerveuse, un besoin d'injurier et de gifler ce bavard. Mais il l'interrompit simplement pour lui demander :

– C'est votre nom, Saint-Potin ?

L'autre répondit avec simplicité :

– Non, je m'appelle Thomas. C'est au journal qu'on m'a surnommé Saint-Potin.

Et Duroy, payant les consommations, reprit : – Mais il me semble qu'il est tard et que nous avons deux nobles seigneurs à visiter.

Saint-Potin se mit à rire : – Vous êtes encore naïf, vous ! Alors vous croyez comme ça que je vais aller demander à ce Chinois et à cet Indien ce qu'ils pensent de l'Angle-
270 terre. Comme si je ne le savais pas mieux qu'eux, ce qu'ils doivent penser pour les lecteurs de *La Vie française*. J'en ai déjà interviewé cinq cents de ces Chinois, Persans, Hindous, Chiliens, Japonais et autres. Ils répondent tous la même chose, d'après moi. Je n'ai qu'à reprendre mon article sur le dernier venu et à le copier mot pour mot. Ce qui change, par exemple, c'est leur tête, leur nom, leurs titres, leur âge, leur suite. Oh ! là-dessus, il ne faut pas d'erreur, parce que je serais relevé raide par *Le Figaro* ou *Le Gaulois*. Mais sur ce sujet le concierge de l'Hôtel
280 Bristol et celui du Continental m'auront renseigné en cinq minutes. Nous irons à pied jusque-là en fumant un cigare. Total : cent sous de voiture à réclamer au journal. Voilà, mon cher, comment on s'y prend, quand on est pratique.

Duroy demanda : – Ça doit rapporter bon d'être reporter dans ces conditions-là ?

Le journaliste répondit avec mystère : – Oui, mais rien ne rapporte autant que les échos, à cause des réclames déguisées.

Ils s'étaient levés et suivaient le boulevard, vers la
290 Madeleine. Et Saint-Potin, tout à coup, dit à son compagnon : – Vous savez, si vous avez à faire quelque chose, je n'ai pas besoin de vous, moi.

Duroy lui serra la main, et s'en alla.

L'idée de son article à écrire dans la soirée le tracassait, et il se mit à y songer. Il emmagasina des idées, des réflexions, des jugements, des anecdotes, tout en marchant, et il monta jusqu'au bout de l'avenue des Champs-Élysées, où on ne voyait que de rares promeneurs, Paris étant vide par ces jours de chaleur.
300 Ayant dîné chez un marchand de vin auprès de l'arc de triomphe de l'Étoile, il revint lentement à pied chez lui par les boulevards extérieurs, et il s'assit devant sa table, pour travailler.

Mais dès qu'il eut sous les yeux la grande feuille de papier blanc, tout ce qu'il avait amassé de matériaux s'envola de son esprit, comme si sa cervelle se fût évaporée. Il essayait de ressaisir des bribes de souvenirs et de les fixer : ils lui échappaient à mesure qu'il les reprenait, ou bien ils se précipitaient pêle-mêle, et il ne savait comment les présenter, les habiller, ni par lequel commencer. 310

Après une heure d'efforts, et cinq pages de papier noircies par des phrases de début qui n'avaient point de suite, il se dit : « Je ne suis pas encore assez rompu au métier. Il faut que je prenne une nouvelle leçon. » Et tout de suite la perspective d'une autre matinée avec Mme Forestier, l'espoir de ce long tête-à-tête intime, cordial, si doux, le firent tressaillir de désir. Il se coucha bien vite, ayant presque peur à présent de se remettre à la besogne et de réussir tout à coup.

Il ne se leva, le lendemain, qu'un peu tard, éloignant et 320 savourant d'avance le plaisir de cette visite.

Il était dix heures passées quand il sonna chez son ami.

Le domestique répondit :

– C'est que monsieur est en train de travailler.

Duroy n'avait point songé que le mari pouvait être là. Il insista cependant : – Dites-lui que c'est moi, pour une affaire pressante.

Après cinq minutes d'attente on le fit entrer dans le cabinet où il avait passé une si bonne matinée.

À la place occupée par lui, Forestier maintenant était 330 assis et écrivait, en robe de chambre, les pieds dans ses pantoufles, la tête couverte d'une petite toque anglaise ; tandis que sa femme, enveloppée du même peignoir blanc, et accoudée à la cheminée, dictait, une cigarette à la bouche.

Duroy, s'arrêtant sur le seuil, murmura : – Je vous demande bien pardon, je vous dérange ?

Et son ami ayant tourné la tête, une tête furieuse, grogna : – Qu'est-ce que tu veux encore ? Dépêche-toi, nous sommes pressés. 340

L'autre interdit, balbutiait : – Non, ce n'est rien, pardon.

Mais Forestier, se fâchant : – Allons, sacrebleu ! ne perds pas de temps, tu n'as pourtant pas forcé ma porte pour le plaisir de nous dire bonjour.

Alors Duroy, fort troublé, se décida : – Non... voilà... c'est que... je n'arrive pas encore à faire mon article... et tu as été... vous avez été si... si... si gentils la dernière fois que... que j'espérais... que j'ai osé venir...

Forestier lui coupa la parole :

350 – Tu te fiches du monde, à la fin. Alors tu t'imagines que je vais faire ton métier, et que tu n'auras qu'à passer à la caisse au bout du mois. Non ! Elle est bonne, celle-là.

La jeune femme continuait à fumer, sans dire un mot, souriant toujours d'un vague sourire qui semblait un masque aimable sur l'ironie de sa pensée.

Et Duroy, rougissant, bégayait : – Excusez-moi... j'avais cru... j'avais pensé... Puis, brusquement, d'une voix claire : – Je vous demande mille fois pardon, Madame, en vous adressant encore mes remerciements les

360 plus vifs pour la chronique si charmante que vous m'avez faite hier.

Puis il salua, dit à Charles : – Je serai à trois heures au journal, – et il sortit.

Il retourna chez lui, à grands pas, en grommelant : « Eh bien, je m'en vais la faire celle-là, et tout seul, et ils verront. »

À peine rentré, la colère l'excitant, il se mit à écrire.

Il continua l'aventure commencée par Mme Forestier, accumulant des détails de roman-feuilleton, des péripéties

370 surprenantes et des descriptions ampoulées, avec une maladresse de style de collégien et des formules de sous-officier. En une heure, il eut terminé une chronique qui ressemblait à un chaos de folies, et il la porta, avec assurance, à *La Vie française*. La première personne qu'il rencontra fut Saint-Potin qui, lui serrant la main avec une énergie de complice, demanda :

– Vous avez lu ma conversation avec le Chinois et avec l'Hindou. Est-ce assez drôle ? Ça a amusé tout Paris. Et je n'ai pas vu seulement le bout de leur nez.

380 Duroy, qui n'avait rien lu, prit aussitôt le journal, et il parcourut de l'œil un long article intitulé : « Inde et Chine », pendant que le reporter lui indiquait et soulignait les passages les plus intéressants.

Forestier survint, soufflant, pressé, l'air effaré :

– Ah bon, j'ai besoin de vous deux.

Et il leur indiqua une série d'informations politiques qu'il fallait se procurer pour le soir même.

Duroy lui tendit son article.

– Voici la suite sur l'Algérie.

– Très bien, donne, je vais la remettre au patron.   390
Ce fut tout.

Saint-Potin entraîna son nouveau confrère, et lorsqu'ils furent dans le corridor, il lui dit :

– Avez-vous passé à la caisse ?

– Non. Pourquoi ?

– Pourquoi ? Pour vous faire payer. Voyez-vous, il faut toujours prendre un mois d'avance. On ne sait pas ce qui peut arriver.

– Mais… je ne demande pas mieux.

– Je vais vous présenter au caissier. Il ne fera point de   400
difficultés. On paie bien ici.

Et Duroy alla toucher ses deux cents francs, plus vingt-huit francs pour son article de la veille, qui, joints à ce qui lui restait de son traitement du chemin de fer, lui faisaient trois cent quarante francs en poche.

Jamais il n'avait tenu pareille somme ; et il se crut riche pour des temps indéfinis.

Puis Saint-Potin l'emmena bavarder dans les bureaux de quatre ou cinq feuilles rivales, espérant que les nouvelles qu'on l'avait chargé de recueillir avaient été prises   410
déjà par d'autres, et qu'il saurait bien les leur souffler, grâce à l'abondance et à l'astuce de sa conversation.

Le soir venu, Duroy, qui n'avait plus rien à faire, songea à retourner aux Folies-Bergère, et, payant d'audace, il se présenta au contrôle :

– Je m'appelle Georges Duroy, rédacteur à *La Vie française*. Je suis venu l'autre jour avec M. Forestier, qui m'avait promis de demander mes entrées. Je ne sais s'il y a songé.

On consulta un registre. Son nom ne s'y trouvait pas   420
inscrit. Cependant le contrôleur, homme très affable, lui dit : – Entrez toujours, monsieur, et adressez vous-même votre demande à M. le directeur qui y fera droit assurément.

Il entra, et presque aussitôt, il rencontra Rachel, la femme emmenée le premier soir.

Elle vint à lui : – Bonjour, mon chat. Tu vas bien ?

– Très bien, et toi ?

– Moi, pas mal. Tu ne sais pas, j'ai rêvé deux fois de toi depuis l'autre jour.   430

Duroy sourit, flatté : – Ah ! ah ! et qu'est-ce que ça prouve ?

– Ça prouve que tu m'as plu, gros serin, et que nous recommencerons quand ça te dira.

– Aujourd'hui si tu veux.

– Oui, je veux bien.

– Bon, mais écoute… Il hésitait, un peu confus de ce qu'il allait faire : – C'est que, cette fois, je n'ai pas le sou, je viens du cercle, où j'ai tout claqué.

440   Elle le regardait au fond des yeux, flairant le mensonge avec son instinct et sa pratique de fille habituée aux roueries et aux marchandages des hommes. Elle dit : – Blagueur ! Tu sais, ça n'est pas gentil avec moi cette manière-là.

Il eut un sourire embarrassé : – Si tu veux dix francs, c'est tout ce qui me reste.

Elle murmura avec un désintéressement de courtisane qui se paie un caprice :

– Ce qui te plaira, mon chéri, je ne veux que toi.

Et levant ses yeux séduits vers la moustache du jeune
450   homme, elle prit son bras et s'appuya dessus amoureusement :

– Allons boire une grenadine d'abord. Et puis nous ferons un tour ensemble. Moi je voudrais aller à l'Opéra, comme ça, avec toi, pour te montrer. Et puis nous rentrerons de bonne heure, n'est-ce pas ?

....

Il dormit tard chez cette fille. Il faisait jour quand il sortit, et la pensée lui vint aussitôt d'acheter *La Vie française*. Il ouvrit le journal d'une main fiévreuse ; sa chro-
460   nique n'y était pas ; et il demeurait debout sur le trottoir, parcourant anxieusement de l'œil les colonnes imprimées avec l'espoir d'y trouver enfin ce qu'il cherchait.

Quelque chose de pesant tout à coup accablait son cœur, car, après la fatigue d'une nuit d'amour, cette contrariété tombant sur sa lassitude avait le poids d'un désastre.

Il remonta chez lui et s'endormit tout habillé sur son lit.

En entrant quelques heures plus tard dans les bureaux de la rédaction, il se présenta devant M. Walter. – J'ai été tout surpris ce matin, monsieur, de ne pas trouver mon
470   second article sur l'Algérie.

Le directeur leva la tête, et d'une voix sèche : – Je l'ai donné à votre ami Forestier, en le priant de le lire ; il ne l'a pas trouvé suffisant ; il faudra me le refaire.

Duroy, furieux, sortit sans répondre un mot, et, pénétrant brusquement dans le cabinet de son camarade : – Pourquoi n'as-tu pas fait paraître, ce matin, ma chronique ?

Le journaliste fumait une cigarette, le dos au fond de son fauteuil et les pieds sur sa table, salissant de ses talons un article commencé. Il articula tranquillement avec un son de voix ennuyé et lointain, comme s'il parlait du fond d'un trou : 480

– Le patron l'a trouvé mauvais, et m'a chargé de te le remettre pour le recommencer. Tiens, le voilà. Et il indiquait du doigt les feuilles dépliées sous un presse-papiers.

Duroy, confondu, ne trouva rien à dire, et, comme il mettait sa prose dans sa poche, Forestier reprit :

– Aujourd'hui tu vas te rendre d'abord à la préfecture...

Et il indiqua une série de courses d'affaires, de nouvelles à recueillir. Duroy s'en alla, sans avoir pu découvrir le mot mordant qu'il cherchait.

Il rapporta son article le lendemain. Il lui fut rendu de 490 nouveau. L'ayant refait une troisième fois, et le voyant refusé, il comprit qu'il allait trop vite et que la main de Forestier pouvait seule l'aider dans sa route.

Il ne parla donc plus des « Souvenirs d'un chasseur d'Afrique », en se promettant d'être souple et rusé, puisqu'il le fallait, et de faire, en attendant mieux, son métier de reporter avec zèle.

Il connut les coulisses des théâtres et celles de la politique, les corridors et le vestibule des hommes d'État et de la Chambre des députés, les figures importantes des attachés de 500 cabinet et les mines renfrognées des huissiers endormis.

Il eut des rapports continus avec des ministres, des concierges, des généraux, des agents de police, des princes, des souteneurs, des courtisanes, des ambassadeurs, des évêques, des proxénètes, des rastaquouères [1],

---

1. Ce terme, emprunté à l'espagnol sud-américain, apparaît en France en 1881 pour désigner un étranger ayant gardé quelque chose d'exotique et étalant un luxe de mauvais goût. Cette expression non dénuée de xénophobie revient plus tard dans le roman, quand Duroy raille les titres nobiliaires suspects de certaines personnalités étrangères.

des hommes du monde, des grecs [1], des cochers de fiacre, des garçons de café et bien d'autres, étant devenu l'ami intéressé et indifférent de tous ces gens, les confondant dans son estime, les toisant à la même mesure, les jugeant
510 avec le même œil, à force de les voir tous les jours, à toute heure, sans transition d'esprit, et de parler avec eux tous des mêmes affaires concernant son métier. Il se comparait lui-même à un homme qui goûterait, coup sur coup, les échantillons de tous les vins et ne distinguerait bientôt plus le Château-Margaux de l'Argenteuil.

Il devint en peu de temps un remarquable reporter, sûr de ses informations, rusé, rapide, subtil, une vraie valeur pour le journal, comme disait le père Walter, qui s'y connaissait en rédacteurs.

520 Cependant, comme il ne touchait que dix centimes la ligne, plus ses deux cents francs de fixe, et comme la vie de boulevard, la vie de café, la vie de restaurant coûte cher, il n'avait jamais le sou et se désolait de sa misère.

C'est un truc à saisir, pensait-il, en voyant certains confrères aller la poche pleine d'or, sans jamais comprendre quels moyens secrets ils pouvaient bien employer pour se procurer cette aisance. Et il soupçonnait avec envie des procédés inconnus et suspects, des services rendus, toute une contrebande acceptée et consentie. Or il lui fal-
530 lait pénétrer le mystère, entrer dans l'association tacite, s'imposer aux camarades qui partageaient sans lui.

Et il rêvait souvent le soir, en regardant de sa fenêtre passer les trains, aux procédés qu'il pourrait employer.

---

1. Le terme désigne couramment, au XIXᵉ siècle, les tricheurs au jeu, en raison de la réputation de ruse très traditionnellement associée aux Grecs (d'où, également, le terme de « grigou »).

V

Deux mois s'étaient écoulés ; on touchait à septembre, et la fortune rapide que Duroy avait espérée lui semblait bien lente à venir. Il s'inquiétait surtout de la médiocrité morale de sa situation et ne voyait pas par quelle voie il escaladerait les hauteurs où l'on trouve la considération, la puissance et l'argent.

Il se sentait enfermé dans ce métier médiocre de reporter, muré là-dedans à n'en pouvoir sortir. On l'appréciait, mais on l'estimait selon son rang. Forestier même, à qui il rendait mille services, ne l'invitait plus à dîner, le 10 traitait en tout comme un inférieur, bien qu'il le tutoyât comme un ami.

De temps en temps, il est vrai, Duroy, saisissant une occasion, plaçait un bout d'article, et ayant acquis par ses échos une souplesse de plume et un tact qui lui manquaient lorsqu'il avait écrit sa seconde chronique sur l'Algérie, il ne courait plus aucun risque de voir refuser ses actualités. Mais de là à faire des chroniques au gré de sa fantaisie ou à traiter, en juge, les questions politiques, il y avait autant de différence qu'à conduire dans les avenues 20 du Bois, étant cocher, ou à conduire, étant maître. Ce qui l'humiliait surtout, c'était de sentir fermées les portes du monde, de n'avoir pas de relations à traiter en égal, de ne pas entrer dans l'intimité des femmes, bien que plusieurs actrices connues l'eussent parfois accueilli avec une familiarité intéressée.

Il savait d'ailleurs, par expérience, qu'elles éprouvaient pour lui, toutes, mondaines ou cabotines, un entraînement singulier, une sympathie instantanée, et il ressentait, de ne

30 point connaître celles dont pourrait dépendre son avenir,
une impatience de cheval entravé.

Bien souvent il avait songé à faire une visite à
Mme Forestier ; mais la pensée de leur dernière rencontre
l'arrêtait, l'humiliait ; et il attendait, en outre, d'y être
engagé par le mari. Alors le souvenir lui vint de Mme de
Marelle, et, se rappelant qu'elle l'avait prié de la venir
voir, il se présenta chez elle, un après-midi qu'il n'avait
rien à faire.

« J'y suis toujours jusqu'à trois heures », avait-elle dit.

40 Il sonnait à sa porte, à deux heures et demie.

Elle habitait rue de Verneuil, au quatrième.

Au bruit du timbre, une bonne vint ouvrir, une petite
servante dépeignée qui nouait son bonnet en répondant :

– Oui, madame est là, mais je ne sais pas si elle est
levée.

Et elle poussa la porte du salon qui n'était point fermée.

Duroy entra. La pièce était assez grande, peu meublée et
d'aspect négligé. Les fauteuils, défraîchis et vieux, s'alignaient le long des murs, selon l'ordre établi par la domes-

50 tique, car on ne sentait en rien le soin élégant d'une femme
qui aime le chez-soi. Quatre pauvres tableaux, représentant une barque sur un fleuve, un navire sur la mer, un
moulin dans une plaine et un bûcheron dans un bois, pen-
daient au milieu des quatre panneaux, au bout de cordons
inégaux, et tous les quatre accrochés de travers. On devinait que depuis longtemps ils restaient penchés ainsi sous
l'œil négligent d'une indifférente.

Duroy s'assit et attendit. Il attendit longtemps. Puis une
porte s'ouvrit et Mme de Marelle entra en courant, vêtue

60 d'un peignoir japonais en soie rose où étaient brodés des
paysages d'or, des fleurs bleues et des oiseaux blancs et
elle s'écria :

– Figurez-vous que j'étais encore couchée. Que c'est
gentil à vous de venir me voir. J'étais persuadée que vous
m'aviez oubliée.

Elle tendit ses deux mains d'un geste ravi, et Duroy, que
l'aspect médiocre de l'appartement mettait à son aise, les
ayant prises, en baisa une, comme il avait vu faire à
Norbert de Varenne.

Elle le pria de s'asseoir ; puis, le regardant des pieds à 70
la tête : – Comme vous êtes changé ! Vous avez gagné de
l'air. Paris vous fait du bien. Allons, racontez-moi les nouvelles.

Et ils se mirent à bavarder tout de suite, comme s'ils
eussent été d'anciennes connaissances, sentant naître entre
eux une familiarité instantanée, sentant s'établir un de ces
courants de confiance, d'intimité et d'affection qui font
amis, en cinq minutes, deux êtres de même caractère et de
même race.

Tout à coup, la jeune femme s'interrompit, et 80
s'étonnant : – C'est drôle comme je suis avec vous. Il me
semble que je vous connais depuis dix ans. Nous deviendrons, sans doute, bons camarades. Voulez-vous ?

Il répondit : – Mais, certainement, – avec un sourire qui
en disait plus.

Il la trouvait tout à fait tentante, dans son peignoir éclatant et doux, moins fine que l'autre dans son peignoir
blanc, moins chatte, moins délicate, mais plus excitante,
plus poivrée.

Quand il sentait près de lui Mme Forestier, avec son 90
sourire immobile et gracieux qui attirait et arrêtait en
même temps, qui semblait dire : « Vous me plaisez » et
aussi : « Prenez garde », dont on ne comprenait jamais le
sens véritable, il éprouvait surtout le désir de se coucher à
ses pieds, ou de baiser la fine dentelle de son corsage et
d'aspirer lentement l'air chaud et parfumé qui devait sortir
de là, glissant entre les seins. Auprès de Mme de Marelle,
il sentait en lui un désir plus brutal, plus précis, un désir
qui frémissait dans ses mains devant les contours soulevés
de la soie légère. 100

Elle parlait toujours, semant en chaque phrase cet esprit
facile dont elle avait pris l'habitude, comme un ouvrier
saisit le tour de main qu'il faut pour accomplir une
besogne réputée difficile et dont s'étonnent les autres. Il
l'écoutait, pensant : « C'est bon à retenir tout ça. On écri-
rait des chroniques parisiennes charmantes en la faisant
bavarder sur les événements du jour. »

Mais on frappa doucement, tout doucement à la porte
par laquelle elle était venue ; et elle cria : – Tu peux entrer,

110   mignonne. – La petite fille parut, alla droit à Duroy et lui
tendit la main.

La mère étonnée murmura : – Mais c'est une conquête.
Je ne la reconnais plus. – Le jeune homme ayant embrassé
l'enfant, la fit asseoir à côté de lui, et lui posa, avec un air
sérieux, des questions gentilles sur ce qu'elle avait fait
depuis qu'ils ne s'étaient vus. Elle répondait de sa petite
voix de flûte, avec son air grave de grande personne.

La pendule sonna trois heures. Le journaliste se leva.

– Venez souvent, demanda Mme de Marelle, nous
120   bavarderons comme aujourd'hui, vous me ferez toujours
plaisir. Mais pourquoi ne vous voit-on plus chez les
Forestier ?

Il répondit : – Oh ! pour rien. J'ai eu beaucoup à faire.
J'espère bien que nous nous y retrouverons un de ces
jours.

Et il sortit, le cœur plein d'espoir, sans savoir pourquoi.

Il ne parla pas à Forestier de cette visite.

Mais il en garda le souvenir, les jours suivants, plus que
le souvenir, une sorte de sensation de la présence irréelle
130   et persistante de cette femme. Il lui semblait avoir pris
quelque chose d'elle, l'image de son corps restée dans ses
yeux et la saveur de son être moral restée en son cœur. Il
demeurait sous l'obsession de son image, comme il arrive
quelquefois quand on a passé des heures charmantes
auprès d'un être. On dirait qu'on subit une possession
étrange, intime, confuse, troublante et exquise parce
qu'elle est mystérieuse.

Il fit une seconde visite au bout de quelques jours.

La bonne l'introduisit dans le salon, et Laurine parut
140   aussitôt. Elle tendit, non plus sa main, mais son front, et
dit : – Maman m'a chargée de vous prier de l'attendre.
Elle en a pour un quart d'heure, parce qu'elle n'est pas
habillée. Je vous tiendrai compagnie.

Duroy, qu'amusaient les manières cérémonieuses de la
fillette, répondit : – Parfaitement, mademoiselle, je serai
enchanté de passer un quart d'heure avec vous ; mais je
vous préviens que je ne suis point sérieux du tout, moi, je
joue toute la journée ; je vous propose donc de faire une
partie de chat perché.

La gamine demeura saisie, puis elle sourit, comme 150
aurait fait une femme, de cette idée qui la choquait un peu
et l'étonnait aussi, et elle murmura :

– Les appartements ne sont pas faits pour jouer.

Il reprit : – Ça m'est égal. Moi, je joue partout. Allons,
attrapez-moi. – Et il se mit à tourner autour de la table, en
l'excitant à le poursuivre, tandis qu'elle s'en venait derrière lui, souriant toujours avec une sorte de condescen-
dance polie, et étendant parfois la main pour le toucher,
mais sans s'abandonner jusqu'à courir.

Il s'arrêtait, se baissait, et lorsqu'elle approchait, de son 160
petit pas hésitant, il sautait en l'air comme les diables
enfermés en des boîtes, puis il s'élançait d'une enjambée
à l'autre bout du salon. Elle trouvait ça drôle, finissait par
rire, et, s'animant, commençait à trottiner derrière lui,
avec de légers cris joyeux et craintifs, quand elle avait cru
le saisir. Il déplaçait les chaises, en faisait des obstacles, la
forçait à pivoter pendant une minute autour de la même,
puis, quittant celle-là, en saisissait une autre. Laurine courait maintenant, s'abandonnait tout à fait au plaisir de ce
jeu nouveau et, la figure rose, elle se précipitait d'un grand 170
élan d'enfant ravie, à chacune des fuites, à chacune des
ruses, à chacune des feintes de son compagnon.

Brusquement, comme elle s'imaginait l'atteindre, il la
saisit dans ses bras, et, l'élevant jusqu'au plafond, il cria :

– Chat perché !

La fillette enchantée agitait ses jambes pour s'échapper
et riait de tout son cœur.

Mme de Marelle entra et, stupéfaite : – Ah ! Laurine…
Laurine qui joue… Vous êtes un ensorceleur, monsieur.

Il reposa par terre la gamine, baisa la main de la mère, 180
et ils s'assirent, l'enfant entre eux. Ils voulurent causer ;
mais Laurine, grisée, si muette d'ordinaire, parlait tout le
temps, et il fallut l'envoyer à sa chambre.

Elle obéit sans répondre, mais avec des larmes dans les
yeux.

Dès qu'ils furent seuls, Mme de Marelle baissa la voix :

– Vous ne savez pas, j'ai un grand projet, et j'ai pensé à
vous. Voilà : comme je dîne toutes les semaines chez les
Forestier, je leur rends ça, de temps en temps, dans un restaurant. Moi, je n'aime pas à avoir du monde chez moi, je 190

ne suis pas organisée pour ça, et, d'ailleurs, je n'entends rien aux choses de la maison, rien à la cuisine, rien à rien. J'aime vivre à la diable. Donc je les reçois de temps en temps au restaurant, mais ça n'est pas gai quand nous ne sommes que nous trois, et mes connaissances à moi ne vont guère avec eux. Je vous dis ça pour vous expliquer une invitation peu régulière. Vous comprenez, n'est-ce pas, que je vous demande d'être des nôtres samedi, au café Riche, sept heures et demie. Vous connaissez la maison ?

200   Il accepta avec bonheur. Elle reprit : – Nous serons tous les quatre seulement, une vraie partie carrée. C'est très amusant ces petites fêtes-là, pour nous autres femmes qui n'y sommes pas habituées.

Elle portait une robe marron foncé, qui moulait sa taille, ses hanches, sa gorge, ses bras d'une façon provocante et coquette ; et Duroy éprouvait un étonnement confus, presque une gêne dont il ne saisissait pas bien la cause, du désaccord de cette élégance soignée et raffinée avec l'insouci visible pour le logis qu'elle habitait.

210   Tout ce qui vêtait son corps, tout ce qui touchait intimement et directement sa chair, était délicat et fin, mais ce qui l'entourait ne lui importait plus.

Il la quitta, gardant, comme l'autre fois, la sensation de sa présence continuée dans une sorte d'hallucination de ses sens. Et il attendit le jour du dîner avec une impatience grandissante.

Ayant loué pour la seconde fois un habit noir, ses moyens ne lui permettant point encore d'acheter un costume de soirée, il arriva le premier au rendez-vous, 220   quelques minutes avant l'heure.

On le fit monter au second étage, et on l'introduisit dans un petit salon de restaurant, tendu de rouge et ouvrant sur le boulevard son unique fenêtre.

Une table carrée, de quatre couverts, étalait sa nappe blanche, si luisante qu'elle semblait vernie ; et les verres, l'argenterie, le réchaud brillaient gaiement sous la flamme de douze bougies portées par deux hauts candélabres.

Au-dehors, on apercevait une grande tache d'un vert clair que faisaient les feuilles d'un arbre, éclairées par la 230   lumière vive des cabinets particuliers.

Duroy s'assit sur un canapé très bas, rouge comme les tentures des murs, et dont les ressorts fatigués, s'enfonçant sous lui, lui donnèrent la sensation de tomber dans un trou. Il entendait dans toute cette vaste maison une rumeur confuse, ce bruissement des grands restaurants fait du bruit des vaisselles et des argenteries heurtées, du bruit des pas rapides des garçons, adoucis par le tapis des corridors, du bruit des portes un moment ouvertes et qui laissent échapper le son des voix de tous ces étroits salons où sont enfermés des gens qui dînent. Forestier entra et lui serra la main avec une familiarité cordiale, qu'il ne lui témoignait jamais dans les bureaux de *La Vie française*.

– Ces deux dames vont arriver ensemble, dit-il ; c'est très gentil ces dîners-là !

Puis il regarda la table, fit éteindre tout à fait un bec de gaz qui brûlait en veilleuse, ferma un battant de la fenêtre, à cause du courant d'air, et choisit sa place bien à l'abri, en déclarant : – Il faut que je fasse grande attention ; j'ai été mieux pendant un mois, et me voici repris depuis quelques jours. J'aurai attrapé froid mardi en sortant du théâtre.

On ouvrit la porte et les deux jeunes femmes parurent, suivies d'un maître d'hôtel, voilées, cachées, discrètes, avec cette allure de mystère charmant, qu'elles prennent en ces endroits où les voisinages et les rencontres sont suspects.

Comme Duroy saluait Mme Forestier, elle le gronda fort de n'être pas revenu la voir, puis elle ajouta, avec un sourire vers son amie : – C'est ça, vous me préférez Mme de Marelle, vous trouvez bien le temps pour elle.

Puis on s'assit, et le maître d'hôtel ayant présenté à Forestier la carte des vins, Mme de Marelle s'écria : – Donnez à ces messieurs ce qu'ils voudront ; quant à nous, du champagne frappé, du meilleur, du champagne doux par exemple, rien autre chose. – Et l'homme étant sorti, elle annonça avec un rire excité : – Je veux me pocharder ce soir, nous allons faire une noce, une vraie noce.

Forestier, qui paraissait n'avoir pas entendu, demanda :

– Cela ne vous ferait-il rien qu'on fermât la fenêtre ? j'ai la poitrine un peu prise depuis quelques jours.

– Non, rien du tout.

Il alla donc pousser le battant resté entr'ouvert et il revint s'asseoir avec un visage rasséréné, tranquillisé.

Sa femme ne disait rien, paraissait absorbée ; et, les yeux baissés vers la table, elle souriait aux verres, de ce sourire vague qui semblait promettre toujours pour ne jamais tenir.

Les huîtres d'Ostende furent apportées, mignonnes et grasses, semblables à de petites oreilles enfermées en des coquilles, et fondant entre le palais et la langue ainsi que
280 des bonbons salés.

Puis, après le potage, on servit une truite rose comme de la chair de jeune fille ; et les convives commencèrent à causer.

On parla d'abord d'un cancan qui courait les rues, l'histoire d'une femme du monde surprise, par un ami de son mari, soupant avec un prince étranger en cabinet particulier.

Forestier riait beaucoup de l'aventure ; les deux femmes déclaraient que le bavard indiscret n'était qu'un goujat et
290 qu'un lâche. Duroy fut de leur avis et proclama bien haut qu'un homme a le devoir d'apporter en ces sortes d'affaires, qu'il soit acteur, confident ou simple témoin, un silence de tombeau. Il ajouta : – Comme la vie serait pleine de choses charmantes si nous pouvions compter sur la discrétion absolue les uns des autres. Ce qui arrête souvent, bien souvent, presque toujours les femmes, c'est la peur du secret dévoilé.

Puis il ajouta, souriant : – Voyons, n'est-ce pas vrai ? Combien y en a-t-il qui s'abandonneraient à un rapide
300 désir, au caprice brusque et violent d'une heure, à une fantaisie d'amour, si elles ne craignaient de payer par un scandale irrémédiable et par des larmes douloureuses un court et léger bonheur !

Il parlait avec une conviction contagieuse, comme s'il avait plaidé une cause, sa cause, comme s'il eût dit : – Ce n'est pas avec moi qu'on aurait à craindre de pareils dangers. Essayez pour voir.

Elles le contemplaient toutes les deux, l'approuvant du regard, trouvant qu'il parlait bien et juste, confessant par
310 leur silence ami que leur morale flexible de Parisiennes n'aurait pas tenu longtemps devant la certitude du secret.

Et Forestier, presque couché sur le canapé, une jambe repliée sous lui, la serviette glissée dans son gilet pour ne point maculer son habit, déclara tout à coup, avec un rire convaincu de sceptique :

– Sacristi oui, on s'en paierait si on était sûr du silence. Bigre de bigre ! les pauvres maris.

Et on se mit à parler d'amour. Sans l'admettre éternel, Duroy le comprenait durable, créant un lien, une amitié tendre, une confiance ! L'union des sens n'était qu'un 320 sceau à l'union des cœurs. Mais il s'indignait des jalousies harcelantes, des drames, des scènes, des misères qui, presque toujours, accompagnent les ruptures.

Quand il se tut, Mme de Marelle soupira : – Oui, c'est la seule bonne chose de la vie, et nous la gâtons souvent par des exigences impossibles.

Mme Forestier qui jouait avec un couteau, ajouta :

– Oui… oui… c'est bon d'être aimée…

Et elle semblait pousser plus loin son rêve, songer à des choses qu'elle n'osait point dire. 330

Et comme la première entrée n'arrivait pas, ils buvaient de temps en temps une gorgée de champagne en grignotant des croûtes arrachées sur le dos des petits pains ronds. Et la pensée de l'amour, lente et envahissante, entrait en eux, enivrait peu à peu leur âme, comme le vin clair, tombé goutte à goutte en leur gorge, échauffait leur sang et troublait leur esprit.

On apporta des côtelettes d'agneau, tendres, légères, couchées sur un lit épais et menu de pointes d'asperges.

– Bigre ! la bonne chose ! s'écria Forestier. Et ils man- 340 geaient avec lenteur, savourant la viande fine et le légume onctueux comme une crème.

Duroy reprit : – Moi, quand j'aime une femme, tout disparaît du monde autour d'elle.

Il disait cela avec conviction, s'exaltant à la pensée de cette jouissance d'amour, dans le bien-être de la jouissance de table qu'il goûtait.

Mme Forestier murmura, avec son air de n'y point toucher : – Il n'y a pas de bonheur comparable à la première pression des mains, quand l'un demande : 350 « M'aimez-vous ? » et quand l'autre répond : « Oui, je t'aime. »

Mme de Marelle, qui venait de vider d'un trait une nouvelle flûte de champagne, dit gaiement, en reposant son verre : – Moi, je suis moins platonique.

Et chacun se mit à ricaner, l'œil allumé, en approuvant cette parole.

Forestier s'étendit sur le canapé, ouvrit les bras, les appuya sur des coussins et d'un ton sérieux : – Cette fran-
360 chise vous honore et prouve que vous êtes une femme pratique. Mais peut-on vous demander quelle est l'opinion de M. de Marelle ?

Elle haussa les épaules lentement, avec un dédain infini, prolongé, puis, d'une voix nette : – M. de Marelle n'a pas d'opinion en cette matière. Il n'a que des... que des abstentions.

Et la causerie, descendant des théories élevées sur la tendresse, entra dans le jardin fleuri des polissonneries distinguées.
370 Ce fut le moment des sous-entendus adroits, des voiles levés par des mots, comme on lève des jupes, le moment des ruses de langage, des audaces habiles et déguisées, de toutes les hypocrisies impudiques, de la phrase qui montre des images dévêtues avec des expressions couvertes, qui fait passer dans l'œil et dans l'esprit la vision rapide de tout ce qu'on ne peut pas dire, et permet aux gens du monde une sorte d'amour subtil et mystérieux, une sorte de contact impur des pensées par l'évocation simultanée, troublante et sensuelle comme une étreinte, de toutes les
380 choses secrètes, honteuses et désirées de l'enlacement. On avait apporté le rôti, des perdreaux flanqués de cailles, puis des petits pois, puis une terrine de foie gras accompagnée d'une salade aux feuilles dentelées, emplissant comme une mousse verte un grand saladier en forme de cuvette. Ils avaient mangé de tout cela sans y goûter, sans s'en douter, uniquement préoccupés de ce qu'ils disaient, plongés dans un bain d'amour.

Les deux femmes, maintenant, en lançaient de roides, Mme de Marelle avec une audace naturelle qui ressem-
390 blait à une provocation, Mme Forestier avec une réserve charmante, une pudeur dans le ton, dans la voix, dans le sourire, dans toute l'allure, qui soulignait, en ayant l'air de les atténuer, les choses hardies sorties de sa bouche.

Forestier, tout à fait vautré sur les coussins, riait, buvait, mangeait sans cesse et jetait parfois une parole tellement osée ou tellement crue que les femmes, un peu choquées par la forme et pour la forme, prenaient un petit air gêné qui durait deux ou trois secondes. Quand il avait lâché quelque polissonnerie trop grosse, il ajoutait : – Vous allez bien, mes enfants. Si vous continuez comme ça, vous finirez par faire des bêtises.

Le dessert vint, puis le café ; et les liqueurs versèrent dans les esprits excités un trouble plus lourd et plus chaud.

Comme elle l'avait annoncé en se mettant à table, Mme de Marelle était pocharde, et elle le reconnaissait, avec une grâce gaie et bavarde de femme qui accentue, pour amuser ses convives, une pointe d'ivresse très réelle.

Mme Forestier se taisait maintenant, par prudence peut-être ; et Duroy, se sentant trop allumé pour ne pas se compromettre, gardait une réserve habile.

On alluma des cigarettes, et Forestier, tout à coup, se mit à tousser.

Ce fut une quinte terrible qui lui déchirait la gorge ; et, la face rouge, le front en sueur, il étouffait dans sa serviette. Lorsque la crise fut calmée, il grogna, d'un air furieux : – Ça ne me vaut rien, ces parties-là ; c'est stupide. Toute sa bonne humeur avait disparu dans la terreur du mal qui hantait sa pensée.

– Rentrons chez nous, dit-il.

Mme de Marelle sonna le garçon et demanda l'addition. On la lui apporta presque aussitôt. Elle essaya de la lire, mais les chiffres tournaient devant ses yeux, et elle passa le papier à Duroy : – Tenez, payez pour moi, je n'y vois plus, je suis trop grise.

Et elle lui jeta en même temps sa bourse dans les mains.

Le total montait à cent trente francs. Duroy contrôla et vérifia la note, puis donna deux billets, et reprit la monnaie, en demandant à mi-voix : – Combien faut-il laisser aux garçons ? – Ce que vous voudrez, je ne sais pas.

Il mit cinq francs sur l'assiette, puis rendit la bourse à la jeune femme, en lui disant :

– Voulez-vous que je vous reconduise à votre porte ?

– Mais certainement. Je suis incapable de retrouver mon adresse.

On serra les mains des Forestier ; et Duroy se trouva seul avec Mme de Marelle dans un fiacre qui roulait.

Il la sentait contre lui, si près, enfermée avec lui dans cette boîte noire, qu'éclairaient brusquement, pendant un instant, les becs de gaz des trottoirs. Il sentait, à travers sa
440 manche, la chaleur de son épaule, et il ne trouvait rien à lui dire, absolument rien, ayant l'esprit paralysé par le désir impérieux de la saisir dans ses bras. « Si j'osais, que ferait-elle ? » pensait-il. Et le souvenir de toutes les polissonneries chuchotées pendant le dîner l'enhardissait, mais la peur du scandale le retenait en même temps.

Elle ne disait rien non plus, immobile, enfoncée en son coin. Il eût pensé qu'elle dormait s'il n'avait vu briller ses yeux chaque fois qu'un rayon de lumière pénétrait dans la voiture.

450 « Que pensait-elle ? » Il sentait bien qu'il ne fallait point parler, qu'un mot, un seul mot, rompant le silence, emporterait ses chances ; mais l'audace lui manquait, l'audace de l'action brusque et brutale.

Tout à coup il sentit remuer son pied. Elle avait fait un mouvement, un mouvement sec, nerveux, d'impatience ou d'appel peut-être. Ce geste, presque insensible, lui fit courir, de la tête aux pieds, un grand frisson sur la peau, et, se tournant vivement, il se jeta sur elle, cherchant la bouche avec ses lèvres et la chair nue avec ses mains.

460 Elle jeta un cri, un petit cri, voulut se dresser, se débattre, le repousser ; puis elle céda, comme si la force lui eût manqué pour résister plus longtemps.

Mais la voiture s'étant arrêtée bientôt devant la maison qu'elle habitait, Duroy, surpris, n'eut point à chercher des paroles passionnées pour la remercier, la bénir et lui exprimer son amour reconnaissant. Cependant, elle ne se levait pas, elle ne remuait point, étourdie par ce qui venait de se passer. Alors il craignit que le cocher n'eût des doutes, et il descendit le premier pour tendre la main à la
470 jeune femme.

Elle sortit enfin du fiacre en trébuchant et sans prononcer une parole. Il sonna, et, comme la porte s'ouvrait, il demanda, en tremblant : – Quand vous reverrai-je ?

Elle murmura si bas qu'il entendit à peine : – Venez déjeuner avec moi demain. – Et elle disparut dans l'ombre du vestibule en repoussant le lourd battant qui fit un bruit de coup de canon.

Il donna cent sous au cocher et se mit à marcher devant lui, d'un pas rapide et triomphant, le cœur débordant de joie.

Il en tenait une, enfin, une femme mariée ! une femme du monde ! du vrai monde ! du monde parisien ! Comme ça avait été facile et inattendu !

Il s'était imaginé jusque-là que pour aborder et conquérir une de ces créatures tant désirées, il fallait des soins infinis, des attentes interminables, un siège habile fait de galanteries, de paroles d'amour, de soupirs et de cadeaux. Et voilà que tout d'un coup, à la moindre attaque, la première qu'il rencontrait s'abandonnait à lui, si vite qu'il en demeurait stupéfait.

« Elle était grise, pensait-il ; demain, ce sera une autre chanson. J'aurai les larmes. » Cette idée l'inquiéta, puis il se dit : « Ma foi, tant pis. Maintenant je la tiens, je saurai bien la garder. »

Et, dans le mirage confus où s'égaraient ses espérances, espérances de grandeur, de succès, de renommée, de fortune et d'amour, il aperçut tout à coup, pareille à ces guirlandes de figurantes qui se déroulent dans le ciel des apothéoses, une procession de femmes élégantes, riches, puissantes, qui passaient en souriant pour disparaître l'une après l'autre au fond du nuage doré de ses rêves.

Et son sommeil fut peuplé de visions.

Il était un peu ému, le lendemain, en montant l'escalier de Mme de Marelle. Comment allait-elle le recevoir ? Et si elle ne le recevait pas ? Si elle avait défendu l'entrée de sa demeure ? Si elle racontait… ? Mais non, elle ne pouvait rien dire sans laisser deviner la vérité tout entière. Donc il était maître de la situation.

La petite bonne ouvrit la porte. Elle avait son visage ordinaire. Il se rassura, comme s'il se fût attendu à ce que la domestique lui montrât une figure bouleversée.

Il demanda : – Madame va bien ?

Elle répondit : – Oui, monsieur, comme toujours.

Et elle le fit entrer dans le salon.

Il alla droit à la cheminée pour constater l'état de ses cheveux et de sa toilette ; et il rajustait sa cravate devant la glace, quand il aperçut dedans la jeune femme qui le regardait, debout sur le seuil de la chambre.

Il fit semblant de ne l'avoir point vue, et ils se considé-
520 rèrent quelques secondes, au fond du miroir, s'observant, s'épiant, avant de se trouver face à face.

Il se retourna. Elle n'avait point bougé, et semblait attendre. Il s'élança, balbutiant : – Comme je vous aime ! Comme je vous aime ! Elle ouvrit les bras et tomba sur sa poitrine ; puis, ayant levé la tête vers lui, ils s'embrassèrent longtemps.

Il pensait : « C'est plus facile que je n'aurais cru. Ça va très bien. » Et, leurs lèvres s'étant séparées, il souriait, sans dire un mot, en tâchant de mettre dans son regard une
530 infinité d'amour.

Elle aussi souriait, de ce sourire qu'elles ont pour offrir leur désir, leur consentement, leur volonté de se donner. Elle murmura : – Nous sommes seuls. J'ai envoyé Laurine déjeuner chez une camarade.

Il soupira, en lui baisant les poignets : – Merci, je vous adore.

Alors elle lui prit le bras, comme s'il eût été son mari, pour aller jusqu'au canapé où ils s'assirent côte à côte.

Il lui fallait un début de causerie habile et séduisant ; ne
540 le découvrant point à son gré, il balbutia :

– Alors vous ne m'en voulez pas trop ?

Elle lui mit une main sur la bouche :

– Tais-toi !

Ils demeurèrent silencieux, les regards mêlés, les doigts enlacés et brûlants.

– Comme je vous désirais ! dit-il.

Elle répéta : – Tais-toi !

On entendait la bonne remuer les assiettes dans la salle, derrière le mur.

550 Il se leva : – Je ne veux pas rester si près de vous. Je perdrais la tête.

La porte s'ouvrit :

« Madame est servie. »

Et il offrit son bras avec gravité.

Ils déjeunèrent face à face, se regardant et se souriant sans cesse, occupés uniquement d'eux, tout enveloppés par le charme si doux d'une tendresse qui commence. Ils

mangeaient sans savoir quoi. Il sentit un pied, un petit
pied, qui rôdait sous la table. Il le prit entre les siens et l'y
garda, le serrant de toute sa force.   560

La bonne allait, venait, apportait et enlevait les plats
d'un air nonchalant, sans paraître rien remarquer.

Quand ils eurent fini de manger, ils rentrèrent dans le
salon et reprirent leur place sur le canapé, côte à côte.

Peu à peu, il se serrait contre elle, essayant de
l'étreindre. Mais elle le repoussait avec calme : – Prenez
garde, on pourrait entrer.

Il murmura : – Quand pourrai-je vous voir bien seule
pour vous dire comme je vous aime ?

Elle se pencha vers son oreille, et prononça tout bas :   570
– J'irai vous faire une petite visite chez vous un de ces
jours.

Il se sentit rougir : – C'est que… chez moi… c'est…
c'est bien modeste…

Elle sourit : – Ça ne fait rien. C'est vous que j'irai voir
et non pas l'appartement.

Alors, il la pressa pour savoir quand elle viendrait. Elle
fixa un jour éloigné de la semaine suivante, et il la supplia
d'avancer la date, avec des paroles balbutiées, des yeux
luisants, en lui maniant et lui broyant les mains, le visage   580
rouge, enfiévré, ravagé de désir, de ce désir impétueux qui
suit les repas en tête-à-tête.

Elle s'amusait de le voir l'implorer avec cette ardeur,
et cédait un jour, de temps en temps. Mais il répétait :
– Demain… dites… demain.

Elle y consentit à la fin : – Oui. Demain. Cinq heures.

Il poussa un long soupir de joie ; et ils causèrent
presque tranquillement, avec des allures d'intimité,
comme s'ils se fussent connus depuis vingt ans.

Un coup de timbre les fit tressaillir ; et, d'une secousse, 590
ils s'éloignèrent l'un de l'autre.

Elle murmura : – Ce doit être Laurine.

L'enfant parut, puis s'arrêta interdite, puis courut vers
Duroy en battant des mains, transportée de plaisir en
l'apercevant, et elle cria : – Ah ! Bel-Ami !

Mme de Marelle se mit à rire :

– Tiens ! Bel-Ami ! Laurine vous a baptisé ! C'est un bon petit nom d'amitié pour vous, ça ; moi aussi je vous appellerai Bel-Ami !

600   Il avait pris sur ses genoux la fillette, et il dut jouer avec elle à tous les petits jeux qu'il lui avait appris.

Il se leva à trois heures moins vingt minutes, pour se rendre au journal ; et, sur l'escalier, par la porte entr'ouverte, il murmura encore, du bout des lèvres : – Demain. Cinq heures.

La jeune femme répondit : « Oui », d'un sourire, et disparut.

Dès qu'il eut fini sa besogne journalière, il songea à la façon dont il arrangerait sa chambre pour recevoir sa maî-
610   tresse et dissimuler le mieux possible la pauvreté du local. Il eut l'idée d'épingler sur les murs de menus bibelots japonais, et il acheta pour cinq francs toute une collection de crépons, de petits éventails et de petits écrans, dont il cacha les taches trop visibles du papier. Il appliqua sur les vitres de la fenêtre des images transparentes représentant des bateaux sur des rivières, des vols d'oiseaux à travers des ciels rouges, des dames multicolores sur des balcons et des processions de petits bonshommes noirs dans les plaines remplies de neige.

620   Son logis, grand tout juste pour y dormir et s'y asseoir, eut bientôt l'air de l'intérieur d'une lanterne de papier peint. Il jugea l'effet satisfaisant, et il passa la soirée à coller sur le plafond des oiseaux découpés dans des feuilles coloriées qui lui restaient.

Puis il se coucha, bercé par le sifflet des trains.

Il rentra de bonne heure le lendemain, portant un sac de gâteaux et une bouteille de madère achetée chez l'épicier. Il dut ressortir pour se procurer deux assiettes et deux verres ; et il disposa cette collation sur sa table de toilette,
630   dont le bois sale fut caché par une serviette ; la cuvette et le pot à l'eau étant dissimulés par-dessous.

Puis il attendit.

Elle arriva vers cinq heures un quart, et, séduite par le papillotement coloré des dessins, elle s'écria : – Tiens, c'est gentil chez vous. Mais il y a bien du monde dans l'escalier.

Il l'avait prise dans ses bras, et il baisait ses cheveux avec emportement, entre le front et le chapeau, à travers le voile.

Une heure et demie plus tard, il la reconduisit à la sta- 640
tion de fiacres de la rue de Rome. Lorsqu'elle fut dans la voiture, il murmura : – Mardi, à la même heure.

Elle dit : – À la même heure, mardi. – Et, comme la nuit était venue, elle attira sa tête dans la portière et le baisa sur les lèvres. Puis, le cocher ayant fouetté sa bête, elle cria : – Adieu, Bel-Ami ! – et le vieux coupé s'en alla au trot fatigué d'un cheval blanc.

Pendant trois semaines, Duroy reçut ainsi Mme de Marelle tous les deux ou trois jours, tantôt le matin, tantôt le soir. 650

Comme il l'attendait, un après-midi, un grand bruit dans l'escalier l'attira sur sa porte. Un enfant hurlait. Une voix furieuse, celle d'un homme, cria : – Qu'est-ce qu'il a encore à gueuler, ce bougre-là ? – La voix glapissante et exaspérée d'une femme répondit : – C'est ct'e sale cocotte qui vient chez l'journaliste d'en haut qu'a renversé Nicolas sur l'palier. Comme si on devrait laisser des rou-lures comme ça qui n'font seulement pas attention aux éfans dans les escaliers !

Duroy, éperdu, se recula, car il entendait un rapide frô- 660
lement de jupes et un pas précipité gravissant l'étage au-dessous de lui.

On frappa bientôt à sa porte, qu'il venait de refermer. Il ouvrit, et Mme de Marelle se jeta dans la chambre, essouf-flée, affolée, balbutiant :

– As-tu entendu ?

Il fit semblant de ne rien savoir.

– Non, quoi ?

– Comme ils m'ont insultée ?

– Qui ça ? 670

– Les misérables qui habitent au-dessous.

– Mais non, qu'est-ce qu'il y a, dis-moi ?

Elle se mit à sangloter sans pouvoir prononcer un mot.

Il dut la décoiffer, la délacer, l'étendre sur le lit, lui tapoter les tempes avec un linge mouillé : elle suffoquait ; puis quand son émotion se fut un peu calmée, toute sa colère indignée éclata.

Elle voulait qu'il descendît tout de suite, qu'il se battît, qu'il les tuât.

680   Il répétait : – Mais ce sont des ouvriers, des rustres. Songe qu'il faudrait aller en justice, que tu pourrais être reconnue, arrêtée, perdue. On ne se commet pas avec des gens comme ça.

Elle passa à une autre idée : – Comment ferons-nous, maintenant ? Moi, je ne peux pas rentrer ici. Il répondit : – C'est bien simple, je vais déménager.

Elle murmura :

– Oui, mais ce sera long. Puis, tout d'un coup, elle imagina une combinaison, et rassérénée brusquement :

690   – Non, écoute, j'ai trouvé, laisse-moi faire, ne t'occupe de rien. Je t'enverrai un petit bleu demain matin.

Elle appelait des « petits bleus » les télégrammes fermés circulant dans Paris.

Elle souriait maintenant, ravie de son invention, qu'elle ne voulait pas révéler ; et elle fit mille folies d'amour.

Elle était bien émue cependant, en redescendant l'escalier, et elle s'appuyait de toute sa force sur le bras de son amant, tant elle sentait fléchir ses jambes.

Ils ne rencontrèrent personne.

700   Comme il se levait tard, il était encore au lit, le lendemain vers onze heures, quand le facteur du télégraphe lui apporta le petit bleu promis.

Duroy l'ouvrit et lut : « Rendez-vous tantôt, cinq heures, rue de Constantinople, 127. Tu te feras ouvrir l'appartement loué par Mme Duroy.

                              « CLO t'embrasse. »

À cinq heures précises, il entrait chez le concierge d'une grande maison meublée et demandait : – C'est ici que Mme Duroy a loué un appartement ?

710   – Oui, monsieur.

– Voulez-vous m'y conduire, s'il vous plaît.

L'homme, habitué sans doute aux situations délicates où la prudence est nécessaire, le regardant dans les yeux, puis, choisissant dans la longue file de clefs :

– Vous êtes bien M. Duroy ?

– Mais oui, parfaitement.

Et il ouvrit un petit logement composé de deux pièces et situé au rez-de-chaussée, en face de la loge.

Le salon, tapissé de papier ramagé, assez frais, possédait un meuble d'acajou recouvert en reps verdâtre à dessins jaunes, et un maigre tapis à fleurs, si mince que le pied sentait le bois par-dessous.

La chambre à coucher était si exiguë que le lit l'emplissait aux trois quarts. Il tenait le fond, allant d'un mur à l'autre, un grand lit de maison meublée, enveloppé de rideaux bleus et lourds, également en reps, et écrasé sous un édredon de soie rouge maculé de taches suspectes.

Duroy, inquiet et mécontent, pensait : « Ça va me coûter un argent fou, ce logis-là. Il va falloir que j'emprunte encore. C'est idiot, ce qu'elle a fait. »

La porte s'ouvrit, et Clotilde se précipita en coup de vent, avec un grand bruit de robe, les bras ouverts. Elle était enchantée : – Est-ce gentil, dis, est-ce gentil ? Et pas à monter, c'est sur la rue, au rez-de-chaussée ! On peut entrer et sortir par la fenêtre sans que le concierge vous voie. Comme nous nous aimerons là-dedans.

Il l'embrassait froidement, n'osant faire la question qui lui venait aux lèvres.

Elle avait posé un gros paquet sur le guéridon, au milieu de la pièce. Elle l'ouvrit et en tira un savon, une bouteille d'eau de Lubin, une éponge, une boîte d'épingles à cheveux, un tire-bouchon et un petit fer à friser pour rajuster les mèches de son front qu'elle défaisait toutes les fois.

Et elle joua à l'installation, cherchant la place de chaque chose, s'amusant énormément.

Elle parlait tout en ouvrant les tiroirs : – Il faudra que j'apporte un peu de linge, pour pouvoir en changer à l'occasion. Ce sera très commode. Si je reçois une averse, par hasard, en faisant des courses, je viendrai me sécher ici. Nous aurons chacun notre clef, outre celle laissée dans la loge pour le cas où nous oublierions les nôtres. J'ai loué pour trois mois, à ton nom, bien entendu, puisque je ne pouvais donner le mien.

Alors il demanda : – Tu me diras quand il faudra payer ?

Elle répondit simplement : – Mais c'est payé, mon chéri !

Il reprit : – Alors, c'est à toi que je le dois ?

– Mais non, mon chat, ça ne te regarde pas, c'est moi
760 qui veux faire cette petite folie.

Il eut l'air de se fâcher : – Ah ! mais non, par exemple.
Je ne le permettrai point.

Elle vint à lui suppliante, et, posant les mains sur ses
épaules : – Je t'en prie, Georges, ça me fera tant de plaisir,
tant de plaisir que ce soit à moi, notre nid, rien qu'à moi !
Ça ne peut pas te froisser ? En quoi ? Je voudrais apporter
ça dans notre amour. Dis que tu veux bien, mon petit Géo,
dis que tu veux bien ?… Elle l'implorait du regard, de la
lèvre, de tout son être.

770 Il se fit prier, refusant avec des mines irritées, puis il
céda, trouvant cela juste, au fond.

Et quand elle fut partie, il murmura, en se frottant les
mains et sans chercher dans les replis de son cœur d'où lui
venait, ce jour-là, cette opinion : « Elle est gentille, tout de
même. »

Il reçut quelques jours plus tard un autre petit bleu qui
lui disait : « Mon mari arrive ce soir, après six semaines
d'inspection. Nous aurons donc relâche huit jours. Quelle
corvée, mon chéri !

780   « Ta CLO. »

Duroy demeura stupéfait. Il ne songeait vraiment plus
qu'elle était mariée. En voilà un homme dont il aurait
voulu voir la tête, rien qu'une fois, pour le connaître.

Il attendit avec patience cependant le départ de l'époux,
mais il passa aux Folies-Bergère deux soirées qui se termi-
nèrent chez Rachel.

Puis, un matin, nouveau télégramme contenant quatre
mots : « Tantôt, cinq heures. – CLO. »

Ils arrivèrent tous les deux en avance au rendez-vous.
790 Elle se jeta dans ses bras avec un grand élan d'amour, le
baisant passionnément à travers le visage ; puis elle lui
dit : – Si tu veux, quand nous nous serons bien aimés, tu
m'emmèneras dîner quelque part. Je me suis faite libre.

On était justement au commencement du mois, et bien
que son traitement fût escompté longtemps d'avance, et
qu'il vécût au jour le jour d'argent cueilli de tous les côtés,
Duroy se trouvait par hasard en fonds ; et il fut content
d'avoir l'occasion de dépenser quelque chose pour elle.

Il répondit : – Mais oui, ma chérie, où tu voudras.

Ils partirent donc vers sept heures et gagnèrent le bou- 800
levard extérieur. Elle s'appuyait fortement sur lui et lui
disait, dans l'oreille : – Si tu savais comme je suis contente
de sortir à ton bras, comme j'aime te sentir contre moi.

Il demanda : – Veux-tu aller chez le père Lathuille ?

Elle répondit : – Oh ! non, c'est trop chic. Je voudrais
quelque chose de drôle, de commun, comme un restaurant
où vont les employés et les ouvrières ; j'adore les parties
dans les guinguettes ! Oh ! si nous avions pu aller à la
campagne !

Comme il ne connaissait rien en ce genre dans le quar- 810
tier, ils errèrent le long du boulevard, et ils finirent par
entrer chez un marchand de vin qui donnait à manger dans
une salle à part. Elle avait vu, à travers la vitre, deux
fillettes en cheveux attablées en face de deux militaires.

Trois cochers de fiacre dînaient dans le fond de la pièce
étroite et longue, et un personnage, impossible à classer
dans aucune profession, fumait sa pipe, les jambes allon-
gées, les mains dans la ceinture de sa culotte, étendu sur sa
chaise et la tête renversée en arrière par-dessus la barre. Sa
jaquette semblait un musée de taches, et dans les poches 820
gonflées comme des ventres on apercevait le goulot d'une
bouteille, un morceau de pain, un paquet enveloppé dans
un journal et un bout de ficelle qui pendait. Il avait des
cheveux épais, crépus, mêlés, gris de saleté ; et sa casquette était par terre, sous sa chaise.

L'entrée de Clotilde fit sensation par l'élégance de sa
toilette. Les deux couples cessèrent de chuchoter, les trois
cochers cessèrent de discuter, et le particulier qui fumait,
ayant ôté sa pipe de sa bouche et craché devant lui, regarda
en tournant un peu la tête. 830

Mme de Marelle murmura : – C'est très gentil ! Nous
serons très bien ; une autre fois, je m'habillerai en
ouvrière. Et elle s'assit sans embarras et sans dégoût en
face de la table de bois vernie par la graisse des nourri-
tures, lavée par les boissons répandues et torchée d'un
coup de serviette par le garçon. Duroy, un peu gêné, un
peu honteux, cherchait une patère pour y pendre son haut
chapeau. N'en trouvant point, il le déposa sur une chaise.

Ils mangèrent un ragoût de mouton, une tranche de
gigot et une salade. Clotilde répétait : – Moi, j'adore ça. 840

J'ai des goûts canailles. Je m'amuse mieux ici qu'au Café Anglais. Puis elle dit : – Si tu veux me faire tout à fait plaisir, tu me mèneras dans un bastringue. J'en connais un très drôle près d'ici qu'on appelle La Reine blanche.

Duroy, surpris, demanda : – Qui est-ce qui t'a menée là ?

Il la regardait et il la vit rougir, un peu troublée, comme si cette question brusque eût éveillé en elle un souvenir délicat. Après une de ces hésitations féminines si courtes
850 qu'il les faut deviner, elle répondit : – C'est un ami… – puis, après un silence, elle ajouta : – qui est mort.

Et elle baissa les yeux avec une tristesse bien naturelle. Et Duroy, pour la première fois, songea à tout ce qu'il ne savait point dans la vie passée de cette femme, et il rêva. Certes, elle avait eu des amants, déjà, mais de quelle sorte ? de quel monde ? Une vague jalousie, une sorte d'inimitié s'éveillait en lui contre elle, une inimitié pour tout ce qu'il ignorait, pour tout ce qui ne lui avait point appartenu dans ce cœur et dans cette existence. Il la regar-
860 dait, irrité du mystère enfermé dans cette tête jolie et muette et qui songeait, en ce moment-là même peut-être, à l'autre, aux autres, avec des regrets. Comme il eût aimé regarder dans ce souvenir, y fouiller, et tout savoir, tout connaître…

Elle répéta : – Veux-tu me conduire à La Reine blanche ? Ce sera une fête complète.

Il pensa : « Bah ! qu'importe le passé ? Je suis bien bête de me troubler de ça. » Et, souriant, il répondit : – Mais certainement, ma chérie.

Lorsqu'ils furent dans la rue, elle reprit, tout bas, avec
870 ce ton mystérieux dont on fait les confidences : – Je n'osais point te demander ça, jusqu'ici ; mais tu ne te figures pas comme j'aime ces escapades de garçon dans tous ces endroits où les femmes ne vont pas. Pendant le carnaval, je m'habillerai en collégien. Je suis drôle comme tout en collégien.

Quand ils pénétrèrent dans la salle de bal, elle se serra contre lui, effrayée et contente, regardant d'un œil ravi les filles et les souteneurs et, de temps en temps, comme pour se rassurer contre un danger possible, elle disait, en aper-
880 cevant un municipal grave et immobile : « Voilà un agent

qui a l'air solide. » Au bout d'un quart d'heure, elle en eut
assez, et il la reconduisit chez elle.

Alors commença une série d'excursions dans tous les
endroits louches où s'amuse le peuple ; et Duroy découvrit
dans sa maîtresse un goût passionné pour ce vagabondage
d'étudiants en goguette.

Elle arrivait au rendez-vous habituel vêtue d'une robe
de toile, la tête couverte d'un bonnet de soubrette, de soubrette de vaudeville ; et, malgré la simplicité élégante et
cherchée de la toilette, elle gardait ses bagues, ses brace- 890
lets et ses boucles d'oreilles en brillants, en donnant cette
raison, quand il la suppliait de les ôter : « Bah ! on croira
que ce sont des cailloux du Rhin. »

Elle se jugeait admirablement déguisée, et, bien qu'elle
fût en réalité cachée à la façon des autruches, elle allait
dans les tavernes les plus mal famées.

Elle avait voulu que Duroy s'habillât en ouvrier ; mais
il résista et garda sa tenue correcte de boulevardier sans
vouloir même changer son haut chapeau contre un chapeau de feutre mou.   900

Elle s'était consolée de son obstination par ce
raisonnement : « On pense que je suis une femme de
chambre en bonne fortune avec un jeune homme du
monde. » Et elle trouvait délicieuse cette comédie.

Ils entraient ainsi dans les caboulots populaires et
allaient s'asseoir au fond du bouge enfumé, sur des
chaises boiteuses, devant une vieille table de bois. Un
nuage de fumée âcre où restait une odeur de poisson frit du
dîner emplissait la salle ; des hommes en blouse gueu-
laient en buvant des petits verres ; et le garçon étonné 910
dévisageait ce couple étrange, en posant devant lui deux
cerises à l'eau-de-vie.

Elle, tremblante, apeurée et ravie, se mettait à boire le
jus rouge des fruits, à petits coups, en regardant autour
d'elle d'un œil inquiet et allumé. Chaque cerise avalée lui
donnait la sensation d'une faute commise, chaque goutte
du liquide brûlant et poivré descendant en sa gorge lui pro-
curait un plaisir âcre, la joie d'une jouissance scélérate et
défendue.

Puis elle disait à mi-voix : « Allons-nous-en. » Et ils 920
partaient. Elle filait vivement, la tête basse, d'un pas

menu, d'un pas d'actrice qui quitte la scène, entre les buveurs accoudés aux tables qui la regardaient passer d'un air soupçonneux et mécontent ; et quand elle avait franchi la porte, elle poussait un grand soupir, comme si elle venait d'échapper à quelque terrible danger.

Quelquefois, elle demandait à Duroy, en frissonnant :

– Si on m'injuriait dans ces endroits-là, qu'est-ce que tu ferais ?

930 Il répondait d'un ton crâne :

– Je te défendrais, parbleu !

Et elle lui serrait le bras avec bonheur, avec le désir confus peut-être d'être injuriée et défendue, de voir des hommes se battre pour elle, même ces hommes-là, avec son bien-aimé.

Mais ces excursions, se renouvelant deux ou trois fois par semaine, commençaient à fatiguer Duroy, qui avait grand mal d'ailleurs, depuis quelque temps, à se procurer le demi-louis qu'il lui fallait pour payer la voiture et les 940 consommations.

Il vivait maintenant avec une peine infinie, avec plus de peine qu'aux jours où il était employé du Nord, car, ayant dépensé largement, sans compter, pendant ses premiers mois de journalisme, avec l'espoir constant de gagner de grosses sommes le lendemain, il avait épuisé toutes ses ressources et tous les moyens de se procurer de l'argent.

Un procédé fort simple, celui d'emprunter à la caisse, s'était trouvé bien vite usé, et il devait déjà au journal quatre mois de son traitement, plus six cents francs sur ses 950 lignes. Il devait, en outre, cent francs à Forestier, trois cents francs à Jacques Rival, qui avait la bourse large, et il était rongé par une multitude de petites dettes inavouables de vingt francs ou de cent sous.

Saint-Potin, consulté sur les méthodes à employer pour trouver encore cent francs, n'avait découvert aucun expédient, bien qu'il fût un homme d'invention ; et Duroy s'exaspérait de cette misère, plus sensible maintenant qu'autrefois, parce qu'il avait plus de besoins. Une colère sourde contre tout le monde couvait en lui, et une irritation 960 incessante, qui se manifestait à tout propos, à tout moment, pour les causes les plus futiles.

Il se demandait parfois comment il avait fait pour dépenser une moyenne de mille livres par mois, sans aucun excès, ni aucune fantaisie ; et il constatait qu'en additionnant un déjeuner de huit francs avec un dîner de douze pris dans un grand café quelconque du boulevard, il arrivait tout de suite à un louis, qui, joint à une dizaine de francs d'argent de poche, de cet argent qui coule sans qu'on sache comment, formait un total de trente francs. Or trente francs par jour donnent neuf cents francs à la fin du mois. Et il ne comptait pas là-dedans tous les frais d'habillement, de chaussure, de linge, de blanchissage, etc.

Donc, le 14 décembre, il se trouva sans un sou dans sa poche et sans un moyen dans l'esprit pour obtenir quelque monnaie.

Il fit, comme il avait fait souvent jadis, il ne déjeuna point et il passa l'après-midi au journal à travailler, rageant et préoccupé.

Vers quatre heures, il reçut un petit bleu de sa maîtresse, qui lui disait : « Veux-tu que nous dînions ensemble ? nous ferons ensuite une escapade. »

Il répondit aussitôt : « Impossible dîner. » Puis il réfléchit qu'il serait bien bête de se priver des moments agréables qu'elle pourrait lui donner, et il ajouta : « Mais je t'attendrai, à neuf heures, dans notre logis. »

Et ayant envoyé un des garçons porter ce mot, afin d'économiser le prix du télégramme, il réfléchit à la façon dont il s'y prendrait pour se procurer le repas du soir.

À sept heures, il n'avait encore rien inventé ; et une faim terrible lui creusait le ventre. Alors il eut recours à un stratagème de désespéré. Il laissa partir tous ses confrères, l'un après l'autre, et, quand il fut seul, il sonna vivement. L'huissier du patron, resté pour garder les bureaux, se présenta.

Duroy debout, nerveux, fouillait ses poches, et d'une voix brusque : – Dites donc, Foucart, j'ai oublié mon porte-monnaie chez moi, et il faut que j'aille dîner au Luxembourg. Prêtez-moi cinquante sous pour payer ma voiture.

L'homme tira trois francs de son gilet, en demandant :
– Monsieur Duroy ne veut pas davantage ?

– Non, non, cela me suffit. Merci bien.

Et, ayant saisi les pièces blanches, Duroy descendit en courant l'escalier, puis alla dîner dans une gargotte où il échouait aux jours de misère.

À neuf heures, il attendait sa maîtresse, les pieds au feu dans le petit salon.

Elle arriva, très animée, très gaie, fouettée par l'air froid de la rue : – Si tu veux, dit-elle, nous ferons d'abord un tour, puis nous rentrerons ici à onze heures. Le temps est admirable pour se promener.

Il répondit d'un ton grognon : – Pourquoi sortir ? On est très bien ici.

Elle reprit, sans ôter son chapeau : – Si tu savais, il fait un clair de lune merveilleux. C'est un vrai bonheur de se promener, ce soir.

– C'est possible, mais moi je ne tiens pas à me promener.

Il avait dit cela d'un air furieux. Elle en fut saisie, blessée, et demanda : – Qu'est-ce que tu as ? Pourquoi prends-tu ces manières-là ? J'ai le désir de faire un tour, je ne vois pas en quoi cela peut te fâcher.

Il se souleva, exaspéré. – Cela ne me fâche pas. Cela m'embête. Voilà.

Elle était de celles que la résistance irrite et que l'impolitesse exaspère.

Elle prononça, avec dédain, avec une colère froide :

– Je n'ai pas l'habitude qu'on me parle ainsi. Je m'en irai seule alors ; adieu !

Il comprit que c'était grave, et s'élançant vivement vers elle, il lui prit les mains, les baisa, en balbutiant :

– Pardonne-moi, ma chérie, pardonne-moi. Je suis très nerveux, ce soir, très irritable. C'est que j'ai des contrariétés, des ennuis, tu sais, des affaires de métier.

Elle répondit, un peu adoucie, mais non calmée :

– Cela ne me regarde pas, moi ; et je ne veux point supporter le contrecoup de votre mauvaise humeur.

Il la prit dans ses bras, l'attira vers le canapé :

– Écoute, ma mignonne, je ne voulais point te blesser ; je n'ai point songé à ce que je disais.

Il l'avait forcée à s'asseoir, et s'agenouillant devant elle :

– M'as-tu pardonné ? Dis-moi que tu m'as pardonné.

Elle murmura, d'une voix froide :

– Soit, mais ne recommence pas.

Et, s'étant relevée, elle ajouta :

– Maintenant, allons faire un tour.

Il était demeuré à genoux, entourant les hanches de ses deux bras ; il balbutia : – Je t'en prie, restons ici. Je t'en 1050 supplie. Accorde-moi cela. J'aimerais tant à te garder ce soir, pour moi tout seul, là, près du feu. Dis « oui », je t'en supplie, dis « oui ».

Elle répliqua nettement, durement : – Non. Je tiens à sortir, et je ne céderai pas à tes caprices.

Il insista : – Je t'en supplie, j'ai une raison, une raison très sérieuse…

Elle dit de nouveau : – Non. Et si tu ne veux pas sortir avec moi, je m'en vais. Adieu !

Elle s'était dégagée d'une secousse, et gagnait la porte. 1060 Il courut vers elle, l'enveloppa dans ses bras :

– Écoute, Clo, ma petite Clo, écoute, accorde-moi cela… Elle faisait non, de la tête, sans répondre, évitant ses baisers et cherchant à sortir de son étreinte pour s'en aller.

Il bégayait : – Clo, ma petite Clo, j'ai une raison.

Elle s'arrêta, le regardant en face :

– Tu mens… laquelle ?

Il rougit, ne sachant que dire. Et elle reprit, indignée :

– Tu vois bien que tu mens… sale bête…   1070

Et avec un geste rageur, les larmes aux yeux, elle lui échappa.

Il la prit encore une fois par les épaules, et désolé, prêt à tout avouer pour éviter cette rupture, il déclara avec un accent désespéré : – Il y a que je n'ai pas le sou… Voilà.

Elle s'arrêta net, et le regardant au fond des yeux pour y lire la vérité : – Tu dis ?

Il avait rougi jusqu'aux cheveux : – Je dis que je n'ai pas le sou. Comprends-tu ? Mais pas vingt sous, pas dix sous, pas de quoi payer un verre de cassis dans le café où 1080 nous entrerons. Tu me forces à confesser des choses honteuses. Il ne m'était pourtant pas possible de sortir avec toi, et quand nous aurions été attablés devant deux

consommations, de te raconter tranquillement que je ne
pouvais pas les payer…

Elle le regardait toujours en face : – Alors… c'est bien
vrai… ça ?

En une seconde, il retourna toutes ses poches, celles du
pantalon, celles du gilet, celles de la jaquette, et il
1090 murmura : – Tiens… es-tu contente… maintenant ?

Brusquement, ouvrant ses deux bras avec un élan passionné, elle lui sauta au cou, en bégayant : – Oh ! mon
pauvre chéri… mon pauvre chéri… si j'avais su ! Comment cela t'est-il arrivé ?

Elle le fit asseoir, et s'assit elle-même sur ses genoux,
puis le tenant par le cou, le baisant à tout instant, baisant
sa moustache, sa bouche, ses yeux, elle le força à raconter
d'où lui venait cette infortune.

Il inventa une histoire attendrissante. Il avait été obligé
1100 de venir en aide à son père qui se trouvait dans l'embarras.
Il lui avait donné non seulement toutes ses économies,
mais il s'était endetté gravement.

Il ajouta : – J'en ai pour six mois au moins à crever de
faim, car j'ai épuisé toutes mes ressources. Tant pis, il y a
des moments de crise dans la vie. L'argent, après tout, ne
vaut pas qu'on s'en préoccupe.

Elle lui souffla dans l'oreille :

– Je t'en prêterai, veux-tu ?

Il répondit avec dignité :

1110 – Tu es bien gentille, ma mignonne, mais ne parlons
plus de ça, je te prie. Tu me blesserais.

Elle se tut ; puis, le serrant dans ses bras, elle murmura :

– Tu ne sauras jamais comme je t'aime.

Ce fut une de leurs meilleures soirées d'amour.

Comme elle allait partir, elle reprit en souriant :

– Hein ! quand on est dans ta situation, comme c'est
amusant de retrouver de l'argent oublié dans une poche,
une pièce qui avait glissé dans la doublure.

Il répondit avec conviction :

1120 – Ah ! ça oui, par exemple.

Elle voulut rentrer à pied sous prétexte que la lune était
admirable, et elle s'extasiait en le regardant.

C'était une nuit froide et sereine du commencement de l'hiver. Les passants et les chevaux allaient vite, piqués par une claire gelée. Les talons sonnaient sur les trottoirs.

En le quittant, elle demanda : – Veux-tu nous revoir après-demain ?

– Mais oui, certainement.

– À la même heure ?

– À la même heure.

– Adieu, mon chéri.

Et ils s'embrassèrent tendrement.

Puis il revint à grands pas, se demandant ce qu'il inventerait le lendemain, afin de se tirer d'affaire. Mais, comme il ouvrait la porte de sa chambre, il fouilla dans la poche de son gilet pour y trouver des allumettes, et il demeura stupéfait de rencontrer une pièce de monnaie qui roulait sous son doigt.

Dès qu'il eut de la lumière, il saisit cette pièce pour l'examiner. C'était un louis de vingt francs !

Il se pensa devenu fou.

Il le tourna, le retourna, cherchant par quel miracle cet argent se trouvait là. Il n'avait pourtant pas pu tomber du ciel dans sa poche.

Puis, tout à coup, il devina, et une colère indignée le saisit. Sa maîtresse avait parlé, en effet, de monnaie glissée dans la doublure et qu'on retrouvait aux heures de pauvreté. C'était elle qui lui avait fait cette aumône. Quelle honte !

Il jura : – Ah bien ! je vais la recevoir, après-demain ! Elle en passera un joli quart d'heure !

Et il se mit au lit, le cœur agité de fureur et d'humiliation.

Il s'éveilla tard. Il avait faim. Il essaya de se rendormir pour ne se lever qu'à deux heures ; puis il se dit : – Cela ne m'avancera à rien, il faut toujours que je finisse par découvrir de l'argent. – Puis il sortit, espérant qu'une idée lui viendrait dans la rue.

Il ne lui en vint pas, mais en passant devant chaque restaurant un désir ardent de manger lui mouillait la bouche de salive. À midi, comme il n'avait rien imaginé, il se décida brusquement : « Bah ! je vais déjeuner sur les vingt francs de Clotilde. Cela ne m'empêchera pas de les lui rendre demain. »

Il déjeuna donc dans une brasserie pour deux francs cinquante. En entrant au journal il remit encore trois francs à l'huissier. – Tenez, Foucart, voici ce que vous m'avez prêté hier soir pour ma voiture.

Et il travailla jusqu'à sept heures. Puis il alla dîner et prit de nouveau trois francs sur le même argent. Les deux bocks de la soirée portèrent à neuf francs trente centimes sa dépense du jour.

Mais comme il ne pouvait se refaire un crédit ni se recréer des ressources en vingt-quatre heures, il emprunta encore six francs cinquante le lendemain sur les vingt francs qu'il devait rendre le soir même, de sorte qu'il vint au rendez-vous convenu avec quatre francs vingt dans sa poche.

Il était d'une humeur de chien enragé et se promettait bien de faire nette tout de suite la situation. Il dirait à sa maîtresse : – Tu sais, j'ai trouvé les vingt francs que tu as mis dans ma poche l'autre jour. Je ne te les rends pas aujourd'hui parce que ma position n'a point changé, et que je n'ai pas eu le temps de m'occuper de la question d'argent. Mais je te les remettrai la première fois que nous nous verrons.

Elle arriva, tendre, empressée, pleine de craintes. Comment allait-il la recevoir ? Et elle l'embrassa avec persistance pour éviter une explication dans les premiers moments.

Il se disait, de son côté : – Il sera bien temps tout à l'heure d'aborder la question. Je vais chercher un joint [1].

Il ne trouva pas de joint et ne dit rien, reculant devant les premiers mots à prononcer sur ce sujet délicat.

Elle ne parla point de sortir et fut charmante de toutes façons.

Ils se séparèrent vers minuit, après avoir pris rendez-vous seulement pour le mercredi de la semaine suivante, car Mme de Marelle avait plusieurs dîners en ville de suite.

_____

1. *Chercher un joint* : trouver le moyen de résoudre une difficulté.

Le lendemain, en payant son déjeuner, comme Duroy cherchait les quatre pièces de monnaie qui devaient lui rester, il s'aperçut qu'elles étaient cinq, dont une en or.

Au premier moment il crut qu'on lui avait rendu, la veille, vingt francs par mégarde, puis il comprit, et il sentit une palpitation de cœur sous l'humiliation de cette aumône persévérante.

Comme il regretta de n'avoir rien dit ! S'il avait parlé avec énergie, cela ne serait point arrivé.

Pendant quatre jours il fit des démarches et des efforts aussi nombreux qu'inutiles pour se procurer cinq louis, et il mangea le second de Clotilde.

Elle trouva moyen – bien qu'il lui eût dit, d'un air furieux : « Tu sais, ne recommence pas la plaisanterie des autres soirs, parce que je me fâcherais » – de glisser encore vingt francs dans la poche de son pantalon, la première fois qu'ils se rencontrèrent.

Quand il les découvrit, il jura « Nom de Dieu ! » et il les transporta dans son gilet pour les avoir sous la main, car il se trouvait sans un centime.

Il apaisait sa conscience par ce raisonnement : « Je lui rendrai le tout en bloc. Ce n'est en somme que de l'argent prêté. »

Enfin le caissier du journal, sur ses prières désespérées, consentit à lui donner cent sous par jour. C'était tout juste assez pour manger, mais pas assez pour restituer soixante francs.

Or, comme Clotilde fut reprise de sa rage pour les excursions nocturnes dans tous les lieux suspects de Paris, il finit par ne plus s'irriter outre mesure de trouver un jaunet [1] dans une de ses poches, un jour même dans sa bottine, et un autre jour dans la boîte de sa montre, après leurs promenades aventureuses.

Puisqu'elle avait des envies qu'il ne pouvait satisfaire dans le moment, n'était-il pas naturel qu'elle les payât plutôt que de s'en priver ?

Il tenait compte d'ailleurs de tout ce qu'il recevait ainsi, pour le lui restituer un jour.

1210

1220

1230

---

1. Le jaunet désigne, dans un langage populaire, une pièce de monnaie en or.

Un soir elle lui dit : – Croirais-tu que je n'ai jamais été
1240 aux Folies-Bergère ? Veux-tu m'y mener ? Il hésita, dans
la crainte de rencontrer Rachel. Puis il pensa : « Bah ! je
ne suis pas marié, après tout. Si l'autre me voit, elle comprendra la situation et ne me parlera pas. D'ailleurs, nous
prendrons une loge. »

Une raison aussi le décida. Il était bien aise de cette
occasion d'offrir à Mme de Marelle une loge au théâtre
sans rien payer. C'était là une sorte de compensation.

Il laissa d'abord Clotilde dans la voiture pour aller chercher le coupon afin qu'elle ne vît pas qu'on le lui offrait,
1250 puis il la vint prendre et ils entrèrent, salués par les contrôleurs.

Une foule énorme encombrait le promenoir. Ils eurent
grand-peine à passer à travers la cohue des hommes et des
rôdeuses. Ils atteignirent enfin leur case et s'installèrent,
enfermés entre l'orchestre immobile et le remous de la
galerie.

Mais Mme de Marelle ne regardait guère la scène, uniquement préoccupée des filles qui circulaient derrière son
dos ; et elle se retournait sans cesse pour les voir, avec une
1260 envie de les toucher, de palper leur corsage, leurs joues,
leurs cheveux, pour savoir comment c'était fait, ces êtres-
là.

Elle dit soudain :

– Il y en a une grosse brune qui nous regarde tout le
temps. J'ai cru tout à l'heure qu'elle allait nous parler.
L'as-tu vue ?

Il répondit : – Non. Tu dois te tromper. Mais il l'avait
aperçue depuis longtemps déjà. C'était Rachel qui rôdait
autour d'eux avec une colère dans les yeux et des mots
1270 violents sur les lèvres.

Duroy l'avait frôlée tout à l'heure en traversant la foule,
et elle lui avait dit : « Bonjour » tout bas avec un cligne-
ment d'œil qui signifiait : « Je comprends. » Mais il
n'avait point répondu à cette gentillesse dans la crainte
d'être vu par sa maîtresse, et il avait passé froidement, le
front haut, la lèvre dédaigneuse. La fille, qu'une jalousie
inconsciente aiguillonnait déjà, revint sur ses pas, le frôla
de nouveau et prononça d'une voix plus forte : – Bonjour,
Georges.

Il n'avait encore rien répondu. Alors elle s'était obstinée 1280
à être reconnue, saluée, et elle revenait sans cesse derrière
la loge, attendant un moment favorable.

Dès qu'elle s'aperçut que Mme de Marelle la regardait,
elle toucha du bout du doigt l'épaule de Duroy :

– Bonjour. Tu vas bien ?

Mais il ne se retourna pas.

Elle reprit : – Eh bien ? es-tu devenu sourd depuis
jeudi ?

Il ne répondit point, affectant un air de mépris qui
l'empêchait de se compromettre, même par un mot, avec 1290
cette drôlesse.

Elle se mit à rire, d'un rire de rage et dit : – Te voilà
donc muet ? Madame t'a peut-être mordu la langue ?

Il fit un geste furieux, et d'une voix exaspérée :

– Qui est-ce qui vous permet de parler ? Filez ou je vous
fais arrêter.

Alors, le regard enflammé, la gorge gonflée, elle
gueula :

– Ah ! c'est comme ça ! Va donc, mufle ! Quand on
couche avec une femme, on la salue au moins. C'est pas 1300
une raison parce que t'es avec une autre pour ne pas me
reconnaître aujourd'hui. Si tu m'avais seulement fait un
signe quand j'ai passé contre toi, tout à l'heure, je t'aurais
laissé tranquille. Mais t'as voulu faire le fier, attends, va !
Je vais te servir, moi ! Ah ! tu ne me dis seulement pas
bonjour quand je te rencontre…

Elle aurait crié longtemps, mais Mme de Marelle avait
ouvert la porte de la loge, et elle se sauvait, à travers la
foule, cherchant éperdument la sortie.

Duroy s'était élancé derrière elle et s'efforçait de la 1310
rejoindre.

Alors Rachel, les voyant fuir, hurla, triomphante :

– Arrêtez-la ! Arrêtez-la ! Elle m'a volé mon amant.

Des rires coururent dans le public. Deux messieurs,
pour plaisanter, saisirent par les épaules la fugitive et voulurent l'emmener en cherchant à l'embrasser. Mais Duroy,
l'ayant rattrapée, la dégagea violemment et l'entraîna dans
la rue.

Elle s'élança dans un fiacre vide arrêté devant l'établissement. Il y sauta derrière elle, et comme le cocher 1320

demandait : – Où faut-il aller, bourgeois ? – il répondit :
– Où vous voudrez.

La voiture se mit en route lentement, secouée par les
pavés. Clotilde, en proie à une sorte de crise nerveuse, les
mains sur sa face, étouffait, suffoquait ; et Duroy ne savait
que faire ni que dire. À la fin, comme il l'entendait pleurer,
il bégaya : – Écoute, Clo, ma petite Clo, laisse-moi
t'expliquer ! Ce n'est pas ma faute... J'ai connu cette
femme-là autrefois... Dans les premiers temps...

1330   Elle dégagea brusquement son visage, et saisie par une
rage de femme amoureuse et trahie, une rage furieuse qui
lui rendit la parole, elle balbutia, par phrases rapides,
hachées, en haletant : – Ah !... misérable... misérable...
quel gueux tu fais !... Est-ce possible ?... quelle honte...
Oh ! mon Dieu !... quelle honte !...

Puis, s'emportant de plus en plus, à mesure que les
idées s'éclaircissaient en elle et que les arguments lui
venaient :

– C'est avec mon argent que tu la payais, n'est-ce pas ?
1340   Et je lui donnais de l'argent... pour cette fille... Oh ! le
misérable !...

Elle sembla chercher, pendant quelques secondes, un
autre mot plus fort qui ne venait point, puis soudain, elle
expectora, avec le mouvement qu'on fait pour cracher :

– Oh !... cochon... cochon... cochon... Tu la payais
avec mon argent... cochon... cochon !...

Elle ne trouvait plus autre chose et répétait :

– Cochon... cochon...

Tout à coup, elle se pencha dehors, et, saisissant le
1350   cocher par sa manche : – Arrêtez ! – puis, ouvrant la portière, elle sauta dans la rue.

Georges voulut la suivre, mais elle cria : – Je te défends
de descendre, – d'une voix si forte que les passants se
massèrent autour d'elle ; et Duroy ne bougea point par
crainte d'un scandale.

Alors elle tira sa bourse de sa poche et chercha de la
monnaie à la lueur de la lanterne, puis ayant pris deux
francs cinquante, elle les mit dans les mains du cocher, en
lui disant d'un ton vibrant : – Tenez... voilà votre heure...
1360   C'est moi qui paie... – Et reconduisez-moi ce salop-là rue
Boursault, aux Batignolles.

Une gaieté s'éleva dans le groupe qui l'entourait. Un monsieur dit : – Bravo, la petite ! – et un jeune voyou arrêté entre les roues du fiacre, enfonçant sa tête dans la portière ouverte, cria avec un accent suraigu : – Bonsoir, Bibi !

Puis la voiture se remit en marche, poursuivie par des rires.

Georges Duroy eut le réveil triste, le lendemain. Il s'habilla lentement, puis s'assit devant sa fenêtre et se mit à réfléchir. Il se sentait dans tout le corps une espèce de courbature, comme s'il avait reçu, la veille, une volée de coups de bâton.

Enfin, la nécessité de trouver de l'argent l'aiguillonna et il se rendit d'abord chez Forestier.

Son ami le reçut, les pieds au feu, dans son cabinet.

– Qu'est-ce qui t'a fait lever si tôt ?

– Une affaire très grave, j'ai une dette d'honneur.

– De jeu ?

Il hésita, puis avoua : – De jeu.

– Grosse ?

– Cinq cents francs !

Il n'en devait que deux cent quatre-vingts.

Forestier, sceptique, demanda :

– À qui dois-tu ça ?

Duroy ne put pas répondre tout de suite.

– ... Mais à... à... à un Monsieur de Carleville.

– Ah ! Et où demeure-t-il ?

– Rue... rue...

Forestier se mit à rire : – Rue du Cherche-midi à quatorze heures, n'est-ce pas ? Je connais ce monsieur-là, mon cher. Si tu veux vingt francs, j'ai encore ça à ta disposition, mais pas davantage.

Duroy accepta la pièce d'or.

Puis il alla de porte en porte, chez toutes les personnes qu'il connaissait, et il finit par réunir, vers cinq heures, quatre-vingts francs.

Comme il lui en fallait trouver encore deux cents, il prit son parti résolument, et, gardant ce qu'il avait recueilli, il murmura : « Zut, je ne vais pas me faire de bile pour cette garce-là. Je la paierai quand je pourrai. »

Pendant quinze jours, il vécut d'une vie économe, réglée et chaste, l'esprit plein de résolutions énergiques. Puis il fut pris d'un grand désir d'amour. Il lui semblait que plusieurs années s'étaient écoulées depuis qu'il n'avait tenu une femme dans ses bras, et, comme le matelot qui s'affole en revoyant la terre, toutes les jupes rencontrées le faisaient frissonner.

Alors il retourna, un soir, aux Folies-Bergère, avec l'espoir d'y trouver Rachel. Il l'aperçut en effet, dès l'entrée, car elle ne quittait guère cet établissement.

Il alla vers elle en souriant, la main tendue. Mais elle le toisa de la tête aux pieds :

– Qu'est-ce que vous me voulez ?

Il essaya de rire : – Allons, ne fais pas ta poire.

Elle lui tourna les talons en déclarant : – Je ne fréquente pas les dos verts.

Elle avait cherché la plus grossière injure. Il sentit le sang lui empourprer la face, et il rentra seul.

Forestier, malade, affaibli, toussant toujours, lui faisait, au journal, une existence pénible, semblait se creuser l'esprit pour lui trouver des corvées ennuyeuses. Un jour même dans un moment d'irritation nerveuse, et après une longue quinte d'étouffement, comme Duroy ne lui apportait point un renseignement demandé, il grogna :

– Cristi, tu es plus bête que je n'aurais cru.

L'autre faillit le gifler, mais il se contint et s'en alla en murmurant : « Toi, je te rattraperai. » Une pensée rapide lui traversa l'esprit, et il ajouta : « Je te vas faire cocu, mon vieux. » Et il s'en alla en se frottant les mains, réjoui par ce projet.

Il voulut, dès le jour suivant, en commencer l'exécution. Il fit à Mme Forestier une visite en éclaireur.

Il la trouva qui lisait un livre, étendue tout au long sur son canapé.

Elle lui tendit la main, sans bouger, tournant seulement la tête, et elle dit : – Bonjour, Bel-Ami ! Il eut la sensation d'un soufflet reçu : – Pourquoi m'appelez-vous ainsi ?

Elle répondit en souriant : – J'ai vu Mme de Marelle
l'autre semaine, et j'ai su comment on vous avait baptisé
chez elle.

Il se rassura devant l'air aimable de la jeune femme.
Comment aurait-il pu craindre, d'ailleurs ?

Elle reprit : – Vous la gâtez ! Quant à moi, on me vient
voir quand on y pense, les trente-six du mois, ou peu s'en
faut ?

Il s'était assis près d'elle et il la regardait avec une
80   curiosité nouvelle, une curiosité d'amateur qui bibelote.
Elle était charmante, blonde d'un blond tendre et chaud,
faite pour les caresses ; et il pensa : « Elle est mieux que
l'autre certainement. » Il ne doutait point du succès, il
n'aurait qu'à allonger la main, lui semblait-il, et à la
prendre, comme on cueille un fruit.

Il dit résolument : – Je ne venais point vous voir parce
que cela valait mieux.

Elle demanda, sans comprendre : – Comment ? Pourquoi ?

90   – Pourquoi ? Vous ne devinez pas ?

– Non, pas du tout.

– Parce que je suis amoureux de vous… oh ! un peu,
rien qu'un peu… et que je ne veux pas le devenir tout à
fait…

Elle ne parut ni étonnée, ni choquée, ni flattée ; elle
continuait de sourire du même sourire indifférent, et elle
répondit avec tranquillité :

– Oh ! vous pouvez venir tout de même. On n'est jamais
amoureux de moi longtemps.

100   Il fut surpris du ton plus encore que des paroles, et il
demanda : – Pourquoi ?

– Parce que c'est inutile et que je le fais comprendre
tout de suite. Si vous m'aviez raconté plus tôt votre
crainte, je vous aurais rassuré et engagé au contraire à
venir le plus possible.

Il s'écria, d'un ton pathétique : – Avec ça qu'on peut
commander aux sentiments !

Elle se tourna vers lui : – Mon cher ami, pour moi un
homme amoureux est rayé du nombre des vivants. Il
110   devient idiot, pas seulement idiot, mais dangereux. Je
cesse, avec les gens qui m'aiment d'amour ou qui le pré-

tendent, toute relation intime, parce qu'ils m'ennuient d'abord, et puis parce qu'ils me sont suspects comme un chien enragé qui peut avoir une crise. Je les mets donc en quarantaine morale jusqu'à ce que leur maladie soit passée. Ne l'oubliez point. Je sais bien que chez vous l'amour n'est autre chose qu'une espèce d'appétit, tandis que chez moi ce serait, au contraire, une espèce de… de… de communion des âmes qui n'entre pas dans la religion des hommes. Vous en comprenez la lettre, et moi l'esprit. Mais… regardez-moi bien en face…

Elle ne souriait plus. Elle avait un visage calme et froid, et elle dit en appuyant sur chaque mot : – Je ne serai jamais, jamais votre maîtresse, entendez-vous. Il est donc absolument inutile, il serait même mauvais pour vous de persister dans ce désir… Et maintenant que… l'opération est faite… voulez-vous que nous soyons amis, bons amis, mais là, de vrais amis, sans arrière-pensée ?…

Il avait compris que toute tentative resterait stérile devant cette sentence sans appel. Il en prit son parti tout de suite, franchement, et, ravi de pouvoir se faire cette alliée dans l'existence, il lui tendit les deux mains :

– Je suis à vous, madame, comme il vous plaira.

Elle sentit la sincérité de la pensée dans la voix, et elle donna ses mains.

Il les baisa, l'une après l'autre, puis il dit simplement en relevant la tête : – Cristi, si j'avais trouvé une femme comme vous, avec quel bonheur je l'aurais épousée !

Elle fut touchée, cette fois, caressée par cette phrase comme les femmes le sont par les compliments qui trouvent leur cœur, et elle lui jeta un de ces regards rapides et reconnaissants qui nous font leurs esclaves.

Puis, comme il ne trouvait pas de transition pour reprendre la conversation, elle prononça, d'une voix douce, en posant un doigt sur son bras :

– Et je vais commencer tout de suite mon métier d'amie. Vous êtes maladroit, mon cher…

Elle hésita, et demanda : – Puis-je parler librement ?

– Oui.

– Tout à fait ?

– Tout à fait.

– Eh bien ! allez donc voir madame Walter, qui vous apprécie beaucoup, et plaisez-lui. Vous trouverez à placer par là vos compliments, bien qu'elle soit honnête, entendez-moi bien, tout à fait honnête. Oh ! pas d'espoir de… de maraudage non plus de ce côté. Vous y pourrez trouver mieux, en vous faisant bien voir. Je sais que vous occupez encore dans le journal une place inférieure. Mais ne craignez rien, ils reçoivent tous les rédacteurs avec la
160 même bienveillance. Allez-y, croyez-moi.

Il dit, en souriant : – Merci, vous êtes un ange… un ange gardien. Puis ils parlèrent de choses et d'autres.

Il resta longtemps, voulant prouver qu'il avait plaisir à se trouver près d'elle ; et, en la quittant, il demanda encore :

– C'est entendu, nous sommes des amis ?

– C'est entendu.

Comme il avait senti l'effet de son compliment, tout à l'heure, il l'appuya, ajoutant :
170 – Et si vous devenez jamais veuve. Je m'inscris.

Puis il se sauva bien vite pour ne point lui laisser le loisir de se fâcher.

Une visite à Mme Walter gênait un peu Duroy, car il n'avait point été autorisé à se présenter chez elle, et il ne voulait pas commettre de maladresse. Le patron lui témoignait de la bienveillance, appréciait ses services, l'employait de préférence aux besognes difficiles ; pourquoi ne profiterait-il pas de cette faveur pour pénétrer dans la maison ?
180 Un jour donc, s'étant levé de bonne heure, il se rendit aux halles au moment des ventes, et il se procura, moyennant une dizaine de francs, une vingtaine d'admirables poires. Les ayant ficelées avec soin dans une bourriche pour faire croire qu'elles venaient de loin, il les porta chez le concierge de la patronne avec sa carte où il avait écrit :

Georges Duroy
« Prie humblement Mme Walter d'accepter ces quelques fruits qu'il a reçus ce matin de Normandie. »

Il trouva le lendemain dans sa boîte aux lettres, au
190 journal, une enveloppe contenant, en retour, la carte de

Mme Walter « qui remerciait bien vivement M. Georges Duroy, et restait chez elle tous les samedis ».

Le samedi suivant, il se présenta.

M. Walter habitait, boulevard Malesherbes, une maison double lui appartenant, et dont une partie était louée, procédé économique de gens pratiques. Un seul concierge, gîté entre les deux portes cochères, tirait le cordon pour le propriétaire et pour le locataire, et donnait à chacune des entrées un grand air d'hôtel riche et comme il faut par sa belle tenue de suisse d'église, ses gros mollets emmail- 200 lotés en des bas blancs, et son vêtement de représentation à boutons d'or et à revers écarlates.

Les salons de réception étaient au premier étage, précédés d'une antichambre tendue de tapisseries et enfermée par des portières. Deux valets sommeillaient sur des sièges. Un d'eux prit le pardessus de Duroy, et l'autre s'empara de sa canne, ouvrit une porte, devança de quelques pas le visiteur, puis, s'effaçant, le laissa passer, en criant son nom dans un appartement vide.

Le jeune homme, embarrassé, regardait de tous les 210 côtés, quand il aperçut dans une glace des gens assis et qui semblaient fort loin. Il se trompa d'abord de direction, le miroir ayant égaré son œil, puis il traversa encore deux salons vides pour arriver dans une sorte de petit boudoir tendu de soie bleue à boutons d'or où quatre dames causaient à mi-voix autour d'une table ronde qui portait des tasses de thé.

Malgré l'assurance qu'il avait gagnée dans son existence parisienne et surtout dans son métier de reporter qui le mettait incessamment en contact avec des personnages 220 marquants, Duroy se sentait un peu intimidé par la mise en scène de l'entrée et par la traversée des salons déserts.

Il balbutia : – Madame, je me suis permis… – en cherchant de l'œil la maîtresse de la maison.

Elle lui tendit la main qu'il prit en s'inclinant, et lui ayant dit : – Vous êtes fort aimable, monsieur, de venir me voir, – elle lui montra un siège où, voulant s'asseoir, il se laissa tomber, l'ayant cru beaucoup plus haut.

On s'était tu. Une des femmes se remit à parler. Il s'agissait du froid qui devenait violent, pas assez cepen- 230 dant pour arrêter l'épidémie de fièvre typhoïde ni pour permettre de patiner. Et chacune donna son avis sur cette entrée en scène de la gelée à Paris ; puis elles exprimèrent leurs préférences dans les saisons, avec toutes les raisons banales qui traînent dans les esprits comme la poussière dans les appartements.

Un bruit léger de porte fit retourner la tête de Duroy et il aperçut, à travers deux glaces sans tain, une grosse dame qui s'en venait. Dès qu'elle apparut dans le boudoir une
240   des visiteuses se leva, serra les mains, puis partit ; et le jeune homme suivit du regard, par les autres salons, son dos noir où brillaient des perles de jais.

Quand l'agitation de ce changement de personnes se fut calmée, on parla spontanément, sans transition, de la question du Maroc et de la guerre en Orient, et aussi des embarras de l'Angleterre à l'extrémité de l'Afrique [1].

Ces dames discutaient ces choses de mémoire, comme si elles eussent récité une comédie mondaine et convenable, répétée bien souvent.
250   Une nouvelle entrée eut lieu, celle d'une petite blonde frisée, qui détermina la sortie d'une grande personne sèche entre deux âges.

Et on parla des chances qu'avait M. Linet pour entrer à l'Académie. La nouvelle venue pensait fermement qu'il serait battu par M. Cabanon-Lebas, l'auteur de la belle adaptation en vers français de *Don Quichotte* pour le théâtre.

– Vous savez que ce sera joué à l'Odéon l'hiver prochain ?

– Ah ! vraiment. J'irai certainement voir cette tentative
260   très littéraire.

Mme Walter répondait gracieusement, avec calme et indifférence, sans hésiter jamais sur ce qu'elle devait dire, son opinion étant toujours prête d'avance.

---

1. La « question du Maroc » est une transposition de la question tunisienne : durant l'hiver 1880-1881, les relations se dégradent entre l'Italie et la France, qui convoitent toutes deux le marché du chemin de fer tunisien. La guerre en Orient peut de son côté renvoyer aux troubles qui se sont développés au cours des années précédentes en Chine, en Turquie ou en Égypte. Enfin, les « embarras de l'Angleterre à l'extrémité de l'Afrique » font allusion à la guerre des Boers (1877-1884), qui oppose en Afrique du Sud les colons d'origine néerlandaise à la suzeraineté anglaise.

Mais elle s'aperçut que la nuit venait et elle sonna pour les lampes, tout en écoutant la causerie qui coulait comme un ruisseau de guimauve, et en pensant qu'elle avait oublié de passer chez le graveur pour les cartes d'invitation du prochain dîner.

Elle était un peu trop grasse, belle encore, à l'âge dangereux où la débâcle est proche. Elle se maintenait à force 270 de soins, de précautions, d'hygiène et de pâtes pour la peau. Elle semblait sage en tout, modérée et raisonnable, une de ces femmes dont l'esprit est aligné comme un jardin français. On y circule sans surprise, tout en y trouvant un certain charme. Elle avait de la raison, une raison fine, discrète et sûre qui lui tenait lieu de fantaisie, de la bonté, du dévouement, et une bienveillance tranquille, large pour tout le monde et pour tout.

Elle remarqua que Duroy n'avait rien dit, qu'on ne lui avait point parlé, et qu'il semblait un peu contraint ; et 280 comme ces dames n'étaient point sorties de l'Académie, ce sujet préféré les retenant toujours longtemps, elle demanda : – Et vous qui devez être renseigné mieux que personne, monsieur Duroy, pour qui sont vos préférences ?

Il répondit sans hésiter : – Dans cette question, madame, je n'envisagerais jamais le mérite, toujours contestable, des candidats, mais leur âge et leur santé. Je ne demanderais point leurs titres, mais leur mal. Je ne rechercherais point s'ils ont fait une traduction rimée de Lope de Vega, mais j'aurais soin de m'informer de l'état 290 de leur foie, de leur cœur, de leurs reins et de leur moelle épinière. Pour moi, une bonne hypertrophie, une bonne albuminurie, et surtout un bon commencement d'ataxie locomotrice vaudraient cent fois mieux que quarante volumes de digressions sur l'idée de patrie dans la poésie barbaresque.

Un silence étonné suivit cette opinion.

Mme Walter, souriant, reprit : – Pourquoi donc ? – Il répondit : – Parce que je ne cherche jamais que le plaisir qu'une chose peut causer aux femmes. Or, madame, 300 l'Académie n'a vraiment d'intérêt pour vous que lorsqu'un académicien meurt. Plus il en meurt, plus vous devez être heureuses. Mais pour qu'ils meurent vite, il faut les nommer vieux et malades.

Comme on demeurait un peu surpris, il ajouta : – Je suis comme vous d'ailleurs et j'aime beaucoup lire dans les échos de Paris le décès d'un académicien. Je me demande tout de suite : « Qui va le remplacer ? » Et je fais ma liste. C'est un jeu, un petit jeu très gentil auquel on joue dans tous les salons parisiens à chaque trépas d'immortel : « Le jeu de la mort et des quarante vieillards. »

Ces dames, un peu déconcertées encore, commençaient cependant à sourire, tant était juste sa remarque.

Il conclut en se levant : – C'est vous qui les nommez, mesdames, et vous ne les nommez que pour les voir mourir. Choisissez-les donc vieux, très vieux, le plus vieux possible, et ne vous occupez jamais du reste.

Puis il s'en alla avec beaucoup de grâce.

Dès qu'il fut parti, une des femmes déclara : – Il est drôle, ce garçon. Qui est-ce ? Mme Walter répondit : – Un de nos rédacteurs, qui ne fait encore que la menue besogne du journal, mais je ne doute pas qu'il arrive vite.

Duroy descendait le boulevard Malesherbes gaiement, à grands pas dansants, content de sa sortie et murmurant : « Bon départ. »

Il se réconcilia avec Rachel, ce soir-là.

La semaine suivante lui apporta deux événements. Il fut nommé chef des Échos et invité à dîner chez Mme Walter. Il vit tout de suite un lien entre les deux nouvelles.

La Vie française était avant tout un journal d'argent, le patron étant un homme d'argent à qui la presse et la députation avaient servi de leviers. Se faisant de la bonhomie une arme, il avait toujours manœuvré sous un masque souriant de brave homme, mais il n'employait à ses besognes, quelles qu'elles fussent, que des gens qu'il avait tâtés, éprouvés, flairés, qu'il sentait retors, audacieux et souples. Duroy, nommé chef des Échos, lui semblait un garçon précieux.

Cette fonction avait été remplie jusque-là par le secrétaire de la rédaction, M. Boisrenard, un vieux journaliste correct, ponctuel et méticuleux comme un employé. Depuis trente ans, il avait été secrétaire de la rédaction de onze journaux différents, sans modifier en rien sa manière de faire ou de voir. Il passait d'une rédaction dans une autre comme on change de restaurant, s'apercevant à peine que la cuisine n'avait pas tout à fait le même goût. Les opinions politiques et religieuses lui demeuraient étrangères. Il était dévoué au journal quel qu'il fût, entendu dans la besogne et précieux par son expérience. Il travaillait comme un aveugle qui ne voit rien, comme un sourd qui n'entend rien, et comme un muet qui ne parle jamais de rien. Il avait cependant une grande loyauté professionnelle, et ne se fût point prêté à une chose qu'il n'aurait pas jugée honnête, loyale et correcte, au point de vue spécial de son métier.

M. Walter, qui l'appréciait cependant, avait souvent désiré un autre homme pour lui confier les Échos, qui sont, disait-il, la moelle du journal. C'est par eux qu'on lance les nouvelles, qu'on fait courir les bruits, qu'on agit sur le public et sur la rente. Entre deux soirées mondaines, il faut savoir glisser, sans avoir l'air de rien, la chose importante, plutôt insinuée que dite. Il faut, par des sous-entendus, laisser deviner ce qu'on veut, démentir de telle sorte que la rumeur s'affirme, ou affirmer de telle manière que personne ne croie au fait annoncé. Il faut que, dans les échos, chacun trouve, chaque jour, une ligne au moins qui l'intéresse, afin que tout le monde les lise. Il faut penser à tout et à tous, à tous les mondes, à toutes les professions, à Paris et à la Province, à l'Armée et aux Peintres, au Clergé et à l'Université, aux Magistrats et aux Courtisanes.

L'homme qui les dirige et qui commande au bataillon des reporters doit être toujours en éveil, et toujours en garde, méfiant, prévoyant, rusé, alerte et souple, armé de toutes les astuces et doué d'un flair infaillible pour découvrir la nouvelle fausse du premier coup d'œil, pour juger ce qui est bon à dire et bon à celer, pour deviner ce qui portera sur le public ; et il doit savoir le présenter de telle façon que l'effet en soit multiplié.

M. Boisrenard, qui avait pour lui une longue pratique, manquait de maîtrise et de chic ; il manquait surtout de la rouerie native qu'il fallait pour pressentir chaque jour les idées secrètes du patron.

Duroy devait faire l'affaire en perfection, et il complétait admirablement la rédaction de cette feuille « qui naviguait sur les fonds de l'État et sur les bas-fonds de la politique », selon l'expression de Norbert de Varenne.

Les inspirateurs et véritables rédacteurs de *La Vie française* étaient une demi-douzaine de députés intéressés
dans toutes les spéculations que lançait ou que soutenait le
390 directeur. On les nommait à la Chambre « la bande à
Walter » et on les enviait parce qu'ils devaient gagner de
l'argent avec lui et par lui.

Forestier, rédacteur politique, n'était que l'homme de
paille de ces hommes d'affaires ; l'exécuteur des intentions suggérées par eux. Ils lui soufflaient ses articles de
fond qu'il allait toujours écrire chez lui pour être tranquille, disait-il.

Mais, afin de donner au journal une allure littéraire et
parisienne, on y avait attaché deux écrivains célèbres en
400 des genres différents, Jacques Rival, chroniqueur d'actualité, et Norbert de Varenne, poète et chroniqueur fantaisiste, ou plutôt conteur, suivant la nouvelle école.

Puis on s'était procuré, à bas prix, des critiques d'art, de
peinture, de musique, de théâtre, un rédacteur criminaliste
et un rédacteur hippique, parmi la grande tribu mercenaire
des écrivains à tout faire. Deux femmes du monde,
« Domino rose » et « Patte blanche » envoyaient des
variétés mondaines, traitaient les questions de mode, de
vie élégante, d'étiquette, de savoir-vivre, et commettaient
410 des indiscrétions sur les grandes dames.

Et *La Vie française* « naviguait sur les fonds et bas-
fonds », manœuvrée par toutes ces mains différentes.

Duroy était dans toute la joie de sa nomination aux
fonctions de chef des Échos quand il reçut un petit carton
gravé, où il lut : « M. et Mme Walter prient monsieur
Georges Duroy de leur faire le plaisir de venir dîner chez
eux le jeudi 20 janvier. »

Cette nouvelle faveur, tombant sur l'autre, l'emplit
d'une telle joie qu'il baisa l'invitation comme il eût fait
420 d'une lettre d'amour. Puis il alla trouver le caissier pour
traiter la grosse question des fonds.

Un chef des Échos a généralement son budget sur lequel
il paie ses reporters et les nouvelles, bonnes ou médiocres,
apportées par l'un ou l'autre, comme les jardiniers apportent leurs fruits chez un marchand de primeurs.

Douze cents francs par mois, au début, étaient alloués à
Duroy, qui se proposait bien d'en garder une forte partie.

Le caissier, sur ses représentations pressantes, avait fini par lui avancer quatre cents francs. Il eut, au premier moment, l'intention formelle de renvoyer à Mme de Marelle les deux cent quatre-vingts francs qu'il lui devait, mais il réfléchit presque aussitôt qu'il ne lui resterait plus entre les mains que cent vingt francs, somme tout à fait insuffisante pour faire marcher, d'une façon convenable, son nouveau service, et il remit cette restitution à des temps plus éloignés.

Pendant deux jours, il s'occupa de son installation, car il héritait d'une table particulière et de casiers à lettres, dans la vaste pièce commune à toute la rédaction. Il occupait un bout de cette pièce, tandis que Boisrenard, dont les cheveux d'un noir d'ébène, malgré son âge, étaient toujours penchés sur une feuille de papier, tenait l'autre bout.

La longue table du centre appartenait aux rédacteurs volants. Généralement, elle servait de banc pour s'asseoir, soit les jambes pendantes le long des bords, soit à la turque sur le milieu. Ils étaient quelquefois cinq ou six accroupis sur cette table, et jouant au bilboquet avec persévérance, dans une pose de magots chinois.

Duroy avait fini par prendre goût à ce divertissement et il commençait à devenir fort, sous la direction et grâce aux conseils de Saint-Potin.

Forestier, de plus en plus souffrant, lui avait confié son beau bilboquet en bois des îles, le dernier acheté, qu'il trouvait un peu lourd, et Duroy manœuvrait d'un bras vigoureux la grosse boule noire au bout de sa corde, en comptant tout bas : « Un – deux – trois – quatre – cinq – six. »

Il arriva justement, pour la première fois, à faire vingt fois de suite, le jour même où il devait dîner chez Mme Walter. « Bonne journée, pensa-t-il, j'ai tous les succès. » Car l'adresse au bilboquet conférait vraiment une sorte de supériorité, dans les bureaux de *La Vie française*.

Il quitta la rédaction de bonne heure pour avoir le temps de s'habiller, et il remontait la rue de Londres, quand il vit trotter devant lui une petite femme qui avait la tournure de Mme de Marelle. Il sentit une chaleur lui monter au visage, et son cœur se mit à battre. Il traversa la rue pour

la regarder de profil. Elle s'arrêta pour traverser aussi. Il
470 s'était trompé ; il respira.

Il s'était souvent demandé comment il devrait se com-
porter en la rencontrant face à face. La saluerait-il, ou bien
aurait-il l'air de ne la point voir ?

« Je ne la verrais pas », pensa-t-il.

Il faisait froid, les ruisseaux gelés gardaient des empâ-
tements de glace. Les trottoirs étaient secs et gris sous la
lueur du gaz.

Quand le jeune homme entra chez lui, il songea : « Il
faut que je change de logement. Cela ne me suffit plus
480 maintenant. » Il se sentait nerveux et gai, capable de courir
sur les toits, et il répétait tout haut, en allant de son lit à la
fenêtre : « C'est la fortune qui arrive ! c'est la fortune ! Il
faudra que j'écrive à papa. »

De temps en temps, il écrivait à son père ; et la lettre
apportait toujours une joie vive dans le petit cabaret normand, au bord de la route, au haut de la grande côte d'où
l'on domine Rouen et la large vallée de la Seine.

De temps en temps aussi, il recevait une enveloppe
bleue dont l'adresse était tracée d'une grosse écriture
490 tremblée, et il lisait infailliblement les mêmes lignes au
début de la lettre paternelle :

« Mon cher fils, la présente est pour te dire que nous
allons bien, ta mère et moi. Pas grand-chose de nouveau
dans le pays. Je t'apprendrai cependant... »

Et il gardait au cœur un intérêt pour les choses du village, pour les nouvelles des voisins et pour l'état des terres
et des récoltes.

Il se répétait, en nouant sa cravate blanche devant sa
petite glace : « Il faut que j'écrive à papa dès demain. S'il
500 me voyait, ce soir, dans la maison où je vais, serait-il
épaté, le vieux ! Sacristi, je ferai tout à l'heure un dîner
comme il n'en a jamais fait. » Et il revit brusquement la
cuisine noire de là-bas, derrière la salle de café vide, les
casseroles jetant des lueurs jaunes le long des murs, le chat
dans la cheminée, le nez au feu, avec sa pose de Chimère
accroupie, la table de bois graissée par le temps et par les
liquides répandus, une soupière fumant au milieu, et une
chandelle allumée entre deux assiettes. Et il les aperçut
aussi, l'homme et la femme, le père et la mère, les deux

paysans aux gestes lents, mangeant la soupe à petites gor- 510
gées. Il connaissait les moindres plis de leurs vieilles
figures, les moindres mouvements de leurs bras et de leur
tête. Il savait même ce qu'ils se disaient, chaque soir, en
soupant face à face.

Il pensa encore : « Il faudra pourtant que je finisse par
aller les voir. » Mais comme sa toilette était terminée, il
souffla sa lumière et descendit.

Le long du boulevard extérieur, des filles l'accostèrent.

Il leur répondait en dégageant son bras : « Fichez-moi
donc la paix ! » avec un dédain violent, comme si elles 520
l'eussent insulté, méconnu... Pour qui le prenaient-elles ?
Ces rouleuses-là ne savaient donc point distinguer les
hommes ? La sensation de son habit noir endossé pour
aller dîner chez des gens très riches, très connus, très
importants, lui donnait le sentiment d'une personnalité
nouvelle, la conscience d'être devenu un autre homme, un
homme du monde, du vrai monde.

Il entra avec assurance dans l'antichambre éclairée par
les hautes torchères de bronze et il remit, d'un geste
naturel, sa canne et son pardessus aux deux valets qui 530
s'étaient approchés de lui.

Tous les salons étaient illuminés. Mme Walter recevait
dans le second, le plus grand. Elle l'accueillit avec un sourire charmant, et il serra la main des deux hommes arrivés
avant lui, M. Firmin et M. Laroche-Mathieu, députés
rédacteurs anonymes de *La Vie française*. M. Laroche-
Mathieu avait dans le journal une autorité spéciale prove-
nant d'une grande influence sur la Chambre. Personne ne
doutait qu'il ne fût ministre un jour.

Puis arrivèrent les Forestier, la femme en rose, et ravis- 540
sante. Duroy fut stupéfait de la voir intime avec les deux
représentants du pays. Elle causa tout bas, au coin de la
cheminée, pendant plus de cinq minutes, avec
M. Laroche-Mathieu. Charles paraissait exténué. Il avait
maigri beaucoup depuis un mois, et il toussait sans cesse
en répétant : « Je devrais me décider à aller finir l'hiver
dans le Midi. »

Norbert de Varenne et Jacques Rival apparurent
ensemble. Puis une porte s'étant ouverte au fond de

550 l'appartement, M. Walter entra avec deux grandes jeunes
filles de seize et dix-huit ans, une laide et l'autre jolie.

Duroy savait pourtant que le patron était père de
famille, mais il fut saisi d'étonnement. Il n'avait jamais
songé aux filles de son directeur que comme on songe aux
pays lointains qu'on ne verra jamais. Et puis il se les était
figurées toutes petites et il voyait des femmes. Il en ressentait le léger trouble moral que produit un changement à
vue.

Elles lui tendirent la main, l'une après l'autre, après la
560 présentation, et elles allèrent s'asseoir à une petite table
qui leur était sans doute réservée, où elles se mirent à
remuer un tas de bobines de soie dans une bannette.

On attendait encore quelqu'un et on demeurait silencieux, dans cette sorte de gêne qui précède les dîners entre
gens qui ne se trouvent pas dans la même atmosphère
d'esprit, après les occupations différentes de leur journée.
Duroy ayant levé par désœuvrement les yeux vers le mur,
M. Walter lui dit, de loin, avec un désir visible de faire
valoir son bien : – Vous regardez *mes* tableaux ?

570 Le *mes* sonna. – Je vais vous les montrer. – Et il prit une
lampe pour qu'on pût distinguer tous les détails.

– Ici les paysages, dit-il.

Au centre du panneau on voyait une grande toile de
Guillemet, une plage de Normandie sous un ciel d'orage.
Au-dessous, un bois de Harpignies, puis une plaine
d'Algérie, par Guillaumet, avec un chameau à l'horizon,
un grand chameau sur ses hautes jambes, pareil à un
étrange monument.

M. Walter passa au mur voisin et annonça, avec un ton
580 sérieux, comme un maître de cérémonies : – La grande
peinture. C'étaient quatre toiles : une *Visite d'hôpital*, par
Gervex ; une *Moissonneuse,* par Bastien-Lepage ; une
Veuve, par Bouguereau, et une *Exécution,* par Jean-Paul
Laurens. Cette dernière œuvre représentait un prêtre ven-
déen fusillé contre le mur de son église par un détache-
ment de Bleus.

Un sourire passa sur la figure grave du patron en indi-
quant le panneau suivant : – Ici les fantaisistes. – On apercevait d'abord une petite toile de Jean Béraud, intitulée :
590 *Le Haut et le bas*. C'était une jolie Parisienne montant

l'escalier d'un tramway en marche. Sa tête apparaissait au niveau de l'impériale, et les messieurs assis sur les bancs découvraient, avec une satisfaction avide, le jeune visage qui venait vers eux, tandis que les hommes debout sur la plate-forme du bas considéraient les jambes de la jeune femme avec une expression différente de dépit et de convoitise.

M. Walter tenait la lampe à bout de bras, et répétait en riant d'un rire polisson : – Hein ? Est-ce drôle ? est-ce drôle ?   600

Puis il éclaira : – *Un sauvetage,* par Lambert.

Au milieu d'une table desservie, un jeune chat, assis sur son derrière, examinait avec étonnement et perplexité une mouche se noyant dans un verre d'eau. Il avait une patte levée, prêt à cueillir l'insecte d'un coup rapide. Mais il n'était point décidé. Il hésitait. Que ferait-il ?

Puis le patron montra un Detaille : *La Leçon,* qui représentait un soldat dans une caserne, apprenant à un caniche à jouer du tambour, et il déclara : – En voilà de l'esprit !

Duroy riait d'un rire approbateur et s'extasiait :   610
– Comme c'est charmant, comme c'est charmant, char... Il s'arrêta net, en entendant derrière lui la voix de Mme de Marelle qui venait d'entrer.

Le patron continuait à éclairer les toiles, en les expliquant.

Il montrait maintenant une aquarelle de Maurice Leloir : *L'Obstacle.* C'était une chaise à porteurs arrêtée, la rue se trouvant barrée par une bataille entre deux hommes du peuple, deux gaillards luttant comme des hercules. Et on voyait sortir par la fenêtre de la chaise un   620 ravissant visage de femme qui regardait... qui regardait... sans impatience, sans peur, et avec une certaine admiration le combat de ces deux brutes.

M. Walter disait toujours : – J'en ai d'autres dans les pièces suivantes, mais ils sont de gens moins connus, moins classés. Ici c'est mon Salon carré. J'achète des jeunes en ce moment, des tout jeunes, et je les mets en réserve dans les appartements intimes, en attendant le moment où les auteurs seront célèbres. Puis il prononça tout bas :   630

– C'est l'instant d'acheter des tableaux. Les peintres crèvent de faim. Ils n'ont pas le sou, pas le sou…

Mais Duroy ne voyait rien, entendait sans comprendre. Mme de Marelle était là, derrière lui. Que devait-il faire ? S'il la saluait, n'allait-elle point lui tourner le dos ou lui jeter quelque insolence ? S'il ne s'approchait pas d'elle, que penserait-on ?

Il se dit : – Je vais toujours gagner du temps. – Il était tellement ému qu'il eut l'idée un moment de simuler une
640 indisposition subite qui lui permettrait de s'en aller.

La visite des murs était finie. Le patron alla reposer sa lampe et saluer la dernière venue, tandis que Duroy recommençait tout seul l'examen des toiles comme s'il ne se fût pas lassé de les admirer.

Il avait l'esprit bouleversé. Que devait-il faire ? Il entendait les voix, il distinguait la conversation. Mme Forestier l'appela : – Dites donc, monsieur Duroy. – Il courut vers elle. C'était pour lui recommander une amie qui donnait une fête et qui aurait bien voulu une citation dans les
650 Échos de *La Vie française*.

Il balbutiait : – Mais certainement, madame, certainement…

Mme de Marelle se trouvait maintenant tout près de lui. Il n'osait point se retourner pour s'en aller.

Tout à coup, il se crut devenu fou ; elle avait dit, à haute voix : – Bonjour, Bel-Ami. Vous ne me reconnaissez donc plus ?

Il pivota sur ses talons avec rapidité. Elle se tenait debout devant lui, souriante, l'œil plein de gaieté et
660 d'affection. Et elle lui tendit la main.

Il la prit en tremblant, craignant encore quelque ruse et quelque perfidie. Elle ajouta avec sérénité :

– Que devenez-vous ? On ne vous voit plus.

Il bégayait, sans parvenir à reprendre son sang-froid :

– Mais j'ai eu beaucoup à faire, madame, beaucoup à faire. M. Walter m'a confié un nouveau service qui me donne énormément d'occupation.

Elle répondit, en le regardant toujours en face, sans qu'il pût découvrir dans son œil autre chose que de la
670 bienveillance : – Je le sais. Mais ce n'est pas une raison pour oublier vos amis.

Ils furent séparés par une grosse dame qui entrait, une grosse dame décolletée, aux bras rouges, aux joues rouges, vêtue et coiffée avec prétention, et marchant si lourdement qu'on sentait, à la voir aller, le poids et l'épaisseur de ses cuisses.

Comme on paraissait la traiter avec beaucoup d'égards, Duroy demanda à Mme Forestier :

– Quelle est cette personne ?

– La vicomtesse de Percemur, celle qui signe : « Patte blanche ». 680

Il fut stupéfait et saisi par une envie de rire : – Patte blanche ! Patte blanche ! Moi qui voyais, en pensée une jeune femme comme vous ! C'est ça, Patte blanche ? Ah ! elle est bien bonne ! bien bonne !

Un domestique apparut dans la porte et annonça :

– Madame est servie.

Le dîner fut banal et gai, un de ces dîners où l'on parle de tout sans rien dire. Duroy se trouvait entre la fille aînée du patron, la laide, Mlle Rose, et Mme de Marelle. Ce dernier voisinage le gênait un peu, bien qu'elle eût l'air fort à 690 l'aise et causât avec son esprit ordinaire. Il se troubla d'abord, contraint, hésitant, comme un musicien qui a perdu le ton. Peu à peu, cependant, l'assurance lui revenait, et leurs yeux, se rencontrant sans cesse, s'interrogeaient, mêlaient leurs regards, d'une façon intime, presque sensuelle, comme autrefois.

Tout à coup, il crut sentir, sous la table, quelque chose effleurer son pied. Il avança doucement la jambe et rencontra celle de sa voisine qui ne recula point à ce contact. 700 Ils ne parlaient pas, en ce moment, tournés tous deux vers leurs autres voisins.

Duroy, le cœur battant, poussa un peu plus son genou. Une pression légère lui répondit. Alors il comprit que leurs amours recommençaient.

Que dirent-ils ensuite ? Pas grand-chose ; mais leurs lèvres frémissaient chaque fois qu'ils se regardaient.

Le jeune homme, cependant, voulant être aimable pour la fille de son patron, lui adressait une phrase de temps en temps. Elle y répondait, comme l'aurait fait sa mère, 710 n'hésitant jamais sur ce qu'elle devait dire.

À la droite de M. Walter, la vicomtesse de Percemur prenait des allures de princesse ; et Duroy, s'égayant à la regarder, demanda tout bas à Mme de Marelle :

– Est-ce que vous connaissez l'autre, celle qui signe : « Domino rose » ?

– Oui, parfaitement ; la baronne de Livar.

– Est-elle du même cru ?

– Non. Mais aussi drôle. Une grande sèche, soixante
720 ans, frisons faux, dents à l'anglaise, esprit de la Restauration, toilettes même époque.

– Où ont-ils déniché ces phénomènes de lettres ?

– Les épaves de la noblesse sont toujours recueillies par les bourgeois parvenus.

– Pas d'autre raison ?

– Aucune autre.

Puis une discussion politique commença entre le patron, les deux députés, Norbert de Varenne et Jacques Rival ; et elle dura jusqu'au dessert.

730 Quand on fut retourné dans le salon, Duroy s'approcha de nouveau de Mme de Marelle, et, la regardant au fond des yeux : – Voulez-vous que je vous reconduise, ce soir ?

– Non.

– Pourquoi ?

– Parce que M. Laroche-Mathieu, qui est mon voisin, me laisse à ma porte chaque fois que je dîne ici.

– Quand vous verrai-je ?

– Venez déjeuner avec moi, demain.

Et ils se séparèrent sans rien dire de plus.

740 Duroy ne resta pas tard, trouvant monotone la soirée. Comme il descendait l'escalier, il rattrapa Norbert de Varenne qui venait aussi de partir. Le vieux poète lui prit le bras. N'ayant plus à redouter de rivalité dans le journal, leur collaboration étant essentiellement différente, il témoignait maintenant au jeune homme une bienveillance d'aïeul.

– Eh bien, vous allez me reconduire un bout de chemin ? – dit-il.

Duroy répondit : – Avec joie, cher maître.

750 Et ils se mirent en route, en descendant le boulevard Malesherbes, à petits pas.

Paris était presque désert cette nuit-là, une nuit froide, une de ces nuits qu'on dirait plus vastes que les autres, où les étoiles sont plus hautes, où l'air semble apporter dans ses souffles glacés quelque chose venu de plus loin que les astres.

Les deux hommes ne parlèrent point dans les premiers moments. Puis Duroy, pour dire quelque chose, prononça :

– Ce M. Laroche-Mathieu a l'air fort intelligent et fort instruit.   760

Le vieux poète murmura : – Vous trouvez ?

Le jeune homme, surpris, hésitait : – Mais oui ; il passe d'ailleurs pour un des hommes les plus capables de la Chambre.

– C'est possible. Dans le royaume des aveugles les borgnes sont rois. Tous ces gens-là, voyez-vous, sont des médiocres, parce qu'ils ont l'esprit entre deux murs – l'argent et la politique. Ce sont des cuistres, mon cher, avec qui il est impossible de parler de rien, de rien de ce que nous aimons. Leur intelligence est à fond de vase, ou   770 plutôt à fond de dépotoir, comme la Seine à Asnières.

Ah ! c'est qu'il est difficile de trouver un homme qui ait de l'espace dans la pensée, qui vous donne la sensation de ces grandes haleines du large qu'on respire sur les côtes de la mer. J'en ai connu quelques-uns, ils sont morts.

Norbert de Varenne parlait d'une voix claire, mais retenue, qui aurait sonné dans le silence de la nuit s'il l'avait laissée s'échapper. Il semblait surexcité et triste, d'une de ces tristesses qui tombent parfois sur les âmes et les rendent vibrantes comme la terre sous la gelée.   780

Il reprit : – Qu'importe, d'ailleurs, un peu plus ou un peu moins de génie, puisque tout doit finir !

Et il se tut. Duroy, qui se sentait le cœur gai, ce soir-là, dit, en souriant : – Vous avez du noir, aujourd'hui, cher maître.

Le poète répondit : – J'en ai toujours, mon enfant, et vous en aurez autant que moi dans quelques années. La vie est une côte. Tant qu'on monte, on regarde le sommet, et on se sent heureux ; mais, lorsqu'on arrive en haut, on aperçoit tout d'un coup la descente, et la fin, qui est la   790 mort. Ça va lentement quand on monte, mais ça va vite quand on descend. À votre âge, on est joyeux. On espère tant de choses, qui n'arrivent jamais, d'ailleurs. Au mien, on n'attend plus rien… que la mort.

Duroy se mit à rire : – Bigre, vous me donnez froid dans le dos.

Norbert de Varenne reprit : – Non, vous ne me comprenez pas aujourd'hui, mais vous vous rappellerez plus tard ce que je vous dis en ce moment.

800 Il arrive un jour, voyez-vous, et il arrive de bonne heure pour beaucoup, où c'est fini de rire, comme on dit, parce que derrière tout ce qu'on regarde c'est la mort qu'on aperçoit.

Oh ! vous ne comprenez même pas ce mot-là, vous, la mort. À votre âge, ça ne signifie rien. Au mien, il est terrible.

Oui, on le comprend tout d'un coup, on ne sait pas pourquoi ni à propos de quoi, et alors tout change d'aspect, dans la vie. Moi, depuis quinze ans, je la sens qui me tra-
810 vaille comme si je portais en moi une bête rongeuse. Je l'ai sentie peu à peu, mois par mois, heure par heure, me dégrader ainsi qu'une maison qui s'écroule. Elle m'a défiguré si complètement que je ne me reconnais pas. Je n'ai plus rien de moi, de moi l'homme radieux, frais et fort, que j'étais à trente ans. Je l'ai vue teindre en blanc mes cheveux noirs, et avec quelle lenteur savante et méchante [1] ! Elle m'a pris ma peau ferme, mes muscles, mes dents, tout mon corps de jadis, ne me laissant qu'une âme désespérée qu'elle enlèvera bientôt aussi.

820 Oui, elle m'a émietté, la gueuse, elle a accompli doucement et terriblement la longue destruction de mon être, seconde par seconde. Et maintenant je me sens mourir en tout ce que je fais. Chaque pas m'approche d'elle, chaque mouvement, chaque souffle hâte son odieuse besogne. Respirer, dormir, boire, manger, travailler, rêver, tout ce que nous faisons, c'est mourir. Vivre enfin, c'est mourir !

---

1. À l'occasion d'une « Causerie triste » publiée en 1884 dans *Le Gaulois*, Maupassant développe l'éloge paradoxal de l'illusion, qui seule permet d'échapper aux idées noires d'un Norbert de Varennes : « C'est grâce [à l'illusion] que les vieillards peuvent rire encore ! N'est-il pas étrange qu'on rie avec des cheveux blancs, alors qu'on n'aura plus jamais de cheveux noirs. Quelques-uns la perdent, cette illusion, la grande menteuse. Et soudain ils voient la vie, la vie vraie, décolorée, déshabillée. »

Oh ! vous saurez cela ! Si vous réfléchissiez seulement un quart d'heure, vous la verriez.

Qu'attendez-vous ? De l'amour ? Encore quelques baisers, et vous serez impuissant. 830

Et puis, après ? De l'argent ? Pourquoi faire ? Pour payer des femmes ? Joli bonheur ! Pour manger beaucoup, devenir obèse et crier des nuits entières sous les morsures de la goutte ?

Et puis encore ? De la gloire ? À quoi cela sert-il quand on ne peut plus la cueillir sous forme d'amour ?

Et puis, après ? Toujours la mort pour finir.

Moi, maintenant, je la vois de si près que j'ai souvent envie d'étendre les bras pour la repousser. Elle couvre la terre et emplit l'espace. Je la découvre partout. Les petites 840 bêtes écrasées sur les routes, les feuilles qui tombent, le poil blanc aperçu dans la barbe d'un ami, me ravagent le cœur et me crient : « La voilà ! »

Elle me gâte tout ce que je fais, tout ce que je vois, ce que je mange et ce que je bois, tout ce que j'aime, les clairs de lune, les levers de soleil, la grande mer, les belles rivières, et l'air des soirs d'été, si doux à respirer !

Il allait doucement, un peu essoufflé, rêvant tout haut, oubliant presque qu'on l'écoutait.

Il reprit : – Et jamais un être ne revient, jamais… On 850 garde les moules des statues, les empreintes qui refont toujours des objets pareils ; mais mon corps, mon visage, mes pensées, mes désirs ne reparaîtront jamais. Et pourtant il naîtra des millions, des milliards d'êtres qui auront dans quelques centimètres carrés un nez, des yeux, un front, des joues et une bouche comme moi, et aussi une âme comme moi, sans que jamais je revienne, moi, sans que jamais même quelque chose de moi reconnaissable reparaisse dans ces créatures innombrables et différentes, indéfiniment différentes bien que pareilles à peu près. 860

À quoi se rattacher ? Vers qui jeter des cris de détresse ? À quoi pouvons-nous croire ?

Toutes les religions sont stupides avec leur morale puérile et leurs promesses égoïstes, monstrueusement bêtes.

La mort seule est certaine.

Il s'arrêta, prit Duroy par les deux extrémités du col de son pardessus, et, d'une voix lente :

– Pensez à tout cela, jeune homme, pensez-y pendant
870 des jours, des mois et des années, et vous verrez l'existence d'une autre façon. Essayez donc de vous dégager de tout ce qui vous enferme, faites cet effort surhumain de sortir vivant de votre corps, de vos intérêts, de vos pensées et de l'humanité tout entière, pour regarder ailleurs, et vous comprendrez combien ont peu d'importance les querelles des romantiques et des naturalistes, et la discussion du budget.

Il se remit à marcher d'un pas plus rapide.

– Mais aussi vous sentirez l'effroyable détresse des
880 désespérés. Vous vous débattrez, éperdu, noyé, dans les incertitudes. Vous crierez « à l'aide » de tous les côtés, et personne ne vous répondra. Vous tendrez les bras, vous appellerez pour être secouru, aimé, consolé, sauvé ! et personne ne viendra.

Pourquoi souffrons-nous ainsi ? C'est que nous étions nés sans doute pour vivre davantage selon la matière et moins selon l'esprit ; mais, à force de penser, une disproportion s'est faite entre l'état de notre intelligence agrandie et les conditions immuables de notre vie.

890 Regardez les gens médiocres ; à moins de grands désastres tombant sur eux, ils se trouvent satisfaits, sans souffrir du malheur commun. Les bêtes non plus ne le sentent pas.

Il s'arrêta encore, réfléchit quelques secondes, puis d'un air las et résigné :

– Moi, je suis un être perdu. Je n'ai ni père, ni mère, ni frère, ni sœur, ni femme, ni enfants, ni Dieu.

Il ajouta, après un silence : – Je n'ai que la rime.

Puis, levant la tête vers le firmament, où luisait la face pâle de la pleine lune, il déclama :

900   *Et je cherche le mot de cet obscur problème*
   Dans le ciel noir et vide où flotte un astre blême.

Ils arrivaient au pont de la Concorde, ils le traversèrent en silence, puis ils longèrent le Palais-Bourbon. Norbert de Varenne se remit à parler : – Mariez-vous, mon ami, vous ne savez pas ce que c'est que de vivre seul, à mon âge. La solitude, aujourd'hui, m'emplit d'une angoisse

horrible ; la solitude dans le logis, auprès du feu, le soir. Il
me semble alors que je suis seul sur la terre, affreusement
seul, mais entouré de dangers vagues, de choses inconnues
et terribles ; et la cloison, qui me sépare de mon voisin que   910
je ne connais pas, m'éloigne de lui autant que des étoiles
aperçues par ma fenêtre. Une sorte de fièvre m'envahit,
une fièvre de douleur et de crainte, et le silence des murs
m'épouvante. Il est si profond et si triste, le silence de la
chambre où l'on vit seul. Ce n'est pas seulement un
silence autour du corps, mais un silence autour de l'âme,
et, quand un meuble craque, on tressaille jusqu'au cœur,
car aucun bruit n'est attendu dans ce morne logis.

Il se tut encore une fois, puis ajouta : - Quand on est
vieux, ce serait bon, tout de même, des enfants !   920

Ils étaient arrivés vers le milieu de la rue de Bourgogne.
Le poète s'arrêta devant une haute maison, sonna, serra la
main de Duroy, et lui dit : – Oubliez tout ce rabâchage de
vieux, jeune homme, et vivez selon votre âge ; adieu !

Et il disparut dans le corridor noir.

Duroy se remit en route, le cœur serré. Il lui semblait
qu'on venait de lui montrer quelque trou plein d'osse-
ments, un trou inévitable où il lui faudrait tomber un jour.
Il murmura : « Bigre, ça ne doit pas être gai, chez lui. Je
ne voudrais pas un fauteuil de balcon pour assister au   930
défilé de ses idées, nom d'un chien ! »

Mais, s'étant arrêté pour laisser passer une femme parfumée qui descendait de voiture et rentrait chez elle, il
aspira d'un grand souffle avide la senteur de verveine et
d'iris envolée dans l'air. Ses poumons et son cœur palpi-
tèrent brusquement d'espérance et de joie ; et le souvenir
de Mme de Marelle qu'il reverrait le lendemain l'envahit
des pieds à la tête.

Tout lui souriait, la vie l'accueillait avec tendresse.
Comme c'était bon, la réalisation des espérances !   940

Il s'endormit dans l'ivresse et se leva de bonne heure
pour faire un tour à pied, dans l'avenue du Bois de Boulogne, avant d'aller à son rendez-vous.

Le vent ayant changé, le temps s'était adouci pendant la
nuit, et il faisait une tiédeur et un soleil d'avril. Tous les
habitués du Bois étaient sortis ce matin-là, cédant à l'appel
du ciel clair et doux.

Duroy marchait lentement, buvant l'air léger, savoureux comme une friandise de printemps. Il passa l'arc de triomphe de l'Étoile et s'engagea dans la grande avenue, du côté opposé aux cavaliers. Il les regardait, trottant ou galopant, hommes et femmes, les riches du monde, et c'est à peine s'il les enviait maintenant. Il les connaissait presque tous de nom, savait le chiffre de leur fortune et l'histoire secrète de leur vie, ses fonctions ayant fait de lui une sorte d'almanach des célébrités et des scandales parisiens.

Les amazones passaient, minces et moulées dans le drap sombre de leur taille, avec ce quelque chose de hautain et d'inabordable qu'ont beaucoup de femmes à cheval ; et Duroy s'amusait à réciter à mi-voix, comme on récite des litanies dans une église, les noms, titres et qualités des amants qu'elles avaient eus ou qu'on leur prêtait ; et, quelquefois même au lieu de dire :

Baron de Tanquelet
Prince de la Tour-Enguerrand ;

il murmurait : Côté Lesbos

Louise Michot, du Vaudeville
Rose Marquetin, de l'Opéra.

Ce jeu l'amusait beaucoup, comme s'il eût constaté, sous les sévères apparences, l'éternelle et profonde infamie de l'homme, et que cela l'eût réjoui, excité, consolé.

Puis il prononça tout haut : « Tas d'hypocrites ! » et chercha de l'œil les cavaliers sur qui couraient les plus grosses histoires.

Il en vit beaucoup soupçonnés de tricher au jeu, pour qui les cercles, en tout cas, étaient la grande ressource, la seule ressource, ressource suspecte à coup sûr.

D'autres, fort célèbres, vivaient uniquement des rentes de leurs femmes, c'était connu ; d'autres des rentes de leurs maîtresses, on l'affirmait. Beaucoup avaient payé leurs dettes (acte honorable) sans qu'on eût jamais deviné d'où leur était venu l'argent nécessaire (mystère bien louche). Il vit des hommes de finance dont l'immense fortune avait un vol pour origine, et qu'on recevait partout,

dans les plus nobles maisons, puis des hommes si respectés que les petits bourgeois se découvraient sur leur
passage, mais dont les tripotages effrontés, dans les
grandes entreprises nationales, n'étaient un mystère pour 990
aucun de ceux qui savaient les dessous du monde.

Tous avaient l'air hautain, la lèvre fière, l'œil insolent,
ceux à favoris et ceux à moustaches.

Duroy riait toujours, répétant : « C'est du propre, tas de
crapules, tas d'escarpes ! »

Mais une voiture passa, découverte, basse et charmante,
traînée au grand trot par deux minces chevaux blancs dont
la crinière et la queue voltigeaient, et conduite par une
petite jeune femme blonde, une courtisane connue qui
avait deux grooms assis derrière elle. Duroy s'arrêta, avec 1000
une envie de saluer et d'applaudir cette parvenue de
l'amour qui étalait avec audace dans cette promenade et à
cette heure des hypocrites aristocrates le luxe crâne gagné
sur ses draps. Il sentait peut-être vaguement qu'il y avait
quelque chose de commun entre eux, un lien de nature,
qu'ils étaient de même race, de même âme, et que son
succès aurait des procédés audacieux de même ordre.

Il revint plus doucement, le cœur chaud de satisfaction,
et il arriva, un peu avant l'heure, à la porte de son ancienne
maîtresse.   1010

Elle le reçut, les lèvres tendues, comme si aucune rupture n'avait eu lieu, et elle oublia même, pendant quelques
instants, la sage prudence qu'elle opposait, chez elle, à
leurs caresses. Puis elle lui dit, en baisant les bouts frisés
de ses moustaches : – Tu ne sais pas l'ennui qui m'arrive,
mon chéri ? J'espérais une bonne lune de miel, et voilà
mon mari qui me tombe sur le dos pour six semaines ; il a
pris un congé. Mais je ne veux pas rester six semaines sans
te voir, surtout après notre petite brouille, et voilà comment j'ai arrangé les choses. Tu viendras me demander à 1020
dîner lundi, je lui ai déjà parlé de toi. Je te présenterai.

Duroy hésitait, un peu perplexe, ne s'étant jamais
trouvé encore en face d'un homme dont il possédait la
femme. Il craignait que quelque chose le trahît, un peu de
gêne, un regard, n'importe quoi. Il balbutiait :

– Non, j'aime mieux ne pas faire la connaissance de ton
mari. Elle insista, fort étonnée, debout devant lui et

ouvrant des yeux naïfs. – Mais pourquoi ? quelle drôle de
chose ? Ça arrive tous les jours, ça ! Je ne t'aurais pas cru
1030 si nigaud, par exemple.

Il fut blessé : – Eh bien, soit, je viendrai dîner lundi.

Elle ajouta : – Pour que ce soit bien naturel, j'aurai les
Forestier. Ça ne m'amuse pourtant pas de recevoir du
monde chez moi.

Jusqu'au lundi, Duroy ne pensa plus guère à cette
entrevue ; mais voilà qu'en montant l'escalier de Mme de
Marelle, il se sentit étrangement troublé, non pas qu'il lui
répugnât de prendre la main de ce mari, de boire son vin
et de manger son pain, mais il avait peur de quelque chose,
1040 sans savoir de quoi.

On le fit entrer dans le salon, et il attendit, comme toujours. Puis la porte de la chambre s'ouvrit, et il aperçut un
grand homme à barbe blanche, décoré, grave et correct,
qui vint à lui avec une politesse minutieuse : – Ma femme
m'a souvent parlé de vous, monsieur, et je suis charmé de
faire votre connaissance.

Duroy s'avança en tâchant de donner à sa physionomie
un air de cordialité expressive, et il serra avec une énergie
exagérée la main tendue de son hôte. Puis, s'étant assis, il
1050 ne trouva rien à lui dire.

M. de Marelle remit un morceau de bois au feu, et
demanda : – Voici longtemps que vous vous occupez de
journalisme ?

Duroy répondit : – Depuis quelques mois seulement.

– Ah ! vous avez marché vite.

– Oui, assez vite – ; et il se mit à parler au hasard, sans
trop songer à ce qu'il disait, débitant toutes les banalités
en usage entre gens qui ne se connaissent point. Il se rassurait maintenant et commençait à trouver la situation fort
1060 amusante. Il regardait la figure sérieuse et respectable de
M. de Marelle, avec une envie de rire sur les lèvres, en
pensant : « Toi, je te fais cocu, mon vieux, je te fais
cocu. » Et une satisfaction intime, vicieuse, le pénétrait,
une joie de voleur qui a réussi et qu'on ne soupçonne pas,
une joie fourbe, délicieuse. Il avait envie, tout à coup,
d'être l'ami de cet homme, de gagner sa confiance, de lui
faire raconter les choses secrètes de sa vie.

Mme de Marelle entra brusquement, et les ayant couverts d'un coup d'œil souriant et impénétrable, elle alla vers Duroy qui n'osa point, devant le mari, lui baiser la 1070 main, ainsi qu'il le faisait toujours.

Elle était tranquille et gaie comme une personne habituée à tout, qui trouvait cette rencontre naturelle et simple, en sa rouerie native et franche. Laurine apparut, et vint, plus sagement que de coutume, tendre son front à Georges, la présence de son père l'intimidant. Sa mère lui dit : – Eh bien, tu ne l'appelles plus Bel-Ami, aujourd'hui. – Et l'enfant rougit, comme si on venait de commettre une grosse indiscrétion, de révéler une chose qu'on ne devait pas dire, de dévoiler un secret intime et un peu coupable 1080 de son cœur.

Quand les Forestier arrivèrent, on fut effrayé de l'état de Charles. Il avait maigri et pâli affreusement en une semaine et il toussait sans cesse. Il annonça d'ailleurs qu'ils partaient pour Cannes le jeudi suivant, sur l'ordre formel du médecin.

Ils se retirèrent de bonne heure, et Duroy dit en hochant la tête :

– Je crois qu'il file un bien mauvais coton. Il ne fera pas de vieux os. – Mme de Marelle affirma avec sérénité : 1090 – Oh ! il est perdu ! En voilà un qui avait eu de la chance de trouver une femme comme la sienne.

Duroy demanda : – Elle l'aide beaucoup ?

– C'est-à-dire qu'elle fait tout. Elle est au courant de tout, elle connaît tout le monde sans avoir l'air de voir personne ; elle obtient ce qu'elle veut, comme elle veut et quand elle veut. Oh ! elle est fine, adroite et intrigante comme aucune, celle-là. En voilà un trésor pour un homme qui veut parvenir.

Georges reprit : – Elle se remariera bien vite, sans 1100 doute ?

Mme de Marelle répondit : – Oui. Je ne serais même pas étonnée qu'elle eût en vue quelqu'un... un député... à moins que... qu'il ne veuille pas..., car... car..., il y aurait peut-être de gros obstacles... moraux... Enfin, voilà. Je ne sais rien.

M. de Marelle grommela avec une lente impatience :

– Tu laisses toujours soupçonner un tas de choses que je n'aime pas. Ne nous mêlons jamais des affaires des autres. Notre conscience nous suffit à gouverner. Ce devrait être une règle pour tout le monde.

Duroy se retira, le cœur troublé et l'esprit plein de vagues combinaisons.

Il alla le lendemain faire une visite aux Forestier et il les trouva terminant leurs bagages. Charles, étendu sur un canapé, exagérait la fatigue de sa respiration et répétait : – Il y a un mois que je devrais être parti ; puis il fit à Duroy une série de recommandations pour le journal, bien que tout fût réglé et convenu avec M. Walter.

Quand Georges s'en alla, il serra énergiquement les mains de son camarade : – Eh bien, mon vieux, à bientôt ! – Mais, comme Mme Forestier le reconduisait jusqu'à la porte, il lui dit vivement : – Vous n'avez pas oublié notre pacte ? Nous sommes des amis et des alliés, n'est-ce pas ? Donc, si vous avez besoin de moi, en quoi que ce soit, n'hésitez point. Une dépêche ou une lettre, et j'obéirai.

Elle murmura : – Merci, je n'oublierai pas. – Et son œil lui dit : « Merci », d'une façon plus profonde et plus douce.

Comme Duroy descendait l'escalier, il rencontra, montant à pas lents, M. de Vaudrec, qu'une fois déjà il avait vu chez elle. Le comte semblait triste – de ce départ, peut-être ?

Voulant se montrer homme du monde, le journaliste le salua avec empressement.

L'autre rendit avec courtoisie, mais d'une manière un peu fière.

Le ménage Forestier partit le jeudi soir.

VII

La disparition de Charles donna à Duroy une importance plus grande dans la rédaction de *La Vie française*. Il
signa quelques articles de fond, tout en signant aussi ses
échos, car le patron voulait que chacun gardât la responsa-
bilité de sa copie. Il eut quelques polémiques dont il se tira
avec esprit ; et ses relations constantes avec les hommes
d'État le préparaient peu à peu à devenir à son tour un
rédacteur politique adroit et perspicace.

Il ne voyait qu'une tache dans tout son horizon. Elle
venait d'un petit journal frondeur qui l'attaquait constam- 10
ment, ou plutôt qui attaquait en lui le chef des Échos de *La
Vie française*, le chef des Échos à surprises de M. Walter,
disait le rédacteur anonyme de cette feuille appelée *La
Plume*. C'étaient, chaque jour, des perfidies, des traits
mordants, des insinuations de toute nature.

Jacques Rival dit un jour à Duroy : – Vous êtes
patient.

L'autre balbutia : – Que voulez-vous, il n'y a pas
d'attaque directe.

Or, un après-midi, comme il entrait dans la salle de 20
rédaction, Boisrenard lui tendit le numéro de *La Plume* :

– Tenez, il y a encore une note désagréable pour vous.

– Ah ! à propos de quoi ?

– À propos de rien, de l'arrestation d'une dame Aubert
par un agent des mœurs.

Georges prit le journal qu'on lui tendait, et lut, sous ce
titre, *Duroy s'amuse* :

« L'illustre reporter de *La Vie française* nous apprend
aujourd'hui que la dame Aubert, dont nous avons annoncé
l'arrestation par un agent de l'odieuse brigade des mœurs, 30

n'existe que dans notre imagination. Or, la personne en question demeure 18, rue de l'Écureuil, à Montmartre. Nous comprenons trop, d'ailleurs, quel intérêt ou quels intérêts peuvent avoir les agents de la banque Walter à soutenir ceux du préfet de police qui tolère leur commerce. Quant au reporter dont il s'agit, il ferait mieux de nous donner quelqu'une de ces bonnes nouvelles à sensation dont il a le secret : nouvelles de morts démenties le lendemain, nouvelles de batailles qui n'ont pas eu lieu, annonce
40 de paroles graves prononcées par des souverains qui n'ont rien dit, toutes les informations enfin qui constituent les "Profits Walter", ou même quelqu'une des petites indiscrétions sur des soirées de femmes à *succès*, ou sur l'excellence de certains produits qui sont d'une grande *ressource* à quelques-uns de nos confrères. »

Le jeune homme demeurait interdit, plus qu'irrité, comprenant seulement qu'il y avait là-dedans quelque chose de fort désagréable pour lui.

Boisrenard reprit : – Qui vous a donné cet écho ?
50 Duroy cherchait, ne se rappelant plus. Puis, tout à coup, le souvenir lui revint :

– Ah ! oui, c'est Saint-Potin. – Puis il relut l'alinéa de *La Plume*, et il rougit brusquement, révolté par l'accusation de vénalité.

Il s'écria : – Comment, on prétend que je suis payé pour…

Boisrenard l'interrompit : – Dame, oui. C'est embêtant pour vous. Le patron est fort sur l'œil à ce sujet. Ça pourrait arriver si souvent dans les échos…
60 Saint-Potin, justement, entrait. Duroy courut à lui :

– Vous avez vu la note de *La Plume* ?

– Oui, et je viens de chez la dame Aubert. Elle existe parfaitement, mais elle n'a pas été arrêtée. Ce bruit n'a aucun fondement.

Alors Duroy s'élança chez le patron qu'il trouva un peu froid, avec un œil soupçonneux. Après avoir écouté le cas, M. Walter répondit : « Allez vous-même chez cette dame et démentez de façon qu'on n'écrive plus de pareilles choses sur vous. Je parle de ce qui suit. C'est fort
70 ennuyeux pour le journal, pour moi et pour vous. Pas plus

que la femme de César, un journaliste ne doit être soupçonné. »

Duroy monta en fiacre avec Saint-Potin pour guide, et il cria au cocher : – 18, rue de l'Écureuil, à Montmartre.

C'était dans une immense maison dont il fallut escalader les six étages. Une vieille femme en caraco de laine vint leur ouvrir : – Qu'est-ce que vous me r'voulez ? – dit-elle en apercevant Saint-Potin.

Il répondit : – Je vous amène monsieur, qui est inspecteur de police et qui voudrait bien savoir votre affaire. 80

Alors elle les fit entrer, en racontant : – Il en est encore r'venu deux d'puis vous pour un journal, je n'sais point l'quel. – Puis, se tournant vers Duroy : – Donc, c'est monsieur qui désire savoir ?

– Oui. Est-ce que vous avez été arrêtée par un agent des mœurs ?

Elle leva les bras : – Jamais d'la vie, mon bon monsieur, jamais d'la vie. Voilà la chose. J'ai un boucher qui sert bien mais qui pèse mal. Je m'en ai aperçu souvent sans rien dire, mais l'autre jour, comme je lui demandais deux 90 livres de côtelettes, vu que j'aurais ma fille et mon gendre, je m'aperçois qu'il me pèse des os de déchet, des os de côtelettes, c'est vrai, mais pas des miennes. J'aurais pu en faire du ragoût, c'est encore vrai, mais quand je demande des côtelettes, c'est pas pour avoir le déchet des autres. Je refuse donc, alors y me traite de vieux rat, je lui réplique vieux fripon ; bref, de fil en aiguille, nous nous sommes tant chamaillés, qu'il y avait plus de cent personnes devant la boutique et qui riaient, qui riaient ! Tant qu'enfin un agent fut attiré et nous invita à nous expliquer chez le com- 100 missaire. Nous y fûmes, et on nous renvoya dos à dos. Moi, depuis, je m'sers ailleurs, et je n'passe même pu devant la porte, pour éviter des esclandres.

Elle se tut. Duroy demanda : – C'est tout ?

– C'est toute la vérité, mon cher monsieur –, et, lui ayant offert un verre de cassis qu'il refusa de boire, la vieille insista pour qu'on parlât dans le rapport des fausses pesées du boucher.

De retour au journal, Duroy rédigea sa réponse :

« Un écrivaillon anonyme de *La Plume*, s'en étant 110 arraché une, me cherche noise au sujet d'une vieille femme qu'il prétend avoir été arrêtée par un agent des mœurs, ce que je nie. J'ai vu moi-même la dame Aubert, âgée de soixante ans au moins, et elle m'a raconté par le menu sa querelle avec un boucher, au sujet d'une pesée de côtelettes, ce qui nécessita une explication devant le commissaire de police.

« Voilà toute la vérité.

120 « Quant aux autres insinuations du rédacteur de *La Plume*, je les méprise. On ne répond pas, d'ailleurs, à de pareilles choses, quand elles sont écrites sous le masque.

« Georges Duroy. »

M. Walter et Jacques Rival, qui venait d'arriver, trouvèrent cette note suffisante, et il fut décidé qu'elle passerait le jour même, à la suite des échos.

Duroy rentra tôt chez lui, un peu agité, un peu inquiet. Qu'allait répondre l'autre ? Qui était-il ? Pourquoi cette attaque brutale ? Avec les mœurs brusques des journalistes, cette bêtise pouvait aller loin, très loin. Il dormit
130 mal.

Quand il relut sa note dans le journal, le lendemain, il la trouva plus agressive imprimée que manuscrite. Il aurait pu, lui semblait-il, atténuer certains termes.

Il fut fiévreux tout le jour et il dormit mal encore la nuit suivante. Il se leva dès l'aurore pour chercher le numéro de *La Plume* qui devait répondre à sa réplique.

Le temps s'était remis au froid ; il gelait dur. Les ruisseaux, saisis comme ils coulaient encore, déroulaient le long des trottoirs deux rubans de glace.

140 Les journaux n'étaient point arrivés chez les marchands et Duroy se rappela le jour de son premier article : les « Souvenirs d'un chasseur d'Afrique ». Ses mains et ses pieds s'engourdissaient, devenaient douloureux, au bout des doigts surtout ; et il se mit à courir en rond autour du kiosque vitré, où la vendeuse, accroupie sur sa chaufferette, ne laissait voir, par la petite fenêtre, qu'un nez et des joues rouges dans un capuchon de laine.

Enfin le distributeur de feuilles publiques passa le paquet attendu par l'ouverture du carreau, et la bonne
150 femme tendit à Duroy *La Plume* grande ouverte. Il chercha

son nom d'un coup d'œil et ne vit rien d'abord. Il respirait déjà, quand il aperçut la chose entre deux tirets.

« Le sieur Duroy, de *La Vie française*, nous donne un démenti ; et, en nous démentant, il ment. Il avoue cependant qu'il existe une femme Aubert, et qu'un agent l'a conduite à la police. Il ne reste donc qu'à ajouter deux mots : "des mœurs" après le mot "agent" et c'est dit.

« Mais la conscience de certains journalistes est au niveau de leur talent.

« Et je signe : Louis Langremont. »   160

Alors le cœur de Georges se mit à battre violemment, et il rentra chez lui pour s'habiller, sans trop savoir ce qu'il faisait. Donc, on l'avait insulté, et d'une telle façon, qu'aucune hésitation n'était possible. Pourquoi ? Pour rien. À propos d'une vieille femme qui s'était querellée avec son boucher.

Il s'habilla bien vite et se rendit chez M. Walter, quoiqu'il fût à peine huit heures du matin.

M. Walter, déjà levé, lisait *La Plume*. – Eh bien, dit-il avec un visage grave, en apercevant Duroy, vous ne 170 pouvez pas reculer ?

Le jeune homme ne répondit rien. Le directeur reprit :

– Allez tout de suite trouver Rival qui se chargera de vos intérêts.

Duroy balbutia quelques mots vagues et sortit pour se rendre chez le chroniqueur, qui dormait encore. Il sauta du lit, au coup de sonnette, puis ayant lu l'écho : – Bigre, il faut y aller. Qui voyez-vous comme autre témoin ?

– Mais, je ne sais pas, moi.

– Boisrenard ? Qu'en pensez-vous ?   180

– Oui, Boisrenard.

– Êtes-vous fort aux armes ?

– Pas du tout.

– Ah ! diable ! Et au pistolet ?

– Je tire un peu.

– Bon. Vous allez vous exercer pendant que je m'occuperai de tout. Attendez-moi une minute.

Il passa dans son cabinet de toilette et reparut bientôt, lavé, rasé, correct.

– Venez avec moi –, dit-il.   190

Il habitait au rez-de-chaussée d'un petit hôtel, et il fit descendre Duroy dans la cave, une cave énorme, convertie en salle d'armes et en tir, toutes les ouvertures sur la rue étant bouchées.

Après avoir allumé une ligne de becs de gaz conduisant jusqu'au fond d'un second caveau, où se dressait un homme de fer peint en rouge et en bleu, il posa sur une table deux paires de pistolets d'un système nouveau chargeant par la culasse, et il commença les commandements

200 d'une voix brève comme si on eût été sur le terrain.

– Prêt ?

– Feu ! – un, deux, trois.

Duroy, anéanti, obéissait, levait les bras, visait, tirait, et comme il atteignait souvent le mannequin en plein ventre, car il s'était beaucoup servi dans sa première jeunesse d'un vieux pistolet d'arçon de son père pour tuer des oiseaux dans la cour, Jacques Rival satisfait déclarait : « Bien – très bien – très bien – vous irez – vous irez. »

Puis il le quitta : – Tirez comme ça jusqu'à midi. Voilà

210 des munitions, n'ayez pas peur de les brûler. Je viendrai vous prendre pour déjeuner et vous donner des nouvelles. Et il sortit.

Resté seul, Duroy tira encore quelques coups, puis il s'assit et se mit à réfléchir.

Comme c'était bête, tout de même, ces choses-là ! Qu'est-ce que ça prouvait ? Un filou était-il moins un filou après s'être battu ? Que gagnait un honnête homme insulté à risquer sa vie contre une crapule ? Et son esprit, vagabondant dans le noir, se rappela les choses dites par Nor-

220 bert de Varenne sur la pauvreté d'esprit des hommes, la médiocrité de leurs idées et de leurs préoccupations, la niaiserie de leur morale !

Et il déclara tout haut : « Comme il a raison, sacristi ! »

Puis il sentit qu'il avait soif, et ayant entendu un bruit de gouttes d'eau derrière lui, il aperçut un appareil à douches et il alla boire au bout de la lance. Puis il se remit à songer. Il faisait triste dans cette cave, triste comme dans un tombeau. Le roulement lointain et sourd des voitures semblait un tremblement d'orage éloigné. Quelle heure pouvait-il

230 être ? Les heures passaient là-dedans comme elles devaient passer au fond des prisons, sans que rien les

indique et que rien les marque, sauf les retours du geôlier portant les plats. Il attendit, longtemps, longtemps.

Puis tout d'un coup il entendit des pas, des voix, et Jacques Rival reparut, accompagné de Boisrenard. Il cria dès qu'il aperçut Duroy : – C'est arrangé !

L'autre crut l'affaire terminée par quelque lettre d'excuses ; son cœur bondit, et il balbutia : – Ah !... merci. – Le chroniqueur reprit : – Ce Langremont est très carré, il a accepté toutes nos conditions. Vingt-cinq pas, une balle au commandement en levant le pistolet. On a le bras beaucoup plus sûr ainsi qu'en l'abaissant. Tenez, Boisrenard, voyez ce que je vous disais.

Et prenant des armes, il se mit à tirer en démontrant comment on conservait bien mieux la ligne en levant le bras.

Puis il dit : – Maintenant, allons déjeuner, il est midi passé.

Et ils se rendirent dans un restaurant voisin. Duroy ne parlait plus guère. Il mangea pour n'avoir pas l'air d'avoir peur, puis dans le jour il accompagna Boisrenard au journal et il fit sa besogne d'une façon distraite et machinale. On le trouva crâne [1].

Jacques Rival vint lui serrer la main vers le milieu de l'après-midi ; et il fut convenu que ses témoins le prendraient chez lui en landau, le lendemain à sept heures du matin, pour se rendre au bois du Vésinet où la rencontre aurait lieu.

Tout cela s'était fait inopinément, sans qu'il y prît part, sans qu'il dît un mot, sans qu'il donnât son avis, sans qu'il acceptât ou refusât, et avec tant de rapidité qu'il demeurait étourdi, effaré, sans trop comprendre ce qui se passait.

Il se retrouva chez lui vers neuf heures du soir après avoir dîné chez Boisrenard, qui ne l'avait point quitté de tout le jour par dévouement.

Dès qu'il fut seul, il marcha pendant quelques minutes, à grands pas vifs, à travers sa chambre. Il était trop troublé pour réfléchir à rien. Une seule idée emplissait son esprit : – Un duel demain, – sans que cette idée éveillât en lui

---

1. *Crâne* : hardi, courageux (parce que ceux qui vont de l'avant « avancent » le front).

270 autre chose qu'une émotion confuse et puissante. Il avait
été soldat, il avait tiré sur des Arabes, sans grand danger
pour lui, d'ailleurs, un peu comme on tire sur un sanglier,
à la chasse.

En somme, il avait fait ce qu'il devait faire. Il s'était
montré ce qu'il devait être. On en parlerait, on l'approuve-
rait, on le féliciterait. Puis il prononça à haute voix,
comme on parle dans les grandes secousses de pensée :

« Quelle brute que cet homme ! »

Il s'assit et se mit à réfléchir. Il avait jeté sur sa petite
280 table une carte de son adversaire remise par Rival, afin de
garder son adresse. Il la relut comme il l'avait déjà lue
vingt fois dans la journée. *Louis Langremont, 176, rue
Montmartre*. Rien de plus.

Il examinait ces lettres assemblées qui lui paraissaient
mystérieuses, pleines de sens inquiétants. « Louis
Langremont », qui était cet homme ? De quel âge ? De
quelle taille ? De quelle figure ? N'était-ce pas révoltant
qu'un étranger, un inconnu, vînt ainsi troubler notre vie,
tout d'un coup, sans raison, par pur caprice, à propos
290 d'une vieille femme qui s'était querellée avec son
boucher ?

Il répéta encore une fois, à haute voix : « Quelle
brute ! »

Et il demeura immobile, songeant, le regard toujours
planté sur la carte. Une colère s'éveillait en lui contre ce
morceau de papier, une colère haineuse où se mêlait une
étrange sentiment de malaise. C'était stupide cette his-
toire-là ! Il prit une paire de ciseaux à ongles qui traînaient
et il les piqua au milieu du nom imprimé comme s'il eût
300 poignardé quelqu'un.

Donc il allait se battre, et se battre au pistolet ? Pourquoi n'avait-il pas choisi l'épée ? Il en aurait été quitte
pour une piqûre au bras ou à la main, tandis qu'avec le pistolet on ne savait jamais les suites possibles.

Il dit : « Allons, il faut être crâne. »

Le son de sa voix le fit tressaillir, et il regarda autour de
lui. Il commençait à se sentir fort nerveux. Il but un verre
d'eau, puis se coucha.

Dès qu'il fut au lit, il souffla sa lumière et ferma les
310 yeux.

Il avait très chaud dans ses draps, bien qu'il fît très froid dans sa chambre, mais il ne pouvait parvenir à s'assoupir. Il se tournait et se retournait, demeurait cinq minutes sur le dos, puis se plaçait sur le côté gauche, puis se roulait sur le côté droit.

Il avait encore soif. Il se releva pour boire, puis une inquiétude le saisit : « Est-ce que j'aurais peur ? »

Pourquoi son cœur se mettait-il à battre follement à chaque bruit connu de sa chambre ? Quand son coucou allait sonner, le petit grincement du ressort lui faisait faire   320
un sursaut ; et il lui fallait ouvrir la bouche pour respirer pendant quelques secondes, tant il demeurait oppressé.

Il se mit à raisonner en philosophe sur la possibilité de cette chose : « Aurais-je peur ? »

Non, certes, il n'aurait pas peur puisqu'il était résolu à aller jusqu'au bout, puisqu'il avait cette volonté bien arrêtée de se battre, de ne pas trembler. Mais il se sentait si profondément ému qu'il se demanda : « Peut-on avoir peur malgré soi ? » Et ce doute l'envahit, cette inquiétude, cette épouvante ! Si une force plus puissante que sa   330
volonté, dominatrice, irrésistible, le domptait, qu'arriverait-il ? Oui, que pouvait-il arriver ?

Certes, il irait sur le terrain puisqu'il voulait y aller. Mais s'il tremblait ? Mais s'il perdait connaissance ? Et il songea à sa situation, à sa réputation, à son avenir.

Et un singulier besoin le prit tout à coup de se relever pour se regarder dans la glace. Il ralluma sa bougie. Quand il aperçut son visage reflété dans le verre poli, il se reconnut à peine, et il lui sembla qu'il ne s'était jamais vu. Ses yeux lui parurent énormes ; et il était pâle, certes, il   340
était pâle, très pâle.

Tout d'un coup, cette pensée entra en lui à la façon d'une balle : « Demain, à cette heure-ci, je serai peut-être mort. » Et son cœur se remit à battre furieusement.

Il se retourna vers sa couche et il se vit distinctement étendu sur le dos dans ces mêmes draps qu'il venait de quitter. Il avait ce visage creux qu'ont les morts et cette blancheur des mains qui ne remueront plus.

Alors il eut peur de son lit, et afin de ne plus le voir il ouvrit la fenêtre pour regarder dehors.   350

Un froid glacial lui mordit la chair de la tête aux pieds, et il se recula, haletant.

La pensée lui vint de faire du feu. Il l'attisa lentement, sans se retourner. Ses mains tremblaient un peu d'un frémissement nerveux quand elles touchaient les objets. Sa tête s'égarait ; ses pensées tournoyantes, hachées, devenaient fuyantes, douloureuses ; une ivresse envahissait son esprit comme s'il eût bu.

Et sans cesse il se demandait : « Que vais-je faire ? que vais-je devenir ? »

Il se remit à marcher, répétant, d'une façon continue, machinale : « Il faut que je sois énergique, très énergique. »

Puis il se dit : « Je vais écrire à mes parents, en cas d'accident. »

Il s'assit de nouveau, prit un cahier de papier à lettres, traça : « Mon cher papa, ma chère maman... »

Puis il jugea ces termes trop familiers dans une circonstance aussi tragique. Il déchira la première feuille et recommença : « Mon cher père ; ma chère mère ; je vais me battre au point du jour, et comme il peut arriver que... »

Il n'osa pas écrire le reste et se releva d'une secousse.

Cette pensée l'écrasait maintenant. Il allait se battre en duel. Il ne pouvait plus éviter cela. Que se passait-il donc en lui ? Il voulait se battre ; il avait cette intention et cette résolution fermement arrêtées ; et il lui semblait, malgré tout l'effort de sa volonté, qu'il ne pourrait même pas conserver la force nécessaire pour aller jusqu'au lieu de la rencontre.

De temps en temps, ses dents s'entrechoquaient dans sa bouche avec un petit bruit sec ; et il demandait :

« Mon adversaire s'est-il déjà battu ? a-t-il fréquenté les tirs ? est-il connu ? est-il classé ? » Il n'avait jamais entendu prononcer ce nom. Et, cependant, si cet homme n'était pas un tireur au pistolet remarquable, il n'aurait point accepté ainsi, sans hésitation, sans discussion, cette arme dangereuse.

Alors Duroy se figurait leur rencontre, son attitude à lui et la tenue de son ennemi. Il se fatiguait la pensée à imaginer les moindres détails du combat ; et tout à coup il

voyait en face de lui ce petit trou noir et profond du canon
dont allait sortir une balle.

Et il fut pris brusquement d'une crise de désespoir
épouvantable. Tout son corps vibrait, parcouru de tres-
saillements saccadés. Il serrait les dents pour ne pas crier,
avec un besoin fou de se rouler par terre, de déchirer
quelque chose, de mordre. Mais il aperçut un verre sur sa
cheminée et il se rappela qu'il possédait dans son armoire
un litre d'eau-de-vie presque plein ; car il avait conservé   400
l'habitude militaire de *tuer le ver* [1] chaque matin.

Il saisit la bouteille et but, à même le goulot, à longues
gorgées, avec avidité. Et il la reposa seulement lorsque le
souffle lui manqua. Elle était vidée d'un tiers.

Une chaleur pareille à une flamme lui brûla bientôt
l'estomac, se répandit dans ses membres, raffermit son
âme en l'étourdissant.

Il se dit : « Je tiens le moyen. » Et comme il se sentait
maintenant la peau brûlante, il rouvrit la fenêtre.

Le jour naissait, calme et glacial. Là-haut, les étoiles   410
semblaient mourir au fond du firmament éclairci, et dans
la tranchée profonde du chemin de fer les signaux verts,
rouges et blancs pâlissaient.

Les premières locomotives sortaient du garage et s'en
venaient en sifflant chercher les premiers trains. D'autres,
dans le lointain, jetaient des appels aigus et répétés, leurs
cris de réveil, comme font les coqs dans les champs.

Duroy pensait : « Je ne verrai peut-être plus tout ça. »
Mais comme il sentit qu'il allait de nouveau s'attendrir sur
lui-même, il réagit violemment : « Allons, il ne faut   420
songer à rien jusqu'au moment de la rencontre, c'est le
seul moyen d'être crâne. »

Et il se mit à sa toilette. Il eut encore, en se rasant, une
seconde de défaillance en songeant que c'était peut-être la
dernière fois qu'il regardait son visage.

Il but une nouvelle gorgée d'eau-de-vie, et acheva de
s'habiller.

L'heure qui suivit fut difficile à passer. Il marchait de
long en large en s'efforçant en effet d'immobiliser son

---

1. *Tuer le ver* : boire à jeun un verre d'alcool. L'expression vient des qualités vermifuges traditionnellement attribuées à l'alcool.

430 âme. Lorsqu'il entendit frapper à sa porte, il faillit
s'abattre sur le dos, tant la commotion fut violente.
C'étaient ses témoins. Déjà !

Ils étaient enveloppés de fourrures. Rival déclara, après
avoir serré la main de son client :

– Il fait un froid de Sibérie. – Puis il demanda :

– Ça va bien ?

– Oui, très bien.

– On est calme ?

– Très calme.

440 – Allons, ça ira. Avez-vous bu et mangé quelque chose ?

– Oui, je n'ai besoin de rien.

Boisrenard, pour la circonstance, portait une décoration
étrangère, verte et jaune, que Duroy ne lui avait jamais
vue.

Ils descendirent. Un monsieur les attendait dans le
landau. Rival nomma : « Le docteur Le Brument. » Duroy
lui serra la main en balbutiant : – Je vous remercie, – puis
il voulut prendre place sur la banquette du devant et il
s'assit sur quelque chose de dur qui le fit relever comme si
450 un ressort l'eût redressé. C'était la boîte aux pistolets.

Rival répétait : – Non ! Au fond le combattant et le
médecin, au fond ! – Duroy finit par comprendre et il
s'affaissa à côté du docteur.

Les deux témoins montèrent à leur tour et le cocher
partit. Il savait où on devait aller.

Mais la boîte aux pistolets gênait tout le monde, surtout
Duroy, qui eût préféré ne pas la voir. On essaya de la
placer derrière les dos ; elle cassait les reins ; puis on la
mit debout entre Rival et Boisrenard ; elle tombait tout le
460 temps. On finit par la glisser sous les pieds.

La conversation languissait, bien que le médecin
racontât des anecdotes. Rival seul lui répondait. Duroy eût
voulu prouver de la présence d'esprit, mais il avait peur de
perdre le fil de ses idées, de montrer le trouble de son
âme ; et il était hanté par la crainte torturante de se mettre
à trembler.

La voiture fut bientôt en pleine campagne. Il était neuf
heures environ. C'était une de ces rudes matinées d'hiver
où toute la nature est luisante, cassante et dure comme du
470 cristal. Les arbres, vêtus de givre, semblent avoir sué de la

glace ; la terre sonne sous les pas ; l'air sec porte au loin les moindres bruits ; le ciel bleu paraît brillant à la façon des miroirs, et le soleil passe dans l'espace, éclatant et froid lui-même, jetant sur la création gelée des rayons qui n'échauffent rien.

Rival disait à Duroy : – J'ai pris les pistolets chez Gastine Renette. Il les a chargés lui-même. La boîte est cachetée. On les tirera au sort, d'ailleurs, avec ceux de notre adversaire.

Duroy répondit machinalement : – Je vous remercie.   480

Alors Rival lui fit des recommandations minutieuses, car il tenait à ce que son client ne commît aucune erreur. Il insistait sur chaque point plusieurs fois : – Quand on demandera : « Êtes-vous prêts, messieurs ? » vous répondrez d'une voix forte : « Oui ! »

Quand on commandera feu ! vous élèverez vivement le bras, et vous tirerez avant qu'on ait prononcé trois.

Et Duroy se répétait également mentalement : – Quand on commandera feu, j'élèverai le bras, – quand on commandera feu, j'élèverai le bras.   490

Il apprenait cela comme les enfants apprennent leurs leçons en le murmurant à satiété pour se le bien graver dans la tête. – Quand on commandera feu, j'élèverai le bras.

Le landau entra sous un bois, tourna à droite dans une avenue, puis encore à droite. Rival, brusquement, ouvrit la portière pour crier au cocher : « Là, par ce petit chemin. » Et la voiture s'engagea dans une route à ornières entre deux taillis où tremblotaient des feuilles mortes bordées d'un liséré de glace.   500

Duroy marmottait toujours : – Quand on commandera feu, j'élèverai le bras. – Et il pensa qu'un accident de voiture arrangerait tout. Oh ! si on pouvait verser, quelle chance ! s'il pouvait se casser une jambe !…

Mais il aperçut au bout d'une clairière une autre voiture arrêtée et quatre messieurs qui piétinaient pour s'échauffer les pieds ; et il fut obligé d'ouvrir la bouche, tant sa respiration devenait pénible.

Les témoins descendirent d'abord, puis le médecin et le combattant. Rival avait pris la boîte aux pistolets et il s'en   510
alla avec Boisrenard vers deux des étrangers qui venaient

à eux. Duroy les vit se saluer avec cérémonie, puis marcher ensemble dans la clairière en regardant tantôt par terre et tantôt dans les arbres, comme s'ils avaient cherché quelque chose qui aurait pu tomber ou s'envoler. Puis ils comptèrent des pas et enfoncèrent avec grand-peine deux cannes dans le sol gelé. Ils se réunirent ensuite en groupe et ils firent les mouvements du jeu de pile ou face, comme des enfants qui s'amusent.

520   Le docteur Le Brument demandait à Duroy :

– Vous vous sentez bien ? Vous n'avez besoin de rien ?

– Non, de rien, merci.

Il lui semblait qu'il était fou, qu'il dormait, qu'il rêvait, que quelque chose de surnaturel était survenu qui l'enveloppait.

Avait-il peur ? Peut-être ? Mais il ne savait pas. Tout était changé autour de lui.

Jacques Rival revint et lui annonça tout bas avec satisfaction : – Tout est prêt. La chance nous a favorisés
530   pour les pistolets.

Voilà une chose qui était indifférente à Duroy.

On lui ôta son pardessus. Il se laissa faire. On tâta les poches de sa redingote pour s'assurer qu'il ne portait point de papiers ni de portefeuille protecteur.

Il répétait en lui-même, comme une prière : – Quand on commandera feu, j'élèverai le bras.

Puis on l'amena jusqu'à une des cannes piquées en terre et on lui remit son pistolet. Alors il aperçut un homme debout, en face de lui, tout près, un petit homme ventru,
540   chauve, qui portait des lunettes. C'était son adversaire.

Il le vit très bien, mais il ne pensait à rien qu'à ceci : « Quand on commandera feu, j'élèverai le bras et je tirerai. » Une voix résonna dans le grand silence de l'espace, une voix qui semblait venir de très loin ; et elle demanda :

– Êtes-vous prêts, messieurs ?

Georges cria : – Oui !

Alors la même voix ordonna : – Feu...

Il n'écouta rien de plus, il ne s'aperçut de rien, il ne se
550   rendit compte de rien, il sentit seulement qu'il levait le bras en appuyant de toute sa force sur la gâchette.

Et il n'entendit rien.

Mais il vit aussitôt un peu de fumée au bout du canon de son pistolet ; et comme l'homme en face de lui demeurait toujours debout, dans la même posture également, il aperçut aussi un autre petit nuage blanc qui s'envolait au-dessus de la tête de son adversaire.

Ils avaient tiré tous les deux. C'était fini.

Ses témoins et le médecin le touchaient, le palpaient, déboutonnaient ses vêtements en demandant avec 560 anxiété : – Vous n'êtes pas blessé ? – Il répondit au hasard : – Non, je ne crois pas.

Langremont d'ailleurs, demeurait aussi intact que son ennemi, et Jacques Rival murmura d'un ton mécontent :

– Avec ce sacré pistolet, c'est toujours comme ça, on se rate ou on se tue. Quel sale instrument !

Duroy ne bougeait point, paralysé de surprise et de joie : « C'était fini ! » Il fallut lui enlever son arme qu'il tenait toujours serrée dans sa main. Il lui semblait mainte-nant qu'il se serait battu contre l'univers entier. C'était 570 fini. Quel bonheur ! Il se sentait brave tout à coup à provo-quer n'importe qui.

Tous les témoins causèrent quelques minutes, prenant rendez-vous dans le jour pour la rédaction du procès-verbal, puis on remonta dans la voiture ; et le cocher qui riait sur son siège repartit en faisant claquer son fouet.

Ils déjeunèrent tous les quatre sur le boulevard, en cau-sant de l'événement. Duroy disait ses impressions :

– Ça ne m'a rien fait, absolument rien. Vous avez dû le voir du reste ? 580

Rival répondit : – Oui, vous vous êtes bien tenu.

Quand le procès-verbal fut rédigé, on le présenta à Duroy qui devait l'insérer dans les échos. Il s'étonna de voir qu'il avait échangé deux balles avec M. Louis Lan-gremont, et, un peu inquiet, il interrogea Rival :

– Mais nous n'avons tiré qu'une balle.

L'autre sourit :

– Oui, une balle... une balle chacun... ça fait deux balles.

Et Duroy, trouvant l'explication satisfaisante, n'insista 590 pas. Le père Walter l'embrassa : – Bravo, bravo, vous avez défendu le drapeau de *La Vie française*, bravo !

Georges se montra, le soir, dans les principaux grands journaux et dans les principaux grands cafés du boulevard. Il rencontra deux fois son adversaire qui se montrait également.

Ils ne se saluèrent pas. Si l'un des deux avait été blessé, ils se seraient serré les mains. Chacun jurait d'ailleurs avec conviction avoir entendu siffler la balle de l'autre.

600   Le lendemain, vers onze heures du matin, Duroy reçut un petit bleu : « Mon Dieu, que j'ai eu peur ! Viens donc tantôt rue de Constantinople, que je t'embrasse, mon amour. Comme tu es brave – je t'adore. – Clo. »

Il alla au rendez-vous et elle s'élança dans ses bras, le couvrant de baisers : – Oh ! mon chéri, si tu savais mon émotion quand j'ai lu les journaux ce matin. Oh ! raconte-moi. Dis-moi tout. Je veux savoir.

Il dut raconter les détails avec minutie. Elle demandait :
– Comme tu as dû avoir une mauvaise nuit avant le duel !
610   – Mais non. J'ai bien dormi.

– Moi, je n'aurais pas fermé l'œil. Et sur le terrain, dis-moi comment ça s'est passé.

Il fit un récit dramatique : – Lorsque nous fûmes en face l'un de l'autre, à vingt pas, quatre fois seulement la longueur de cette chambre, Jacques, après avoir demandé si nous étions prêts, commanda : – Feu – J'ai élevé mon bras immédiatement, bien en ligne, mais j'ai eu le tort de vouloir viser la tête. J'avais une arme fort dure et je suis accoutumé à des pistolets bien doux, de sorte que la résis-
620   tance de la gâchette a relevé le coup. N'importe, ça n'a pas dû passer loin. Lui aussi il tire bien, le gredin. Sa balle m'a effleuré la tempe. J'en ai senti le vent.

Elle était assise sur ses genoux et le tenait dans ses bras comme pour prendre part à son danger. Elle balbutiait :
– Oh ! mon pauvre chéri, mon pauvre chéri…

Puis quand il eut fini de conter, elle lui dit : – Tu ne sais pas, je ne peux plus me passer de toi ! Il faut que je te voie ; et, avec mon mari à Paris, ça n'est pas commode. Souvent, j'aurais une heure le matin, avant que tu sois
630   levé, et je pourrais aller t'embrasser, mais je ne veux pas rentrer dans ton affreuse maison. Comment faire ?

Il eut brusquement une inspiration et demanda :
– Combien paies-tu ici ?

– Cent francs par mois.

– Eh bien, je prends l'appartement à mon compte et je vais l'habiter tout à fait. Le mien n'est plus suffisant dans ma nouvelle position.

Elle réfléchit quelques instants, puis répondit :

– Non. Je ne veux pas.

Il s'étonna : – Pourquoi ça ? 640

– Parce que…

– Ce n'est pas une raison. Ce logement me convient très bien. J'y suis. J'y reste.

Il se mit à rire : – D'ailleurs, il est à mon nom.

Mais elle refusait toujours : – Non, non, je ne veux pas…

– Pourquoi ça, enfin ?

Alors elle chuchota tout bas, tendrement : – Parce que tu y amènerais des femmes, et je ne veux pas.

Il s'indigna : – Jamais de la vie, par exemple. Je te le 650 promets.

– Non, tu en amènerais tout de même.

– Je te le jure.

– Bien vrai ?

– Bien vrai. Parole d'honneur. C'est notre maison, ça, rien qu'à nous.

Elle l'étreignit dans un élan d'amour : – Alors je veux bien, mon chéri. Mais tu sais, si tu me trompes une fois, rien qu'une fois, ce sera fini entre nous, fini pour toujours.

Il jura encore avec des protestations, et il fut convenu 660 qu'il s'installerait le jour même, afin qu'elle pût le voir quand elle passerait devant la porte.

Puis elle lui dit : – En tout cas, viens dîner dimanche. Mon mari te trouve charmant.

Il fut flatté : – Ah ! vraiment ?…

– Oui, tu as fait sa conquête. Et puis écoute, tu m'as dit que tu avais été élevé dans un château à la campagne, n'est-ce pas ?

– Oui, pourquoi ?

– Alors tu dois connaître un peu la culture ? 670

– Oui.

– Eh bien, parle-lui de jardinage et de récoltes, il aime beaucoup ça.

– Bon. Je n'oublierai pas.

Elle le quitta, après l'avoir indéfiniment embrassé, ce duel ayant exaspéré sa tendresse.

Et Duroy pensait, en se rendant au journal : « Quel drôle d'être ça fait ! Quelle tête d'oiseau ! Sait-on ce qu'elle veut et ce qu'elle aime ? Et quel drôle de ménage !
680 Quel fantaisiste a bien pu préparer l'accouplement de ce vieux et de cette écervelée ? Quel raisonnement a décidé cet inspecteur à épouser cette étudiante ? Mystère ! Qui sait ? L'amour, peut-être ? »

Puis il conclut : « Enfin, c'est une bien gentille maîtresse ; je serais rudement bête de la lâcher. »

VIII

Son duel avait fait passer Duroy au nombre des chroniqueurs de tête de *La Vie française* ; mais, comme il éprouvait une peine infinie à découvrir des idées, il prit la spécialité des déclamations sur la décadence des mœurs, sur l'abaissement des caractères, l'affaissement du patriotisme et l'anémie de l'honneur français. (Il avait trouvé le mot « anémie » dont il était fier.)

Et quand Mme de Marelle, pleine de cet esprit gouailleur, sceptique et gobeur qu'on appelle l'esprit de Paris, se moquait de ses tirades qu'elle crevait d'une épi- 10 gramme, il répondait en souriant : « Bah ! ça me fait une bonne réputation pour plus tard. »

Il habitait maintenant rue de Constantinople, où il avait transporté sa malle, sa brosse, son rasoir et son savon, ce qui constituait son déménagement. Deux ou trois fois par semaine, la jeune femme arrivait avant qu'il fût levé, se déshabillait en une minute et se glissait dans le lit, toute frémissante du froid du dehors.

Duroy, par contre, dînait tous les jeudis dans le ménage et faisait la cour au mari en lui parlant agriculture ; et 20 comme il aimait lui-même les choses de la terre, ils s'intéressaient parfois tellement tous les deux à la causerie qu'ils oubliaient tout à fait leur femme sommeillant sur le canapé.

Laurine aussi s'endormait, tantôt sur les genoux de son père, tantôt sur les genoux de Bel-Ami.

Et quand le journaliste était parti, M. de Marelle ne manquait point de déclarer avec ce ton doctrinaire dont il disait les moindres choses : « Ce garçon est vraiment fort agréable. Il a l'esprit très cultivé. » 30

Février touchait à sa fin. On commençait à sentir la violette dans les rues en passant le matin auprès des voitures traînées par les marchandes de fleurs.

Duroy vivait sans un nuage dans son ciel.

Or, une nuit, comme il rentrait, il trouva une lettre glissée sous sa porte. Il regarda le timbre et il vit « Cannes ». L'ayant ouverte, il lut :

« Cannes, villa Jolie.

« Cher monsieur et ami, vous m'avez dit, n'est-ce pas,
40 que je pouvais compter sur vous en tout ? Eh bien, j'ai à vous demander un cruel service, c'est de venir m'assister, de ne pas me laisser seule aux derniers moments de Charles qui va mourir. Il ne passera peut-être pas la semaine, bien qu'il se lève encore, mais le médecin m'a prévenue.

« Je n'ai plus la force ni le courage de voir cette agonie jour et nuit. Et je songe avec terreur aux derniers moments qui approchent. Je ne puis demander une pareille chose qu'à vous, car mon mari n'a plus de famille. Vous étiez son
50 camarade ; il vous a ouvert la porte du journal. Venez, je vous en supplie. Je n'ai personne à appeler.

« Croyez-moi votre camarade toute dévouée.

« Madeleine Forestier. »

Un singulier sentiment entra comme un souffle d'air au cœur de Georges, un sentiment de délivrance, d'espace qui s'ouvrait devant lui, et il murmura : « Certes, j'irai. Ce pauvre Charles ! Ce que c'est que de nous, tout de même ! »

Le patron, à qui il communiqua la lettre de la jeune
60 femme, donna en grognant son autorisation. Il répétait :

– Mais revenez vite, vous nous êtes indispensable.

Georges Duroy partit pour Cannes le lendemain par le rapide de sept heures, après avoir prévenu le ménage de Marelle par un télégramme.

Il arriva, le jour suivant, vers quatre heures du soir.

Un commissionnaire le guida vers la villa Jolie, bâtie à mi-côte, dans cette forêt de sapins peuplée de maisons blanches, qui va du Cannet au golfe Juan.

La maison était petite, basse, de style italien, au bord de la route qui monte en zigzag à travers les arbres montrant à chaque détour d'admirables points de vue.

Le domestique ouvrit la porte et s'écria :

– Oh ! monsieur, madame vous attend avec bien de l'impatience.

Duroy demanda : – Comment va votre maître ?

– Oh ! pas bien, monsieur. Il n'en a pas pour longtemps.

Le salon où le jeune homme entra était tendu de perse rose à dessins bleus. La fenêtre, large et haute, donnait sur la ville et sur la mer.

Duroy murmurait : « Bigre, c'est chic ici comme maison de campagne. Où diable prennent-ils tout cet argent-là ? »

Un bruit de robe le fit se retourner.

Mme Forestier lui tendait les deux mains : – Comme vous êtes gentil, comme c'est gentil d'être venu ! Et brusquement elle l'embrassa. Puis ils se regardèrent.

Elle était un peu pâlie, un peu maigrie, mais toujours fraîche, et peut-être plus jolie encore avec son air plus délicat. Elle murmura : – Il est terrible, voyez-vous, il se sait perdu et il me tyrannise atrocement. Je lui ai annoncé votre arrivée. Mais où est votre malle ?

Duroy répondit : – Je l'ai laissée au chemin de fer, ne sachant pas dans quel hôtel vous me conseilleriez de descendre pour être près de vous.

Elle hésita, puis reprit : – Vous descendrez ici, dans la villa. Votre chambre est prête, du reste. Il peut mourir d'un moment à l'autre, et si cela arrivait la nuit, je serais seule. J'enverrai chercher votre bagage.

Il s'inclina : – Comme vous voudrez.

– Maintenant, montons, dit-elle,

Il la suivit. Elle ouvrit une porte au premier étage, et Duroy aperçut auprès d'une fenêtre, assis dans un fauteuil et enroulé dans des couvertures, livide sous la clarté rouge du soleil couchant, une espèce de cadavre qui le regardait. Il le reconnaissait à peine ; il devina plutôt que c'était son ami.

On sentait dans cette chambre la fièvre, la tisane, l'éther, le goudron, cette odeur innommable et lourde des appartements où respire un poitrinaire.

110   Forestier souleva sa main d'un geste pénible et lent :

– Te voilà, dit-il, tu viens me voir mourir. Je te remercie.

Duroy affecta de rire : – Te voir mourir ! ce ne serait pas un spectacle amusant, et je ne choisirais point cette occasion-là pour visiter Cannes. Je viens te dire bonjour et me reposer un peu.

L'autre murmura : – Assieds-toi –, et il baissa la tête comme enfoncé en des méditations désespérées.

Il respirait d'une façon rapide, essoufflée, et parfois poussait une sorte de gémissement, comme s'il eût voulu
120 rappeler aux autres combien il était malade.

Voyant qu'il ne parlait point, sa femme vint s'appuyer à la fenêtre et elle dit en montrant l'horizon d'un coup de tête : – Regardez cela ! Est-ce beau ?

En face d'eux, la côte semée de villas descendait jusqu'à la ville qui était couchée le long du rivage en demi-cercle, avec sa tête à droite vers la jetée que dominait la vieille cité surmontée d'un vieux beffroi, et ses pieds à gauche à la pointe de la Croisette, en face des îles de Lérins. Elles avaient l'air, ces îles, de deux taches vertes,
130 dans l'eau toute bleue. On eût dit qu'elles flottaient comme deux feuilles immenses, tant elles semblaient plates de là-haut.

Et tout au loin, fermant l'horizon de l'autre côté du golfe, au-dessus de la jetée et du beffroi, une longue suite de montagnes bleuâtres dessinait sur un ciel éclatant une ligne bizarre et charmante de sommets tantôt arrondis, tantôt crochus, tantôt pointus, et qui finissait par un grand mont en pyramide plongeant son pied dans la pleine mer.

Mme Forestier l'indiqua : – C'est l'Estérel [1].

140   L'espace derrière les cimes sombres était rouge, d'un rouge sanglant et doré que l'œil ne pouvait soutenir.

Duroy subissait malgré lui la majesté de cette fin du jour.

Il murmura, ne trouvant point d'autre terme assez imagé pour exprimer son admiration :

---

1. Une chronique du *Gaulois* décrit dans des termes plus crus l'atmosphère de la Côte d'azur : « Ce pays ravissant et tiède, c'est l'hôpital du monde et le cimetière de l'Europe [...]. Partout, le long de cet adorable rivage, nous sommes chez la Mort » (« Chez la mort », 1882).

– Oh ! oui, c'est épatant, ça !

Forestier releva la tête vers sa femme et demanda :

– Donne-moi un peu d'air.

Elle répondit : – Prends garde, il est tard, le soleil se couche, tu vas encore attraper froid, et tu sais que ça ne te vaut rien dans ton état de santé. 150

Il fit de la main droite un geste fébrile et faible qui aurait voulu être un coup de poing et il murmura avec une grimace de colère, une grimace de mourant qui montrait la minceur des lèvres, la maigreur des joues et la saillie de tous les os : – Je te dis que j'étouffe. Qu'est-ce que ça te fait que je meure un jour plus tôt ou un jour plus tard, puisque je suis foutu…

Elle ouvrit toute grande la fenêtre.

Le souffle qui entra les surprit tous les trois comme une 160 caresse. C'était une brise molle, tiède, paisible, une brise de printemps nourrie déjà par les parfums des arbustes et des fleurs capiteuses qui poussent sur cette côte. On y distinguait un goût puissant de résine et l'âcre saveur des eucalyptus.

Forestier la buvait d'une haleine courte et fiévreuse. Il crispa les ongles de ses mains sur les bras de son fauteuil, et dit d'une voix basse, sifflante, rageuse : – Ferme la fenêtre. Cela me fait mal. J'aimerais mieux crever dans une cave. 170

Et sa femme ferma la fenêtre lentement, puis elle regarda au loin, le front contre la vitre.

Duroy, mal à l'aise, aurait voulu causer avec le malade, le rassurer.

Mais il n'imaginait rien de propre à le réconforter.

Il balbutia : – Alors ça ne va pas mieux depuis que tu es ici ?

L'autre haussa les épaules avec une impatience accablée :

– Tu le vois bien. – Et il baissa de nouveau la tête. 180

Duroy reprit : – Sacristi, il fait rudement bon ici, comparativement à Paris. Là-bas on est encore en plein hiver. Il neige, il grêle, il pleut, et il fait sombre à allumer les lampes dès trois heures de l'après-midi.

Forestier demanda : – Rien de nouveau au journal ?

– Rien de nouveau. On a pris pour te remplacer le petit Lacrin qui sort du *Voltaire* ; mais il n'est pas mûr. Il est temps que tu reviennes !

Le malade balbutia : – Moi ? J'irai faire de la chronique
190 à six pieds sous terre maintenant.

L'idée fixe revenait comme un coup de cloche à propos de tout, reparaissait sans cesse dans chaque pensée, dans chaque phrase.

Il y eut un long silence, un silence douloureux et pro-fond. L'ardeur du couchant se calmait lentement ; et les montagnes devenaient noires sur le ciel rouge qui s'assombrissait. Une ombre colorée, un commencement de nuit qui gardait des lueurs de brasier mourant entrait dans la chambre, semblait teindre les meubles, les murs,
200 les tentures, les coins avec des tons mêlés d'encre et de pourpre. La glace de la cheminée, reflétant l'horizon, avait l'air d'une plaque de sang.

Mme Forestier ne remuait point, toujours debout, le dos à l'appartement, le visage contre le carreau.

Et Forestier se mit à parler d'une voix saccadée, essouf-flée, déchirante à entendre : – Combien est-ce que j'en verrai encore, de couchers de soleil ?… huit… dix… quinze ou vingt… peut-être trente… pas plus… Vous avez du temps, vous autres… moi, c'est fini… Et ça continuera
210 après moi, comme si j'étais là…

Il demeura muet quelques minutes, puis reprit : – Tout ce que je vois me rappelle que je ne le verrai plus dans quelques jours… C'est horrible… je ne verrai plus rien… rien de ce qui existe… les plus petits objets qu'on manie… les verres… les assiettes… les lits où l'on se repose si bien… les voitures. C'est bon de se promener en voiture, le soir… Comme j'aimais tout ça !

Il faisait avec les doigts de chaque main un mouvement nerveux et léger, comme s'il eût joué du piano sur les deux
220 bras de son siège. Et chacun de ses silences était plus pénible que ses paroles, tant on sentait qu'il devait penser à d'épouvantables choses.

Et Duroy tout à coup se rappela ce que lui disait Norbert de Varenne, quelques semaines auparavant : « Moi, main-tenant, je vois la mort de si près que j'ai souvent envie d'étendre le bras pour la repousser… Je la découvre partout. Les petites bêtes écrasées sur les routes, les feuilles qui tombent, le poil blanc aperçu dans la barbe d'un ami, me ravagent le cœur et me crient : la voilà ! »

Il n'avait pas compris, ce jour-là ; maintenant il compre- 230 nait en regardant Forestier. Et une angoisse inconnue, atroce, entrait en lui, comme s'il eût senti tout près, sur ce fauteuil où haletait cet homme, la hideuse mort à portée de sa main. Il avait envie de se lever, de s'en aller, de se sauver, de retourner à Paris tout de suite ! Oh ! s'il avait su, il ne serait pas venu.

La nuit maintenant s'était répandue dans la chambre, comme un deuil hâtif qui serait tombé sur ce moribond. Seule la fenêtre restait visible encore, dessinant dans son carré plus clair, la silhouette immobile de la jeune femme. 240

Et Forestier demanda avec irritation : – Eh bien, on n'apporte pas la lampe aujourd'hui ? Voilà ce qu'on appelle soigner un malade.

L'ombre du corps qui se découpait sur les carreaux disparut, et on entendit tinter un timbre électrique dans la maison sonore.

Un domestique entra bientôt qui posa une lampe sur la cheminée. Mme Forestier dit à son mari : – Veux-tu te coucher, ou descendras-tu pour dîner ?

Il murmura : – Je descendrai. 250

Et l'attente du repas les fit demeurer encore près d'une heure immobiles, tous les trois, prononçant seulement parfois un mot, un mot quelconque inutile, banal, comme s'il y eût eu du danger, un danger mystérieux, à laisser durer trop longtemps ce silence, à laisser se figer l'air muet de cette chambre, de cette chambre où rôdait la mort.

Enfin le dîner fut annoncé. Il sembla long à Duroy, interminable. Ils ne parlaient pas, ils mangeaient sans bruit, puis émiettaient du pain du bout des doigts. Et le domestique faisait le service, marchait, allait et venait sans 260 qu'on entendît ses pieds, car le bruit des semelles irritant Charles, l'homme était chaussé de savates. Seul le tic-tac dur d'une horloge de bois troublait le calme des murs de son mouvement mécanique et régulier.

Dès qu'on eut fini de manger, Duroy, sous prétexte de fatigue, se retira dans sa chambre, et, accoudé à sa fenêtre, il regardait la pleine lune au milieu du ciel, comme un

globe de lampe énorme, jeter sur les murs blancs des villas
sa clarté sèche et voilée, et semer sur la mer une sorte
270 d'écaille de lumière mouvante et douce. Et il cherchait une
raison pour s'en aller bien vite, inventant des ruses, des
télégrammes qu'il allait recevoir, un appel de M. Walter.

Mais ses résolutions de fuite lui parurent plus difficiles
à réaliser, en s'éveillant le lendemain. Mme Forestier ne se
laisserait point prendre à ses adresses, et il perdrait par sa
couardise tout le bénéfice de son dévouement. Il se dit :
« Bah ! c'est embêtant ; eh bien, tant pis, il y a des passes
désagréables dans la vie ; et puis, ça ne sera peut-être pas
long. »

280 Il faisait un temps bleu, de ce bleu du Midi qui vous
emplit le cœur de joie ; et Duroy descendit jusqu'à la mer,
trouvant qu'il serait assez tôt de voir Forestier dans la
journée.

Quand il rentra pour déjeuner, le domestique lui dit :
– Monsieur a déjà demandé monsieur deux ou trois fois.
Si monsieur veut monter chez monsieur.

Il monta. Forestier semblait dormir dans un fauteuil. Sa
femme lisait, allongée sur le canapé.

Le malade releva la tête. Duroy demanda : – Eh bien,
290 comment vas-tu ? Tu m'as l'air gaillard ce matin.

L'autre murmura : – Oui, ça va mieux, j'ai repris des
forces. Déjeune bien vite avec Madeleine, parce que nous
allons faire un tour en voiture.

La jeune femme, dès qu'elle fut seule avec Duroy, lui
dit : – Voilà ! aujourd'hui il se croit sauvé. Il fait des projets depuis le matin. Nous allons tout à l'heure au golfe
Juan acheter des faïences pour notre appartement de Paris.
Il veut sortir à toute force, mais j'ai horriblement peur
d'un accident. Il ne pourra pas supporter les secousses de
300 la route.

Quand le landau fut arrivé, Forestier descendit l'escalier
pas à pas, soutenu par son domestique. Mais dès qu'il
aperçut la voiture, il voulut qu'on la découvrît.

Sa femme résistait : – Tu vas prendre froid. C'est de la
folie.

Il s'obstina : – Non, je vais beaucoup mieux. Je le sens
bien.

On passa d'abord dans ces chemins ombreux qui vont toujours entre deux jardins et qui font de Cannes une sorte de parc anglais, puis on gagna la route d'Antibes, le long de la mer.

Forestier expliquait le pays. Il avait indiqué d'abord la villa du comte de Paris. Il en nommait d'autres. Il était gai, d'une gaieté voulue, factice et débile de condamné. Il levait le doigt, n'ayant point la force de tendre le bras.

– Tiens, voici l'île Sainte-Marguerite et le château dont Bazaine s'est évadé [1]. Nous en a-t-on donné à garder avec cette affaire-là !

Puis il eut des souvenirs de régiment ; il nomma des officiers qui leur rappelaient des histoires. Mais, tout à coup, la route ayant tourné, on découvrit le golfe Juan tout entier avec son village blanc dans le fond et la pointe d'Antibes à l'autre bout.

Et Forestier, saisi soudain d'une joie enfantine, balbutia : – Ah ! l'escadre, tu vas voir l'escadre !

Au milieu de la vaste baie, on apercevait, en effet, une demi-douzaine de gros navires qui ressemblaient à des rochers couverts de ramures. Ils étaient bizarres, difformes, énormes, avec des excroissances, des tours, des éperons s'enfonçant dans l'eau comme pour aller prendre racine sous la mer.

On ne comprenait pas que cela pût se déplacer, remuer, tant ils semblaient lourds et attachés au fond. Une batterie flottante, ronde, haute, en forme d'observatoire, ressemblait à ces phares qu'on bâtit sur des écueils.

Et un grand trois-mâts passait auprès d'eux pour gagner le large, toutes ses voiles déployées blanches et joyeuses. Il était gracieux et joli auprès des monstres de guerre, des monstres de fer, des vilains monstres accroupis sur l'eau.

Forestier s'efforçait de les reconnaître. Il nommait : le *Colbert*, le *Suffren*, l'*Amiral-Duperré*, le *Redoutable*, la *Dévastation*, puis il reprenait : – Non, je me trompe, c'est celui-là la *Dévastation*.

---

1. Le maréchal de France Bazaine, commandant en chef de l'armée française en Lorraine lors de la guerre de 1870, fut condamné en 1873 à vingt ans de prison pour trahison. Il réussit à s'en évader en 1874, et finit sa vie en Espagne.

Ils arrivèrent devant une sorte de grand pavillon où on lisait : « Faïences d'art du golfe Juan », et la voiture ayant tourné autour d'un gazon s'arrêta devant la porte.

Forestier voulut acheter deux vases pour les poser sur sa bibliothèque. Comme il ne pouvait guère descendre de voiture, on lui apportait les modèles l'un après l'autre. Il fut longtemps à choisir, consultant sa femme et Duroy :

– Tu sais, c'est pour le meuble au fond de mon cabinet. De mon fauteuil, j'ai cela sous les yeux tout le temps. Je tiens à une forme ancienne, à une forme grecque. Il examinait les échantillons, s'en faisait apporter d'autres, reprenait les premiers. Enfin, il se décida ; et ayant payé, il exigea que l'expédition fût faite tout de suite. – Je retourne à Paris dans quelques jours, disait-il.

Ils revinrent, mais, le long du golfe, un courant d'air froid les frappa soudain, glissé dans le pli d'un vallon, et le malade se mit à tousser.

Ce ne fut rien d'abord, une petite crise ; mais elle grandit, devint une quinte ininterrompue, puis une sorte de hoquet, un râle.

Forestier suffoquait, et chaque fois qu'il voulait respirer la toux lui déchirait la gorge, sortie du fond de sa poitrine. Rien ne la calmait, rien ne l'apaisait. Il fallut le porter du landau dans sa chambre, et Duroy, qui lui tenait les jambes, sentait les secousses de ses pieds, à chaque convulsion de ses poumons.

La chaleur du lit n'arrêta point l'accès, qui dura jusqu'à minuit ; puis les narcotiques, enfin, engourdirent les spasmes mortels de la toux. Et le malade demeura jusqu'au jour, assis dans son lit, les yeux ouverts.

Les premières paroles qu'il prononça furent pour demander le barbier, car il tenait à être rasé chaque matin. Il se leva pour cette opération de toilette ; mais il fallut le recoucher aussitôt, et il se mit à respirer d'une façon si courte, si dure, si pénible, que Mme Forestier, épouvantée, fit réveiller Duroy, qui venait de se coucher, pour le prier d'aller chercher le médecin.

Il ramena presque immédiatement le docteur Gavaut qui prescrivit un breuvage et donna quelques conseils ; mais comme le journaliste le reconduisait pour lui demander son avis : – C'est l'agonie, dit-il. Il sera mort demain matin. Prévenez cette pauvre jeune femme et envoyez chercher un prêtre. Moi, je n'ai plus rien à faire. Je me tiens cependant entièrement à votre disposition.

Duroy fit appeler Mme Forestier : – Il va mourir. Le docteur conseille d'envoyer chercher un prêtre. Que voulez-vous faire ?   390

Elle hésita longtemps, puis, d'une voix lente, ayant tout calculé : – Oui, ça vaut mieux… sous bien des rapports… Je vais le préparer, lui dire que le curé désire le voir… Je ne sais quoi, enfin. Vous seriez bien gentil, vous, d'aller m'en chercher un, un curé, et de le choisir. Prenez-en un qui ne nous fasse pas trop de simagrées. Tâchez qu'il se contente de la confession, et nous tienne quittes du reste.

Le jeune homme ramena un vieil ecclésiastique complaisant qui se prêtait à la situation. Dès qu'il fut entré chez l'agonisant, Mme Forestier sortit, et s'assit, avec   400
Duroy, dans la pièce voisine.

– Ça l'a bouleversé, dit-elle. Quand j'ai parlé d'un prêtre, sa figure a pris une expression épouvantable comme… comme s'il avait senti… senti… un souffle…, vous savez… Il a compris que c'était fini, enfin, et qu'il fallait compter les heures…

Elle était fort pâle. Elle reprit : – Je n'oublierai jamais l'expression de son visage. Certes, il a vu la mort à ce moment-là. Il l'a vue…

Ils entendaient le prêtre, qui parlait un peu haut, étant un   410
peu sourd, et qui disait :

– Mais non, mais non, vous n'êtes pas si bas que ça. Vous êtes malade, mais nullement en danger. Et la preuve c'est que je viens en ami, en voisin.

Ils ne distinguèrent pas ce que répondit Forestier. Le vieillard reprit : – Non, je ne vous ferai pas communier. Nous causerons de ça quand vous irez bien. Si vous voulez profiter de ma visite pour vous confesser par exemple, je ne demande pas mieux. Je suis un pasteur, moi, je saisis toutes les occasions pour ramener mes brebis.   420

Un long silence suivit. Forestier devait parler de sa voix haletante et sans timbre.

Puis tout d'un coup le prêtre prononça, d'un ton différent, d'un ton d'officiant à l'autel :

– La miséricorde de Dieu est infinie, récitez le *Confiteor*, mon enfant. Vous l'avez peut-être oublié, je vais vous aider. Répétez avec moi : *Confiteor Deo omnipotenti… Beatae Mariae semper virgini…*

430 Il s'arrêtait de temps en temps pour permettre au moribond de le rattraper. Puis il dit :

– Maintenant, confessez-vous…

La jeune femme et Duroy ne remuaient plus, saisis par un trouble singulier, émus d'une attente anxieuse.

Le malade avait murmuré quelque chose. Le prêtre répéta : – Vous avez eu des complaisances coupables… de quelle nature, mon enfant ?

La jeune femme se leva, et dit simplement :

– Descendons un peu au jardin. Il ne faut pas écouter ses secrets.

440 Et ils allèrent s'asseoir sur un banc, devant la porte, au-dessous d'un rosier fleuri, et derrière une corbeille d'œillets qui répandait dans l'air pur son parfum puissant et doux.

Duroy, après quelques minutes de silence, demanda :

– Est-ce que vous tarderez beaucoup à rentrer à Paris ?

Elle répondit : – Oh ! non. Dès que tout sera fini je reviendrai.

– Dans une dizaine de jours ?

– Oui, au plus.

450 Il reprit : – Il n'a donc aucun parent ?

– Aucun, sauf des cousins. Son père et sa mère sont morts comme il était tout jeune.

Ils regardaient tous deux un papillon cueillant sa vie sur les œillets, allant de l'un à l'autre avec une rapide palpitation des ailes qui continuaient à battre lentement quand il s'était posé sur la fleur. Et ils restèrent longtemps silencieux.

Le domestique vint les prévenir que « Monsieur le Curé avait fini ». Et ils remontèrent ensemble.

460 Forestier semblait avoir encore maigri depuis la veille.

Le prêtre lui tenait la main. – Au revoir, mon enfant, je reviendrai demain matin.

Et il s'en alla.

Dès qu'il fut sorti, le moribond, qui haletait, essaya de soulever ses deux mains vers sa femme et il bégaya :

– Sauve-moi... sauve-moi... ma chérie... je ne veux pas mourir..., je ne veux pas mourir... Oh ! sauvez-moi... Dites ce qu'il faut faire, allez chercher le médecin... Je prendrai ce qu'on voudra... Je ne veux pas... Je ne veux pas... 470

Il pleurait. De grosses larmes coulaient de ses yeux sur ses joues décharnées ; et les coins maigres de sa bouche se plissaient comme ceux des petits enfants qui ont du chagrin.

Alors ses mains retombées sur le lit commencèrent un mouvement continu, lent et régulier, comme pour recueillir quelque chose sur les draps.

Sa femme qui se mettait à pleurer aussi balbutiait :

– Mais non, ce n'est rien. C'est une crise, demain tu iras mieux, tu t'es fatigué hier avec cette promenade. 480

L'haleine de Forestier était plus rapide que celle d'un chien qui vient de courir, si pressée qu'on ne la pouvait point compter, et si faible qu'on l'entendait à peine.

Il répétait toujours : – Je ne veux pas mourir !... Oh ! mon Dieu... mon Dieu... mon Dieu... qu'est-ce qui va m'arriver ? Je ne verrai plus rien... plus rien... jamais... Oh ! mon Dieu !

Il regardait devant lui quelque chose d'invisible pour les autres et de hideux, dont ses yeux fixes reflétaient l'épouvante. Ses deux mains continuaient ensemble leur geste 490 horrible et fatigant.

Soudain il tressaillit d'un frisson brusque qu'on vit courir d'un bout à l'autre de son corps et il balbutia : – Le cimetière... moi... mon Dieu !...

Et il ne parla plus. Il restait immobile, hagard et haletant.

Le temps passait ; midi sonna à l'horloge d'un couvent voisin. Duroy sortit de la chambre pour aller manger un peu. Il revint une heure plus tard. Mme Forestier refusa de rien prendre. Le malade n'avait point bougé. Il traînait 500 toujours ses doigts maigres sur le drap comme pour le ramener vers sa face.

La jeune femme était assise dans un fauteuil, au pied du lit. Duroy en prit un autre à côté d'elle ; et ils attendirent en silence.

Une garde était venue, envoyée par le médecin ; elle sommeillait près de la fenêtre.

Duroy lui-même commençait à s'assoupir quand il eut la sensation que quelque chose survenait. Il ouvrit les yeux
510 juste à temps pour voir Forestier fermer les siens comme deux lumières qui s'éteignent. Un petit hoquet agita la gorge du mourant, et deux filets de sang apparurent aux coins de sa bouche, puis coulèrent sur sa chemise. Ses mains cessèrent leur hideuse promenade. Il avait fini de respirer.

Sa femme comprit, et poussant une sorte de cri, elle s'abattit sur les genoux en sanglotant dans le drap. Georges, surpris et effaré, fit machinalement le signe de la croix. La garde, s'étant réveillée, s'approcha du lit : – Ça
520 y est –, dit-elle. – Et Duroy qui reprenait son sang-froid murmura, avec un soupir de délivrance : – Ça a été moins long que je n'aurais cru.

Lorsque fut dissipé le premier étonnement, après les premières larmes versées, on s'occupa de tous les soins et de toutes les démarches que réclame un mort. Duroy courut jusqu'à la nuit.

Il avait grand-faim en rentrant. Mme Forestier mangea quelque peu ; puis ils s'installèrent tous deux dans la chambre funèbre pour veiller le corps.
530 Deux bougies brûlaient sur la table de nuit à côté d'une assiette où trempait une branche de mimosa dans un peu d'eau, car on n'avait point trouvé le rameau de buis nécessaire.

Ils étaient seuls, le jeune homme et la jeune femme, auprès de lui, qui n'était plus. Ils demeuraient sans parler, pensant et le regardant.

Mais Georges, que l'ombre inquiétait auprès de ce cadavre, le contemplait obstinément. Son œil et son esprit attirés, fascinés, par ce visage décharné que la lumière
540 vacillante faisait paraître encore plus creux, restaient fixés sur lui. C'était là son ami, Charles Forestier, qui lui parlait hier encore ! Quelle chose étrange et épouvantable que cette fin complète d'un être ! Oh ! il se les rappelait maintenant les paroles de Norbert de Varenne hanté par la peur de la mort. « Jamais un être ne revient. » Il en naîtrait des millions et des milliards, à peu près pareils,

avec des yeux, un nez, une bouche, un crâne, et dedans une pensée, sans que jamais celui-ci reparût qui était couché dans ce lit.

Pendant quelques années il avait vécu, mangé, ri, aimé, espéré, comme tout le monde. Et c'était fini, pour lui, fini pour toujours. Une vie ! quelques jours, et puis plus rien ! On naît, on grandit, on est heureux, on attend, puis on meurt. Adieu ! homme ou femme, tu ne reviendras point sur la terre ! Et pourtant chacun porte en soi le désir fiévreux et irréalisable de l'éternité, chacun est une sorte d'univers dans l'univers, et chacun s'anéantit bientôt complètement dans le fumier des germes nouveaux. Les plantes, les bêtes, les hommes, les étoiles, les mondes, tout s'anime, puis meurt pour se transformer. Et jamais un être ne revient, insecte, homme ou planète !

Une terreur confuse, immense, écrasante, pesait sur l'âme de Duroy, la terreur de ce néant illimité, inévitable, détruisant indéfiniment toutes les existences si rapides et si misérables. Il courbait déjà le front sous sa menace. Il pensait aux mouches qui vivent quelques heures, aux bêtes qui vivent quelques jours, aux hommes qui vivent quelques ans, aux terres qui vivent quelques siècles. Quelle différence donc entre les uns et les autres ? Quelques aurores de plus, voilà tout.

Il détourna les yeux pour ne plus regarder le cadavre.

Mme Forestier, la tête baissée, semblait songer aussi à des choses douloureuses. Ses cheveux blonds étaient si jolis sur sa figure triste, qu'une sensation douce comme le toucher d'une espérance passa dans le cœur du jeune homme. Pourquoi se désoler quand il avait encore tant d'années devant lui ?

Et il se mit à la contempler. Elle ne le voyait point perdue dans sa méditation. Il se disait : « Voilà pourtant la seule chose de la vie : l'amour ! tenir dans ses bras une femme aimée ! Là est la limite du bonheur humain. »

Quelle chance il avait eue, ce mort, de rencontrer cette compagne intelligente et charmante. Comment s'étaient-ils connus ? Comment avait-elle consenti, elle, à épouser ce garçon médiocre et pauvre ? Comment avait-elle fini par en faire quelqu'un ?

Alors il songea à tous les mystères cachés dans les existences. Il se rappela ce qu'on chuchotait du comte de Vaudrec qui l'avait dotée et mariée, disait-on.

590 Qu'allait-elle faire maintenant ? Qui épouserait-elle ? Un député, comme le pensait Mme de Marelle, ou quelque gaillard d'avenir, un Forestier supérieur ? Avait-elle des projets, des plans, des idées arrêtées ? Comme il eût désiré savoir cela ! Mais pourquoi ce souci de ce qu'elle ferait ? Il se le demanda, et s'aperçut que son inquiétude venait d'une de ces arrière-pensées confuses, secrètes, qu'on se cache à soi-même et qu'on ne découvre qu'en allant fouiller au fond de soi.

Oui, pourquoi n'essaierait-il pas lui-même cette
600 conquête ? Comme il serait fort, avec elle, et redoutable ! Comme il pourrait aller vite et loin, et sûrement.

Et pourquoi ne réussirait-il pas ? Il sentait bien qu'il lui plaisait, qu'elle avait pour lui plus que de la sympathie, une de ces affections qui naissent entre deux natures semblables et qui tiennent autant d'une séduction réciproque que d'une sorte de complicité muette. Elle le savait intelligent, résolu, tenace ; elle pouvait avoir confiance en lui.

Ne l'avait-elle pas fait venir en cette circonstance si grave ? Et pourquoi l'avait-elle appelé ? Ne devait-il pas
610 voir là une sorte de choix, une sorte d'aveu, une sorte de désignation ? Si elle avait pensé à lui, juste à ce moment où elle allait devenir veuve, c'est que, peut-être, elle avait songé à celui qui deviendrait de nouveau son compagnon, son allié ?

Et une envie impatiente le saisit de savoir, de l'interroger, de connaître ses intentions. Il devait repartir le surlendemain, ne pouvant demeurer seul avec cette jeune femme, dans cette maison. Donc il fallait se hâter, il fallait, avant de retourner à Paris, surprendre avec adresse, avec
620 délicatesse, ses projets, et ne pas la laisser revenir, céder aux sollicitations d'un autre peut-être, et s'engager sans retour.

Le silence de la chambre était profond ; on n'entendait que le balancier de la pendule qui battait sur la cheminée son tic-tac métallique et régulier.

Il murmura : – Vous devez être bien fatiguée ?

Elle répondit : – Oui, mais je suis surtout accablée.

Le bruit de leur voix les étonna, sonnant étrangement dans cet appartement sinistre. Et ils regardèrent soudain le visage du mort, comme s'ils se fussent attendus à le voir remuer, à l'entendre leur parler, ainsi qu'il faisait, quelques heures plus tôt.

Duroy reprit : – Oh ! c'est un gros coup pour vous, et un changement si complet dans votre vie, un vrai bouleversement du cœur et de l'existence entière.

Elle soupira longuement sans répondre.

Il continua : – C'est si triste pour une jeune femme de se trouver seule comme vous allez l'être.

Puis il se tut. Elle ne dit rien. Il balbutia : – Dans tous les cas, vous savez le pacte conclu entre nous. Vous pouvez disposer de moi comme vous voudrez. Je vous appartiens.

Elle lui tendit la main en jetant sur lui un de ces regards mélancoliques et doux qui remuent en nous jusqu'aux moelles des os : – Merci, vous êtes bon, excellent. Si j'osais et si je pouvais quelque chose pour vous, je dirais aussi : Comptez sur moi.

Il avait pris la main offerte et il la gardait, la serrant, avec une envie ardente de la baiser. Il s'y décida enfin, et l'approchant lentement de sa bouche, il tint longtemps la peau fine, un peu chaude, fiévreuse et parfumée contre ses lèvres.

Puis quand il sentit que cette caresse d'ami allait devenir trop prolongée, il sut laisser retomber la petite main. Elle s'en revint mollement sur le genou de la jeune femme qui prononça gravement : – Oui, je vais être bien seule, mais je m'efforcerai d'être courageuse.

Il ne savait comment lui laisser comprendre qu'il serait heureux, bien heureux, de l'avoir pour femme à son tour. Certes il ne pouvait pas le lui dire, à cette heure, en ce lieu, devant ce corps ; cependant il pouvait, lui semblait-il, trouver une de ces phrases ambiguës, convenables et compliquées, qui ont des sens cachés sous les mots, et qui expriment tout ce qu'on veut par leurs réticences calculées.

Mais le cadavre le gênait, le cadavre rigide, étendu devant eux, et qu'il sentait entre eux. Depuis quelque temps d'ailleurs, il croyait saisir dans l'air enfermé de la

pièce une odeur suspecte, une haleine pourrie, venue de
670 cette poitrine décomposée, le premier souffle de charogne
que les pauvres morts couchés en leur lit jettent aux
parents qui les veillent, souffle horrible dont ils emplissent
bientôt la boîte creuse de leur cercueil.

Duroy demanda : – Ne pourrait-on ouvrir un peu la
fenêtre ? Il me semble que l'air est corrompu.

Elle répondit : – Mais oui. Je venais aussi de m'en apercevoir.

Il alla vers la fenêtre et l'ouvrit. Toute la fraîcheur parfumée de la nuit entra, troublant la flamme des deux bou-
680 gies allumées auprès du lit. La lune répandait, comme
l'autre soir, sa lumière abondante et calme sur les murs
blancs des villas et sur la grande nappe luisante de la mer.
Duroy, respirant à pleins poumons, se sentit brusquement
assailli d'espérances, comme soulevé par l'approche frémissante du bonheur.

Il se retourna : – Venez donc prendre un peu le frais, dit-
il, il fait un temps admirable.

Elle s'en vint tranquillement et s'accouda près de lui.

Alors il murmura, à voix basse : – Écoutez-moi, et com-
690 prenez bien ce que je veux dire. Ne vous indignez pas, surtout, de ce que je vous parle d'une pareille chose en un
semblable moment, mais je vous quitterai après-demain, et
quand vous reviendrez à Paris il sera peut-être trop tard.
Voilà… Je ne suis qu'un pauvre diable sans fortune et dont
la position est à faire, vous le savez. Mais j'ai de la
volonté, quelque intelligence à ce que je crois, et je suis en
route, en bonne route. Avec un homme arrivé on sait ce
qu'on prend ; avec un homme qui commence on ne sait
pas où il ira. Tant pis, ou tant mieux. Enfin je vous ai dit
700 un jour, chez vous, que mon rêve le plus cher aurait été
d'épouser une femme comme vous. Je vous répète
aujourd'hui ce désir. Ne me répondez pas. Laissez-moi
continuer. Ce n'est point une demande que je vous
adresse. Le lieu et l'instant la rendraient odieuse. Je tiens
seulement à ne point vous laisser ignorer que vous pouvez
me rendre heureux d'un mot, que vous pouvez faire de
moi soit un ami fraternel, soit même un mari, à votre gré,
que mon cœur et ma personne sont à vous. Je ne veux pas
que vous me répondiez maintenant ; je ne veux plus que

nous parlions de cela, ici. Quand nous nous reverrons, à   710
Paris, vous me ferez comprendre ce que vous aurez résolu.
Jusque-là plus un mot, n'est-ce pas ?

Il avait débité cela sans la regarder, comme s'il eût semé
ses paroles dans la nuit devant lui. Et elle semblait n'avoir
point entendu, tant elle était demeurée immobile, regardant aussi devant elle, d'un œil fixe et vague, le grand pay-
sage pâle éclairé par la lune.

Ils demeurèrent longtemps côte à côte, coude à coude,
silencieux et méditant.

Puis elle murmura : – Il fait un peu froid. – Et, s'étant   720
retournée, elle revint vers le lit. Il la suivit.

Lorsqu'il s'approcha, il reconnut que vraiment Forestier
commençait à sentir ; et il éloigna son fauteuil, car il
n'aurait pu supporter longtemps cette odeur de pourriture.
Il dit : – Il faudra le mettre en bière dès le matin.

Elle répondit : – Oui, oui, c'est entendu ; le menuisier
viendra vers huit heures.

Et Duroy ayant soupiré : « Pauvre garçon ! » elle
poussa à son tour un long soupir de résignation navrée.

Ils le regardaient moins souvent, accoutumés déjà à   730
l'idée de cette mort, commençant à consentir mentalement
à cette disparition qui, tout à l'heure encore, les révoltait et
les indignait, eux qui étaient mortels aussi.

Ils ne parlaient plus, continuant à veiller d'une façon
convenable, sans dormir. Mais, vers minuit, Duroy
s'assoupit le premier. Quand il se réveilla, il vit que
Mme Forestier sommeillait également, et ayant pris une
posture plus commode, il ferma de nouveau les yeux en
grommelant : « Sacristi ! on est mieux dans ses draps, tout
de même. »   740

Un bruit soudain le fit tressauter. La garde entrait. Il faisait grand jour. La jeune femme, sur le fauteuil en face,
semblait aussi surprise que lui. Elle était un peu pâle, mais
toujours jolie, fraîche, gentille, malgré cette nuit passée
sur un siège.

Alors, ayant regardé le cadavre, Duroy tressaillit et
s'écria : – Oh ! sa barbe ! – Elle avait poussé, cette barbe,
en quelques heures, sur cette chair qui se décomposait,
comme elle poussait en quelques jours sur la face d'un
vivant. Et ils demeuraient effarés par cette vie qui conti-   750

nuait sur ce mort, comme devant un prodige affreux, devant une menace surnaturelle de résurrection, devant une de ces choses anormales, effrayantes, qui bouleversent et confondent l'intelligence.

Ils allèrent ensuite tous les deux se reposer jusqu'à onze heures. Puis ils mirent Charles au cercueil, et ils se sentirent aussitôt allégés, rassérénés. Ils s'assirent en face l'un de l'autre pour déjeuner avec une envie éveillée de parler de choses consolantes, plus gaies, de rentrer dans la vie, puisqu'ils en avaient fini avec la mort.

Par la fenêtre, grande ouverte, la douce chaleur du printemps entrait, apportant le souffle parfumé de la corbeille d'œillets fleurie devant la porte.

Mme Forestier proposa à Duroy de faire un tour dans le jardin, et ils se mirent à marcher doucement autour du petit gazon en respirant avec délices l'air tiède plein de l'odeur des sapins et des eucalyptus.

Et, tout à coup, elle lui parla, sans tourner la tête vers lui, comme il avait fait pendant la nuit, là-haut. Elle prononçait les mots lentement, d'une voix basse et sérieuse :

– Écoutez, mon cher ami, j'ai bien réfléchi... déjà... à ce que vous m'avez proposé, et je ne veux pas vous laisser partir sans vous répondre un mot. Je ne vous dirai, d'ailleurs, ni oui ni non. Nous attendrons, nous verrons, nous nous connaîtrons mieux. Réfléchissez beaucoup de votre côté. N'obéissez pas à un entraînement trop facile. Mais, si je vous parle de cela, avant même que ce pauvre Charles soit descendu dans sa tombe, c'est qu'il importe, après ce que vous m'avez dit, que vous sachiez bien qui je suis, afin de ne pas nourrir plus longtemps la pensée que vous m'avez exprimée, si vous n'êtes pas d'un... d'un... caractère à me comprendre et à me supporter.

Comprenez-moi bien. Le mariage pour moi n'est pas une chaîne, mais une association. J'entends être libre, tout à fait libre de mes actes, de mes démarches, de mes sorties, toujours. Je ne pourrais tolérer ni contrôle, ni jalousie, ni discussion sur ma conduite. Je m'engagerais, bien entendu, à ne jamais compromettre le nom de l'homme que j'aurais épousé, à ne jamais le rendre odieux ou ridicule. Mais il faudrait aussi que cet homme s'engageât à voir en moi une égale, une alliée, et non pas une inférieure

ni une épouse obéissante et soumise. Mes idées, je le sais,
ne sont pas celles de tout le monde, mais je n'en changerai
point. Voilà.

J'ajoute aussi : – Ne me répondez pas, ce serait inutile
et inconvenant. Nous nous reverrons et nous reparlerons
peut-être de tout cela, plus tard. Maintenant, allez faire un
tour. Moi je retourne près de lui. À ce soir.

Il lui baisa longuement la main et s'en alla sans prononcer un mot.

Le soir, ils ne se virent qu'à l'heure du dîner. Puis ils
montèrent à leurs chambres, étant tous deux brisés de
fatigue.

Charles Forestier fut enterré le lendemain, sans aucune
pompe, dans le cimetière de Cannes. Et Georges Duroy
voulut prendre le rapide de Paris qui passe à une heure et
demie.

Mme Forestier l'avait conduit à la gare. Ils se promenaient tranquillement sur le quai, en attendant l'heure du
départ, et parlaient de choses indifférentes.

Le train arriva, très court, un vrai rapide, n'ayant que
cinq wagons.

Le journaliste choisit sa place, puis redescendit pour
causer encore quelques instants avec elle, saisi soudain
d'une tristesse, d'un chagrin, d'un regret violent de la
quitter, comme s'il allait la perdre pour toujours.

Un employé criait : « Marseille, Lyon, Paris, en
voiture ! » Duroy monta, puis s'accouda à la portière pour
lui dire encore quelques mots. La locomotive siffla et le
convoi doucement se mit en marche.

Le jeune homme, penché hors du wagon, regardait la
jeune femme immobile sur le quai et dont le regard le suivait. Et soudain, comme il allait la perdre de vue, il prit
avec ses deux mains un baiser sur sa bouche pour le jeter
vers elle.

Elle le lui renvoya d'un geste plus discret, hésitant,
ébauché seulement.

DEUXIÈME PARTIE

I

Georges Duroy avait retrouvé toutes ses habitudes anciennes.

Installé maintenant dans le petit rez-de-chaussée de la rue de Constantinople, il vivait sagement, en homme qui prépare une existence nouvelle. Ses relations avec Mme de Marelle avaient même pris une allure conjugale, comme s'il se fût exercé d'avance à l'événement prochain ; et sa maîtresse, s'étonnant souvent de la tranquillité réglée de leur union, répétait en riant : – Tu es encore plus popote que mon mari ; ça n'était pas la peine de changer. 10

Mme Forestier n'était pas revenue. Elle s'attardait à Cannes. Il reçut une lettre d'elle, annonçant son retour seulement pour le milieu d'avril, sans un mot d'allusion à leurs adieux. Il attendit. Il était bien résolu maintenant à prendre tous les moyens pour l'épouser, si elle semblait hésiter. Mais il avait confiance en sa fortune, confiance en cette force de séduction qu'il sentait en lui, force vague et irrésistible que subissaient toutes les femmes.

Un court billet le prévint que l'heure décisive allait sonner. 20

« Je suis à Paris. Venez me voir.

        « Madeleine Forestier. »

Rien de plus. Il l'avait reçu par le courrier de neuf heures. Il entrait chez elle à trois heures, le même jour.

Elle lui tendit les deux mains, en souriant de son joli sourire aimable ; et ils se regardèrent pendant quelques secondes, au fond des yeux.

Puis elle murmura : – Comme vous avez été bon de venir là-bas dans ces circonstances terribles !

30   Il répondit : – J'aurais fait tout ce que vous m'auriez ordonné.

Et ils s'assirent. Elle s'informa des nouvelles, des Walter, de tous les confrères et du journal. Elle y pensait souvent, au journal.

– Ça me manque beaucoup, disait-elle, mais beaucoup. J'étais devenue journaliste dans l'âme. Que voulez-vous, j'aime ce métier-là.

Puis elle se tut. Il crut comprendre, il crut trouver dans son sourire, dans le ton de sa voix, dans ses paroles elles-
40 mêmes, une sorte d'invitation ; et bien qu'il se fût promis de ne pas brusquer les choses, il balbutia :

– Eh bien… pourquoi… pourquoi ne le reprendriez-vous pas… ce métier… sous… sous le nom de Duroy ?

Elle redevint brusquement sérieuse et, posant la main sur son bras, elle murmura : – Ne parlons pas encore de ça.

Mais il devina qu'elle acceptait, et tombant à ses genoux il se mit à lui baiser passionnément les mains en répétant, en bégayant : – Merci, merci, comme je vous aime !

50   Elle se leva. Il fit comme elle et il s'aperçut qu'elle était fort pâle. Alors il comprit qu'il lui avait plu, depuis long-temps peut-être ; et comme ils se trouvaient face à face, il l'étreignit, puis il l'embrassa sur le front, d'un long baiser tendre et sérieux.

Quand elle se fut dégagée, en glissant sur sa poitrine, elle reprit d'un ton grave :

– Écoutez, mon ami, je ne suis encore décidée à rien. Cependant il se pourrait que ce fût « *oui* ». Mais vous allez me promettre le secret absolu jusqu'à ce que je vous en
60 délie.

Il jura et partit, le cœur débordant de joie.

Il mit désormais beaucoup de discrétion dans les visites qu'il lui fit et il ne sollicita pas de consentement plus précis, car elle avait une manière de parler de l'avenir, de dire « plus tard », de faire des projets où leurs deux exis-tences se trouvaient mêlées, qui répondait sans cesse, mieux et plus délicatement, qu'une formelle acceptation.

Duroy travaillait dur, dépensait peu, tâchait d'écono-miser quelque argent pour n'être point sans le sou au

moment de son mariage, et il devenait aussi avare qu'il 70
avait été prodigue.

L'été se passa, puis l'automne, sans qu'aucun soupçon
vînt à personne, car ils se voyaient peu, et le plus naturellement du monde.

Un soir, Madeleine lui dit, en le regardant au fond des
yeux : – Vous n'avez pas encore annoncé notre projet à
Mme de Marelle ?

– Non, mon amie. Vous ayant promis le secret je n'en ai
ouvert la bouche à âme qui vive.

– Eh bien, il serait temps de la prévenir. Moi, je me 80
charge des Walter. Ce sera fait cette semaine, n'est-ce
pas ?

Il avait rougi. – Oui, dès demain.

Elle détourna doucement les yeux, comme pour ne
point remarquer son trouble, et reprit : – Si vous le voulez,
nous pourrons nous marier au commencement de mai. Ce
serait très convenable.

– J'obéis en tout, avec joie.

– Le dix mai, qui est un samedi, me plairait beaucoup,
parce que c'est mon jour de naissance. 90

– Soit, le dix mai.

– Vos parents habitent près de Rouen, n'est-ce pas ?
Vous me l'avez dit du moins.

– Oui, près de Rouen, à Canteleu.

– Qu'est-ce qu'ils font ?

– Ils sont… ils sont petits rentiers.

– Ah ! J'ai un grand désir de les connaître.

Il hésita, fort perplexe : – Mais… c'est que, ils sont…

Puis il prit son parti en homme vraiment fort :

– Ma chère amie, ce sont des paysans, des cabaretiers 100
qui se sont saignés aux quatre membres pour me faire faire
des études. Moi, je ne rougis pas d'eux, mais leur… simplicité… leur rusticité pourrait peut-être vous gêner.

Elle souriait délicieusement, le visage illuminé d'une
bonté douce.

– Non. Je les aimerai beaucoup. Nous irons les voir. Je
le veux. Je vous reparlerai de ça. Moi aussi je suis fille de
petite gens… mais je les ai perdus, moi, mes parents. Je
n'ai plus personne au monde… – elle lui tendit la main et
ajouta –… que vous. 110

Et il se sentit attendri, remué, conquis comme il ne l'avait pas encore été par aucune femme.

– J'ai pensé à quelque chose, dit-elle, mais c'est assez difficile à expliquer.

Il demanda : – Quoi donc ?

– Eh bien voilà, mon cher, je suis comme toutes les femmes, j'ai mes… mes faiblesses, mes petitesses, j'aime ce qui brille, ce qui sonne. J'aurais adoré porter un nom noble. Est-ce que vous ne pourriez pas, à l'occasion de
120 notre mariage, vous… vous anoblir un peu ?

Elle avait rougi, à son tour, comme si elle lui eût proposé une indélicatesse.

Il répondit simplement : – J'y ai bien souvent songé, mais cela ne me paraît pas facile.

– Pourquoi donc ?

Il se mit à rire : – Parce que j'ai peur de me rendre ridicule.

Elle haussa les épaules : – Mais pas du tout, pas du tout. Tout le monde le fait et personne n'en rit. Séparez votre
130 nom en deux : « Du Roy ». Ça va très bien.

Il répondit aussitôt, en homme qui connaît la question :

– Non, ça ne va pas. C'est un procédé trop simple, trop commun, trop connu. Moi j'avais pensé à prendre le nom de mon pays, comme pseudonyme littéraire d'abord, puis à l'ajouter peu à peu au mien, puis même, plus tard, à couper en deux mon nom comme vous me le proposiez.

Elle demanda : – Votre pays, c'est Canteleu ?

– Oui.

Mais elle hésitait : – Non. Je n'en aime pas la termi-
140 naison. Voyons, est-ce que nous ne pourrions pas modifier un peu ce mot… Canteleu ?

Elle avait pris une plume sur la table et elle griffonnait des noms en étudiant leur physionomie. Soudain elle s'écria : – Tenez, tenez, voici.

Et elle lui tendit un papier où il lut : « Madame Duroy de Cantel. »

Il réfléchit quelques secondes, puis il déclara avec gravité :

– Oui, c'est très bon.

150 Elle était enchantée et répétait :

– Duroy de Cantel, Duroy de Cantel, Mme Duroy de Cantel. C'est excellent, excellent !

Elle ajouta, d'un air convaincu : – Et vous verrez comme c'est facile à faire accepter par tout le monde. Mais il faut saisir l'occasion. Car il serait trop tard ensuite. Vous allez, dès demain, signer vos chroniques D. de Cantel, et vos échos tout simplement Duroy. Ça se fait tous les jours dans la presse et personne ne s'étonnera de vous voir prendre un nom de guerre. Au moment de notre mariage, nous pourrons encore modifier un peu cela en disant aux amis que vous aviez renoncé à votre *du* par modestie, étant donné votre position, ou même sans rien dire du tout. Quel est le petit nom de votre père ?

– Alexandre.

Elle murmura deux ou trois fois de suite : « Alexandre, Alexandre », en écoutant la sonorité des syllabes, puis elle écrivit sur une feuille toute blanche :

« Monsieur et Madame Alexandre du Roy de Cantel ont l'honneur de vous faire part du mariage de Monsieur Georges du Roy de Cantel, leur fils, avec Madame Madeleine Forestier. »

Elle regardait son écriture d'un peu loin, ravie de l'effet, et elle déclara : – Avec un rien de méthode, on arrive à réussir tout ce qu'on veut.

Quand il se retrouva dans la rue, bien déterminé à s'appeler désormais du Roy, et même du Roy de Cantel, il lui sembla qu'il venait de prendre une importance nouvelle. Il marchait plus crânement, le front plus haut, la moustache plus fière, comme doit marcher un gentilhomme. Il sentait en lui une sorte d'envie joyeuse de raconter aux passants :

« Je m'appelle du Roy de Cantel. »

Mais à peine rentré chez lui, la pensée de Mme de Marelle l'inquiéta et il lui écrivit aussitôt, afin de lui demander un rendez-vous pour le lendemain.

« Ça sera dur, pensait-il. Je vais recevoir une bourrasque de premier ordre. »

Puis il en prit son parti avec l'insouciance naturelle qui lui faisait négliger les choses désagréables de la vie, et il se mit à faire un article fantaisiste sur les impôts nouveaux à établir afin de rassurer l'équilibre du budget.

Il y fit figurer la particule nobiliaire pour cent francs par an, et les titres, depuis baron jusqu'à prince, pour cinq cents jusqu'à mille francs.

Et il signa : D. de Cantel.

Il reçut le lendemain un petit bleu de sa maîtresse annonçant qu'elle arriverait à une heure.

Il l'attendit avec un peu de fièvre, résolu d'ailleurs à brusquer les choses, à tout dire dès le début, puis, après la
200 première émotion, à argumenter avec sagesse pour lui démontrer qu'il ne pouvait pas rester garçon indéfiniment, et que M. de Marelle s'obstinant à vivre, il avait dû songer à une autre qu'elle pour en faire sa compagne légitime.

Il se sentait ému cependant. Quand il entendit le coup de sonnette, son cœur se mit à battre.

Elle se jeta dans ses bras. – Bonjour, Bel-Ami. – Puis, trouvant froide son étreinte, elle le considéra et demanda :

– Qu'est-ce que tu as ?

– Assieds-toi, dit-il. Nous allons causer sérieusement.

210 Elle s'assit sans ôter son chapeau, relevant seulement sa voilette jusqu'au-dessus du front, et elle attendit.

Il avait baissé les yeux ; il préparait son début. Il commença d'une voix lente :

– Ma chère amie, tu me vois fort troublé, fort triste et fort embarrassé de ce que j'ai à t'avouer. Je t'aime beaucoup, je t'aime vraiment du fond du cœur, aussi la crainte de te faire de la peine m'afflige-t-elle plus encore que la nouvelle même que je vais t'apprendre.

Elle pâlissait, se sentant trembler, et elle balbutia :
220 – Qu'est-ce qu'il y a ? Dis vite !

Il prononça d'un ton triste, mais résolu, avec cet accablement feint dont on use pour annoncer les malheurs heureux : – Il y a que je me marie.

Elle poussa un soupir de femme qui va perdre connaissance, un soupir douloureux venu du fond de la poitrine, et elle se mit à suffoquer, sans pouvoir parler, tant elle haletait.

Voyant qu'elle ne disait rien, il reprit : – Tu ne te figures pas combien j'ai souffert avant d'arriver à cette résolution.
230 Mais je n'ai ni situation ni argent. Je suis seul, perdu dans Paris. Il me fallait auprès de moi quelqu'un qui fût surtout

un conseil, une consolation et un soutien. C'est une associée, une alliée que j'ai cherchée et que j'ai trouvée !

Il se tut, espérant qu'elle répondrait, s'attendant à une
colère furieuse, à des violences, à des injures.

Elle avait appuyé une main sur son cœur comme pour le
contenir et elle respirait toujours par secousses pénibles
qui lui soulevaient les seins et lui remuaient la tête.

Il prit la main restée sur le bras du fauteuil ; mais elle la
retira brusquement. Puis elle murmura comme tombée 240
dans une sorte d'hébétude : – Oh !... mon Dieu...

Il s'agenouilla devant elle, sans oser la toucher cependant, et il balbutia, plus ému par ce silence qu'il ne l'eût
été par des emportements :

– Clo, ma petite Clo, comprends bien ma situation,
comprends bien ce que je suis. Oh ! si j'avais pu t'épouser,
toi, quel bonheur ! Mais tu es mariée. Que pouvais-je
faire ? Réfléchis, voyons, réfléchis ! Il faut que je me pose
dans le monde, et je ne le puis pas faire tant que je n'aurai
pas d'intérieur. Si tu savais !... Il y a des jours où j'avais 250
envie de tuer ton mari...

Il parlait de sa voix douce, voilée, séduisante, une voix
qui entrait comme une musique dans l'oreille.

Il vit deux larmes grossir lentement dans les yeux fixes
de sa maîtresse, puis couler sur ses joues, tandis que deux
autres se formaient déjà au bord des paupières.

Il murmura : – Oh ! ne pleure pas, Clo, ne pleure pas, je
t'en supplie. Tu me fends le cœur.

Alors, elle fit un effort, un grand effort pour être digne
et fière ; et elle demanda avec ce ton chevrotant des 260
femmes qui vont sangloter :

– Qui est-ce ?

Il hésita une seconde, puis, comprenant qu'il le fallait :

– Madeleine Forestier.

Mme de Marelle tressaillit de tout son corps, puis elle
demeura muette, songeant avec une telle attention qu'elle
paraissait avoir oublié qu'il était à ses pieds.

Et deux gouttes transparentes se formaient sans cesse
dans ses yeux, tombaient, se reformaient encore.

Elle se leva. Duroy devina qu'elle allait partir sans lui 270
dire un mot, sans reproches et sans pardon ; et il en fut
blessé, humilié au fond de l'âme. Voulant la retenir, il saisit

à plein bras sa robe, enlaçant à travers l'étoffe ses jambes rondes qu'il sentit se roidir pour résister.

Il suppliait : – Je t'en conjure, ne t'en va pas comme ça.

Alors elle le regarda, de haut en bas, elle le regarda avec cet œil mouillé, désespéré, si charmant et si triste qui montre toute la douleur d'un cœur de femme, et elle balbutia : – Je n'ai… je n'ai rien à dire… je n'ai… rien à
280 faire… Tu… tu as raison… tu… tu… as bien choisi ce qu'il te fallait…

Et s'étant dégagée d'un mouvement en arrière, elle s'en alla, sans qu'il tentât de la retenir plus longtemps.

Demeuré seul, il se releva, étourdi comme s'il avait reçu un horion sur la tête ; puis prenant son parti, il murmura : – Ma foi, tant pis ou tant mieux. Ça y est… sans scène. J'aime autant ça. – Et, soulagé d'un poids énorme, se sentant tout à coup libre, délivré, à l'aise pour sa vie nouvelle, il se mit à boxer contre le mur en lançant de grands coups
290 de poing, dans une sorte d'ivresse de succès et de force, comme s'il se fût battu contre la Destinée.

Quand Mme Forestier lui demanda : – Vous avez prévenu Mme de Marelle ?

Il répondit avec tranquillité : – Mais oui…

Elle le fouillait de son œil clair.

– Et ça ne l'a pas émue ?

– Mais non ; pas du tout. Elle a trouvé ça très bien, au contraire.

La nouvelle fut bientôt connue. Les uns s'étonnèrent,
300 d'autres prétendirent l'avoir prévu, d'autres encore sourirent en laissant entendre que ça ne les surprenait point.

Le jeune homme qui signait maintenant D. de Cantel ses chroniques, Duroy ses échos, et du Roy les articles politiques qu'il commençait à donner de temps en temps, passait la moitié des jours chez sa fiancée qui le traitait avec une familiarité fraternelle où entrait cependant une tendresse vraie, mais cachée, une sorte de désir dissimulé comme une faiblesse. Elle avait décidé que le mariage se ferait en grand secret, en présence des seuls témoins, et
310 qu'on partirait le soir même pour Rouen. On irait le lendemain embrasser les vieux parents du journaliste, et on demeurerait quelques jours auprès d'eux.

Duroy s'était efforcé de la faire renoncer à ce projet, mais n'ayant pu y parvenir, il s'était soumis à la fin.

Donc, le 10 mai étant venu, les nouveaux époux, ayant jugé inutiles les cérémonies religieuses, puisqu'ils n'avaient invité personne, rentrèrent pour fermer leurs malles après un court passage à la mairie, et ils prirent à la gare Saint-Lazare le train de six heures du soir qui les emporta vers la Normandie. 320

Ils n'avaient guère échangé vingt paroles jusqu'au moment où ils se trouvèrent seuls dans le wagon. Dès qu'ils se sentirent en route, ils se regardèrent et se mirent à rire, pour cacher une certaine gêne, qu'ils ne voulaient point laisser voir.

Le train traversait doucement la longue gare des Batignolles, puis il franchit la plaine galeuse qui va des fortifications à la Seine.

Duroy et sa femme, de temps en temps, prononçaient quelques mots inutiles, puis se tournaient de nouveau vers 330 la portière.

Quand ils passèrent le pont d'Asnières, une gaieté les saisit à la vue de la rivière couverte de bateaux, de pêcheurs et de canotiers. Le soleil, un puissant soleil de mai, répandait sa lumière oblique sur les embarcations et sur le fleuve calme qui semblait immobile, sans courant et sans remous, figé sous la chaleur et la clarté du jour finissant. Une barque à voile, au milieu de la rivière, ayant tendu sur ses deux bords deux grands triangles de toile blanche pour cueillir les moindres souffles de brise, avait 340 l'air d'un énorme oiseau prêt à s'envoler.

Duroy murmura : – J'adore les environs de Paris, j'ai des souvenirs de fritures qui sont les meilleurs de mon existence.

Elle répondit : – Et les canots ! Comme c'est gentil de glisser sur l'eau au coucher du soleil !

Puis ils se turent comme s'ils n'avaient point osé continuer ces épanchements sur leur vie passée, et ils demeurèrent muets, savourant peut-être déjà la poésie des regrets.

Duroy, assis en face de sa femme, prit sa main et la 350 baisa lentement.

– Quand nous serons revenus, dit-il, nous irons quelquefois dîner à Chatou.

Elle murmura : – Nous aurons tant de choses à faire ! –
sur un ton qui semblait signifier : « Il faudra sacrifier
l'agréable à l'utile. »

Il tenait toujours sa main, se demandant avec inquiétude
par quelle transition il arriverait aux caresses. Il n'eût
point été troublé de même devant l'ignorance d'une jeune
360 fille ; mais l'intelligence alerte et rusée qu'il sentait en
Madeleine rendait embarrassée son attitude. Il avait peur
de lui sembler niais, trop timide ou trop brutal, trop lent ou
trop prompt.

Il serrait cette main par petites pressions, sans qu'elle
répondît à son appel. Il dit :

– Ça me semble très drôle que vous soyez ma femme. »

Elle parut surprise : – Pourquoi ça ?

– Je ne sais pas. Ça me semble drôle. J'ai envie de vous
embrasser, et je m'étonne d'en avoir le droit.

370 Elle lui tendit tranquillement sa joue, qu'il baisa comme
il eût baisé celle d'une sœur.

Il reprit : – La première fois que je vous ai vue (vous
savez bien, à ce dîner où m'avait invité Forestier), j'ai
pensé : « Sacristi, si je pouvais découvrir une femme
comme ça. » Eh bien ! c'est fait. Je l'ai.

Elle murmura : – C'est gentil. – Et elle le regardait tout
droit, finement, de son œil toujours souriant.

Il songeait : « Je suis trop froid. Je suis stupide. Je
devrais aller plus vite que ça. » Et il demanda :

380 – Comment aviez-vous donc fait la connaissance de
Forestier ?

Elle répondit, avec une malice provocante :

– Est-ce que nous allons à Rouen pour parler de lui ?

Il rougit : – Je suis bête. Vous m'intimidez beaucoup.

Elle fut ravie : – Moi ! Pas possible ? D'où vient ça ?

Il s'était assis à côté d'elle, tout près. Elle cria : – Oh !
un cerf !

Le train traversait la forêt de Saint-Germain et elle avait
vu un chevreuil effrayé franchir d'un bond une allée.

390 Duroy s'étant penché pendant qu'elle regardait par la
portière ouverte posa un long baiser, un baiser d'amant
dans les cheveux de son cou.

Elle demeura quelques moments immobile ; puis, relevant la tête : – Vous me chatouillez, finissez.

Mais il ne s'en allait point, promenant doucement, en une caresse énervante et prolongée, sa moustache frisée sur la chair blanche.

Elle se secoua : – Finissez donc.

Il avait saisi la tête de sa main droite glissée derrière elle, et il la tournait vers lui. Puis il se jeta sur sa bouche 400 comme un épervier sur une proie.

Elle se débattait, le repoussait, tâchait de se dégager. Elle y parvint enfin, et répéta :

– Mais finissez donc.

Il ne l'écoutait plus, l'étreignant, la baisant d'une lèvre avide et frémissante, essayant de la renverser sur les coussins du wagon.

Elle se dégagea d'un grand effort, et, se levant avec vivacité :

– Oh ! voyons, Georges, finissez. Nous ne sommes 410 pourtant plus des enfants, nous pouvons bien attendre Rouen.

Il demeurait assis, très rouge, et glacé par ces mots raisonnables ; puis, ayant repris quelque sang-froid :

– Soit j'attendrai, dit-il avec gaieté, mais je ne suis plus fichu de prononcer vingt paroles jusqu'à l'arrivée. Et songez que nous traversons Poissy.

– C'est moi qui parlerai, dit-elle.

Elle se rassit doucement auprès de lui.

Et elle parla, avec précision, de ce qu'ils feraient à leur 420 retour. Ils devaient conserver l'appartement qu'elle habitait avec son premier mari, et Duroy héritait aussi des fonctions et du traitement de Forestier à *La Vie française*.

Avant leur union, du reste, elle avait réglé, avec une sûreté d'homme d'affaires, tous les détails financiers du ménage.

Ils s'étaient associés sous le régime de la séparation de biens, et tous les cas étaient prévus qui pouvaient survenir : mort, divorce, naissance d'un ou de plusieurs enfants. Le jeune homme apportait quatre mille francs, 430 disait-il, mais, sur cette somme, il en avait emprunté quinze cents. Le reste provenait d'économies faites dans l'année, en prévision de l'événement. La jeune femme apportait quarante mille francs que lui avait laissés Forestier, disait-elle.

Elle revint à lui, citant son exemple : – C'était un garçon très économe, très rangé, très travailleur. Il aurait fait fortune en peu de temps.

Duroy n'écoutait plus, tout occupé d'autres pensées.

440   Elle s'arrêtait parfois pour suivre une idée intime, puis reprenait :

– D'ici à trois ou quatre ans, vous pouvez fort bien gagner de trente à quarante mille francs par an. C'est ce qu'aurait eu Charles, s'il avait vécu.

Georges, qui commençait à trouver longue la leçon, répondit : – Il me semblait que nous n'allions pas à Rouen pour parler de lui.

Elle lui donna une petite tape sur la joue : – C'est vrai, j'ai tort. – Elle riait.

450   Il affectait de tenir ses mains sur ses genoux, comme les petits garçons bien sages.

– Vous avez l'air niais, comme ça, dit-elle.

Il répliqua : – C'est mon rôle, auquel vous m'avez d'ailleurs rappelé tout à l'heure, et je n'en sortirai plus.

Elle demanda : – Pourquoi ?

– Parce que c'est vous qui prenez la direction de la maison, et même celle de ma personne. Cela vous regarde, en effet, comme veuve !

Elle fut étonnée : – Que voulez-vous dire au juste ?

460   – Que vous avez une expérience qui doit dissiper mon ignorance, et une pratique du mariage qui doit dégourdir mon innocence de célibataire, voilà, na !

Elle s'écria : – C'est trop fort !

Il répondit : – C'est comme ça. Je ne connais pas les femmes, moi, – na, – et vous connaissez les hommes, vous, puisque vous êtes veuve, – na, – c'est vous qui allez faire mon éducation… ce soir – na – et vous pouvez même commencer tout de suite, si vous voulez, – na.

Elle s'écria, très égayée :

470   – Oh ! par exemple, si vous comptez sur moi pour ça !…

Il prononça, avec une voix de collégien qui bredouille sa leçon : – Mais oui, – na, – j'y compte. Je compte même que vous me donnerez une instruction solide… en vingt leçons… dix pour les éléments… la lecture et la gram-

maire… dix pour les perfectionnements et la rhétorique…
Je ne sais rien, moi – na.

Elle s'écria, s'amusant beaucoup : – T'es bête.

Il reprit : – Puisque tu commences par me tutoyer, j'imiterai aussitôt cet exemple, et je te dirai, mon amour, que je 480
t'adore de plus en plus, de seconde en seconde, et que je
trouve Rouen bien loin !

Il parlait maintenant avec des intonations d'acteur, avec
un jeu plaisant de figures qui divertissaient la jeune femme
habituée aux manières et aux joyeusetés de la grande
bohème des hommes de lettres.

Elle le regardait de côté, le trouvant vraiment charmant,
éprouvant l'envie qu'on a de croquer un fruit sur l'arbre,
et l'hésitation du raisonnement qui conseille d'attendre le
dîner pour le manger à son heure. 490

Alors elle dit, devenant un peu rouge aux pensées qui
l'assaillaient :

– Mon petit élève, croyez mon expérience, ma grande
expérience. Les baisers en wagon ne valent rien. Ils
tournent sur l'estomac.

Puis elle rougit davantage encore, en murmurant :

– Il ne faut jamais couper son blé en herbe.

Il ricanait, excité par les sous-entendus qu'il sentait
glisser dans cette jolie bouche ; et il fit le signe de la croix
avec un marmottement des lèvres, comme s'il eût mur- 500
muré une prière, puis il déclara : – Je viens de me mettre
sous la protection de saint Antoine, patron des Tentations.
Maintenant, je suis de bronze.

La nuit venait doucement, enveloppant d'ombre transparente, comme d'un crêpe léger, la grande campagne qui
s'étendait à droite. Le train longeait la Seine ; et les jeunes
gens se mirent à regarder dans le fleuve, déroulé comme
un large ruban de métal poli à côté de la voie, des reflets
rouges, des taches tombées du ciel que le soleil en s'en
allant avait frotté de pourpre et de feu. Ces lueurs s'étei- 510
gnaient peu à peu, devenaient foncées, s'assombrissant
tristement. Et la campagne se noyait dans le noir, avec ce
frisson sinistre, ce frisson de mort que chaque crépuscule
fait passer sur la terre.

Cette mélancolie du soir, entrant par la portière ouverte, pénétrait les âmes, si gaies tout à l'heure, des deux époux devenus silencieux.

Ils s'étaient rapprochés l'un de l'autre pour regarder cette agonie du jour, de ce beau jour clair de mai.

520   À Mantes, on avait allumé le petit quinquet à l'huile qui répandait sur le drap gris des capitons sa clarté jaune et tremblotante.

Duroy enlaça la taille de sa femme et la serra contre lui. Son désir aigu de tout à l'heure devenait de la tendresse, une tendresse alanguie, une envie molle de menues caresses consolantes, de ces caresses dont on berce les enfants.

Il murmura, tout bas : – Je t'aimerai bien, ma petite Made.

530   La douceur de cette voix émut la jeune femme, lui fit passer sur la chair un frémissement rapide, et elle offrit sa bouche, en se penchant sur lui, car il avait posé sa joue sur le tiède appui des seins.

Ce fut un très long baiser, muet et profond, puis un sursaut, une brusque et folle étreinte, une courte lutte essoufflée, un accouplement violent et maladroit. Puis ils restèrent aux bras l'un de l'autre, un peu déçus tous deux, las et tendres encore, jusqu'à ce que le sifflet du train annonçât une gare prochaine.

540   Elle déclara, en tapotant du bout des doigts les cheveux ébouriffés de ses tempes :

– C'est très bête. Nous sommes des gamins.

Mais il lui baisait les mains, allant de l'une à l'autre avec une rapidité fiévreuse et il répondit : – Je t'adore, ma petite Made.

Jusqu'à Rouen, ils demeurèrent presque immobiles, la joue contre la joue, les yeux dans la nuit de la portière où l'on voyait passer parfois les lumières des maisons ; et ils rêvassaient, contents de se sentir si proches et dans 550 l'attente grandissante d'une étreinte plus intime et plus libre.

Ils descendirent dans un hôtel dont les fenêtres donnaient sur le quai, et ils se mirent au lit après avoir un peu soupé, très peu. La femme de chambre les réveilla, le lendemain, lorsque huit heures venaient de sonner.

Quand ils eurent bu la tasse de thé posée sur la table de nuit, Duroy regarda sa femme, puis brusquement, avec l'élan joyeux d'un homme heureux qui vient de trouver un trésor, il la saisit dans ses bras, en balbutiant :

– Ma petite Made, je sens que je t'aime beaucoup… beaucoup… beaucoup…

Elle souriait de son sourire confiant et satisfait et elle murmura, en lui rendant ses baisers : – Et moi aussi… peut-être.

Mais il demeurait inquiet de cette visite à ses parents. Il avait déjà souvent prévenu sa femme ; il l'avait préparée, sermonnée. Il crut bon de recommencer.

– Tu sais, ce sont des paysans, des paysans de campagne, et non pas d'opéra-comique.

Elle riait : – Mais je le sais, tu me l'as assez dit. Voyons, lève-toi et laisse-moi me lever aussi.

Il sauta du lit, et mettant ses chaussettes :

– Nous serons très mal à la maison, très mal. Il n'y a qu'un vieux lit à paillasse dans ma chambre. On ne connaît pas les sommiers à Canteleu.

Elle semblait enchantée : – Tant mieux. Ce sera charmant de mal dormir… auprès de… auprès de toi… et d'être réveillée par le chant des coqs.

Elle avait passé son peignoir, un grand peignoir de flanelle blanche, que Duroy reconnut aussitôt. Cette vue lui fut désagréable. Pourquoi ? Sa femme possédait, il le savait bien, une douzaine entière de ces vêtements de matinée. Elle ne pouvait pourtant point détruire son trousseau pour en acheter un neuf ? N'importe, il eût voulu que son linge de chambre, son linge de nuit, son linge d'amour ne fût plus le même qu'avec l'autre. Il lui semblait que l'étoffe moelleuse et tiède devait avoir gardé quelque chose du contact de Forestier.

Et il alla vers la fenêtre en allumant une cigarette.

La vue du port, du large fleuve plein de navires, aux mâts légers, de vapeurs trapus, que des machines tournantes vidaient à grand bruit sur les quais, le remua, bien qu'il connût cela depuis longtemps. Et il s'écria :

– Bigre, que c'est beau !

Madeleine accourut et posant ses deux mains sur une épaule de son mari, penchée vers lui dans un geste abandonné, elle demeura ravie, émue. Elle répétait :

– Oh ! que c'est joli ! que c'est joli ! Je ne savais pas qu'il y eût tant de bateaux que ça !

600 Ils partirent une heure plus tard, car ils devaient déjeuner chez les vieux, prévenus depuis quelques jours. Un fiacre découvert et rouillé les emporta avec un bruit de chaudronnerie secouée. Ils suivirent un long boulevard assez laid, puis traversèrent des prairies où coulait une rivière, puis ils commencèrent à gravir la côte.

Madeleine, fatiguée, s'était assoupie sous la caresse pénétrante du soleil qui la chauffait délicieusement au fond de la vieille voiture, comme si elle eût été couchée dans un bain tiède de lumière et d'air champêtre.

610 Son mari la réveilla : – Regarde, dit-il.

Ils venaient de s'arrêter aux deux tiers de la montée, à un endroit renommé pour la vue, où l'on conduit tous les voyageurs.

On dominait l'immense vallée, longue et large, que le fleuve clair parcourait d'un bout à l'autre, avec de grandes ondulations. On le voyait venir de là-bas, taché par des îles nombreuses et décrivant une courbe avant de traverser Rouen. Puis la ville apparaissait sur la rive droite, un peu noyée dans la brume matinale, avec des

620 éclats de soleil sur ses toits, et ses mille clochers légers, pointus ou trapus, frêles et travaillés comme des bijoux géants, ses tours carrées ou rondes coiffées de couronnes héraldiques, ses beffrois, ses clochetons, tout le peuple gothique des sommets d'églises que dominait la flèche aiguë de la cathédrale, surprenante aiguille de bronze, laide, étrange et démesurée, la plus haute qui soit au monde.

Mais en face, de l'autre côté du fleuve, s'élevaient, rondes et renflées à leur faîte, les minces cheminées

630 d'usines du vaste faubourg de Saint-Sever.

Plus nombreuses que leurs frères les clochers, elles dressaient jusque dans la campagne lointaine leurs longues colonnes de briques et soufflaient dans le ciel bleu leur haleine noire de charbon.

Et la plus élevée de toutes, aussi haute que la pyramide de Chéops, le second des sommets dus au travail humain, presque l'égale de sa fière commère la flèche de la cathédrale, la grande pompe à feu de *La Foudre* semblait la reine du peuple travailleur et fumant des usines, comme sa voisine était la reine de la foule pointue des monuments sacrés. 640

Là-bas, derrière la ville ouvrière, s'étendait une forêt de sapins ; et la Seine, ayant passé entre les deux cités, continuait sa route, longeait une grande côte onduleuse boisée en haut et montrant par place ses os de pierre blanche, puis elle disparaissait à l'horizon après avoir encore décrit une longue courbe arrondie. On voyait des navires montant et descendant le fleuve, traînés par des barques à vapeur grosses comme des mouches et qui crachaient une fumée épaisse. Des îles, étalées sur l'eau, s'alignaient toujours 650 l'une au bout de l'autre, ou bien laissant entre elles de grands intervalles, comme les grains inégaux d'un chapelet verdoyant.

Le cocher du fiacre attendait que les voyageurs eussent fini de s'extasier. Il connaissait par expérience la durée de l'admiration de toutes les races de promeneurs.

Mais quand il se remit en marche, Duroy aperçut soudain, à quelques centaines de mètres, deux vieilles gens qui s'en venaient, et il sauta de la voiture, en criant : – Les voilà. Je les reconnais. 660

C'étaient deux paysans, l'homme et la femme, qui marchaient d'un pas régulier, en se balançant et se heurtant parfois de l'épaule. L'homme était petit, trapu, rouge et un peu ventru, vigoureux malgré son âge ; la femme, grande, sèche, voûtée, triste, la vraie femme de peine des champs qui a travaillé dès l'enfance et qui n'a jamais ri, tandis que le mari blaguait en buvant avec les pratiques.

Madeleine aussi était descendue de voiture et elle regardait venir ces deux pauvres êtres avec un serrement de cœur, une tristesse qu'elle n'avait point prévue. Ils ne 670 reconnaissaient point leur fils, ce beau monsieur, et ils n'auraient jamais deviné leur bru dans cette belle dame en robe claire.

Ils allaient, sans parler, et vite, au-devant de l'enfant attendu, sans regarder ces personnes de la ville que suivait une voiture.

Ils passaient. Georges, qui riait, cria : – Bonjou, pé Duroy.

Ils s'arrêtèrent net, tous les deux, stupéfaits d'abord,
680 puis abrutis de surprise. La vieille se remit la première et balbutia, sans faire un pas : – C'est-ti té, not'fieu ?

Le jeune homme répondit : – Mais oui, c'est moi, la mé Duroy !

Et marchant à elle il l'embrassa sur les deux joues, d'un gros baiser de fils. Puis il frotta ses tempes contre les tempes du père, qui avait ôté sa casquette, une casquette à la mode de Rouen, en soie noire, très haute, pareille à celle des marchands de bœufs.

Puis Georges annonça : – Voilà ma femme. – Et les
690 deux campagnards regardèrent Madeleine. Ils la regardèrent comme on regarde un phénomène, avec une crainte inquiète, jointe à une sorte d'approbation satisfaite chez le père, à une inimitié jalouse chez la mère.

L'homme, qui était d'un naturel joyeux, tout imbibé par une gaieté de cidre doux et d'alcool, s'enhardit et demanda, avec une malice au coin de l'œil :

– J'pouvons-t-il l'embrasser tout d'même ?

Le fils répondit : – Parbleu. – Et Madeleine, mal à l'aise, tendit ses deux joues aux bécots sonores du paysan
700 qui s'essuya ensuite les lèvres d'un revers de main.

La vieille, à son tour, baisa sa belle-fille avec une réserve hostile. Non, ce n'était point la bru de ses rêves, la grosse et fraîche fermière, rouge comme une pomme et ronde comme une jument poulinière. Elle avait l'air d'une traînée, cette dame-là, avec ses falbalas et son musc. Car tous les parfums, pour la vieille étaient du musc.

Et on se remit en marche à la suite du fiacre qui portait la malle des nouveaux époux.

710 Le vieux prit son fils par le bras, et le retenant en arrière, il demanda avec intérêt :

– Eh ben, ça va-t-il, les affaires ?

– Mais oui, très bien.

– Allons, suffit, tant mieux ! Dis mé, ta femme, est-i aisée ?

Georges répondit : – Quarante mille francs.

Le père poussa un léger sifflement d'admiration et ne put que murmurer : « Bougre ! » tant il fut ému par la somme. Puis il ajouta avec une conviction sérieuse : – Nom de nom, c'est une belle femme. – Car il la trouvait de son goût, lui. Et il avait passé pour connaisseur, dans le temps.

Madeleine et la mère marchaient côte à côte, sans dire un mot. Les deux hommes les rejoignirent.

On arrivait au village, un petit village en bordure sur la route, formé de dix maisons de chaque côté, maisons de bourg et masures de fermes, les unes en briques, les autres en argile, celles-ci coiffées de chaume et celles-là d'ardoise. Le café du père Duroy : *À la Belle Vue*, une bicoque composée d'un rez-de-chaussée et d'un grenier, se trouvait à l'entrée du pays, à gauche. Une branche de pin, accrochée sur la porte, indiquait, à la mode ancienne, que les gens altérés pouvaient entrer.

Le couvert était mis dans la salle du cabaret, sur deux tables rapprochées et cachées par deux serviettes. Une voisine, venue pour aider au service, salua d'une grande révérence en voyant apparaître une aussi belle dame, puis reconnaissant Georges, elle s'écria : – Seigneur Jésus, c'est-i té, petiot ?

Il répondit gaiement : – Oui, c'est moi, la mé Brulin !

Et il l'embrassa aussitôt comme il avait embrassé père et mère.

Puis il se tourna vers sa femme : – Viens dans notre chambre, dit-il, tu te débarrasseras de ton chapeau.

Il la fit entrer par la porte de droite dans une pièce froide, carrelée, toute blanche, avec ses murs peints à la chaux et son lit aux rideaux de coton. Un crucifix au-dessus d'un bénitier, et deux images coloriées représentant Paul et Virginie sous un palmier bleu et Napoléon Ier sur un cheval jaune, ornaient seuls cet appartement propre et désolant.

Dès qu'ils furent seuls, il embrassa Madeleine :

– Bonjour, Made. Je suis content de revoir les vieux. Quand

on est à Paris, on n'y pense pas, et puis quand on se retrouve, ça fait plaisir tout de même.

Mais le père criait en tapant du poing la cloison :

– Allons, allons, la soupe est cuite.

Et il fallut se mettre à table.

Ce fut un long déjeuner de paysans avec une suite de
760 plats mal assortis, une andouille après un gigot, une ome-lette après l'andouille. Le père Duroy, mis en joie par le cidre et quelques verres de vin, lâchait le robinet de ses plaisanteries de choix, celles qu'il réservait pour les grandes fêtes, histoires grivoises et malpropres arrivées à ses amis, affirmait-il. Georges, qui les connaissait toutes, riait cependant, grisé par l'air natal, ressaisi par l'amour inné du pays, des lieux familiers dans l'enfance, par toutes les sensations, tous les souvenirs retrouvés, toutes les choses d'autrefois revues, des riens, une marque de cou-
770 teau dans une porte, une chaise boiteuse rappelant un petit fait, des odeurs de sol, le grand souffle de résine et d'arbres venu de la forêt voisine, les senteurs du logis, du ruisseau, du fumier.

La mère Duroy ne parlait point, toujours triste et sévère, épiant de l'œil sa bru avec une haine éveillée dans le cœur, une haine de vieille travailleuse, de vieille rustique aux doigts usés, aux membres déformés par les dures besognes, contre cette femme de ville qui lui inspirait une répulsion de maudite, de réprouvée, d'être
780 impur fait pour la fainéantise et le péché. Elle se levait à tout moment pour aller chercher les plats, pour ver-ser dans les verres la boisson jaune et aigre de la carafe ou le cidre roux mousseux et sucré des bou-teilles dont le bouchon sautait comme celui de la limo-nade gazeuse.

Madeleine ne mangeait guère, ne parlait guère, demeu-rait triste avec son sourire ordinaire figé sur les lèvres, mais un sourire morne, résigné. Elle était déçue, navrée. Pourquoi ? Elle avait voulu venir. Elle n'ignorait point
790 qu'elle allait chez des paysans, chez des petits paysans. Comment les avait-elle donc rêvés, elle qui ne rêvait pas d'ordinaire ?

Le savait-elle ? Est-ce que les femmes n'espèrent point toujours autre chose que ce qui est ! Les avait-elle vus de loin plus poétiques ? Non, mais plus littéraires peut-être, plus nobles, plus affectueux, plus décoratifs. Pourtant elle ne les désirait point distingués comme ceux des romans [1]. D'où venait donc qu'ils la choquaient par mille choses menues, invisibles, par mille grossièretés insaisissables, par leur nature même de rustres, par ce qu'ils disaient, par leurs gestes et leur gaieté ?

Elle se rappelait sa mère à elle, dont elle ne parlait jamais à personne, une institutrice séduite, élevée à Saint-Denis et morte de misère et de chagrin quand Madeleine avait douze ans. Un inconnu avait fait élever la petite fille. Son père, sans doute ? Qui était-il ? Elle ne le sut point au juste, bien qu'elle eût de vagues soupçons.

Le déjeuner ne finissait pas. Des consommateurs entraient maintenant, serraient les mains du père Duroy, s'exclamaient en voyant le fils, et, regardant de côté la jeune femme, clignaient de l'œil avec malice ; ce qui signifiait : « Sacré mâtin ! elle n'est pas piquée des vers, l'épouse à Georges Duroy. »

D'autres, moins intimes, s'asseyaient devant les tables de bois, et criaient : – Un litre ! – Une chope ! – Deux fines ! – Un raspail [2] ! – Et ils se mettaient à jouer aux dominos en tapant à grand bruit les petits carrés d'os blancs et noirs.

La mère Duroy ne cessait plus d'aller et de venir, servant les pratiques avec son air lamentable, recevant l'argent, essuyant les tables du coin de son tablier bleu.

---

1. Dans une chronique intitulée « L'amour dans les livres et dans la vie » (*Gil Blas*, 1886), Maupassant condamnera en des termes très proches de la déformation infligée par les romanciers à la réalité paysanne. La critique porte ici sur la description de la Bretagne dans un roman de Pierre Loti : « Quand on a vu ces cloaques qu'on nomme des villages, ces chaumières poussées dans le fumier, où les porcs vivent pêle-mêle avec les hommes, ces habitants qui vont tous nu-jambes pour marcher librement dans les fanges, et ces jambes des grandes filles encrassées d'ordures jusqu'aux genoux, quand on a vu leurs cheveux et senti, en passant sur les routes, l'odeur de leurs corps, on reste confondu devant les jolis paysages à la Florian, et les chaumines enguirlandées de roses, et les gracieuses mœurs villageoises que M. Pierre Loti nous a décrites. »
2. Liqueur à base de plantes macérées, qui doit son nom à son inventeur, le chimiste François-Vincent Raspail.

La fumée des pipes de terre et des cigares d'un sou emplissait la salle. Madeleine se mit à tousser et demanda : – Si nous sortions ? je n'en puis plus.

On n'avait point encore fini. Le vieux Duroy fut mécontent. Alors elle se leva et alla s'asseoir sur une chaise, devant la porte, sur la route, en attendant que son beau-père et son mari eussent achevé leur café et leurs petits
830 verres.

Georges la rejoignit bientôt.

– Veux-tu dégringoler jusqu'à la Seine ? dit-il.

Elle accepta avec joie : – Oh ! oui. Allons.

Ils descendirent la montagne, louèrent un bateau à Croisset, et ils passèrent le reste de l'après-midi le long d'une île, sous les saules, somnolents tous deux, dans la chaleur douce du printemps, et bercés par les petites vagues du fleuve.

Puis ils remontèrent à la nuit tombante.

840 Le repas du soir, à la lueur d'une chandelle, fut plus pénible encore pour Madeleine que celui du matin. Le père Duroy, qui avait une demi-soûlerie, ne parlait plus. La mère gardait sa mine revêche.

La pauvre lumière jetait sur les murs gris les ombres des têtes avec des nez énormes et des gestes démesurés. On voyait parfois une main géante lever une fourchette pareille à une fourche vers une bouche qui s'ouvrait comme une gueule de monstre, quand quelqu'un, se tournant un peu, présentait son profil à la flamme jaune et
850 tremblotante.

Dès que le dîner fut achevé, Madeleine entraîna son mari dehors pour ne point demeurer dans cette salle sombre où flottait toujours une odeur âcre de vieilles pipes et de boissons répandues.

Quand ils furent sortis :

– Tu t'ennuies déjà, dit-il.

Elle voulut protester. Il l'arrêta : – Non. Je l'ai bien vu. Si tu le désires, nous partirons demain.

Elle murmura :

860 – Oui. Je veux bien.

Ils allaient devant eux doucement. C'était une nuit tiède dont l'ombre caressante et profonde semblait pleine de bruits légers, de frôlements, de souffles. Ils étaient entrés dans une allée étroite, sous des arbres très hauts, entre deux taillis d'un noir impénétrable.

Elle demanda : – Où sommes-nous ?

Il répondit : – Dans la forêt.

– Elle est grande ?

– Très grande, une des plus grandes de la France.

Une senteur de terre, d'arbres, de mousse, ce parfum 870 frais et vieux des bois touffus, fait de la sève des bourgeons et de l'herbe morte et moisie des fourrés, semblait dormir dans cette allée. En levant la tête, Madeleine apercevait des étoiles entre les sommets des arbres, et bien qu'aucune brise ne remuât les branches, elle sentait autour d'elle la vague palpitation de cet océan de feuilles.

Un frisson singulier lui passa dans l'âme et lui courut sur la peau ; une angoisse confuse lui serra le cœur. Pourquoi ? Elle ne comprenait pas. Mais il lui semblait qu'elle était perdue, noyée, entourée de périls, abandonnée 880 de tous, seule, seule au monde, sous cette voûte vivante qui frémissait là-haut.

Elle murmura : – J'ai un peu peur. Je voudrais retourner.

– Eh bien, revenons.

– Et… nous repartirons pour Paris demain ?

– Oui, demain.

– Demain matin.

– Demain matin, si tu veux.

Ils rentrèrent. Les vieux étaient couchés. Elle dormit mal, réveillée sans cesse par tous les bruits nouveaux pour 890 elle de la campagne, les cris des chouettes, le grognement d'un porc enfermé dans une hutte contre le mur et le chant d'un coq qui claironna dès minuit.

Elle fut levée et prête à partir aux premières lueurs de l'aurore.

Quand Georges annonça aux parents qu'il allait s'en retourner, ils demeurèrent saisis tous deux, puis ils comprirent d'où venait cette volonté.

Le père demanda simplement : – J'te r'verrons-ti bientôt ?   900

– Mais oui. Dans le courant de l'été.

– Allons, tant mieux.

La vieille grogna : – J'te souhaite de n'point r'gretter c'que t'as fait.

Il leur laissa deux cents francs en cadeau, pour calmer leur mécontentement ; et le fiacre, qu'un gamin était allé chercher, ayant paru vers dix heures, les nouveaux époux embrassèrent les vieux paysans et repartirent.

Comme ils descendaient la côte, Duroy se mit à rire :

910 – Voilà, dit-il, je t'avais prévenue. Je n'aurais pas dû te faire connaître Monsieur et Madame du Roy de Cantel, père et mère.

Elle se mit à rire aussi, et répliqua : – Je suis enchantée maintenant. Ce sont de braves gens que je commence à aimer beaucoup. Je leur enverrai des gâteries de Paris.

Puis elle murmura : – « Du Roy de Cantel… » Tu verras que personne ne s'étonnera de nos lettres de faire-part. Nous raconterons que nous avons passé huit jours dans la propriété de tes parents.

920 Et, se rapprochant de lui, elle effleura d'un baiser le bout de sa moustache : « Bonjour, Geo ! »

Il répondit : « Bonjour, Made » en passant une main derrière sa taille.

On apercevait au loin, dans le fond de la vallée, le grand fleuve déroulé comme un ruban d'argent sous le soleil du matin, et toutes les cheminées des usines qui soufflaient dans le ciel leurs nuages de charbon, et tous les clochers pointus dressés sur la vieille cité.

II

Les Du Roy étaient rentrés à Paris depuis deux jours et le journaliste avait repris son ancienne besogne, en attendant qu'il quittât le service des Échos pour s'emparer définitivement des fonctions de Forestier et se consacrer tout à fait à la politique.

Il remontait chez lui, ce soir-là, au logis de son prédécesseur, le cœur joyeux, pour dîner, avec le désir éveillé d'embrasser tout à l'heure sa femme dont il subissait vivement le charme physique et l'insensible domination. En passant devant une fleuriste, au bas de la rue Notre-Dame- 10 de-Lorette, il eut l'idée d'acheter un bouquet pour Madeleine et il prit une grosse botte de roses à peine ouvertes, un paquet de boutons parfumés.

À chaque étage de son nouvel escalier il se regardait complaisamment dans cette glace dont la vue lui rappelait sans cesse sa première entrée dans la maison.

Il sonna, ayant oublié sa clef, et le même domestique, qu'il avait gardé aussi sur le conseil de sa femme, vint ouvrir.

Georges demanda : – Madame est rentrée ?   20

– Oui, monsieur.

Mais en traversant la salle à manger il demeura fort surpris d'apercevoir trois couverts ; et, la portière du salon étant soulevée, il vit Madeleine qui disposait dans un vase de la cheminée une botte de roses toute pareille à la sienne. Il fut contrarié, mécontent, comme si on lui eût volé son idée, son attention et tout le plaisir qu'il en attendait.

Il demanda en entrant : – Tu as donc invité quelqu'un ?

Elle répondit sans se retourner, en continuant à arranger ses fleurs : – Oui et non. C'est mon vieil ami le comte de 30

Vaudrec qui a l'habitude de dîner ici tous les lundis, et qui vient comme autrefois.

Georges murmura : – Ah ! très bien.

Il restait debout derrière elle, son bouquet à la main, avec une envie de le cacher, de le jeter. Il dit cependant :

– Tiens, je t'ai apporté des roses !

Elle se retourna brusquement, toute souriante, criant :

– Ah ! que tu es gentil d'avoir pensé à ça.

Et elle lui tendit ses bras et ses lèvres avec un élan de
40 plaisir si vrai qu'il se sentit consolé.

Elle prit les fleurs, les respira, et, avec une vivacité d'enfant ravie, les plaça dans le vase resté vide en face du premier. Puis elle murmura en regardant l'effet :

– Que je suis contente ! Voilà ma cheminée garnie maintenant.

Elle ajouta presque aussitôt, d'un air convaincu :

– Tu sais, il est charmant, Vaudrec, tu seras tout de suite intime avec lui.

Un coup de timbre annonça le comte. Il entra, tran-
50 quille, très à l'aise, comme chez lui. Après avoir baisé galamment les doigts de la jeune femme, il se tourna vers le mari et lui tendit la main avec cordialité en demandant :

– Ça va bien, mon cher Du Roy ?

Il n'avait plus son air roide, son air gourmé de jadis, mais un air affable, révélant bien que la situation n'était plus la même. Le journaliste, surpris, tâcha de se montrer gentil pour répondre à ces avances. On eût cru, après cinq minutes, qu'ils se connaissaient et s'adoraient depuis dix ans.

60 Alors Madeleine, dont le visage était radieux, leur dit :

– Je vous laisse ensemble. J'ai besoin de jeter un coup d'œil à ma cuisine. – Et elle se sauva, suivie par le regard des deux hommes.

Quand elle revint, elle les trouva causant théâtre, à propos d'une pièce nouvelle, et si complètement du même avis qu'une sorte d'amitié rapide s'éveillait dans leurs yeux à la découverte de cette absolue parité d'idées.

Le dîner fut charmant, tout intime et cordial ; et le comte demeura fort tard dans la soirée, tant il se sentait
70 bien dans cette maison, dans ce joli nouveau ménage.

Dès qu'il fut parti, Madeleine dit à son mari :

– N'est-ce pas qu'il est parfait ? Il gagne du tout au tout à être connu. En voilà un bon ami, sûr, dévoué, fidèle. Ah ! sans lui…

Elle n'acheva point sa pensée, et Georges répondit :

– Oui, je le trouve fort agréable. Je crois que nous nous entendrons très bien.

Mais elle reprit aussitôt : – Tu ne sais pas, nous avons à travailler, ce soir, avant de nous coucher. Je n'ai pas eu le temps de te parler de ça avant dîner, parce que Vaudrec est arrivé tout de suite. On m'a apporté des nouvelles graves, tantôt, des nouvelles du Maroc. C'est Laroche-Mathieu, le député, le futur ministre, qui me les a données. Il faut que nous fassions un grand article, un article à sensation. J'ai des faits et des chiffres. Nous allons nous mettre à la besogne immédiatement. Tiens, prends la lampe.

Il la prit et ils passèrent dans le cabinet de travail.

Les mêmes livres s'alignaient dans la bibliothèque qui portait maintenant sur son faîte les trois vases achetés au golfe Juan, par Forestier, la veille de son dernier jour. Sous la table, la chancelière [1] du mort attendait les pieds de Du Roy qui s'empara, après s'être assis, du porte-plume d'ivoire, un peu mâché au bout, par la dent de l'autre.

Madeleine s'appuya à la cheminée, et ayant allumé une cigarette, elle raconta ses nouvelles, puis exposa ses idées, et le plan de l'article qu'elle rêvait.

Il l'écoutait avec attention, tout en griffonnant des notes ; et quand il eut fini il souleva des objections, reprit la question, l'agrandit, développa à son tour non plus un plan d'article, mais une plan de campagne contre le ministère actuel. Cette attaque serait le début. Sa femme avait cessé de fumer, tant son intérêt s'éveillait, tant elle voyait large et loin en suivant la pensée de Georges.

Elle murmurait de temps en temps : – Oui… oui… C'est très bon… C'est excellent… C'est très fort…

Et quand il eut achevé, à son tour, de parler :

– Maintenant écrivons, dit-elle.

---

1. Par allusion sans doute aux habitudes douillettes des chanoines et des hauts magistrats (les « chanceliers »), ce terme désigne un sac fourré pour tenir les pieds au chaud.

Mais il avait toujours le début difficile et il cherchait ses
110 mots avec peine. Alors elle vint doucement se pencher sur
son épaule et elle se mit à lui souffler ses phrases tout bas,
dans l'oreille.

De temps en temps elle hésitait et demandait :

– Est-ce bien ça que tu veux dire ?

Il répondait :

– Oui, parfaitement.

Elle avait des traits piquants, des traits venimeux de
femme pour blesser le chef du conseil ; et elle mêlait des
railleries sur son visage à celles sur sa politique, d'une
120 façon drôle qui faisait rire et saisissait en même temps par
la justesse de l'observation.

Du Roy, parfois, ajoutait quelques lignes qui rendaient
plus profonde et plus puissante la portée d'une attaque. Il
savait en outre l'art des sous-entendus perfides, qu'il
avait appris en aiguisant des échos ; et quand un fait
donné pour certain par Madeleine lui paraissait douteux
ou compromettant, il excellait à le faire deviner et à
l'imposer à l'esprit avec plus de force que s'il l'eût
affirmé.

130 Quand leur article fut terminé, Georges le relut tout
haut, en le déclamant. Ils le jugèrent admirable d'un
commun accord et ils se souriaient, enchantés et surpris,
comme s'ils venaient de se révéler l'un à l'autre. Ils se
regardaient au fond des yeux, émus d'admiration et
d'attendrissement ; et ils s'embrassèrent avec élan, avec
une ardeur d'amour communiquée de leurs esprits à leurs
corps.

Du Roy reprit la lampe : – Et maintenant, dodo, dit-il
avec un regard allumé.

140 Elle répondit :

– Passez, mon maître, puisque vous éclairez la route.

Il passa, et elle le suivit dans leur chambre en lui cha-
touillant le cou du bout du doigt, entre le col et les cheveux, pour le faire aller plus vite, car il redoutait cette
caresse.

L'article parut sous la signature de Georges Du Roy de
Cantel, et fit grand bruit. On s'en émut à la Chambre. Le
père Walter en félicita l'auteur et le chargea de la rédaction

politique de *La Vie française*. Les Échos revinrent à
Boisrenard.   150

Alors commença, dans le journal, une campagne habile
et violente contre le ministère qui dirigeait les affaires.
L'attaque, toujours adroite et nourrie de faits, tantôt ironique, tantôt sérieuse, parfois plaisante, parfois virulente,
frappait avec une sûreté et une continuité dont tout le
monde s'étonnait. Les autres feuilles citaient sans cesse *La
Vie française*, y coupaient des passages entiers, et les
hommes du pouvoir s'informèrent si on ne pouvait pas
bâillonner avec une préfecture cet ennemi inconnu et
acharné.   160

Du Roy devenait célèbre dans les groupes politiques. Il
sentait grandir son influence à la pression des poignées de
main et à l'allure des coups de chapeau. Sa femme
d'ailleurs l'emplissait de stupeur et d'admiration par
l'ingéniosité de son esprit, l'habileté de ses informations
et le nombre de ses connaissances.

À tout moment, il trouvait dans son salon, en rentrant
chez lui, un sénateur, un député, un magistrat, un
général, qui traitaient Madeleine en vieille amie, avec
une familiarité sérieuse. Où avait-elle connu tous ces   170
gens ? Dans le monde, disait-elle. Mais comment avait-
elle su capter leur confiance et leur affection ? Il ne le
comprenait pas [1].

– Ça ferait une rude diplomate, pensait-il.

Elle rentrait souvent en retard aux heures des repas,
essoufflée, rouge, frémissante, et, avant même d'avoir ôté
son voile, elle disait : – J'en ai du nanan [2], aujourd'hui.
Figure-toi que le ministre de la Justice vient de nommer
deux magistrats qui ont fait partie des commissions

---

1. Dans la chronique « Politiciennes » (*Gil Blas*, novembre 1881), Maupassant théorise en ces termes les dispositions féminines pour l'art de la
politique : « La politique, science de second ordre, où le flair instinctif,
la rouerie naturelle, la séduction, l'habileté, les finesses et les subtilités
triomphent sans cesse des raisonnements les plus sains, se prête infini-
ment bien au développement complet de toutes les qualités natives de la
femme. »
2. L'expression « du nanan » désigne, depuis le XVIIe siècle, quelque
chose de délicieux, un régal. « C'est du nanan » doit se comprendre
comme « c'est très bon ».

180   mixtes [1]. Nous allons lui flanquer un abattage dont il se
       souviendra.

       Et on flanquait un abattage au ministre, et on lui en
reflanquait un autre le lendemain et un troisième le jour
suivant. Le député Laroche-Mathieu qui dînait rue Fontaine tous les mardis, après le comte de Vaudrec qui commençait la semaine, serrait vigoureusement les mains de la
femme et du mari avec des démonstrations de joie exces-
sives. Il ne cessait de répéter : – Cristi, quelle campagne.
Si nous ne réussissons pas après ça ?

190   Il espérait bien réussir en effet à décrocher le portefeuille des Affaires étrangères qu'il visait depuis longtemps.

       C'était un de ces hommes politiques à plusieurs faces,
sans conviction, sans grands moyens, sans audace et sans
connaissances sérieuses, avocat de province, joli homme
de chef-lieu, gardant un équilibre de finaud entre tous les
partis extrêmes, sorte de jésuite républicain et de cham-
pignon libéral de nature douteuse, comme il en pousse
par centaines sur le fumier populaire du suffrage

200   universel [2].

       Son machiavélisme de village le faisait passer pour fort
parmi ses collègues, parmi tous les déclassés et les avortés
dont on fait des députés. Il était assez soigné, assez correct, assez familier, assez aimable pour réussir. Il avait des
succès dans le monde, dans la société mêlée, trouble et peu
fine des hauts fonctionnaires du moment.

---

1. Ces commissions furent instituées sous le Second Empire pour assurer
l'ordre dans le pays, et firent prononcer plusieurs milliers de condamna-
tions arbitraires contre des individus considérés comme « dangereux ».
Elles étaient dites « mixtes » parce que composées, dans chaque département, d'un représentant de l'État (le préfet), de l'armée (le général commandant la région) et de la justice (le procureur général ou impérial). Le
gouvernement républicain décida en 1883 de destituer tous les magistrats
ayant appartenu à ces commissions.
2. Maupassant, comme Zola d'ailleurs à la même époque, manifeste une
certaine circonspection vis-à-vis du suffrage universel. « Le peuple !
Certes, il mérite l'intérêt, la pitié, les efforts », écrit-il ainsi dans une
chronique intitulée « À propos du peuple » (dans *Le Gaulois*,
novembre 1883) « Mais le vouloir tout-puissant, le vouloir dirigeant
équivaut à réaliser le vieux dicton populaire : mettre la charrue avant les
bœufs. »

On disait partout de lui : « Laroche sera ministre », et il pensait aussi plus fermement que tous les autres que Laroche serait ministre.

Il était un des principaux actionnaires du journal du père Walter, son collègue et son associé en beaucoup d'affaires de finances.

Du Roy le soutenait avec confiance et avec des espérances confuses pour plus tard. Il ne faisait que continuer d'ailleurs l'œuvre commencée par Forestier, à qui Laroche-Mathieu avait promis la croix, quand serait venu le jour du triomphe. La décoration irait sur la poitrine du nouveau mari de Madeleine, voilà tout. Rien n'était changé, en somme.

On sentait si bien que rien n'était changé que les confrères de Du Roy lui montaient une scie [1] dont il commençait à se fâcher.

On ne l'appelait plus que Forestier.

Aussitôt qu'il arrivait au journal, quelqu'un criait : – Dis donc, Forestier.

Il feignait de ne pas entendre et cherchait les lettres dans son casier. La voix reprenait, avec plus de force :

– Hé ! Forestier. – Quelques rires étouffés couraient.

Comme Du Roy gagnait le bureau du directeur, celui qui l'avait appelé l'arrêtait : – Oh ! pardon ; c'est à toi que je veux parler. C'est stupide, je te confonds toujours avec ce pauvre Charles. Cela tient à ce que tes articles ressemblent bigrement aux siens. Tout le monde s'y trompe.

Du Roy ne répondait rien, mais il rageait ; et une colère sourde naissait en lui contre le mort.

Le père Walter lui-même avait déclaré, alors qu'on s'étonnait de similitudes flagrantes de tournure et d'inspiration entre les chroniques du nouveau rédacteur politique et celles de l'ancien : – Oui, c'est du Forestier, mais du Forestier plus nourri, plus nerveux, plus viril.

Une autre fois, Du Roy en ouvrant par hasard l'armoire aux bilboquets avait trouvé ceux de son prédécesseur avec un crêpe autour du manche, et le sien, celui dont il se servait quand il s'exerçait sous la direction de Saint-Potin,

---

1. Au XIXe siècle, une « scie » désigne couramment une plaisanterie, une formule que l'on répète à satiété, une rengaine.

était orné d'une faveur rose. Tous avaient été rangés sur la même planche, par rang de taille ; et une pancarte, pareille à celle des musées, portait écrit : « Ancienne collection Forestier et Cie, Forestier-Du Roy, successeur, breveté S. G. D. G. Articles inusables pouvant servir en toutes cir-
250 constances, même en voyage. »

Il referma l'armoire avec calme, en prononçant assez haut pour être entendu :

– Il y a des imbéciles et des envieux partout.

Mais il était blessé dans son orgueil, blessé dans sa vanité, cette vanité et cet orgueil ombrageux d'écrivain, qui produisent cette susceptibilité nerveuse toujours en éveil, égale chez le reporter et chez le poète génial.

Ce mot : « *Forestier* » déchirait son oreille ; il avait peur de l'entendre, et se sentait rougir en l'entendant.

260 Il était pour lui, ce nom, une raillerie mordante, plus qu'une raillerie, presque une insulte. Il lui criait : « C'est ta femme qui fait ta besogne comme elle faisait celle de l'autre. Tu ne serais rien sans elle. »

Il admettait parfaitement que Forestier n'eût rien été sans Madeleine ; mais quant à lui, allons donc !

Puis, rentré chez lui, l'obsession continuait. C'était la maison tout entière maintenant qui lui rappelait le mort, tout le mobilier, tous les bibelots, tout ce qu'il touchait. Il ne pensait guère à cela dans les premiers temps ; mais la
270 scie montée par ses confrères avait fait en son esprit une sorte de plaie qu'un tas de riens inaperçus jusqu'ici envenimaient à présent.

Il ne pouvait plus prendre un objet sans qu'il crût voir aussitôt la main de Charles posée dessus. Il ne regardait et ne maniait que des choses lui ayant servi autrefois, des choses qu'il avait achetées, aimées et possédées. Et Georges commençait à s'irriter même à la pensée des relations anciennes de son ami et de sa femme.

Il s'étonnait parfois de cette révolte de son cœur, qu'il
280 ne comprenait point, et se demandait : « Comment diable cela se fait-il ? Je ne suis pas jaloux des amis de Madeleine. Je ne m'inquiète jamais de ce qu'elle fait. Elle rentre et sort à son gré, et le souvenir de cette brute de Charles me met en rage ! »

Il ajoutait, mentalement : « Au fond, ce n'était qu'un crétin ; c'est sans doute ça qui me blesse. Je me fâche que Madeleine ait pu épouser un pareil sot. »

Et sans cesse il se répétait : « Comment se fait-il que cette femme-là ait gobé un seul instant un semblable animal ? »   290

Et sa rancune s'augmentait chaque jour par mille détails insignifiants qui le piquaient comme des coups d'aiguille, par le rappel incessant de l'autre, venu d'un mot de Madeleine, d'un mot du domestique ou d'un mot de la femme de chambre.

Un soir, Du Roy, qui aimait les plats sucrés, demanda :
– Pourquoi n'avons-nous pas d'entremets ? Tu n'en fais jamais servir.

La jeune femme répondit gaiement : – C'est vrai, je n'y pense pas. Cela tient à ce que Charles les avait en hor-   300
reur…

Il lui coupa la parole dans un mouvement d'impatience dont il ne fut pas maître.

– Ah ! tu sais, Charles commence à m'embêter. C'est toujours Charles par-ci, Charles par-là, Charles aimait ci, Charles aimait ça. Puisque Charles est crevé, qu'on le laisse tranquille.

Madeleine regardait son mari avec stupeur, sans rien comprendre à cette colère subite. Puis, comme elle était fine, elle devina un peu ce qui se passait en lui, ce travail   310
lent de jalousie posthume grandissant à chaque seconde par tout ce qui rappelait l'autre.

Elle jugea cela puéril, peut-être, mais elle fut flattée et ne répondit rien.

Il s'en voulut, lui, de cette irritation, qu'il n'avait pu cacher. Or, comme ils faisaient, ce soir-là, après dîner, un article pour le lendemain, il s'embarrassa dans la chance-lière. Ne parvenant point à la retourner, il la rejeta d'un coup de pied, et demanda en riant :

– Charles avait donc toujours froid aux pattes ?   320

Elle répondit, riant aussi : – Oh ! il vivait dans la terreur des rhumes ; il n'avait pas la poitrine solide.

Du Roy reprit, avec férocité : – Il l'a bien prouvé, d'ailleurs. Puis il ajouta, avec galanterie : – Heureusement pour moi. – Et il baisa la main de sa femme.

Mais en se couchant, toujours hanté par la même pensée, il demanda encore : – Est-ce que Charles portait des bonnets de coton pour éviter les courants d'air dans les oreilles ?

330   Elle se prêta à la plaisanterie et répondit : – Non, un madras noué sur le front.

Georges haussa les épaules et prononça avec un mépris supérieur :

– Quel serin [1] !

Dès lors, Charles devint pour lui un sujet d'entretien continuel. Il parlait de lui à tout propos, ne l'appelant plus que : « ce pauvre Charles », d'un air de pitié infinie.

Et quand il revenait du journal, où il s'était entendu deux ou trois fois interpeller sous le nom de Forestier, il se
340   vengeait en poursuivant le mort de railleries haineuses au fond de son tombeau. Il rappelait ses défauts, ses ridicules, ses petitesses, les énumérait avec complaisance, les développant et les grossissant comme s'il eût voulu combattre, dans le cœur de sa femme, l'influence d'un rival redouté.

Il répétait : – Dis donc, Made, te rappelles-tu le jour où ce cornichon de Forestier a prétendu nous prouver que les gros hommes étaient plus vigoureux que les maigres ?

Puis il voulut savoir sur le défunt un tas de détails intimes et secrets que la jeune femme, mal à l'aise, refusait
350   de dire. Mais il insistait, s'obstinait.

– Allons, voyons, raconte-moi ça. Il devait être bien drôle dans ce moment-là ?

Elle murmurait du bout des lèvres :

– Voyons, laisse-le tranquille, à la fin.

Il reprenait : – Non, dis-moi ! c'est vrai qu'il devait être godiche au lit, cet animal !

Et il finissait toujours par conclure : – Quelle brute c'était !

Un soir, vers la fin de juin, comme il fumait une ciga-
360   rette à sa fenêtre, la grande chaleur de la soirée lui donna l'envie de faire une promenade.

---

1. Du « serin », petit passereau jaune recherché pour son chant, cette injure retient une certaine lenteur d'apprentissage, d'où dérive le sens de « nigaud, niais ».

Il demanda : – Ma petite Made, veux-tu venir jusqu'au Bois ?

– Mais oui, certainement.

Ils prirent un fiacre découvert, gagnèrent les Champs-Élysées, puis l'avenue du Bois de Boulogne. C'était une nuit sans vent, une de ces nuits d'étuve où l'air de Paris surchauffé entre dans la poitrine comme une vapeur de four. Une armée de fiacres menait sous les arbres tout un peuple d'amoureux. Ils allaient, ces fiacres, l'un derrière l'autre, sans cesse.

Georges et Madeleine s'amusaient à regarder tous ces couples enlacés, passant dans ces voitures, la femme en robe claire et l'homme sombre. C'était un immense fleuve d'amants qui coulait vers le bois sous le ciel étoilé et brûlant. On n'entendait aucun bruit que le sourd roulement des roues sur la terre. Ils passaient, passaient, les deux êtres de chaque fiacre, allongés sur les coussins, muets, serrés l'un contre l'autre, perdus dans l'hallucination du désir, frémissant dans l'attente de l'étreinte prochaine. L'ombre chaude semblait pleine de baisers. Une sensation de tendresse flottante, d'amour bestial épandu, alourdissait l'air, le rendait plus étouffant. Tous ces gens accouplés, grisés de la même pensée, de la même ardeur, faisaient courir une fièvre autour d'eux. Toutes ces voitures chargées d'amour, sur qui semblaient voltiger des caresses, jetaient sur leur passage une sorte de souffle sensuel, subtil et troublant.

Georges et Madeleine se sentirent eux-mêmes gagnés par la contagion de la tendresse. Ils se prirent doucement la main, sans dire un mot, un peu oppressés par la pesanteur de l'atmosphère et par l'émotion qui les envahissait.

Comme ils arrivaient au tournant qui suit les fortifications, ils s'embrassèrent, et elle balbutia un peu confuse :

– Nous sommes aussi gamins qu'en allant à Rouen.

Le grand courant des voitures s'était séparé à l'entrée des taillis. Dans le chemin des Lacs que suivaient les jeunes gens, les fiacres s'espaçaient un peu, mais la nuit épaisse des arbres, l'air vivifié par les feuilles et par l'humidité des ruisselets qu'on entendait couler sous les branches, une sorte de fraîcheur du large espace nocturne tout paré d'astres, donnaient aux baisers des couples rou-

lants un charme plus pénétrant et une ombre plus mystérieuse.

Georges murmura : – Oh ! ma petite Made, – en la serrant contre lui.

Elle lui dit : – Te rappelles-tu la forêt de chez toi,
comme c'était sinistre. Il me semblait qu'elle était pleine
de bêtes affreuses et qu'elle n'avait pas de bout. Tandis
410   qu'ici, c'est charmant. On sent des caresses dans le vent,
et je sais bien que Sèvres est de l'autre côté du bois.

Il répondit : – Oh ! dans la forêt de chez moi, il n'y avait
pas autre chose que des cerfs, des renards, des chevreuils
et des sangliers, et par-ci, par-là, une maison de forestier.

Ce mot, ce nom du mort sorti de sa bouche, le surprit
comme si quelqu'un le lui eût crié du fond d'un fourré, et
il se tut brusquement, ressaisi par ce malaise étrange et
persistant, par cette irritation jalouse, rongeuse, invincible
qui lui gâtait la vie depuis quelque temps.

420   Au bout d'une minute, il demanda : – Es-tu venue quelquefois ici comme ça, le soir, avec Charles ?

Elle répondit : – Mais oui, souvent.

Et, tout à coup, il eut envie de retourner chez eux, une
envie nerveuse qui lui serrait le cœur. Mais l'image de
Forestier était rentrée en son esprit, le possédait, l'étrei-
gnait. Il ne pouvait plus penser qu'à lui, parler que de lui.

Il demanda avec un accent méchant :

– Dis donc, Made ?

– Quoi, mon ami ?

430   – L'as-tu fait cocu, ce pauvre Charles ?

Elle murmura, dédaigneuse :

– Que tu deviens bête avec ta rengaine.

Mais il ne lâchait pas son idée.

– Voyons, ma petite Made, sois bien franche, avoue-le ?
Tu l'as fait cocu, dis ? Avoue que tu l'as fait cocu ?

Elle se taisait, choquée comme toutes les femmes le
sont par ce mot.

Il reprit, obstiné : – Sacristi, si quelqu'un en avait la
tête, c'est bien lui, par exemple. Oh ! oui, oh ! oui. C'est
440   ça qui m'amuserait de savoir que Forestier était cocu.
Hein ! quelle bonne binette de jobard ?

Il sentit qu'elle souriait à quelque souvenir peut-être et
il insista : – Voyons, dis-le. Qu'est-ce que ça fait ? Ce

serait bien drôle, au contraire, de m'avouer que tu l'as trompé, de m'avouer ça, à moi.

Il frémissait, en effet, de l'espoir et de l'envie que Charles, l'odieux Charles, le mort détesté, le mort exécré, eût porté ce ridicule honteux. Et pourtant... pourtant une autre émotion, plus confuse, aiguillonnait son désir de savoir.

Il répétait : – Made, ma petite Made, je t'en prie, dis-le. En voilà un qui ne l'aurait pas volé. Tu aurais eu joliment tort de ne pas lui faire porter ça. Voyons, Made, avoue.

Elle trouvait plaisante, maintenant, sans doute, cette insistance, car elle riait, par petits rires brefs, saccadés.

Il avait mis ses lèvres tout près de l'oreille de sa femme : – Voyons... voyons... avoue-le... ?

Elle s'éloigna d'un mouvement sec et déclara brusquement : – Mais tu es stupide. Est-ce qu'on répond à des questions pareilles ?

Elle avait dit cela d'un ton si singulier qu'un frisson de froid courut dans les veines de son mari et il demeura interdit, effaré, un peu essoufflé comme s'il avait reçu une commotion morale.

Le fiacre maintenant longeait le lac, où le ciel semblait avoir égrené ses étoiles. Deux cygnes vagues nageaient très lentement, à peine visibles dans l'ombre.

Georges cria au cocher :

– Retournons. – Et la voiture s'en revint, croisant les autres, qui allaient au pas, et dont les grosses lanternes brillaient comme des yeux dans la nuit du bois.

Comme elle avait dit cela d'une étrange façon ! Du Roy se demandait : « Est-ce un aveu ? » Et cette presque certitude qu'elle avait trompé son premier mari l'affolait de colère, à présent. Il avait envie de la battre, de l'étrangler, de lui arracher les cheveux !

Oh ! si elle lui eût répondu : – Mais, mon chéri, si j'avais dû le tromper, c'est avec toi que je l'aurais fait. – Comme il l'aurait embrassée, étreinte, adorée !

Il demeurait immobile, les bras croisés, les yeux au ciel, l'esprit trop agité pour réfléchir encore. Il sentait seulement en lui fermenter cette rancune et grossir cette colère qui couvent au cœur de tous les mâles devant les caprices du désir féminin. Il sentait pour la première fois cette angoisse confuse de l'époux qui soupçonne ! Il était jaloux enfin, jaloux pour le mort, jaloux pour le compte de Forestier ! jaloux d'une étrange et poignante façon, où entrait subitement de la haine contre Madeleine. Puisqu'elle avait trompé l'autre, comment pourrait-il avoir confiance en elle, lui ?

Puis, peu à peu, une espèce de calme se fit en son esprit, et se roidissant contre sa souffrance, il pensa : « Toutes les femmes sont des filles, il faut s'en servir et ne rien leur donner de soi. »

L'amertume de son cœur lui montait aux lèvres en paroles de mépris et de dégoût. Il ne les laissa point s'épandre cependant. Il se répétait : « Le monde est aux forts. Il faut être fort. Il faut être au-dessus de tout. »

La voiture allait plus vite. Elle repassa les fortifications. Du Roy regardait devant lui une clarté rougeâtre dans le ciel, pareille à une lueur de forge démesurée ; et il entendait une rumeur confuse, immense, continue, faite de bruits innombrables et différents, une rumeur sourde, proche, lointaine, une vague et énorme palpitation de vie, le souffle de Paris respirant, dans cette nuit d'été, comme un colosse épuisé de fatigue.

Georges songeait : – Je serais bien bête de me faire de la bile. Chacun pour soi. La victoire est aux audacieux. Tout n'est que de l'égoïsme. L'égoïsme pour l'ambition et la fortune vaut mieux que l'égoïsme pour la femme et pour l'amour.

L'arc de triomphe de l'Étoile apparaissait debout à l'entrée de la ville sur ses deux jambes monstrueuses, sorte de géant informe qui semblait prêt à se mettre en marche pour descendre la large avenue ouverte devant lui.

Georges et Madeleine se retrouvaient là dans le défilé des voitures ramenant au logis, au lit désiré, l'éternel couple, silencieux et enlacé. Il semblait que l'humanité tout entière glissait à côté d'eux, grise de joie, de plaisir, de bonheur.

La jeune femme, qui avait bien pressenti quelque chose de ce qui se passait en son mari, demanda de sa voix douce :

– À quoi songes-tu, mon ami ? Depuis une demi-heure tu n'as point prononcé une parole.

Il répondit en ricanant : – Je songe à tous ces imbéciles qui s'embrassent, et je me dis que, vraiment, on a autre chose à faire dans l'existence.

Elle murmura : – Oui… mais c'est bon quelquefois.

– C'est bon… c'est bon… quand on n'a rien de mieux ! 530

La pensée de Georges allait toujours, dévêtant la vie de sa robe de poésie, dans une sorte de rage méchante : « Je serais bien bête de me gêner, de me priver de quoi que ce soit, de me troubler, de me tracasser, de me ronger l'âme comme je le fais depuis quelque temps. » L'image de Forestier lui traversa l'esprit sans y faire naître aucune irritation. Il lui sembla qu'ils venaient de se réconcilier, qu'ils redevenaient amis. Il avait envie de lui crier : – Bonsoir, vieux.

Madeleine, que ce silence gênait, demanda : – Si nous 540 allions prendre une glace chez Tortoni [1], avant de rentrer ?

Il la regarda de coin. Son fin profil blond lui apparut sous l'éclat vif d'une guirlande de gaz qui annonçait un café-chantant.

Il pensa : « Elle est jolie ! Eh ! tant mieux. À bon chat bon rat, ma camarade. Mais si on me reprend à me tourmenter pour toi, il fera chaud au pôle Nord. » Puis il répondit : – Mais certainement, ma chérie.

Et, pour qu'elle ne devinât rien, il l'embrassa.

Il sembla à la jeune femme que les lèvres de son mari 550 étaient glacées.

Il souriait cependant de son sourire ordinaire en lui donnant la main pour descendre devant les marches du café.

---

1. Café du boulevard des Italiens, très en vogue tout au long du XIXe siècle. George Sand y rencontra son mari, le baron Casimir Dudevant.

III

En entrant au journal, le lendemain, Du Roy alla trouver Boisrenard.

– Mon cher ami, dit-il, j'ai un service à te demander. On trouve drôle depuis quelque temps de m'appeler Forestier. Moi, je commence à trouver ça bête. Veux-tu avoir la complaisance de prévenir doucement les camarades que je giflerai le premier qui se permettra de nouveau cette plaisanterie. Ce sera à eux de réfléchir si cette blague-là vaut un coup d'épée. Je m'adresse à toi parce que tu es
10 un homme calme qui peut empêcher des extrémités fâcheuses, et aussi parce que tu m'as servi de témoin dans mon affaire.

Boisrenard se chargea de la commission.

Du Roy sortit pour faire des courses, puis revint une heure plus tard. Personne ne l'appela Forestier.

Comme il rentrait chez lui, il entendit des voix de femmes dans le salon. Il demanda : – Qui est là ?

Le domestique répondit : – Mme Walter et Mme de Marelle.

20 Un petit battement lui secoua le cœur, puis il se dit : « Tiens, voyons », et il ouvrit la porte.

Clotilde était au coin de la cheminée, dans un rayon de jour venu de la fenêtre. Il sembla à Georges qu'elle pâlissait un peu en l'apercevant. Ayant d'abord salué Mme Walter et ses deux filles, assises comme deux sentinelles aux côtés de leur mère, il se tourna vers son ancienne maîtresse. Elle lui tendait la main ; il la prit et la serra avec intention comme pour dire : « Je vous aime toujours. » Elle répondit à cette pression.

Il demanda : – Vous vous êtes bien portée pendant le 30
siècle écoulé depuis notre dernière rencontre ?

Elle répondit avec aisance :

– Mais oui, et vous, Bel-Ami ?

Puis, se tournant vers Madeleine, elle ajouta :

– Tu permets que je l'appelle toujours Bel-Ami ?

– Certainement, ma chère, je permets tout ce que tu
voudras.

Une nuance d'ironie semblait cachée dans cette parole.

Mme Walter parlait d'une fête qu'allait donner Jacques
Rival dans son logis de garçon, un grand assaut d'armes 40
où assisteraient des femmes du monde ; elle disait : – Ce
sera très intéressant. Mais je suis désolée, nous n'avons
personne pour nous y conduire, mon mari devant
s'absenter à ce moment-là.

Du Roy s'offrit aussitôt. Elle accepta. – Nous vous en
serons très reconnaissantes, mes filles et moi.

Il regardait la plus jeune des demoiselles Walter, et
pensait : « Elle n'est pas mal du tout, cette petite Suzanne,
mais pas du tout. » Elle avait l'air d'une frêle poupée
blonde, trop petite, mais fine, avec la taille mince, des 50
hanches et de la poitrine, une figure de miniature, des yeux
d'émail d'un bleu gris dessinés au pinceau, qui semblaient
nuancés par un peintre minutieux et fantaisiste, de la chair
trop blanche, trop lisse, polie, unie, sans grain, sans teinte,
et des cheveux ébouriffés, frisés, une broussaille savante,
légère, un nuage charmant, tout pareil en effet à la chevelure des jolies poupées de luxe qu'on voit passer dans les
bras de gamines beaucoup moins hautes que leur joujou.

La sœur aînée, Rose, était laide, plate, insignifiante, une
de ces filles qu'on ne voit pas, à qui on ne parle pas, et 60
dont on ne dit rien.

La mère se leva, et se tournant vers Georges :

– Ainsi je compte sur vous jeudi prochain, à deux
heures.

Il répondit :

– Comptez sur moi, madame.

Dès qu'elle fut partie, Mme de Marelle se leva à son
tour.

– Au revoir, Bel-Ami.

70   Ce fut elle alors qui lui serra la main, très fort, très longtemps ; et il se sentit remué par cet aveu silencieux, repris d'un brusque béguin pour cette petite bourgeoise bohème et bon enfant, qui l'aimait vraiment, peut-être.

« J'irai la voir demain », pensa-t-il.

Dès qu'il fut seul en face de sa femme, Madeleine se mit à rire, d'un rire franc et gai, et le regardant bien en face : – Tu sais que tu as inspiré une passion à Mme Walter.

Il répondit incrédule : – Allons donc !

80   – Mais oui, je te l'affirme, elle m'a parlé de toi avec un enthousiasme fou. C'est si singulier de sa part ! Elle voudrait trouver deux maris comme toi pour ses filles !... Heureusement qu'avec elle ces choses-là sont sans importance.

Il ne comprenait pas ce qu'elle voulait dire :

– Comment, sans importance ?

Elle répondit, avec une conviction de femme sûre de son jugement : – Oh ! Mme Walter est une de celles dont on n'a jamais rien murmuré, mais tu sais, là, jamais,

90   jamais. Elle est inattaquable sous tous les rapports. Son mari, tu le connais comme moi. Mais elle, c'est autre chose. Elle a d'ailleurs assez souffert d'avoir épousé un juif, mais elle lui est restée fidèle. C'est une honnête femme.

Du Roy fut surpris : – Je la croyais juive aussi.

– Elle ? pas du tout. Elle est dame patronnesse de toutes les bonnes œuvres de la Madeleine. Elle est même mariée religieusement. Je ne sais plus s'il y a eu un simulacre de baptême du patron, ou bien si l'Église a fermé les yeux.

100   Georges murmura : – Ah !... alors... elle... me gobe ?...

– Positivement, et complètement. Si tu n'étais pas engagé, je te conseillerais de demander la main de... de Suzanne, n'est-ce pas, plutôt que celle de Rose ?

Il répondit, en frisant sa moustache : – Eh ! la mère n'est pas encore piquée des vers.

Mais Madeleine s'impatienta :

– Tu sais, mon petit, la mère, je te la souhaite. Mais je n'ai pas peur. Ce n'est point à son âge qu'on commet sa

110   première faute. Il faut s'y prendre plus tôt.

Georges songeait : « Si c'était vrai, pourtant, que j'eusse pu épouser Suzanne ?... »

Puis il haussa les épaules : « Bah !... c'est fou !... Est-ce que le père m'aurait jamais accepté. »

Il se promit toutefois d'observer désormais avec plus de soin les manières de Mme Walter à son égard, sans se demander d'ailleurs s'il en pourrait jamais tirer quelque avantage.

Tout le soir, il fut hanté par des souvenirs de son amour avec Clotilde, des souvenirs tendres et sensuels en même temps. Il se rappelait ses drôleries, ses gentillesses, leurs escapades. Il se répétait à lui-même : « Elle est vraiment bien gentille. Oui, j'irai la voir demain. »

Dès qu'il eut déjeuné, le lendemain, il se rendit en effet rue de Verneuil. La même bonne lui ouvrit la porte, et, familière à la façon des domestiques de petits bourgeois, elle demanda : – Ça va bien, monsieur ?

Il répondit : – Mais oui, mon enfant.

Et il entra dans le salon, où une main maladroite faisait des gammes sur le piano. C'était Laurine. Il crut qu'elle allait lui sauter au cou. Elle se leva gravement, salua avec cérémonie, ainsi qu'aurait fait une grande personne, et se retira d'une façon digne.

Elle avait une telle allure de femme outragée, qu'il demeura surpris. Sa mère entra. Il lui prit et lui baisa les mains.

– Combien j'ai pensé à vous ! dit-il.

– Et moi, dit-elle.

Ils s'assirent. Ils se souriaient, les yeux dans les yeux, avec une envie de s'embrasser sur les lèvres.

– Ma chère petite Clo, je vous aime.

– Et moi aussi.

– Alors... alors... tu ne m'en as pas trop voulu ?

– Oui et non... Ça m'a fait de la peine, et puis j'ai compris ta raison, et je me suis dit : « Bah ! il me reviendra un jour ou l'autre. »

– Je n'osais pas revenir ; je me demandais comment je serais reçu. Je n'osais pas, mais j'en avais rudement envie. À propos, dis-moi donc ce qu'a Laurine. Elle m'a à peine dit bonjour et elle est partie d'un air furieux.

– Je ne sais pas. Mais on ne peut plus lui parler de toi depuis ton mariage. Je crois vraiment qu'elle est jalouse.

– Allons donc.

– Mais oui, mon cher. Elle ne t'appelle plus Bel-Ami, elle te nomme M. Forestier.

Du Roy rougit, puis, s'approchant de la jeune femme :

– Donne ta bouche.

Elle la donna.

– Où pourrons-nous nous revoir ? dit-il.

160 – Mais… rue de Constantinople.

– Ah !… L'appartement n'est donc pas loué ?

– Non… je l'ai gardé !

– Tu l'as gardé ?

– Oui, j'ai pensé que tu y reviendrais.

Une bouffée de joie orgueilleuse lui gonfla la poitrine. Elle l'aimait donc, celle-là, d'un amour vrai, constant, profond.

Il murmura : – Je t'adore. Puis il demanda : – Ton mari va bien ?

170 – Oui, très bien. Il vient de passer un mois ici ; il est parti d'avant-hier.

Du Roy ne put s'empêcher de rire :

– Comme ça tombe !

Elle répondit naïvement : – Oh ! oui, ça tombe bien. Mais il n'est pas gênant quand il est ici, tout de même. Tu le sais ?

– Ça c'est vrai. C'est d'ailleurs un charmant homme.

– Et toi, dit-elle, comment prends-tu ta nouvelle vie ?

– Ni bien ni mal. Ma femme est une camarade, une
180 associée.

– Rien de plus ?

– Rien de plus… Quant au cœur…

– Je comprends bien. Elle est gentille, pourtant.

– Oui, mais elle ne me trouble pas.

Il se rapprocha de Clotilde, et murmura : – Quand nous reverrons-nous ?

– Mais… demain… si tu veux ?

– Oui. Demain, deux heures ?

– Deux heures.

190 Il se leva pour partir, puis il balbutia, un peu gêné : – Tu sais, j'entends reprendre, seul, l'appartement de la rue de

Constantinople. Je le veux. Il ne manquerait plus qu'il fût payé par toi.

Ce fut elle qui baisa ses mains avec un mouvement d'adoration, en murmurant : – Tu feras comme tu voudras. Il me suffit de l'avoir gardé pour nous y revoir.

Et Du Roy s'en alla, l'âme pleine de satisfaction.

Comme il passait devant la vitrine d'un photographe, le portrait d'une grande femme aux larges yeux lui rappela Mme Walter : « C'est égal, se dit-il, elle ne doit pas être mal encore. Comment se fait-il que je ne l'aie jamais remarquée. J'ai envie de voir quelle tête elle me fera jeudi. »

Il se frottait les mains, tout en marchant avec une joie intime, la joie du succès sous toutes ses formes, la joie égoïste de l'homme adroit qui réussit, la joie subtile, faite de vanité flattée et de sensualité contente, que donne la tendresse des femmes.

Le jeudi venu, il dit à Madeleine : – Tu ne viens pas à cet assaut chez Rival ?

– Oh ! non. Cela ne m'amuse guère, moi ; j'irai à la Chambre des députés.

Et il alla chercher Mme Walter, en landau découvert, car il faisait un admirable temps.

Il eut une surprise en la voyant, tant il la trouva belle et jeune. Elle était en toilette claire dont le corsage un peu fendu laissait deviner, sous une dentelle blonde, le soulèvement gras des seins. Jamais elle ne lui avait paru si fraîche. Il la jugea vraiment désirable. Elle avait son air calme et comme il faut, une certaine allure de maman tranquille qui la faisait passer presque inaperçue aux yeux galants des hommes. Elle ne parlait guère d'ailleurs que pour dire des choses connues, convenues et modérées, ses idées étant sages, méthodiques, bien ordonnées, à l'abri de tous les excès.

Sa fille Suzanne, tout en rose, semblait un Watteau frais verni ; et sa sœur aînée paraissait être l'institutrice chargée de tenir compagnie à ce joli bibelot de fillette.

Devant la porte de Rival, une file de voitures était rangée. Du Roy offrit son bras à Mme Walter, et ils entrèrent. L'assaut était donné au profit des orphelins du sixième arrondissement de Paris, sous le patronage de toutes les femmes des sénateurs et députés qui avaient des relations avec *La Vie française*.

Mme Walter avait promis de venir avec ses filles, en refusant le titre de dame patronnesse, parce qu'elle n'aidait de son nom que les œuvres entreprises par le clergé, non pas qu'elle fût très dévote, mais son mariage avec un israélite la forçait, croyait-elle, à une certaine
240 tenue religieuse ; et la fête organisée par le journaliste prenait une sorte de signification républicaine qui pouvait sembler anticléricale.

On avait lu dans les journaux de toutes les nuances, depuis trois semaines :

« Notre éminent confrère Jacques Rival vient d'avoir l'idée aussi ingénieuse que généreuse d'organiser, au profit des orphelins du sixième arrondissement de Paris, un grand assaut dans sa jolie salle d'armes attenant à son appartement de garçon.

250 « Les invitations sont faites par Mmes Laloigne, Remontel, Rissolin, femmes des sénateurs de ce nom, et par Mmes Laroche-Mathieu, Percerol, Firmin, femmes des députés bien connus. Une simple quête aura lieu pendant l'entr'acte de l'assaut, et le montant sera versé immédiatement entre les mains du maire du sixième arrondissement ou de son représentant. »

C'était une réclame monstre que le journaliste adroit avait imaginée à son profit.

Jacques Rival recevait les arrivants à l'entrée de son
260 logis où un buffet avait été installé, les frais devant être prélevés sur la recette.

Puis il indiquait, d'un geste aimable, le petit escalier par où on descendait dans la cave, où il avait installé la salle d'armes et le tir ; et il disait : – Au-dessous, mesdames, au-dessous. L'assaut a lieu en des appartements souterrains.

Il se précipita au-devant de la femme de son directeur ; puis, serrant la main de Du Roy : – Bonjour, Bel-Ami.

L'autre fut surpris : – Qui vous a dit que…
270 Rival lui coupa la parole : – Mme Walter, ici présente, qui trouve ce surnom très gentil.

Mme Walter rougit : – Oui, j'avoue que si je vous connaissais davantage, je ferais comme la petite Laurine, je vous appellerais aussi Bel-Ami. Ça vous va très bien.

Du Roy riait : – Mais, je vous en prie, madame, faites-le.

Elle avait baissé les yeux : – Non, nous ne sommes pas assez liés.

Il murmura : – Voulez-vous me laisser espérer que nous le deviendrons davantage ? 280

– Eh bien, nous verrons alors, dit-elle.

Il s'effaça à l'entrée de la descente étroite qu'éclairait un bec de gaz ; et la brusque transition de la lumière du jour à cette clarté jaune avait quelque chose de lugubre. Une odeur de souterrain montait par cette échelle tournante, une senteur d'humidité chauffée, de murs moisis essuyés pour la circonstance, et aussi des souffles de benjoin qui rappelaient les offices sacrés, et des émanations féminines de lubin, de verveine, d'iris, de violette.

On entendait dans ce trou un grand bruit de voix, un fré- 290 missement de foule agitée.

Toute la cave était illuminée avec des guirlandes de gaz et des lanternes vénitiennes cachées en des feuillages qui voilaient les murs de pierre salpêtrés. On ne voyait rien que des branchages. Le plafond était garni de fougères, le sol couvert de feuilles et de fleurs.

On trouvait cela charmant, d'une imagination délicieuse. Dans le petit caveau du fond s'élevait une estrade pour les tireurs, entre deux rangs de chaises pour les juges.

Et dans toute la cave, les banquettes, alignées par dix, 300 autant à droite qu'à gauche, pouvaient porter près de deux cents personnes. On en avait invité quatre cents.

Devant l'estrade, des jeunes gens en costumes d'assaut, minces, avec des membres longs, la taille cambrée, la moustache en croc, posaient déjà devant les spectateurs. On se les nommait, on désignait les maîtres et les amateurs, toutes les notabilités de l'escrime. Autour d'eux causaient des messieurs en redingote, jeunes et vieux, qui avaient un air de famille avec les tireurs en tenue de combat. Ils cherchaient aussi à être vus, reconnus et 310 nommés, c'étaient les princes de l'épée en civil, les experts en coups de bouton.

Presque toutes les banquettes étaient couvertes de femmes, qui faisaient un grand froissement d'étoffes remuées et un grand murmure de voix. Elles s'éventaient comme au théâtre, car il faisait déjà une chaleur d'étuve dans cette grotte feuillue. Un farceur criait de temps en temps : – Orgeat ! limonade ! bière !

320   Mme Walter et ses filles gagnèrent leurs places réservées au premier rang. Du Roy les ayant installées allait partir, il murmura :

– Je suis obligé de vous quitter, les hommes ne peuvent accaparer les banquettes.

Mais Mme Walter répondit en hésitant :

– J'ai bien envie de vous garder tout de même. Vous me nommerez les tireurs. Tenez, si vous restiez debout au coin de ce banc, vous ne gêneriez personne.

Elle le regardait de ses grands yeux doux. Elle insista :

– Voyons, restez avec nous... monsieur... monsieur Bel-
330 Ami. Nous avons besoin de vous.

Il répondit : – J'obéirai... avec plaisir, madame.

On entendait répéter de tous les côtés : – C'est très drôle, cette cave, c'est très gentil.

Georges la connaissait bien, cette salle voûtée ! Il se rappelait le matin qu'il y avait passé, la veille de son duel, tout seul, en face d'un petit carton blanc qui le regardait du fond du second caveau comme un œil énorme et redoutable.

La voix de Jacques Rival résonna, venue de l'escalier :

340   – On va commencer, mesdames.

Et six messieurs, très serrés en leurs vêtements, pour faire saillir davantage le thorax, montèrent sur l'estrade et s'assirent sur les chaises destinées au jury.

Leurs noms coururent : le général de Raynaldi, président, un petit homme à grandes moustaches ; le peintre Joséphin Rouget, un grand homme chauve à longue barbe ; Matthéo de Ujar, Simon Ramoncel, Pierre de Carvin, trois jeunes hommes élégants, et Gaspard Merleron, un maître.

350   Deux pancartes furent accrochées aux deux côtés du caveau. Celle de droite portait : M. Crèvecœur, et celle de gauche : M. Plumeau.

C'étaient deux maîtres, deux bons maîtres de second ordre. Ils apparurent, secs tous deux, avec un air militaire, des gestes un peu raides. Ayant fait le salut d'armes avec des mouvements d'automates, ils commencèrent à s'attaquer, pareils, dans leur costume de toile et de peau blanches, à deux pierrots-soldats qui se seraient battus pour rire.

De temps en temps, on entendait ce mot : « Touché ! » 360
Et les six messieurs du jury inclinaient la tête en avant d'un air connaisseur. Le public ne voyait rien que deux marionnettes vivantes qui s'agitaient en tendant le bras ; il ne comprenait rien, mais il était content. Ces deux bonshommes lui semblaient cependant peu gracieux et vaguement ridicules. On songeait aux lutteurs de bois qu'on vend, au jour de l'an, sur les boulevards.

Les deux premiers tireurs furent remplacés par MM. Planton et Carapin, un maître civil et un maître militaire. M. Planton était tout petit et M. Carapin très gros. 370
On eût dit que le premier coup de fleuret dégonflerait ce ballon comme un éléphant de baudruche. On riait.
M. Planton sautait comme un singe. M. Carapin ne remuait que son bras, le reste de son corps se trouvant immobilisé par l'embonpoint, et il se fendait toutes les cinq minutes avec une telle pesanteur et un tel effort en avant qu'il semblait prendre la résolution la plus énergique de sa vie. Il avait ensuite beaucoup de mal à se relever.

Les connaisseurs déclarèrent son jeu très ferme et très serré. Et le public, confiant, l'apprécia. 380

Puis vinrent MM. Porion et Lapalme, un maître et un amateur qui se livrèrent à une gymnastique effrénée, courant l'un sur l'autre avec furie, forçant les juges à fuir en emportant leurs chaises, traversant et retraversant l'estrade d'un bout à l'autre, l'un avançant et l'autre reculant par bonds vigoureux et comiques. Ils avaient de petits sauts en arrière qui faisaient rire les dames, et de grands élans en avant qui émotionnaient un peu cependant. Cet assaut au pas gymnastique fut caractérisé par un titi inconnu qui cria : « Vous éreintez pas, c'est à l'heure ! » L'assistance, 390
froissée par ce manque de goût, fit : « Chut ! » Le jugement des experts circula. Les tireurs avaient montré beaucoup de vigueur et manqué parfois d'à-propos.

La première partie fut clôturée par une fort belle passe d'armes entre Jacques Rival et le fameux professeur belge Lebègue. Rival fut fort goûté des femmes. Il était vraiment beau garçon, bien fait, souple, agile, et plus gracieux que tous ceux qui l'avaient précédé. Il apportait dans sa façon de se tenir en garde et de se fendre une certaine élégance mondaine qui plaisait et faisait contraste avec la manière énergique, mais commune de son adversaire. – On sent l'homme bien élevé, disait-on.

Il eut la belle. On l'applaudit.

Mais depuis quelques minutes, un bruit singulier, à l'étage au-dessus, inquiétait les spectateurs. C'était un grand piétinement accompagné de rires bruyants. Les deux cents invités qui n'avaient pu descendre dans la cave s'amusaient, sans doute, à leur façon. Dans le petit escalier tournant une cinquantaine d'hommes étaient tassés. La chaleur devenait terrible en bas. On criait : – De l'air ! – À boire ! – Le même farceur glapissait sur un ton aigu qui dominait le murmure des conversations : – Orgeat ! limonade ! bière !

Rival apparut très rouge, ayant gardé son costume d'assaut. – Je vais faire apporter des rafraîchissements, dit-il. Et il courut dans l'escalier. Mais toute communication était coupée avec le rez-de-chaussée. Il eût été aussi facile de percer le plafond que de traverser la muraille humaine entassée sur les marches.

Rival criait : – Faites passer des glaces pour les dames !

Cinquante voix répétaient : – Des glaces ! – Un plateau apparut enfin. Mais il ne portait que des verres vides, les rafraîchissements ayant été cueillis en route.

Une forte voix hurla : – On étouffe là-dedans, finissons vite et allons-nous-en.

Une autre voix lança : – La quête ! – Et tout le public, haletant, mais gai tout de même, répéta : – La quête… la quête… la quête…

Alors six dames se mirent à circuler entre les banquettes et on entendit un petit bruit d'argent tombant dans les bourses.

Du Roy nommait les hommes célèbres à Mme Walter. C'étaient des mondains, des journalistes, ceux des grands journaux, des vieux journaux, qui regardaient de haut

La Vie française, avec une certaine réserve née de leur expérience. Ils en avaient tant vu mourir de ces feuilles politico-financières, filles d'une combinaison louche, et écrasées par la chute d'un ministère. On apercevait aussi là des peintres et des sculpteurs, qui sont en général hommes de sport, un poète académicien qu'on montrait, deux 440 musiciens et beaucoup de nobles étrangers dont Du Roy faisait suivre le nom de la syllabe Rast. (ce qui signifiait Rastaquouère), pour imiter, disait-il, les Anglais qui mettent Esq. sur leurs cartes.

Quelqu'un lui cria : – Bonjour, cher ami. – C'était le comte de Vaudrec. S'étant excusé auprès des dames, Du Roy alla lui serrer la main.

Il déclara, en revenant : – Il est charmant, Vaudrec. Comme on sent la race, chez lui.

Mme Walter ne répondit rien. Elle était un peu fatiguée 450 et sa poitrine se soulevait avec effort à chaque souffle de ses poumons, ce qui attirait l'œil de Du Roy. Et de temps en temps, il rencontrait le regard de « la Patronne », un regard trouble, hésitant, qui se posait sur lui et fuyait tout de suite. Et il se disait : – Tiens... tiens... tiens... Est-ce que je l'aurais levée aussi celle-là ?

Les quêteuses passèrent. Leurs bourses étaient pleines d'argent et d'or. Et une nouvelle pancarte fut accrochée sur l'estrade annonçant : « Grrrrande surprise. » Les membres du jury remontèrent à leurs places. On attendit. 460

Deux femmes parurent, un fleuret à la main, en costume de salle, vêtues d'un maillot sombre, d'un très court jupon tombant à la moitié des cuisses, et d'un plastron si gonflé sur la poitrine qu'il les forçait à porter haut la tête. Elles étaient jolies et jeunes. Elles souriaient en saluant l'assistance. On les acclama longtemps.

Et elles se mirent en garde au milieu d'une rumeur galante et de plaisanteries chuchotées.

Un sourire aimable s'était fixé sur les lèvres des juges, qui approuvaient les coups par un petit bravo. 470

Le public appréciait beaucoup cet assaut et le témoignait aux deux combattantes qui allumaient des désirs chez les hommes et réveillaient chez les femmes le goût naturel du public parisien pour les gentillesses un peu polissonnes, pour les élégances du genre canaille, pour le faux-joli et le faux-gracieux, les chanteuses de café-concert et les couplets d'opérette.

Chaque fois qu'une des tireuses se fendait, un frisson de joie courait dans le public. Celle qui tournait le dos à la
480 salle, un dos bien replet, faisait s'ouvrir les bouches et s'arrondir les yeux ; et ce n'était pas le jeu de son poignet qu'on regardait le plus.

On les applaudit avec frénésie.

Un assaut de sabre suivit, mais personne ne le regarda, car toute l'attention fut captivée par ce qui se passait au-dessus. Pendant quelques minutes on avait écouté un grand bruit de meubles remués, traînés sur le parquet comme si on déménageait l'appartement. Puis, tout à coup, le son du piano traversa le plafond ; et on entendit
490 distinctement un bruit rythmé de pieds sautant en cadence. Les gens d'en haut s'offraient un bal, pour se dédommager de ne rien voir.

Un grand rire s'éleva d'abord dans le public de la salle d'armes, puis le désir de danser s'éveillant chez les femmes, elles cessèrent de s'occuper de ce qui se passait sur l'estrade et se mirent à parler tout haut.

On trouvait drôle cette idée de bal organisé par les retardataires. Ils ne devaient pas s'embêter, ceux-là. On aurait bien voulu être au-dessus.

500 Mais deux nouveaux combattants s'étaient salués, et ils tombèrent en garde avec tant d'autorité que tous les regards suivaient leurs mouvements.

Ils se fendaient et se relevaient avec une grâce élastique, avec une vigueur mesurée, avec une telle sûreté de force, une telle sobriété de gestes, une telle correction d'allure, une telle mesure dans le jeu que la foule ignorante fut surprise et charmée.

Leur promptitude calme, leur sage souplesse, leurs mouvements rapides, si calculés qu'ils semblaient lents,
510 attiraient et captivaient l'œil par la seule puissance de la perfection. Le public sentit qu'il voyait là une chose belle et rare, que deux grands artistes dans leur métier lui montraient ce qu'on pouvait voir de mieux, tout ce qu'il était possible à deux maîtres de déployer d'habileté, de ruse, de science raisonnée et d'adresse physique.

Personne ne parlait plus, tant on les regardait. Puis, quand ils se furent serré la main, après le dernier coup de bouton, des cris éclatèrent, des hurrahs. On trépignait, on hurlait. Tout le monde connaissait leurs noms : c'étaient Sergent et Ravignac.   520

Les esprits exaltés devenaient querelleurs. Les hommes regardaient leurs voisins avec des envies de dispute. On se serait provoqué pour un sourire. Ceux qui n'avaient jamais tenu un fleuret en leur main esquissaient avec leur canne des attaques et des parades.

Mais peu à peu la foule remontait par le petit escalier. On allait boire, enfin. Ce fut une indignation quand on constata que les gens du bal avaient dévalisé le buffet, puis s'en étaient allés en déclarant qu'il était malhonnête de déranger deux cents personnes pour ne leur rien montrer.   530

Il ne restait pas un gâteau, pas une goutte de champagne, de sirop ou de bière, pas un bonbon, pas un fruit, rien, rien de rien. Ils avaient saccagé, ravagé, nettoyé tout.

On se faisait raconter les détails par les servants qui prenaient des visages tristes en cachant leur envie de rire. « Les dames étaient plus enragées que les hommes, affirmaient-ils, et avaient mangé et bu à s'en rendre malades. » On aurait cru entendre le récit des survivants après le pillage et le sac d'une ville pendant l'Invasion.

Il fallut donc s'en aller. Des messieurs regrettaient les   540 vingt francs donnés à la quête ; ils s'indignaient que ceux d'en haut eussent ripaillé sans rien payer.

Les dames patronnesses avaient recueilli plus de trois mille francs. Il resta, tous frais payés, deux cent vingt francs pour les orphelins du sixième arrondissement.

Du Roy, escortant la famille Walter, attendait son landau.

En reconduisant la Patronne, comme il se trouvait assis en face d'elle, il rencontra encore une fois son œil caressant et fuyant, qui semblait troublé. Il pensait : « Bigre, je   550 crois qu'elle mord » ; et il souriait en reconnaissant qu'il avait vraiment de la chance auprès des femmes, car Mme de Marelle, depuis le recommencement de leur tendresse, paraissait l'aimer avec frénésie.

Il rentra chez lui d'un pied joyeux.

Madeleine l'attendait dans le salon.

– J'ai des nouvelles, dit-elle. L'affaire du Maroc se complique. La France pourrait bien y envoyer une expédition d'ici quelques mois. Dans tous les cas on va se servir de ça pour renverser le ministère, et Laroche profitera de l'occasion pour attraper les affaires étrangères. »

Du Roy, pour taquiner sa femme, feignit de n'en rien croire. On ne serait pas assez fou pour recommencer la bêtise de Tunis.

Mais elle haussait les épaules avec impatience. – Je te dis que si ! Je te dis que si ! Tu ne comprends donc pas que c'est une grosse question d'argent pour eux. Aujourd'hui, mon cher, dans les combinaisons politiques il ne faut pas dire : « Cherchez la femme », mais : « Cherchez l'affaire ».

Il murmura : « Bah ! » avec un air de mépris, pour l'exciter.

Elle s'irritait :

– Tiens, tu es aussi naïf que Forestier.

Elle voulait le blesser et s'attendait à une colère. Mais il sourit, et répondit : – Que ce cocu de Forestier ?

Elle demeura saisie, et murmura :

– Oh ! Georges !

Il avait l'air insolent et railleur, et il reprit : – Eh bien, quoi ? Me l'as-tu pas avoué, l'autre soir, que Forestier était cocu ?

Et il ajouta : « Pauvre diable ! » sur un ton de pitié profonde.

Madeleine lui tourna le dos, dédaignant de répondre ; puis après une minute de silence, elle reprit : – Nous aurons du monde mardi : Mme Laroche-Mathieu viendra dîner avec la comtesse de Percemur. Veux-tu inviter Rival et Norbert de Varenne ? J'irai demain chez Mmes Walter et de Marelle. Peut-être aussi aurons-nous Mme Risso-lin.

Depuis quelque temps, elle se faisait des relations, usant de l'influence politique de son mari, pour attirer chez elle, de gré ou de force, les femmes des sénateurs et des députés qui avaient besoin de l'appui de *La Vie française*.

Du Roy répondit : – Très bien. Je me charge de Rival et de Norbert.

Il était content, et il se frottait les mains, car il avait trouvé une bonne scie pour embêter sa femme et satisfaire l'obscure rancune, la confuse et mordante jalousie née en lui depuis leur promenade au Bois. Il ne parlerait plus de Forestier sans le qualifier de cocu. Il sentait bien que cela finirait par rendre Madeleine enragée. Et dix fois pendant la soirée il trouva moyen de prononcer avec une bonhomie ironique, le nom de ce « cocu de Forestier ».

Il n'en voulait plus au mort ; il le vengeait.

Sa femme feignait de ne pas entendre et demeurait, en face de lui, souriante et indifférente.

Le lendemain, comme elle devait aller adresser son invitation à Mme Walter, il voulut la devancer, pour trouver seule la Patronne et voir si vraiment elle en tenait pour lui. Cela l'amusait et le flattait. Et puis... pourquoi pas... si c'était possible.

Il se présenta boulevard Malesherbes dès deux heures. On le fit entrer dans le salon. Il attendit.

Mme Walter parut, la main tendue avec un empressement heureux.

— Quel bon vent vous amène ?

— Aucun bon vent, mais un désir de vous voir. Une force m'a poussé chez vous, je ne sais pourquoi, je n'ai rien à vous dire. Je suis venu, me voilà ! me pardonnez-vous cette visite matinale et la franchise de l'explication ?

Il disait cela d'un ton galant et badin, avec un sourire sur les lèvres et un accent sérieux dans la voix.

Elle restait étonnée, un peu rouge, balbutiant :

— Mais... vraiment... je ne comprends pas... vous me surprenez...

Il ajouta : — C'est une déclaration sur un air gai, pour ne pas vous effrayer.

Ils s'étaient assis l'un près de l'autre. Elle prit la chose de façon plaisante.

— Alors c'est une déclaration... sérieuse ?

— Mais oui ! Voici longtemps que je voulais vous la faire, très longtemps, même. Et puis, je n'osais pas. On vous dit si sévère, si rigide...

Elle avait retrouvé son assurance. Elle répondit :

— Pourquoi avez-vous choisi aujourd'hui ?

– Je ne sais pas. Puis il baissa la voix : – Ou plutôt, c'est parce que je ne pense qu'à vous depuis hier.

Elle balbutia, pâlie tout à coup : – Voyons, assez 640 d'enfantillages, et parlons d'autre chose.

Mais il était tombé à ses genoux si brusquement qu'elle eut peur. Elle voulut se lever ; il la tenait assise de force et ses deux bras enlacés à la taille, et il répétait d'une voix passionnée : – Oui, c'est vrai que je vous aime, follement, depuis longtemps. Ne me répondez pas. Que voulez-vous, je suis fou ! Je vous aime… Oh ! si vous saviez, comme je vous aime !

Elle suffoquait, haletait, essayait de parler et ne pouvait prononcer un mot. Elle le repoussait de ses deux mains, 650 l'ayant saisi aux cheveux pour empêcher l'approche de cette bouche qu'elle sentait venir vers la sienne. Et elle tournait la tête de droite à gauche et de gauche à droite, d'un mouvement rapide, en fermant les yeux pour ne plus le voir.

Il la touchait à travers sa robe, la maniait, la palpait ; et elle défaillait sous cette caresse brutale et forte. Il se releva brusquement et voulut l'étreindre, mais, libre une seconde, elle s'était échappée en se rejetant en arrière, et elle fuyait maintenant de fauteuil en fauteuil.

660 Il jugea ridicule cette poursuite, et il se laissa tomber sur une chaise, la figure dans ses mains, en feignant des sanglots convulsifs.

Puis il se redressa, cria : – Adieu, adieu ! – et il s'enfuit.

Il reprit tranquillement sa canne dans le vestibule et gagna la rue en se disant : – Cristi, je crois que ça y est. – Et il passa au télégraphe pour envoyer un petit bleu à Clotilde, lui donnant rendez-vous le lendemain.

En rentrant chez lui, à l'heure ordinaire, il dit à sa femme : – Eh bien, as-tu tout ton monde pour ton dîner ?

670 Elle répondit : – Oui ; il n'y a que Mme Walter qui n'est pas sûre d'être libre. Elle hésite ; elle m'a parlé de je ne sais quoi, d'engagement, de conscience. Enfin elle m'a eu l'air très drôle. N'importe, j'espère qu'elle viendra tout de même.

Il haussa les épaules : – Eh, parbleu oui, elle viendra.

Il n'en était pas certain, cependant, et il demeura inquiet jusqu'au jour du dîner.

Le matin même, Madeleine reçut un petit mot de la Patronne : « Je me suis rendue libre à grand-peine et je serai des vôtres. Mais mon mari ne pourra pas m'accompagner. »

Du Roy pensa : « J'ai rudement bien fait de n'y pas retourner. La voilà calmée. Attention. »

Il attendit cependant son entrée avec un peu d'inquiétude. Elle parut, très calme, un peu froide, un peu hautaine. Il se fit très humble, très discret et soumis.

Mmes Laroche-Mathieu et Rissolin accompagnaient leurs maris. La vicomtesse de Percemur parla du grand monde. Mme de Marelle était ravissante dans une toilette d'une fantaisie singulière jaune et noire, un costume espagnol qui moulait bien sa jolie taille, sa poitrine et ses bras potelés, et rendait énergique sa petite tête d'oiseau.

Du Roy avait pris à sa droite Mme Walter, et il ne lui parla, durant le dîner, que de choses sérieuses, avec un respect exagéré. De temps en temps il regardait Clotilde. « Elle est vraiment plus jolie et plus fraîche », pensait-il. Puis ses yeux revenaient vers sa femme qu'il ne trouvait pas mal non plus, bien qu'il eût gardé contre elle une colère rentrée, tenace et méchante.

Mais la Patronne l'excitait par la difficulté de la conquête, et par cette nouveauté toujours désirée des hommes.

Elle voulut rentrer de bonne heure. – Je vous accompagnerai, dit-il.

Elle refusa. Il insistait : – Pourquoi ne voulez-vous pas ? Vous allez me blesser vivement. Ne me laissez pas croire que vous ne m'avez point pardonné. Vous voyez comme je suis calme.

Elle répondit : – Vous ne pouvez pas abandonner ainsi vos invités.

Il sourit : – Bah ! je serai vingt minutes absent. On ne s'en apercevra même pas. Si vous me refusez, vous me froisserez jusqu'au cœur.

Elle murmura : – Eh bien, j'accepte.

Mais dès qu'ils furent dans la voiture, il lui saisit la main, et la baisant avec passion : – Je vous aime, je vous aime. Laissez-moi vous le dire. Je ne vous toucherai pas. Je veux seulement vous répéter que je vous aime.

Elle balbutiait : – Oh… après ce que vous m'avez
720 promis… C'est mal… c'est mal.

Il parut faire un grand effort, puis il reprit, d'une voix
contenue : – Tenez, vous voyez comme je me maîtrise. Et
pourtant… Mais laissez-moi vous dire seulement ceci : Je
vous aime… et vous le répéter tous les jours… oui,
laissez-moi aller chez vous m'agenouiller cinq minutes à
vos pieds pour prononcer ces trois mots, en regardant
votre visage adoré.

Elle lui avait abandonné sa main, et elle répondit en
haletant : – Non, je ne peux pas, je ne veux pas. Songez à
730 ce qu'on dirait, à mes domestiques, à mes filles. Non, non,
c'est impossible…

Il reprit : – Je ne peux plus vivre sans vous voir. Que ce
soit chez vous ou ailleurs il faut que je vous voie, ne fût-
ce qu'une minute tous les jours, que je touche votre main,
que je respire l'air soulevé par votre robe, que je
contemple la ligne de votre corps, et vos beaux grands
yeux qui m'affolent.

Elle écoutait, frémissante, cette banale musique
d'amour et elle bégayait : – Non… non… c'est impos-
740 sible. Taisez-vous !

Il lui parlait tout bas, dans l'oreille, comprenant qu'il
fallait la prendre peu à peu, celle-là, cette femme simple,
qu'il fallait la décider à lui donner des rendez-vous, où elle
voudrait d'abord, où il voudrait ensuite : – Écoutez… Il le
faut… je vous verrai… je vous attendrai devant votre
porte… comme un pauvre… Si vous ne descendez pas, je
monterai chez vous… mais je vous verrai… je vous
verrai… demain.

Elle répétait : – Non, non, ne venez pas. Je ne vous rece-
750 vrai point. Songez à mes filles.

– Alors dites-moi où je vous rencontrerai… dans la
rue… n'importe où… à l'heure que vous voudrez…
pourvu que je vous voie… Je vous saluerai… Je vous
dirai : « Je vous aime », et je m'en irai.

Elle hésitait, éperdue. Et comme le coupé passait la
porte de son hôtel, elle murmura très vite : – Eh bien,
j'entrerai à la Trinité, demain, à trois heures et demie. –
Puis, étant descendue, elle cria à son cocher :

– Reconduisez M. Du Roy chez lui.

Comme il rentrait, sa femme lui demanda : – Où étais- 760
tu donc passé ?

Il répondit, à voix basse : – J'ai été jusqu'au télégraphe
pour une dépêche pressée.

Mme de Marelle s'approchait : – Vous me reconduisez,
Bel-Ami, vous savez que je ne viens dîner si loin qu'à
cette condition ?

Puis se tournant vers Madeleine : – Tu n'es pas
jalouse ?

Mme Du Roy répondit lentement :

– Non, pas trop. 770

Les convives s'en allaient. Mme Laroche Mathieu avait
l'air d'une petite bonne de province. C'était la fille d'un
notaire, épousée par Laroche qui n'était alors que
médiocre avocat. Mme Rissolin, vieille et prétentieuse,
donnait l'idée d'une ancienne sage-femme dont l'éducation se serait faite dans les cabinets de lecture. La vicomtesse de Percemur les regardait de haut. Sa « patte
blanche » touchait avec répugnance ces mains communes.

Clotilde, enveloppée de dentelles, dit à Madeleine en
franchissant la porte de l'escalier : – C'était parfait, ton 780
dîner. Tu auras dans quelque temps le premier salon politique de Paris.

Dès qu'elle fut seule avec Georges, elle le serra dans ses
bras : – Oh ! mon chéri Bel-Ami, je t'aime tous les jours
davantage.

Le fiacre qui les portait roulait comme un navire.

– Ça ne vaut point notre chambre, dit-elle.

Il répondit : – Oh ! non. – Mais il pensait à Mme Walter.

IV

La place de la Trinité était presque déserte, sous un éclatant soleil de juillet. Une chaleur pesante écrasait Paris, comme si l'air de là-haut, alourdi, brûlé, était retombé sur la ville, de l'air épais et cuisant qui faisait mal dans la poitrine.

Les chutes d'eau, devant l'église, tombaient mollement. Elles semblaient fatiguées de couler, lasses et molles aussi, et le liquide du bassin où flottaient des feuilles et des bouts de papier avait l'air un peu verdâtre, épais et
10 glauque.

Un chien, ayant sauté par-dessus le rebord de pierre, se baignait dans cette onde douteuse. Quelques personnes, assises sur les bancs du petit jardin rond qui contourne le portail, regardaient cette bête avec envie.

Du Roy tira sa montre. Il n'était encore que trois heures. Il avait trente minutes d'avance.

Il riait en pensant à ce rendez-vous. « Les églises lui sont bonnes à tous les usages, se disait-il. Elles la consolent d'avoir épousé un juif, lui donnent une attitude
20 de protestation dans le monde politique, une allure comme il faut dans le monde distingué, et un abri pour ses rencontres galantes. Ce que c'est que l'habitude de se servir de la religion comme on se sert d'un en-tout-cas. S'il fait beau, c'est une canne, s'il fait du soleil, c'est une ombrelle, s'il pleut, c'est un parapluie, et, si on ne sort pas, on le laisse dans l'antichambre. Et elles sont des centaines comme ça, qui se fichent du bon Dieu comme d'une guigne, mais qui ne veulent pas qu'on en dise du mal et qui le prennent à l'occasion pour entremetteur. Si on leur
30 proposait d'entrer dans un hôtel meublé, elles trouveraient

ça une infamie, et il leur semble tout simple de filer l'amour au pied des autels. »

Il marchait lentement le long du bassin ; puis il regarda l'heure de nouveau à l'horloge du clocher, qui avançait de deux minutes sur sa montre. Elle indiquait trois heures cinq.

Il jugea qu'il serait encore mieux dedans ; et il entra.

Une fraîcheur de cave le saisit ; il l'aspira avec bonheur, puis il fit le tour de la nef pour bien connaître l'endroit.

Une autre marche régulière, interrompue parfois, puis recommençant, répondait, au fond du vaste monument, au bruit de ses pieds qui montait sonore sous la haute voûte. La curiosité lui vint de connaître ce promeneur. Il le chercha. C'était un gros homme chauve, qui allait le nez en l'air, le chapeau derrière le dos.

De place en place, une vieille femme agenouillée priait, la figure dans ses mains.

Une sensation de solitude, de désert, de repos, saisissait l'esprit. La lumière, nuancée par les vitraux, était douce aux yeux.

Du Roy trouva qu'il faisait « rudement bon » là-dedans.

Il revint près de la porte, et regarda de nouveau sa montre. Il n'était encore que trois heures quinze. Il s'assit à l'entrée de l'allée principale, en regrettant qu'on ne pût pas fumer une cigarette. On entendait toujours, au bout de l'église, près du chœur, la promenade lente du gros monsieur.

Quelqu'un entra. Georges se retourna brusquement. C'était une femme du peuple, en jupe de laine, une pauvre femme, qui tomba à genoux près de la première chaise, et resta immobile, les doigts croisés, le regard au ciel, l'âme envolée dans la prière.

Du Roy la regardait avec intérêt, se demandant quel chagrin, quelle douleur, quel désespoir pouvaient broyer ce cœur infime. Elle crevait de misère ; c'était visible. Elle avait peut-être encore un mari qui la tuait de coups, ou bien un enfant mourant.

Il murmurait, mentalement : « Les pauvres êtres. Y en a-t-il qui souffrent pourtant. » Et une colère lui vint contre l'impitoyable nature. Puis il réfléchit que ces gueux croyaient au moins qu'on s'occupait d'eux là-haut et que

leur état civil se trouvait inscrit sur les registres du ciel
avec la balance de la dette et de l'avoir. – Là-haut. – Où
donc ?

Et Du Roy, que le silence de l'église poussait aux vastes
rêves, jugeant d'une pensée la création, prononça, du bout
des lèvres : – Comme c'est bête tout ça.

Un bruit de robe le fit tressaillir. C'était elle.

Il se leva, s'avança vivement. Elle ne lui tendit pas la
80 main, et murmura, à voix basse :

– Je n'ai que peu d'instants. Il faut que je rentre, mettez-
vous à genoux, près de moi, pour qu'on ne nous remarque
pas.

Et elle s'avança dans la grande nef, cherchant un endroit
convenable et sûr, en femme qui connaît bien la maison.
Sa figure était cachée par un voile épais, et elle marchait à
pas sourds qu'on entendait à peine.

Quand elle fut arrivée près du chœur, elle se retourna et
marmotta, de ce ton toujours mystérieux qu'on garde dans
90 les églises : – Les bas-côtés vaudront mieux. On est trop
en vue par ici.

Elle salua le tabernacle du maître-autel d'une grande
inclinaison de tête, renforcée d'une légère révérence, et
elle tourna à droite, revint un peu vers l'entrée, puis, prenant une résolution, elle s'empara d'un prie-Dieu et s'agenouilla.

Georges prit possession du prie-Dieu voisin, et, dès
qu'ils furent immobiles, dans l'attitude de l'oraison :

– Merci, merci, dit-il. Je vous adore. Je voudrais vous le
100 dire toujours, vous raconter comment j'ai commencé à
vous aimer, comment j'ai été séduit la première fois que je
vous ai vue… Me permettrez-vous, un jour, de vider mon
cœur, de vous exprimer tout cela ?

Elle l'écoutait dans une attitude de méditation profonde, comme si elle n'eût rien entendu. Elle répondit
entre ses doigts : – Je suis folle de vous laisser me
parler ainsi, folle d'être venue, folle de faire ce que je
fais, de vous laisser croire que cette… cette… cette
aventure peut avoir une suite. Oubliez cela, il le faut, et
110 ne m'en reparlez jamais.

Elle attendit. Il cherchait une réponse, des mots décisifs, passionnés, mais ne pouvant joindre le gestes aux paroles, son action se trouvait paralysée.

Il reprit :

– Je n'attends rien… je n'espère rien. Je vous aime. Quoi que vous fassiez, je vous le répéterai si souvent, avec tant de force et d'ardeur, que vous finirez bien par le comprendre. Je veux faire pénétrer en vous ma tendresse, vous la verser dans l'âme, mot par mot, heure par heure, jour par jour, de sorte qu'enfin elle vous imprègne comme une 120 liqueur tombée goutte à goutte, qu'elle vous adoucisse, vous amollisse et vous force, plus tard, à me répondre : « Moi aussi, je vous aime. »

Il sentait trembler son épaule contre lui et sa gorge palpiter ; et elle balbutia, très vite : – Moi aussi, je vous aime.

Il eut un sursaut, comme si un grand coup lui fût tombé sur la tête, et il soupira : – Oh ! mon Dieu !…

Elle reprit, d'une voix haletante : – Est-ce que je devrais vous dire cela ? Je me sens coupable et méprisable… 130 moi… qui ai deux filles… mais je ne peux pas… je ne peux pas… Je n'aurais pas cru… je n'aurais jamais pensé… c'est plus fort… plus fort que moi. Écoutez… écoutez… je n'ai jamais aimé… que vous… je vous le jure. Et je vous aime depuis un an, en secret, dans le secret de mon cœur ! Oh ! j'ai souffert, allez, et lutté, je ne peux plus, je vous aime…

Elle pleurait dans ses doigts croisés sur son visage, et tout son corps frémissait, secoué par la violence de son émotion. 140

George murmura : – Donnez-moi votre main, que je la touche, que je la presse…

Elle ôta lentement sa main de sa figure. Il vit sa joue toute mouillée, et une goutte d'eau prête à tomber encore au bord des cils.

Il avait pris cette main, il la serrait : – Oh ! comme je voudrais boire vos larmes.

Elle dit d'une voix basse et brisée, qui ressemblait à un gémissement : – N'abusez pas de moi… je me suis perdue ! 150

Il eut envie de sourire. Comment aurait-il abusé d'elle en ce lieu ! Il posa sur son cœur la main qu'il tenait, en demandant : – Le sentez-vous battre ? – Car il était à bout de phrases passionnées.

Mais, depuis quelques instants, le pas régulier du promeneur se rapprochait. Il avait fait le tour des autels, et il redescendait, pour la seconde fois au moins, par la petite nef de droite. Quand Mme Walter l'entendit tout près du pilier qui la cachait, elle arracha ses doigts de l'étreinte de
160 Georges, et, de nouveau, se couvrit la figure.

Et ils restèrent tous deux immobiles, agenouillés comme s'ils eussent adressé ensemble au ciel des supplications ardentes. Le gros monsieur passa près d'eux, leur jeta un regard indifférent, et s'éloigna vers le bas de l'église en tenant toujours son chapeau dans son dos.

Mais Du Roy, qui songeait à obtenir un rendez-vous ailleurs qu'à la Trinité, murmura : – Où vous verrai-je demain ?

Elle ne répondit pas. Elle semblait inanimée, changée
170 en statue de la Prière.

Il reprit : – Demain, voulez-vous que je vous retrouve au parc Monceau ?

Elle tourna vers lui sa face redécouverte, une face livide, crispée par une souffrance affreuse, et, d'une voix saccadée : – Laissez-moi... laissez-moi, maintenant... allez-vous-en... allez-vous-en... seulement cinq minutes... je souffre trop, près de vous... je veux prier... je ne peux pas... allez-vous-en... laissez-moi prier... seule... cinq minutes... je ne peux pas... laissez-moi
180 implorer Dieu... qu'il me pardonne... qu'il me sauve... laissez-moi... cinq minutes...

Elle avait un visage tellement bouleversé, une figure si douloureuse, qu'il se leva sans dire un mot, puis, après un peu d'hésitation, il demanda : – Je reviendrai tout à l'heure ?

Elle fit un signe de tête, qui voulait dire : « Oui, tout à l'heure. » Et il remonta vers le chœur.

Alors, elle tenta de prier. Elle fit un effort d'invocation surhumaine pour appeler Dieu, et, le corps vibrant, l'âme
190 éperdue, elle cria : « Pitié ! » vers le ciel.

Elle fermait ses yeux avec rage pour ne plus voir celui qui venait de s'en aller ! Elle le chassait de sa pensée, elle se débattait contre lui, mais au lieu de l'apparition céleste attendue dans la détresse de son cœur, elle apercevait toujours la moustache frisée du jeune homme.

Depuis un an, elle luttait ainsi tous les jours, tous les soirs, contre cette obsession grandissante, contre cette image qui hantait ses rêves, qui hantait sa chair et troublait ses nuits. Elle se sentait prise comme une bête dans un filet, liée, jetée entre les bras de ce mâle qui l'avait vaincue, conquise, rien que par le poil de sa lèvre et par la couleur de ses yeux.

Et maintenant, dans cette église, tout près de Dieu, elle se sentait plus faible, plus abandonnée, plus perdue encore que chez elle. Elle ne pouvait plus prier, elle ne pouvait penser qu'à lui. Elle souffrait déjà qu'il se fût éloigné. Elle luttait cependant en désespérée, elle se défendait, appelait du secours de toute la force de son âme. Elle eût voulu mourir plutôt que de tomber ainsi, elle qui n'avait point failli. Elle murmurait des paroles éperdues de supplication ; mais elle écoutait le pas de Georges s'affaiblir dans le lointain des voûtes.

Elle comprit que c'était fini, que la lutte était inutile ! Elle ne voulait pas céder pourtant ; et elle fut saisie par une de ces crises d'énervement qui jettent les femmes, palpitantes, hurlantes et tordues sur le sol. Elle tremblait de tous ses membres, sentant bien qu'elle allait tomber, se rouler entre les chaises en poussant des cris aigus.

Quelqu'un s'approchait d'une marche rapide. Elle tourna la tête. C'était un prêtre. Alors elle se leva, courut à lui en tendant ses mains jointes, et elle balbutia : – Oh ! sauvez-moi ! sauvez-moi !

Il s'arrêta surpris : – Qu'est-ce que vous désirez, madame ?

– Je veux que vous me sauviez. Ayez pitié de moi. Si vous ne venez pas à mon aide, je suis perdue.

Il la regardait, se demandant si elle n'était pas folle. Il reprit : – Que puis-je faire pour vous ?

C'était un jeune homme, grand, un peu gras, aux joues pleines et tombantes, teintées de noir par la barbe rasée avec soin, un beau vicaire de ville, de quartier opulent, habitué aux riches pénitentes.

– Recevez ma confession, dit-elle, et conseillez-moi, soutenez-moi, dites-moi ce qu'il faut faire !

Il répondit : – Je confesse tous les samedis, de trois heures à six heures.

Ayant saisi son bras, elle le serrait en répétant : – Non ! non ! non ! tout de suite ! tout de suite ! Il le faut ! Il est là ! dans cette église ! Il m'attend.

240   Le prêtre demanda : – Qui est-ce qui vous attend ?

– Un homme… qui va me perdre… qui va me prendre, si vous ne me sauvez pas… Je ne peux plus le fuir… Je suis trop faible… trop faible… si faible… si faible… !

Elle s'abattit à ses genoux, et sanglotant :

– Oh ! ayez pitié de moi, mon père ! Sauvez-moi, au nom de Dieu, sauvez-moi !

Elle le tenait par sa robe noire pour qu'il ne pût s'échapper ; et lui, inquiet, regardait de tous les côtés si quelque œil malveillant ou dévot ne voyait point cette
250 femme tombée à ses pieds.

Comprenant, enfin, qu'il ne lui échapperait pas :

– Relevez-vous, dit-il, j'ai justement sur moi la clef du confessionnal. Et, fouillant dans sa poche, il en tira un anneau garni de clefs, puis il en choisit une, et il se dirigea, d'un pas rapide, vers les petites cabanes de bois, sorte de boîtes aux ordures de l'âme, où les croyants vident leurs péchés.

Il entra par la porte du milieu qu'il referma sur lui, et Mme Walter, s'étant jetée dans l'étroite case d'à côté, bal-
260 butia avec ferveur, avec un élan passionné d'espérance :

– Bénissez-moi, mon père, parce que j'ai péché…

Du Roy, ayant fait le tour du chœur, descendit la nef de gauche. Il arrivait au milieu quand il rencontra le gros monsieur chauve, allant toujours de son pas tranquille, et il se demanda : – Qu'est-ce que ce particulier-là peut bien faire ici ?

Le promeneur aussi avait ralenti sa marche et regardait Georges avec un désir visible de lui parler. Quand il fut tout près, il salua, et très poliment : – Je vous demande
270 pardon, monsieur, de vous déranger, mais pourriez-vous me dire à quelle époque a été construit ce monument ?

Du Roy répondit : – Ma foi, je n'en sais trop rien, je pense qu'il y a vingt ans, ou vingt-cinq ans [1]. C'est, d'ailleurs, la première fois que j'y entre.

– Moi aussi. Je ne l'avais jamais vu.

Alors, le journaliste, qu'un intérêt gagnait, reprit : – Il me semble que vous le visitez avec grand soin. Vous l'étudiez dans ses détails.

L'autre, avec résignation : – Je ne le visite pas, monsieur, j'attends ma femme qui m'a donné rendez-vous ici, et qui est fort en retard.

Puis il se tut, et après quelques secondes : – Il fait rudement chaud, dehors.

Du Roy le considérait, lui trouvant une bonne tête, et, tout à coup, il s'imagina qu'il ressemblait à Forestier.

– Vous êtes de la province ? dit-il.

– Oui. Je suis de Rennes. Et vous, monsieur, c'est par curiosité que vous êtes entré dans cette église ?

– Non. J'attends une femme, moi. Et l'ayant salué, le journaliste s'éloigna, le sourire aux lèvres.

En approchant de la grande porte, il revit la pauvresse, toujours à genoux et priant toujours. Il pensa : « Cristi ! elle a l'invocation tenace. » Il n'était plus ému, il ne la plaignait plus.

Il passa, et, doucement, se mit à remonter la nef de droite pour retrouver Mme Walter.

Il guettait de loin la place où il l'avait laissée, s'étonnant de ne pas l'apercevoir. Il crut s'être trompé de pilier, alla jusqu'au dernier, et revint ensuite. Elle était donc partie ! Il demeurait surpris et furieux. Puis il s'imagina qu'elle le cherchait, et il refit le tour de l'église. Ne l'ayant point trouvée, il retourna s'asseoir sur la chaise qu'elle avait occupée, espérant qu'elle l'y rejoindrait. Et il attendit.

Bientôt un léger murmure de voix éveilla son attention. Il n'avait vu personne dans ce coin de l'église. D'où venait donc ce chuchotement ? Il se leva pour chercher, et il aperçut, dans la chapelle voisine, les portes du confessionnal. Un bout de robe sortait de l'une et traînait sur le

---

1. L'église de la Trinité fut consacrée en 1867, soit quinze ans environ avant l'époque à laquelle se déroule l'action du roman.

pavé. Il s'approcha pour examiner la femme. Il la
310 reconnut. Elle se confessait !...

Il sentit un désir violent de la prendre par les épaules et
de l'arracher de cette boîte. Puis il pensa : « Bah ! c'est le
tour du curé, ce sera le mien demain. » Et il s'assit tranquillement en face des guichets de la pénitence, attendant
son heure, et ricanant, à présent, de l'aventure.

Il attendit longtemps. Enfin, Mme Walter se releva, se
retourna, le vit et vint à lui. Elle avait un visage froid et
sévère. – Monsieur, dit-elle, je vous prie de ne pas
m'accompagner, de ne pas me suivre, et de ne plus venir,
320 seul, chez moi. Vous ne seriez point reçu. Adieu !

Et elle s'en alla, d'une démarche digne.

Il la laissa s'éloigner, car il avait pour principe de ne
jamais forcer les événements. Puis comme le prêtre, un
peu troublé, sortait à son tour de son réduit, il marcha droit
à lui, et le regardant au fond des yeux, il lui grogna dans
le nez : – Si vous ne portiez point une jupe, vous, quelle
paire de soufflets sur votre vilain museau !

Puis il pivota sur ses talons et sortit de l'église en sifflotant.

330 Debout sous le portail, le gros monsieur, le chapeau sur
la tête et les mains derrière le dos, las d'attendre, parcourait du regard la vaste place et toutes les rues qui s'y
rejoignent.

Quand Du Roy passa près de lui, ils se saluèrent.

Le journaliste, se trouvant libre, descendit à *La Vie française*. Dès l'entrée, il vit, à la mine affairée des garçons,
qu'il se passait des choses anormales, et il entra brusquement dans le cabinet du directeur.

Le père Walter, debout, nerveux, dictait un article par
340 phrases hachées, donnait, entre deux alinéas, des missions
à ses reporters qui l'entouraient, faisait des recommandations à Boisrenard et décachetait des lettres.

Quand Du Roy entra, le patron poussa un cri de joie :

– Ah ! quelle chance, voilà Bel-Ami !

Il s'arrêta net, un peu confus, et s'excusa : – Je vous
demande pardon de vous avoir appelé ainsi, je suis très
troublé par les circonstances. Et puis, j'entends ma femme
et mes filles vous nommer « Bel-Ami » du matin au soir,

et je finis par en prendre moi-même l'habitude. Vous ne
m'en voulez pas ?   350

Georges riait : – Pas du tout. Ce surnom n'a rien qui me
déplaise.

Le père Walter reprit : – Très bien, alors je vous baptise
Bel-Ami comme tout le monde. Eh bien ! voilà, nous avons
de gros événements. Le ministère est tombé sur un vote de
trois cent dix voix contre cent deux. Nos vacances sont
encore remises, remises aux calendes grecques, et nous voici
au vingt-huit juillet. L'Espagne se fâche pour le Maroc, c'est
ce qui a jeté bas Durand de l'Aine et ses acolytes. Nous
sommes dans le pétrin jusqu'au cou. Marrot est chargé de   360
former un nouveau cabinet. Il prend le général Boutin d'Acre
à la Guerre et notre ami Laroche-Mathieu aux Affaires
étrangères. Il garde lui-même le portefeuille de l'Intérieur,
avec la présidence du Conseil. Nous allons devenir une
feuille officieuse. Je fais l'article de tête, une simple déclaration de principes, en traçant leur voie aux ministres.

Le bonhomme sourit et reprit : – La voie qu'ils comptent
suivre, bien entendu. Mais il me faudrait quelque chose
d'intéressant sur la question du Maroc, une actualité, une
chronique à effet, à sensation, je ne sais quoi ? Trouvez-   370
moi ça, vous.

Du Roy réfléchit une seconde, puis répondit : – J'ai
votre affaire. Je vous donne une étude sur la situation politique de toute notre colonie africaine, avec la Tunisie à
gauche, l'Algérie au milieu et le Maroc à droite, l'histoire
des races qui peuplent ce grand territoire et le récit d'une
excursion sur la frontière marocaine jusqu'à la grande
oasis de Figuig où aucun Européen n'a pénétré et qui est
la cause du conflit actuel [1]. Ça vous va-t-il ?

Le père Walter s'écria :   380

– Admirable ! Et quel titre ?

– *De Tunis à Tanger !*

– Superbe.

Et Du Roy s'en alla fouiller dans la collection de *La Vie
française* pour retrouver son premier article : Les « Mémoires

1. Cette oasis marocaine était réputée pour être un repaire de rebelles, et
la France envisagea, en 1881, d'y envoyer une expédition militaire Maupassant s'y était farouchement opposé dans une chronique d'août 1882.

d'un chasseur d'Afrique », qui, débaptisé, retapé et modifié, ferait admirablement l'affaire, d'un bout à l'autre, puisqu'il y était question de politique coloniale, de la population algérienne et d'une excursion dans la province d'Oran.

390   En trois quarts d'heure, la chose fut refaite, rafistolée, mise au point, avec une saveur d'actualité et des louanges pour le nouveau cabinet.

Le directeur, ayant lu l'article, déclara : – C'est parfait... parfait... parfait. Vous êtes un homme précieux. Tous mes compliments.

Et Du Roy rentra dîner, enchanté de sa journée, malgré l'échec de la Trinité, car il sentait bien la partie gagnée.

Sa femme, fiévreuse, l'attendait. Elle s'écria en le voyant : – Tu sais que Laroche est ministre des Affaires
400   étrangères ?

– Oui, je viens même de faire un article sur l'Algérie à ce sujet.

– Quoi donc ?

– Tu le connais, le premier que nous ayons écrit ensemble : les « Mémoires d'un chasseur d'Afrique », revu et corrigé pour la circonstance.

Elle sourit.

– Ah ! Oui, mais ça va très bien.

Puis après avoir songé quelques instants : – J'y pense,
410   cette suite que tu devais faire alors, et que tu as... laissée en route. Nous pouvons nous y mettre à présent. Ça nous donnera une jolie série bien en situation.

Il répondit en s'asseyant devant son potage :

– Parfaitement. Rien ne s'y oppose plus, maintenant que ce cocu de Forestier est trépassé.

Elle répliqua vivement d'un ton sec, blessé : – Cette plaisanterie est plus que déplacée, et je te prie d'y mettre un terme. Voilà trop longtemps qu'elle dure.

Il allait riposter avec ironie ; on lui apporta une dépêche
420   contenant cette seule phrase, sans signature :

« J'avais perdu la tête. Pardonnez-moi et venez demain, quatre heures, au parc Monceau. »

Il comprit, et, le cœur tout à coup plein de joie, il dit à sa femme, en glissant le papier bleu dans sa poche : – Je ne le ferai plus, ma chérie. C'est bête. Je le reconnais.

Et il recommença à dîner.

Tout en mangeant, il se répétait ces quelques mots :
« J'avais perdu la tête, pardonnez-moi, et venez demain,
quatre heures, au parc Monceau. » Donc elle cédait. Cela
voulait dire : « Je me rends, je suis à vous, où vous vou- 430
drez, quand vous voudrez. »

Il se mit à rire. Madeleine demanda :

– Qu'est-ce que tu as ?

– Pas grand-chose. Je pense à un curé que j'ai rencontré
tantôt, et qui avait une bonne binette.

Du Roy arriva juste à l'heure au rendez-vous du lendemain. Sur tous les bancs du parc étaient assis des bourgeois accablés par la chaleur et des bonnes nonchalantes
qui semblaient rêver pendant que les enfants se roulaient
dans le sable des chemins. 440

Il trouva Mme Walter dans la petite ruine antique où
coule une source. Elle faisait le tour du cirque étroit de
colonnettes, d'un air inquiet et malheureux.

Aussitôt qu'il l'eut saluée : – Comme il y a du monde
dans ce jardin ! dit-elle.

Il saisit l'occasion : – Oui, c'est vrai ; voulez-vous venir
autre part ?

– Mais où ?

– N'importe où, dans une voiture, par exemple. Vous
baisserez le store de votre côté, et vous serez bien à l'abri. 450

– Oui, j'aime mieux ça ; ici je meurs de peur.

– Eh bien, vous allez me retrouver dans cinq minutes à
la porte qui donne sur le boulevard extérieur. J'y arriverai
avec un fiacre.

Et il partit en courant.

Dès qu'elle l'eut rejoint et qu'elle eut bien voilé la vitre
de son côté, elle demanda : – Où avez-vous dit au cocher
de nous conduire ?

Georges répondit : – Ne vous occupez de rien, il est au
courant. 460

Il avait donné à l'homme l'adresse de son appartement
de la rue de Constantinople.

Elle reprit : – Vous ne vous figurez pas comme je
souffre à cause de vous, comme je suis tourmentée et torturée. Hier, j'ai été dure, dans l'église, mais je voulais
vous fuir à tout prix. J'ai tellement peur de me trouver
seule avec vous. M'avez-vous pardonné ?

Il lui serrait les mains : – Oui, oui. Qu'est-ce que je ne vous pardonnerais pas, vous aimant comme je vous aime ?

470   Elle le regardait d'un air suppliant : – Écoutez, il faut me promettre de me respecter... de ne pas... de ne pas... autrement je ne pourrais plus vous revoir.

Il ne répondit point d'abord ; il avait sous la moustache ce sourire fin qui troublait les femmes. Il finit par murmurer : – Je suis votre esclave.

Alors elle se mit à lui raconter comment elle s'était aperçue qu'elle l'aimait en apprenant qu'il allait épouser Madeleine Forestier. Elle donnait des détails, de petits détails de dates et de choses intimes.

480   Soudain elle se tut. La voiture venait de s'arrêter. Du Roy ouvrit la portière.

– Où sommes-nous ? dit-elle.

Il répondit : – Descendez et entrez dans cette maison. Nous y serons plus tranquilles.

– Mais où sommes-nous ?

– Chez moi. C'est mon appartement de garçon que j'ai repris... pour quelques jours... pour avoir un coin où nous puissions nous voir.

Elle s'était cramponnée au capiton du fiacre, épou-
490 vantée à l'idée de ce tête-à-tête, et elle balbutiait :

– Non, non, je ne veux pas ! Je ne veux pas !

Il prononça d'une voix énergique : – Je vous jure de vous respecter. Venez. Vous voyez bien qu'on nous regarde, qu'on va se rassembler autour de nous. Dépêchez-vous... dépêchez-vous... descendez.

Et il répéta : – Je vous jure de vous respecter.

Un marchand de vin sur sa porte les regardait d'un air curieux. Elle fut saisie de terreur et s'élança dans la maison.

500   Elle allait monter l'escalier. Il la retint par le bras :

– C'est ici, au rez-de-chaussée.

Et il la poussa dans son logis.

Dès qu'il eut refermé la porte, il la saisit comme une proie. Elle se débattait, luttait, bégayait :

– Oh ! mon Dieu !... oh ! mon Dieu !...

Il lui baisait le cou, les yeux, les lèvres avec emportement, sans qu'elle pût éviter ses caresses furieuses ; et tout

en le repoussant, tout en fuyant sa bouche, elle lui rendait, malgré elle, ses baisers.

Tout d'un coup, elle cessa de se débattre, et vaincue, 510 résignée, se laissa dévêtir par lui. Il enlevait une à une, adroitement et vite, toutes les parties de son costume, avec des doigts légers de femme de chambre.

Elle lui avait arraché des mains son corsage pour se cacher la figure dedans, et elle demeurait debout, toute blanche, au milieu de ses robes abattues à ses pieds.

Il lui laissa ses bottines et l'emporta dans ses bras vers le lit. Alors, elle lui murmura à l'oreille, d'une voix brisée : – Je vous jure… je vous jure… que je n'ai jamais eu d'amant – comme une jeune fille aurait dit : Je vous 520 jure que je suis vierge.

Et il pensait : – Voilà ce qui m'est bien égal, par exemple.

V

L'automne était venu. Les Du Roy avaient passé à Paris tout l'été, menant une campagne énergique dans *La Vie française* en faveur du nouveau cabinet pendant les courtes vacances des députés.

Quoiqu'on fût seulement dans les premiers jours d'octobre, les Chambres allaient reprendre leurs séances, car les affaires du Maroc devenaient menaçantes.

Personne, au fond, ne croyait à une expédition vers Tanger, bien que, le jour de la séparation du parlement, un
10 député de la droite, le comte de Lambert-Sarrazin, dans un discours plein d'esprit, applaudi même par les centres, eût offert de parier et de donner en gage sa moustache, comme avait fait jadis un célèbre vice-roi des Indes, contre les favoris du chef du Conseil [1] que le nouveau cabinet ne se pourrait tenir d'imiter l'ancien et d'envoyer une armée à Tanger, en pendant à celle de Tunis, par amour de la symétrie, comme on met deux vases sur une cheminée.

Il avait ajouté : « La terre d'Afrique est en effet une cheminée pour la France, messieurs, une cheminée qui brûle
20 notre meilleur bois, une cheminée à grand tirage qu'on allume avec le papier de la Banque.

« Vous vous êtes offert la fantaisie artiste d'orner l'angle de gauche d'un bibelot tunisien qui vous coûte cher, vous verrez que M. Marrot va vouloir imiter son prédécesseur et orner l'angle de droite avec un bibelot marocain. »

Ce discours, demeuré célèbre, avait servi de thème à Du Roy pour dix articles sur la colonie algérienne, pour toute

---

1. Les « favoris » signent sans ambiguïté l'allusion à Jules Ferry.

sa série interrompue lors de ses débuts au journal, et il avait soutenu énergiquement l'idée d'une expédition mili- 30 taire, bien qu'il fût convaincu qu'elle n'aurait pas lieu. Il avait fait vibrer la corde patriotique et bombardé l'Espagne avec tout l'arsenal d'arguments méprisants qu'on emploie contre les peuples dont les intérêts sont contraires aux vôtres.

La Vie française avait gagné une importance considérable à ses attaches connues avec le Pouvoir. Elle donnait, avant les feuilles les plus sérieuses, les nouvelles politiques, indiquait par des nuances les intentions des ministres ses amis ; et tous les journaux de Paris et de la pro- 40 vince cherchaient chez elle leurs informations. On la citait, on la redoutait, on commençait à la respecter. Ce n'était plus l'organe suspect d'un groupe de tripoteurs politiques, mais l'organe avoué du cabinet. Laroche-Mathieu était l'âme du journal et Du Roy son porte-voix. Le père Walter, député muet et directeur cauteleux, sachant s'effacer, s'occupait dans l'ombre, disait-on, d'une grosse affaire de mines de cuivre, au Maroc.

Le salon de Madeleine était devenu un centre influent, où se réunissaient chaque semaine plusieurs membres du 50 cabinet. Le président du Conseil avait même dîné deux fois chez elle ; et les femmes des hommes d'État, qui hésitaient autrefois à franchir sa porte, se vantaient à présent d'être ses amies, lui faisant plus de visites qu'elles n'en recevaient d'elle.

Le ministre des Affaires étrangères régnait presque en maître dans la maison. Il y venait à toute heure, apportant des dépêches, des renseignements, des informations qu'il dictait soit au mari, soit à la femme, comme s'ils eussent été ses secrétaires. 60

Quand Du Roy, après le départ du ministre, demeurait seul en face de Madeleine, il s'emportait, avec des menaces dans la voix, et des insinuations perfides dans les paroles, contre les allures de ce médiocre parvenu.

Mais elle haussait les épaules avec mépris, répétant :

– Fais-en autant que lui, toi. Deviens ministre ; et tu pourras faire ta tête. Jusque-là, tais-toi.

Il frisait sa moustache en la regardant de côté.

– On ne sait pas de quoi je suis capable, disait-il, on l'apprendra peut-être, un jour.

Elle répondait avec philosophie : – Qui vivra, verra.

Le matin de la rentrée des Chambres, la jeune femme, encore au lit, faisait mille recommandations à son mari qui s'habillait afin d'aller déjeuner chez M. Laroche-Mathieu et de recevoir ses instructions avant la séance, pour l'article politique du lendemain dans *La Vie française*, cet article devant être une sorte de déclaration officieuse des projets réels du cabinet.

Madeleine disait : – Surtout n'oublie pas de lui demander si le général Belloncle est envoyé à Oran, comme il en était question. Cela aurait une grande signification.

Georges, nerveux, répondit : – Mais je sais aussi bien que toi ce que j'ai à faire. Fiche-moi la paix avec tes rabâchages.

Elle reprit tranquillement : – Mon cher, tu oublies toujours la moitié des commissions dont je te charge pour le ministre.

Il grogna : – Il m'embête, ton ministre, à la fin ! C'est un serin.

Elle dit avec calme : – Ce n'est pas plus mon ministre que le tien. Il t'est plus utile qu'à moi.

Il s'était tourné un peu vers elle en ricanant :

– Pardon, il ne me fait pas la cour, à moi.

Elle déclara, lentement : – À moi non plus, d'ailleurs ; mais il fait notre fortune.

Il se tut, puis, après quelques instants : – Si j'avais à choisir parmi tes adorateurs, j'aimerais encore mieux cette vieille ganache de Vaudrec. Qu'est-ce qu'il devient, celui-là ? je ne l'ai pas vu depuis huit jours.

Elle répliqua, sans s'émouvoir : – Il est souffrant, il m'a écrit qu'il gardait même le lit avec une attaque de goutte. Tu devrais passer prendre de ses nouvelles. Tu sais qu'il t'aime beaucoup, et cela lui ferait plaisir.

Georges répondit : – Oui, certainement, j'irai tantôt.

Il avait achevé sa toilette, et, son chapeau sur la tête, il cherchait s'il n'avait rien négligé. N'ayant rien trouvé, il s'approcha du lit, embrassa sa femme sur le front :

– À tantôt, ma chérie, je ne serai pas rentré avant sept heures au plus tôt. 110

Et il sortit.

M. Laroche-Mathieu l'attendait, car il déjeunait à dix heures ce jour-là, le conseil devant se réunir à midi, avant la réouverture du parlement.

Dès qu'ils furent à table, seuls avec le secrétaire particulier du ministre, Mme Laroche-Mathieu n'ayant pas voulu changer l'heure de son repas, Du Roy parla de son article, il en indiqua la ligne, consultant ses notes griffonnées sur des cartes de visite ; puis quand il eut fini : – Voyez-vous quelque chose à modifier, mon cher ministre ? 120

– Fort peu, mon cher ami. Vous êtes peut-être un peu trop affirmatif dans l'affaire du Maroc. Parlez de l'expédition comme si elle devait avoir lieu, mais en laissant bien entendre qu'elle n'aura pas lieu et que vous n'y croyez pas le moins du monde. Faites que le public lise bien entre les lignes que nous n'irons pas nous fourrer dans cette aventure.

– Parfaitement. J'ai compris, et je me ferai bien comprendre. Ma femme m'a chargé de vous demander à ce sujet si le général Belloncle serait envoyé à Oran. Après ce 130 que vous venez de dire, je conclus que non.

L'homme d'État répondit : – Non.

Puis on causa de la session qui s'ouvrait. Laroche-Mathieu se mit à pérorer, préparant l'effet des phrases qu'il allait répandre sur ses collègues quelques heures plus tard. Il agitait sa main droite, levant en l'air tantôt sa fourchette, tantôt son couteau, tantôt une bouchée de pain, et sans regarder personne, s'adressant à l'Assemblée invisible, il expectorait son éloquence liquoreuse de beau garçon bien coiffé. Une très petite moustache roulée 140 redressait sur sa lèvre deux pointes pareilles à des queues de scorpion, et ses cheveux huilés de brillantine, séparés au milieu du front, arrondissaient sur ses tempes deux bandeaux de bellâtre provincial. Il était un peu trop gras, un peu bouffi, bien que jeune ; le ventre tendait son gilet. Le secrétaire particulier mangeait et buvait tranquillement, accoutumé sans doute à ses douches de faconde ; mais Du Roy, que la jalousie du succès obtenu mordait au cœur,

songeait : « Va donc, ganache ! Quels crétins que ces
150 hommes politiques ! »

Et, comparant sa valeur à lui à l'importance bavarde de
ce ministre, il se disait : « Cristi, si j'avais seulement cent
mille francs nets pour me présenter à la députation dans
mon beau pays de Rouen, pour rouler dans la pâte de leur
grosse malice mes braves Normands finauds et lourdauds,
quel homme d'État je ferais, à côté de ces polissons
imprévoyants. »

Jusqu'au café, M. Laroche-Mathieu parla, puis, ayant
vu qu'il était tard, il sonna pour qu'on fît avancer son
160 coupé, et, tendant la main au journaliste :

– C'est bien compris, mon cher ami ?

– Parfaitement, mon cher ministre, comptez sur moi. Et
Du Roy s'en alla tout doucement vers le journal, pour
commencer son article, car il n'avait rien à faire jusqu'à
quatre heures. À quatre heures, il devait retrouver, rue de
Constantinople, Mme de Marelle qu'il y voyait toujours
régulièrement deux fois par semaine, le lundi et le vendredi.

Mais en rentrant de la rédaction, on lui remit une
170 dépêche fermée ; elle était de Mme Walter, et disait :

« Il faut absolument que je te parle aujourd'hui. C'est
très grave, très grave. Attends-moi à deux heures, rue de
Constantinople. Je peux te rendre un grand service.

« Ton amie jusqu'à la mort,
« Virginie. »

Il jura : « Nom de Dieu ! quel crampon ! » Et, saisi par
un excès de mauvaise humeur, il ressortit aussitôt, trop
irrité pour travailler.

Depuis six semaines il essayait de rompre avec elle sans
180 parvenir à lasser son attachement acharné.

Elle avait eu, après sa chute, un accès de remords épouvantable, et, dans trois rendez-vous successifs, avait
accablé son amant de reproches et de malédictions.
Ennuyé de ces scènes, et déjà rassasié de cette femme
mûre et dramatique, il s'était simplement éloigné, espérant
que l'aventure serait finie de cette façon. Mais alors elle
s'était accrochée à lui éperdument, se jetant dans cet
amour comme on se jette dans une rivière avec une pierre

au cou. Il s'était laissé reprendre, par faiblesse, par complaisance, par égards ; et elle l'avait emprisonné dans une passion effrénée et fatigante, elle l'avait persécuté de sa tendresse.

Elle voulait le voir tous les jours, l'appelait à tout moment par des télégrammes, pour des rencontres rapides au coin des rues, dans un magasin, dans un jardin public.

Elle lui répétait alors, en quelques phrases, toujours les mêmes, qu'elle l'adorait et l'idolâtrait, puis elle le quittait en lui jurant « qu'elle était bien heureuse de l'avoir vu ».

Elle se montrait tout autre qu'il ne l'avait rêvée, essayant de le séduire avec des grâces puériles, des enfantillages d'amour ridicules à son âge. Étant demeurée jusque-là strictement honnête, vierge de cœur, fermée à tout sentiment, ignorante de toute sensualité, ça avait été tout d'un coup chez cette femme sage dont la quarantaine tranquille semblait un automne pâle après un été froid, ça avait été une sorte de printemps fané, plein de petites fleurs mal sorties et de bourgeons avortés, une étrange éclosion d'amour de fillette, d'amour tardif ardent et naïf, fait d'élans imprévus, de petits cris de seize ans, de cajoleries embarrassantes, de grâces vieillies sans avoir été jeunes. Elle lui écrivait dix lettres en un jour, des lettres niaisement folles, d'un style bizarre, poétique et risible, orné comme celui des Indiens, plein de noms de bêtes et d'oiseaux.

Dès qu'ils étaient seuls, elle l'embrassait avec des gentillesses lourdes de grosse gamine, des moues de lèvres un peu grotesques, des sauteries qui secouaient sa poitrine trop pesante sous l'étoffe du corsage.

Il était surtout écœuré de l'entendre dire « Mon rat », « Mon chien », « Mon chat », « Mon bijou », « Mon oiseau bleu », « Mon trésor », et de la voir s'offrir à lui chaque fois avec une petite comédie de pudeur enfantine, de petits mouvements de crainte qu'elle jugeait gentils, et de petits jeux de pensionnaire dépravée.

Elle demandait : – À qui cette bouche-là ? – Et quand il ne répondait pas tout de suite : – C'est à moi, – elle insistait jusqu'à le faire pâlir d'énervement.

Elle aurait dû sentir, lui semblait-il, qu'il faut en amour, un tact, une adresse, une prudence et une justesse

230 extrêmes, que, s'étant donnée à lui, elle, mûre, mère de
famille, femme du monde, elle devait se livrer gravement,
avec une sorte d'emportement contenu, sévère, avec des
larmes peut-être, mais avec les larmes de Didon, non plus
avec celles de Juliette.

Elle lui répétait sans cesse : – Comme je t'aime, mon
petit ! M'aimes-tu autant, dis, mon bébé ?

Il ne pouvait plus l'entendre prononcer « mon petit » ni
« mon bébé » sans avoir envie de l'appeler « ma vieille ».

Elle lui disait : – Quelle folie j'ai faite de te céder. Mais
240 je ne le regrette pas. C'est si bon d'aimer !

Tout cela semblait à Georges irritant dans cette bouche.
Elle murmurait : « C'est si bon d'aimer » comme l'aurait
fait une ingénue, au théâtre.

Et puis elle l'exaspérait par la maladresse de sa caresse.
Devenue soudain sensuelle sous le baiser de ce beau
garçon qui avait si fort allumé son sang, elle apportait dans
son étreinte une ardeur inhabile et une application sérieuse
qui donnaient à rire à Du Roy et le faisaient songer aux
vieillards qui essaient d'apprendre à lire.

250 Et quand elle aurait dû le meurtrir dans ses bras, en
le regardant ardemment de cet œil profond et terrible
qu'ont certaines femmes défraîchies, superbes en leur dernier amour, quand elle aurait dû le mordre de sa bouche
muette et frissonnante en l'écrasant sous sa chair épaisse
et chaude, fatiguée mais insatiable, elle se trémoussait
comme une gamine et zézayait pour être gracieuse :
– T'aime tant, mon petit. T'aime tant. Fais un beau
m'amour à ta petite femme !

Il avait alors une envie folle de jurer, de prendre son
260 chapeau et de partir en tapant la porte.

Ils s'étaient vus souvent, dans les premiers temps, rue
de Constantinople, mais Du Roy, qui redoutait une rencontre avec Mme de Marelle, trouvait mille prétextes
maintenant pour se refuser à ces rendez-vous.

Il avait dû alors venir presque tous les jours chez elle,
tantôt déjeuner, tantôt dîner. Elle lui serrait la main sous la
table, lui tendait sa bouche derrière les portes. Mais lui
s'amusait surtout à jouer avec Suzanne qui l'égayait par
ses drôleries. Dans son corps de poupée s'agitait un esprit
270 agile et malin, imprévu et sournois, qui faisait toujours la

parade comme une marionnette de foire. Elle se moquait de tout et de tout le monde, avec un à-propos mordant. Georges excitait sa verve, la poussait à l'ironie, et ils s'entendaient à merveille.

Elle l'appelait à tout instant : – Écoutez, Bel-Ami. Venez ici, Bel-Ami.

Il quittait aussitôt la maman pour courir à la fillette qui lui murmurait quelque méchanceté dans l'oreille, et ils riaient de tout leur cœur.

Cependant, dégoûté de l'amour de la mère, il en arrivait à une insurmontable répugnance ; il ne pouvait plus la voir, ni l'entendre, ni penser à elle sans colère. Il cessa donc d'aller chez elle, de répondre à ses lettres et de céder à ses appels.

Elle comprit enfin qu'il ne l'aimait plus, et souffrit horriblement. Mais elle s'acharna, elle l'épia, le suivit, l'attendit dans un fiacre aux stores baissés, à la porte du journal, à la porte de sa maison, dans les rues où elle espérait qu'il passerait.

Il avait envie de la maltraiter, de l'injurier, de la frapper, de lui dire nettement : « Zut, j'en ai assez, vous m'embêtez. » Mais il gardait toujours quelques ménagements, à cause de *La Vie française* ; et il tâchait, à force de froideur, de duretés enveloppées d'égards et même de paroles rudes par moments, de lui faire comprendre qu'il fallait bien que cela finît.

Elle s'entêtait surtout à chercher des ruses pour l'attirer rue de Constantinople, et il tremblait sans cesse que les deux femmes ne se trouvassent, un jour, nez à nez à la porte.

Son affection pour Mme de Marelle, au contraire, avait grandi pendant l'été. Il l'appelait son « gamin », et décidément elle lui plaisait. Leurs deux natures avaient des crochets pareils ; ils étaient bien, l'un et l'autre, de la race aventureuse des vagabonds de la vie, de ces vagabonds mondains qui ressemblent fort, sans s'en douter, aux bohèmes des grandes routes.

Ils avaient eu un été d'amour charmant, un été d'étudiants qui font la noce, s'échappant pour aller déjeuner ou dîner à Argenteuil, à Bougival, à Maisons, à Poissy, passant des heures dans un bateau à cueillir des fleurs le long

des berges. Elle adorait les fritures de Seine, les gibelottes
et les matelotes, les tonnelles des cabarets et les cris des
canotiers. Il aimait partir avec elle, par un jour clair, sur
l'impériale d'un train de banlieue et traverser en disant des
bêtises gaies, la vilaine campagne de Paris où bourgeon-
nent d'affreux chalets bourgeois.

Et quand il lui fallait rentrer pour dîner chez
Mme Walter, il haïssait la vieille maîtresse acharnée, en
320 souvenir de la jeune qu'il venait de quitter, et qui avait
défloré ses désirs et moissonné son ardeur dans les herbes
du bord de l'eau.

Il se croyait enfin à peu près délivré de la Patronne, à qui
il avait exprimé d'une façon claire, presque brutale, sa
résolution de rompre, quand il reçut au journal le télégramme l'appelant, à deux heures, rue de Constantinople.

Il le relisait en marchant : « Il faut absolument que je te
parle aujourd'hui. C'est très grave, très grave. Attends-moi
à deux heures rue de Constantinople. Je peux te rendre un
330 grand service. Ton amie jusqu'à la mort. – Virginie. »

Il pensait : « Qu'est-ce qu'elle me veut encore, cette
vieille chouette ? Je parie qu'elle n'a rien à me dire. Elle
va me répéter qu'elle m'adore. Pourtant il faut voir. Elle
parle d'une chose très grave et d'un grand service, c'est
peut-être vrai. Et Clotilde qui vient à quatre heures. Il faut
que j'expédie la première à trois heures au plus tard.
Sacristi ! pourvu qu'elles ne se rencontrent pas. Quelles
rosses que les femmes ! »

Et il songea qu'en effet la sienne était la seule qui ne le
340 tourmentait jamais. Elle vivait de son côté, et elle avait
l'air de l'aimer beaucoup, aux heures destinées à l'amour,
car elle n'admettait pas qu'on dérangeât l'ordre immuable
des occupations ordinaires de la vie.

Il allait, à pas lents, vers son logis de rendez-vous,
s'excitant mentalement contre la Patronne :

– Ah ! je vais la recevoir d'une jolie façon si elle n'a
rien à me dire. Le français de Cambronne sera académique
auprès du mien. Je lui déclare que je ne fiche plus les pieds
chez elle, d'abord.

350 Et il entra pour attendre Mme Walter.

Elle arriva presque aussitôt, et dès qu'elle l'eut aperçu :
– Ah ! tu as reçu ma dépêche ! Quelle chance !

Il avait pris un visage méchant :

– Parbleu, je l'ai trouvée au journal, au moment où je partais pour la Chambre. Qu'est-ce que tu me veux encore ?

Elle avait relevé sa voilette pour l'embrasser, et elle s'approchait avec un air craintif et soumis de chienne souvent battue.

– Comme tu es cruel pour moi… Comme tu me parles 360 durement… Qu'est-ce que je t'ai fait ? Tu ne te figures pas comme je souffre par toi !

Il grogna : – Tu ne vas pas recommencer ?

Elle était debout tout près de lui, attendant un sourire, un geste pour se jeter dans ses bras.

Elle murmura : – Il ne fallait pas me prendre pour me traiter ainsi, il fallait me laisser sage et heureuse, comme j'étais. Te rappelles-tu ce que tu me disais dans l'église, et comme tu m'as fait entrer de force dans cette maison. Et voilà maintenant comment tu me parles ! comment tu me 370 reçois ! Mon Dieu ! Mon Dieu ! que tu me fais mal !

Il frappa du pied, et, violemment :

– Ah ! mais, zut ! En voilà assez. Je ne peux pas te voir une minute sans entendre cette chanson-là. On dirait vraiment que je t'ai prise à douze ans et que tu étais ignorante comme un ange. Non, ma chère, rétablissons les faits, il n'y a pas eu détournement de mineure. Tu t'es donnée à moi, en plein âge de raison. Je t'en remercie, je t'en suis intimement reconnaissant, mais je ne suis pas tenu d'être attaché à ta jupe jusqu'à la mort. Tu as un mari et j'ai une 380 femme. Nous ne sommes libres ni l'un ni l'autre. Nous nous sommes offerts un caprice, ni vu ni connu, c'est fini.

Elle dit : – Oh ! que tu es brutal ! que tu es grossier ! que tu es infâme ! Non, je n'étais plus une jeune fille, mais je n'avais jamais aimé, jamais failli…

Il lui coupa la parole : – Tu me l'as déjà répété vingt fois, je le sais. Mais tu avais eu deux enfants… je ne t'ai donc pas déflorée…

Elle recula : – Oh ! Georges, c'est indigne !…

Et portant ses deux mains à sa poitrine, elle commença 390 à suffoquer, avec des sanglots qui lui montaient à la gorge.

Quand il vit les larmes arriver, il prit son chapeau sur le coin de la cheminée : – Ah ! tu vas pleurer ! Alors, bonsoir. C'est pour cette représentation-là que tu m'avais fait venir ?

Elle fit un pas afin de lui barrer la route et, tirant vivement un mouchoir de sa poche, s'essuya les yeux d'un geste brusque. Sa voix s'affermit sous l'effort de sa volonté, et elle dit, interrompue par un chevrotement de douleur :

– Non… je suis venue pour… pour te donner une nouvelle… une nouvelle politique… pour te donner le moyen de gagner cinquante mille francs… ou même plus… si tu veux.

Il demanda, adouci tout à coup : – Comment ça ! Qu'est-ce que tu veux dire ?

– J'ai surpris par hasard, hier soir, quelques mots de mon mari et de Laroche. Ils ne se cachaient pas beaucoup devant moi, d'ailleurs. Mais Walter recommandait au ministre de ne pas te mettre dans le secret parce que tu dévoilerais tout.

Du Roy avait reposé son chapeau sur une chaise. Il attendait, très attentif.

– Alors, qu'est-ce qu'il y a ?

– Ils vont s'emparer du Maroc !

– Allons donc. J'ai déjeuné avec Laroche qui m'a presque dicté les intentions du cabinet.

– Non, mon chéri, ils t'ont joué parce qu'ils ont peur qu'on connaisse leur combinaison.

– Assieds-toi, dit Georges.

Et il s'assit lui-même sur un fauteuil. Alors elle attira par terre un petit tabouret, et s'accroupit dessus, entre les jambes du jeune homme. Elle reprit, d'une voix câline :

– Comme je pense toujours à toi, je fais attention maintenant à tout ce qu'on chuchote autour de moi.

Et elle se mit, doucement, à lui expliquer comment elle avait deviné depuis quelque temps qu'on préparait quelque chose à son insu, qu'on se servait de lui en redoutant son concours.

Elle disait : – Tu sais, quand on aime, on devient rusée.

Enfin, la veille, elle avait compris. C'était une grosse affaire, une très grosse affaire préparée dans l'ombre. Elle souriait maintenant, heureuse de son adresse ; elle s'exaltait, parlant en femme de financier, habituée à voir machiner les coups de bourse, les évolutions des valeurs, les accès de hausse et de baisse ruinant en deux heures de spéculation des milliers de petits bourgeois, de petits rentiers, qui ont placé leurs économies sur des fonds garantis par des noms d'hommes honorés, respectés, hommes politiques ou hommes de banque. 440

Elle répétait : – Oh ! c'est très fort ce qu'ils ont fait. Très fort. C'est Walter qui a tout mené d'ailleurs, et il s'y entend. Vraiment, c'est de premier ordre.

Il s'impatientait de ces préparations.

– Voyons, dis vite.

– Eh bien ! voilà. L'expédition de Tanger était décidée entre eux dès le jour où Laroche a pris les Affaires étrangères ; et, peu à peu, ils ont racheté tout l'emprunt du Maroc qui était tombé à soixante-quatre ou cinq francs. Ils l'ont racheté très habilement, par le moyen d'agents suspects, véreux, qui n'éveillaient aucune méfiance. Ils ont roulé même les Rothschild, qui s'étonnaient de voir toujours demander du marocain. On leur a répondu en nommant les intermédiaires, tous tarés, tous à la côte. Ça a tranquillisé la grande banque. Et puis maintenant on va faire l'expédition, et dès que nous serons là-bas, l'État français garantira la dette. Nos amis auront gagné cinquante ou soixante millions [1]. Tu comprends l'affaire, tu comprends aussi comme on a peur de tout le monde, peur de la moindre indiscrétion. 460

Elle avait appuyé sa tête sur le gilet du jeune homme, et les bras posés sur ses jambes, elle se serrait, se collait contre lui, sentant bien qu'elle l'intéressait à présent, prête à tout faire, à tout commettre, pour une caresse, pour un sourire.

Il demanda : – Tu es bien sûre ?

Elle répondit avec confiance : – Oh ! je crois bien !

Il déclara : – C'est très fort, en effet. Quant à ce salop de Laroche, en voilà un que je repincerai. Oh ! le gredin !

---

1. Ce type de manipulation fut utilisé à plusieurs reprises dans le contexte de la colonisation. Rothschild l'exploita par exemple pour l'Égypte, faisant croire à la conversion d'un emprunt dont il avait fait racheter toutes les parts. Intérêts politiques et financiers étaient très intimement imbriqués dans l'expansion coloniale.

470 qu'il prenne garde à lui !... qu'il prenne garde à lui... Sa
carcasse de ministre me restera entre les doigts !

Puis il se mit à réfléchir, et il murmura : – Il faudrait
pourtant profiter de ça.

– Tu peux encore acheter de l'emprunt, dit-elle. Il n'est
qu'à soixante-douze francs.

Il reprit : – Oui, mais je n'ai pas d'argent disponible.

Elle leva les yeux vers lui, des yeux pleins de supplication. – J'y ai pensé, mon chat, et si tu étais bien gentil, bien
gentil, si tu m'aimais un peu, tu me laisserais t'en prêter.

480 Il répondit brusquement, presque durement : – Quant à
ça, non, par exemple.

Elle murmura, d'une voix implorante : – Écoute, il y a
une chose que tu peux faire sans emprunter de l'argent. Je
voulais en acheter pour dix mille francs de cet emprunt,
moi, pour me créer une petite cassette. Eh bien, j'en prendrai pour vingt mille ! Tu te mets de moitié. Tu comprends
bien que je ne vais pas rembourser ça à Walter. Il n'y a
donc rien à payer pour le moment. Si ça réussit, tu gagnes
soixante-dix mille francs. Si ça ne réussit pas, tu me
490 devras dix mille francs que tu me paieras à ton gré.

Il dit encore : – Non, je n'aime guère ces combinaisons-
là.

Alors elle raisonna pour le décider, elle lui prouva qu'il
engageait en réalité dix mille francs sur parole, qu'il courait des risques, par conséquent, qu'elle ne lui avançait
rien puisque les déboursés étaient faits par la Banque
Walter.

Elle lui démontra, en outre, que c'était lui qui avait
mené, dans *La Vie française*, toute la campagne politique
500 qui rendait possible cette affaire, qu'il serait bien naïf en
n'en profitant pas.

Il hésitait encore. Elle ajouta : – Mais songe donc qu'en
vérité c'est Walter qui te les avance, ces dix mille francs,
et que tu lui as rendu des services qui valent plus que ça.

– Eh bien ! soit, dit-il. Je me mets de moitié avec toi. Si
nous perdons, je te rembourserai dix mille francs.

Elle fut si contente qu'elle se releva, saisit à deux mains
sa tête et se mit à l'embrasser avidement.

Il ne se défendit point d'abord, puis comme elle
510 s'enhardissait, l'étreignant et le dévorant de caresses, il

songea que l'autre allait venir tout à l'heure et que s'il fai-
blissait il perdrait du temps, et laisserait aux bras de la
vieille une ardeur qu'il valait mieux garder pour la jeune.

Alors il la repoussa doucement : – Voyons, sois sage,
dit-il.

Elle le regarda avec des yeux désolés : – Oh ! Georges.
Je ne peux même plus t'embrasser.

Il répondit : – Non, pas aujourd'hui. J'ai un peu de
migraine et cela me fait mal.

Alors elle se rassit, docile, entre ses jambes. Elle 520
demanda : – Veux-tu venir dîner demain à la maison ?
Quel plaisir tu me ferais !

Il hésita, puis n'osa point refuser.

– Mais oui, certainement.

– Merci, mon chéri.

Elle frottait lentement sa joue sur la poitrine du jeune
homme, d'un mouvement câlin et régulier, et un de ses
longs cheveux noirs se prit dans le gilet.

Elle s'en aperçut, et une idée folle lui traversa l'esprit,
une de ces idées superstitieuses qui sont souvent toute la 530
raison des femmes. Elle se mit à enrouler tout doucement
ce cheveu autour d'un bouton. Puis elle en attacha un autre
au bouton suivant, un autre encore à celui du dessus. À
chaque bouton elle en nouait un.

Il allait les arracher tout à l'heure, en se levant. Il lui
ferait mal, quel bonheur ! Et il emporterait quelque chose
d'elle, sans le savoir, il emporterait une petite mèche de sa
chevelure, dont il n'avait jamais demandé. C'était un lien
par lequel elle l'attachait, un lien secret, invisible ! un
talisman qu'elle laissait sur lui. Sans le vouloir, il penserait 540
à elle, il rêverait d'elle, il l'aimerait un peu plus le lendemain.

Il dit tout à coup :

– Il va falloir que je te quitte parce qu'on m'attend à la
Chambre pour la fin de la séance. Je ne puis manquer
aujourd'hui.

Elle soupira : – Oh ! déjà. – Puis, résignée : – Va, mon
chéri, mais tu viendras dîner demain.

Et, brusquement, elle s'écarta. Ce fut sur sa tête une
douleur courte et vive comme si on lui eût piqué la peau 550

avec des aiguilles. Son cœur battait ; elle était contente d'avoir souffert un peu par lui.

– Adieu ! dit-elle.

Il la prit dans ses bras avec un sourire compatissant et lui baisa les yeux froidement.

Mais elle, affolée par ce contact, murmura encore une fois : – Déjà ! – Et son regard suppliant montrait la chambre dont la porte était ouverte.

Il l'éloigna de lui, et d'un ton pressé : – Il faut que je me sauve, je vais arriver en retard.

Alors elle lui tendit ses lèvres qu'il effleura à peine, et, lui ayant donné son ombrelle qu'elle oubliait, il reprit : – Allons, allons, dépêchons-nous, il est plus de trois heures.

Elle sortit devant lui ; elle répétait : – Demain, sept heures.

Il répondit : – Demain, sept heures.

Ils se séparèrent. Elle tourna à droite, et lui à gauche.

Du Roy remonta jusqu'au boulevard extérieur. Puis, il redescendit le boulevard Malesherbes, qu'il se mit à suivre, à pas lents. En passant devant un pâtissier, il aperçut des marrons glacés dans une coupe de cristal, et il pensa : « Je vais en rapporter une livre pour Clotilde. » Il acheta un sac de ces fruits sucrés qu'elle aimait à la folie.

À quatre heures, il était rentré pour attendre sa jeune maîtresse.

Elle vint un peu en retard parce que son mari était arrivé pour huit jours. Elle demanda : – Peux-tu venir dîner demain ? Il serait enchanté de te voir.

– Non, je dîne chez le Patron. Nous avons un tas de combinaisons politiques et financières qui nous occupent.

Elle avait enlevé son chapeau. Elle ôtait maintenant son corsage qui la serrait trop.

Il lui montra le sac sur la cheminée : – Je t'ai apporté des marrons glacés.

Elle battit des mains : – Quelle chance ! comme tu es mignon.

Elle le prit, en goûta un, et déclara : – Ils sont délicieux. Je sens que je n'en laisserai pas un seul.

Puis elle ajouta en regardant Georges avec une gaieté sensuelle : – Tu caresses donc tous mes vices ?

Elle mangeait lentement les marrons et jetait sans cesse un coup d'œil au fond du sac pour voir s'il en restait toujours.

Elle dit : – Tiens, assieds-toi dans le fauteuil, je vais m'accroupir entre tes jambes pour grignoter mes bonbons. Je serai très bien.

Il sourit, s'assit, et la prit entre ses cuisses ouvertes comme il tenait tout à l'heure Mme Walter.

Elle levait la tête vers lui pour lui parler, et disait, la bouche pleine : 600

– Tu ne sais pas, mon chéri, j'ai rêvé de toi, j'ai rêvé que nous faisions un grand voyage, tous les deux, sur un chameau. Il avait deux bosses, nous étions à cheval chacun sur une bosse, et nous traversions le désert. Nous avions emporté des *sandwiches* dans un papier et du vin dans une bouteille et nous faisions la dînette sur nos bosses. Mais ça m'ennuyait parce que nous ne pouvions pas faire autre chose ; nous étions trop loin l'un de l'autre, et moi je voulais descendre.

Il répondit : 610

– Moi aussi je veux descendre.

Il riait, s'amusant de l'histoire, il la poussait à dire des bêtises, à bavarder, à raconter tous ces enfantillages, toutes ces niaiseries tendres que débitent les amoureux. Ces gamineries, qu'il trouvait gentilles dans la bouche de Mme de Marelle, l'auraient exaspéré dans celle de Mme Walter.

Clotilde l'appelait aussi : « Mon chéri, mon petit, mon chat. » Ces mots lui semblaient doux et caressants. Dits par l'autre tout à l'heure, ils l'irritaient et l'écœuraient. 620 Car les paroles d'amour, qui sont toujours les mêmes, prennent le goût des lèvres dont elles sortent.

Mais il pensait, tout en s'égayant de ces folies, aux soixante-dix mille francs qu'il allait gagner, et, brusquement, il arrêta, avec deux petits coups de doigt sur la tête, le verbiage de son amie : – Écoute, ma chatte. Je vais te charger d'une commission pour ton mari. Dis-lui de ma part d'acheter, demain, pour dix mille francs d'emprunt du Maroc qui est à soixante-douze ; et je lui promets qu'il aura gagné de soixante à quatre-vingt mille francs avant 630 trois mois. Recommande-lui le silence absolu. Dis-lui, de

ma part, que l'expédition de Tanger est décidée et que
l'État français va garantir la dette marocaine. Mais ne te
coupe pas avec d'autres. C'est un secret d'État que je
confie là.

Elle l'écoutait, sérieuse. Elle murmura : – Je te
remercie. Je préviendrai mon mari dès ce soir. Tu peux
compter sur lui ; il ne parlera pas. C'est un homme très
sûr. Il n'y a aucun danger.

640 Mais elle avait mangé tous les marrons. Elle écrasa le
sac entre ses mains et le jeta dans la cheminée. Puis elle
dit : – Allons nous coucher. – Et sans se lever elle commença à déboutonner le gilet de Georges.

Tout à coup elle s'arrêta, et tirant entre deux doigts un
long cheveu pris dans une boutonnière, elle se mit à rire :
– Tiens. Tu as emporté un cheveu de Madeleine. En voilà
un mari fidèle !

Puis redevenue sérieuse, elle examina longuement sur
sa main l'imperceptible fil qu'elle avait trouvé et elle
650 murmura : – Ce n'est pas de Madeleine, il est brun.

Il sourit : – Il vient probablement de la femme de
chambre.

Mais elle inspectait le gilet avec une attention de poli-
cier, et elle cueillit un second cheveu enroulé autour d'un
bouton ; puis elle en aperçut un troisième ; et, pâlie, tremblante un peu, elle s'écria : – Oh ! tu as couché avec une
femme qui t'a mis des cheveux à tous tes boutons.

Il s'étonnait, il balbutiait : – Mais non. Tu es folle…

Soudain il se rappela, comprit, se troubla d'abord, puis
660 nia en ricanant, pas fâché au fond qu'elle le soupçonnât
d'avoir des bonnes fortunes.

Elle cherchait toujours et toujours trouvait des cheveux
qu'elle déroulait d'un mouvement rapide et jetait ensuite
sur le tapis.

Elle avait deviné, avec son instinct rusé de femme, et
elle balbutiait, furieuse, rageant et prête à pleurer : – Elle
t'aime, celle-là… et elle a voulu te faire emporter quelque
chose d'elle… Oh ! que tu es traître…

Mais elle poussa un cri, un cri strident de joie nerveuse :
670 – Oh !… oh !… c'est une vieille… voilà un cheveu
blanc… Ah ! oui tu prends des vieilles femmes maintenant… Est-ce qu'elles te paient dis… est-ce qu'elles te

paient ?... Ah ! tu en es aux vieilles femmes... Alors tu
n'as plus besoin de moi... garde l'autre...

Elle se leva, courut à son corsage jeté sur une chaise et
elle le remit rapidement.

Il voulait la retenir, honteux et balbutiant :

– Mais non... Clo... tu es stupide... je ne sais pas ce
que c'est... écoute... reste... voyons... reste...

Elle répétait : – Garde ta vieille femme... garde-la... 680
fais-toi faire une bague avec ses cheveux... avec ses cheveux blancs... Tu en as assez pour ça...

Avec des gestes brusques et prompts elle s'était
habillée, recoiffée et voilée ; et comme il voulait la saisir,
elle lui lança, à toute volée, un soufflet par la figure. Pendant qu'il demeurait étourdi, elle ouvrit la porte et s'enfuit.

Dès qu'il fut seul, une rage furieuse le saisit contre cette
vieille rosse de mère Walter. Ah ! il allait l'envoyer coucher, celle-là, et durement.

Il bassina avec de l'eau sa joue rouge. Puis il sortit à son 690
tour, en méditant sa vengeance. Cette fois, il ne pardonne-
rait point. Ah ! mais non !

Il descendit jusqu'au boulevard, et, flânant, s'arrêta
devant la boutique d'un bijoutier pour regarder un chronomètre dont il avait envie depuis longtemps, et qui valait
dix-huit cents francs.

Il pensa, tout à coup, avec une secousse de joie au
cœur : « Si je gagne mes soixante-dix mille francs, je
pourrai me le payer. » Et il se mit à rêver à toutes les
choses qu'il ferait avec ces soixante-dix mille francs. 700

D'abord il serait nommé député. Et puis il achèterait
son chronomètre, et puis il jouerait à la Bourse, et puis
encore... et puis encore...

Il ne voulait pas entrer au journal, préférant causer avec
Madeleine avant de revoir Walter et d'écrire son article ; et
il se mit en route pour revenir chez lui.

Il atteignait la rue Drouot quand il s'arrêta net ; il avait
oublié de prendre des nouvelles du comte de Vaudrec, qui
demeurait Chaussée-d'Antin. Il revint donc flânant toujours, pensant à mille choses, dans une songerie heureuse, 710
à des choses douces, à des choses bonnes, à la fortune prochaine et aussi à cette crapule de Laroche et à cette vieille

teigne de Patronne. Il ne s'inquiétait point, d'ailleurs, de la colère de Clotilde, sachant bien qu'elle pardonnait vite.

Quand il demanda au concierge de la maison où demeurait le comte de Vaudrec :

– Comment va M. de Vaudrec ? on m'a appris qu'il était souffrant, ces jours derniers.

L'homme répondit : – M. le comte est très mal, mon-
720 sieur. On croit qu'il ne passera pas la nuit, la goutte est remontée au cœur.

Du Roy demeura tellement effaré qu'il ne savait plus ce qu'il devait faire ! Vaudrec mourant ! Des idées confuses passaient en lui, nombreuses, troublantes, qu'il n'osait point s'avouer à lui-même.

Il balbutia : – Merci… je reviendrai… – sans comprendre ce qu'il disait.

Puis il sauta dans un fiacre et se fit conduire chez lui.

Sa femme était rentrée. Il pénétra dans sa chambre
730 essoufflé et lui annonça tout de suite :

– Tu ne sais pas ? Vaudrec est mourant !

Elle était assise et lisait une lettre. Elle leva les yeux et trois fois de suite répéta : – Hein ? Tu dis ?… tu dis ?… tu dis ?…

– Je te dis que Vaudrec est mourant d'une attaque de goutte remontée au cœur. – Puis il ajouta : – Qu'est-ce que tu comptes faire ?

Elle s'était dressée, livide, les joues secouées d'un tremblement nerveux, puis elle se mit à pleurer affreusement,
740 en cachant sa figure dans ses mains. Elle demeurait debout, secouée par des sanglots, déchirée par le chagrin.

Mais soudain elle dompta sa douleur, et, s'essuyant les yeux : – J'y… j'y vais… ne t'occupe pas de moi… je ne sais pas à quelle heure je reviendrai… ne m'attends point…

Il répondit : – Très bien. Va.

Ils se serrèrent la main, et elle partit si vite qu'elle oublia de prendre ses gants.

Georges, ayant dîné seul, se mit à écrire son article. Il le
750 fit exactement selon les intentions du ministre, laissant entendre aux lecteurs que l'expédition du Maroc n'aurait pas lieu. Puis il le porta au journal, causa quelques instants

avec le Patron et repartit en fumant, le cœur léger sans qu'il comprît pourquoi.

Sa femme n'était pas rentrée. Il se coucha et s'endormit.

Madeleine revint vers minuit. Georges, réveillé brusquement, s'était assis dans son lit.

Il demanda : – Eh bien ?

Il ne l'avait jamais vue si pâle et si émue. Elle murmura :

– Il est mort.   760

– Ah ! Et… il ne t'a rien dit ?

– Rien. Il avait perdu connaissance quand je suis arrivée.

Georges songeait. Des questions lui venaient aux lèvres qu'il n'osait point faire.

– Couche-toi, dit-il.

Elle se déshabilla rapidement, puis se glissa auprès de lui.

Il reprit : – Avait-il des parents à son lit de mort ?   770

– Rien qu'un neveu.

– Ah ! Le voyait-il souvent, ce neveu ?

– Jamais. Ils ne s'étaient point rencontrés depuis dix ans.

– Avait-il d'autres parents ?

– Non… Je ne crois pas.

– Alors… c'est ce neveu qui doit hériter ?

– Je ne sais pas.

– Il était très riche, Vaudrec ?

– Oui, très riche.   780

– Sais-tu ce qu'il avait à peu près ?

– Non, pas au juste. Un ou deux millions, peut-être ?

Il ne dit plus rien. Elle souffla la bougie. Et ils demeurèrent étendus côte à côte dans la nuit, silencieux, éveillés et songeant.

Il n'avait plus envie de dormir. Il trouvait maigres maintenant les soixante-dix mille francs promis par Mme Walter. Soudain il crut que Madeleine pleurait. Il demanda pour s'en assurer :

– Dors-tu ?   790

– Non.

Elle avait la voix mouillée et tremblante. Il reprit :

– J'ai oublié de te dire tantôt que ton ministre nous a fichus dedans.

– Comment ça ?

Et il lui conta, tout au long, avec tous les détails, la combinaison préparée entre Laroche et Walter.

Quand il eut fini, elle demanda : – Comment sais-tu ça ?

Il répondit : – Tu me permettras de ne point te le dire.
800 Tu as tes procédés d'information que je ne pénètre point. J'ai les miens que je désire garder. Je réponds en tout cas de l'exactitude de mes renseignements.

Alors elle murmura : – Oui, c'est possible... Je me doutais qu'ils faisaient quelque chose sans nous.

Mais Georges, que le sommeil ne gagnait pas, s'était rapproché de sa femme, et, doucement, il lui baisa l'oreille. Elle le repoussa avec vivacité : – Je t'en prie, laisse-moi tranquille, n'est-ce pas ? Je ne suis point d'humeur à batifoler.

810 Il se retourna, résigné, vers le mur, et ayant fermé les yeux, il finit par s'endormir.

VI

L'église était tendue de noir, et, sur le portail, un grand écusson coiffé d'une couronne annonçait aux passants qu'on enterrait un gentilhomme.

La cérémonie venait de finir, les assistants s'en allaient lentement, défilant devant le cercueil et devant le neveu du comte de Vaudrec, qui serrait les mains et rendait les saluts.

Quand Georges Du Roy et sa femme furent sortis, ils se mirent à marcher côte à côte, pour rentrer chez eux. Ils se taisaient, préoccupés.

Enfin, Georges prononça, comme parlant à lui-même :

– Vraiment, c'est bien étonnant !

Madeleine demanda : – Quoi donc, mon ami ?

– Que Vaudrec ne nous ait rien laissé !

Elle rougit brusquement, comme si un voile rose se fût étendu tout à coup sur sa peau blanche, en montant de la gorge au visage, et elle dit : – Pourquoi nous aurait-il laissé quelque chose ? Il n'y avait aucune raison pour ça.

Puis, après quelques instants de silence, elle reprit :

– Il existe peut-être un testament chez un notaire. Nous ne saurions rien encore.

Il réfléchit, puis murmura :

– Oui, c'est probable, car, enfin, c'était notre meilleur ami, à tous les deux. Il dînait deux fois par semaine à la maison, il venait à tout moment. Il était chez lui, chez nous, tout à fait chez lui. Il t'aimait comme un père, et il n'avait pas de famille, pas d'enfants, pas de frères ni de sœurs, rien qu'un neveu, un neveu éloigné. Oui, il doit y avoir un testament. Je ne tiendrais pas à grand-chose, un souvenir, pour prouver qu'il a pensé à nous, qu'il nous aimait, qu'il reconnaissait l'affection que nous avions pour lui. Il nous devait bien une marque d'amitié.

Elle dit, d'un air pensif et indifférent :

– C'est possible, en effet, qu'il y ait un testament.

Comme ils rentraient chez eux, le domestique présenta une lettre à Madeleine. Elle l'ouvrit, puis la tendit à son mari.

Étude de Maître LAMANEUR

Notaire

40   17, rue des Vosges

MADAME,

J'ai l'honneur de vous prier de vouloir bien passer à mon étude, de deux heures à quatre heures, mardi, mercredi ou jeudi, pour affaire qui vous concerne.

Recevez, etc.

LAMANEUR.

Georges avait rougi, à son tour : – Ça doit être ça. C'est drôle que ce soit toi qu'il appelle, et non moi qui suis légalement le chef de famille.

50   Elle ne répondit point d'abord, puis après une courte réflexion : – Veux-tu que nous y allions tout à l'heure ?

– Oui, je veux bien.

Ils se mirent en route dès qu'ils eurent déjeuné.

Lorsqu'ils entrèrent dans l'étude de Me Lamaneur, le premier clerc se leva avec un empressement marqué et les fit pénétrer chez son patron.

Le notaire était un petit homme tout rond, rond de partout. Sa tête avait l'air d'une boule clouée sur une autre boule que portaient deux jambes si petites, si courtes

60   qu'elles ressemblaient aussi presque à des boules.

Il salua, indiqua des sièges, et dit en se tournant vers Madeleine : – Madame, je vous ai appelée afin de vous donner connaissance du testament du comte de Vaudrec qui vous concerne.

Georges ne put se tenir de murmurer : – Je m'en étais douté.

Le notaire ajouta : – Je vais vous communiquer cette pièce, très courte d'ailleurs.

Il atteignit un papier dans un carton devant lui, et lut :

« Je soussigné, Paul-Émile-Cyprien-Gontran, comte de Vaudrec, sain de corps et d'esprit, exprime ici mes dernières volontés.

« La mort pouvant nous emporter à tout moment, je veux prendre, en prévision de son atteinte, la précaution d'écrire mon testament qui sera déposé chez Mᵉ Lamaneur.

« N'ayant pas d'héritiers directs, je lègue toute ma fortune, composée de valeurs de bourse pour six cent mille francs et de biens-fonds pour cinq cent mille francs environ, à Mme Claire-Madeleine Du Roy, sans aucune charge ou condition. Je la prie d'accepter ce don d'un ami mort, comme preuve d'une affection dévouée, profonde et respectueuse. »

Le notaire ajouta : – C'est tout. Cette pièce est datée du mois d'août dernier et a remplacé un document de même nature, fait il y a deux ans, au nom de Mme Claire-Madeleine Forestier. J'ai ce premier testament qui pourrait prouver, en cas de contestation de la part de la famille, que la volonté de M. le comte de Vaudrec n'a pas varié.

Madeleine, très pâle, regardait ses pieds. Georges, nerveux, roulait entre ses doigts le bout de sa moustache. Le notaire reprit, après un moment de silence :

– Il est bien entendu, monsieur, que madame ne peut accepter ce legs sans votre consentement.

Du Roy se leva, et, d'un ton sec : – Je demande le temps de réfléchir.

Le notaire, qui souriait, s'inclina, et d'une voix aimable : – Je comprends le scrupule qui vous fait hésiter, monsieur. Je dois ajouter que le neveu de M. de Vaudrec, qui a pris connaissance, ce matin même, des dernières intentions de son oncle, se déclare prêt à les respecter si on lui abandonne une somme de cent mille francs. À mon avis, le testament est inattaquable, mais un procès ferait du bruit qu'il vous conviendra peut-être d'éviter. Le monde a souvent des jugements malveillants. Dans tous les cas, pourrez-vous me faire connaître votre réponse sur tous les points avant samedi ?

Georges s'inclina : – Oui, monsieur. – Puis il salua avec cérémonie, fit passer sa femme demeurée muette, et il sortit d'un air tellement roide que le notaire ne souriait plus.

Dès qu'ils furent rentrés chez eux, Du Roy ferma brusquement la porte, et, jetant son chapeau sur le lit :

– Tu as été la maîtresse de Vaudrec ?

Madeleine, qui enlevait son voile, se retourna d'une secousse :

– Moi ? Oh !

– Oui, toi. On ne laisse pas toute sa fortune à une femme, sans que…

Elle était devenue tremblante et ne parvenait point à ôter
120 les épingles qui retenaient le tissu transparent.

Après un moment de réflexion, elle balbutia, d'une voix agitée :

– Voyons… voyons… tu es fou… tu es… tu es… Est-ce que toi-même… tout à l'heure… tu n'espérais pas… qu'il te laisserait quelque chose ?

Georges restait debout, près d'elle, suivant toutes ses émotions, comme un magistrat qui cherche à surprendre les moindres défaillances d'un prévenu. Il prononça, en insistant sur chaque mot :

130 – Oui… il pouvait me laisser quelque chose, à moi… à moi, ton mari… à moi, son ami… entends-tu… mais pas à toi… à toi, son amie… à toi, ma femme… La distinction est capitale, essentielle, au point de vue des convenances… et de l'opinion publique.

Madeleine, à son tour, le regardait fixement, dans la transparence des yeux, d'une façon profonde et singulière, comme pour y lire quelque chose, comme pour y découvrir cet inconnu de l'être qu'on ne pénètre jamais et qu'on peut à peine entrevoir en des secondes rapides, en ces
140 moments de non-garde, ou d'abandon, ou d'inattention, qui sont comme des portes laissées entrouvertes sur les mystérieux dedans de l'esprit. Et elle articula lentement :

– Il me semble pourtant que si… qu'on eût trouvé au moins aussi étrange un legs de cette importance, de lui… à toi.

Il demanda brusquement :

– Pourquoi ça ?

Elle dit :

– Parce que…

Elle hésita, puis reprit :

150 – Parce que tu es mon mari… que tu ne le connais en somme que depuis peu… parce que je suis son amie

depuis très longtemps… moi… parce que son premier testament, fait du vivant de Forestier, était déjà en ma faveur.

Georges s'était mis à marcher à grands pas. Il déclara :

– Tu ne peux pas accepter ça.

Elle répondit avec indifférence :

– Parfaitement : alors, ce n'est pas la peine d'attendre à samedi ; nous pouvons faire prévenir tout de suite M. Lamaneur.

Il s'arrêta en face d'elle ; et ils demeurèrent de nouveau 160 quelques instants les yeux dans les yeux, s'efforçant d'aller jusqu'à l'impénétrable secret de leurs cœurs, de se sonder jusqu'au vif de la pensée. Ils tâchaient de se voir à nu la conscience en une interrogation, ardente et muette : lutte intime de deux êtres qui, vivant côte à côte, s'ignorent toujours, se soupçonnent, se flairent, se guettent, mais ne se connaissent pas jusqu'au fond vaseux de l'âme.

Et, brusquement, il lui murmura dans le visage, à voix basse :

– Allons, avoue que tu étais la maîtresse de Vaudrec. 170

Elle haussa les épaules : – Tu es stupide… Vaudrec avait beaucoup d'affection pour moi, beaucoup… mais rien de plus… jamais.

Il frappait du pied : – Tu mens. Ce n'est pas possible.

Elle répondit tranquillement : – C'est comme ça, pourtant.

Il se remit à marcher, puis, s'arrêtant encore :

– Explique-moi, alors, pourquoi il te laisse toute sa fortune, à toi…

Elle le fit avec un air nonchalant et désintéressé : 180

– C'est tout simple. Comme tu le disais tantôt, il n'avait que nous d'amis, ou plutôt que moi ; car il m'a connue enfant. Ma mère était dame de compagnie chez des parents à lui. Il venait sans cesse ici, et, comme il n'avait pas d'héritiers naturels, il a pensé à moi. Qu'il ait eu un peu d'amour pour moi, c'est possible. Mais quelle est la femme qui n'a jamais été aimée ainsi ? Que cette tendresse cachée, secrète, ait mis mon nom sous sa plume quand il a pensé à prendre des dispositions dernières, pourquoi pas ? Il m'apportait des fleurs, chaque lundi. Tu 190 ne t'en étonnais nullement et il ne t'en donnait point, à toi, n'est-ce pas ? Aujourd'hui il me donne sa fortune par la même raison et parce qu'il n'a personne à qui l'offrir. Il serait, au contraire, extrêmement surprenant qu'il te l'eût laissée. Pourquoi ? Que lui es-tu ?

Elle parlait avec tant de naturel et de tranquillité que Georges hésitait.

Il reprit : – C'est égal, nous ne pouvons accepter cet héritage dans ces conditions. Ce serait d'un effet déplo-
200 rable. Tout le monde croirait la chose, tout le monde en jaserait et rirait de moi. Les confrères sont déjà trop dis- posés à me jalouser et à m'attaquer. Je dois avoir plus que personne le souci de mon honneur et le soin de ma réputa- tion. Il m'est impossible d'admettre et de permettre que ma femme accepte un legs de cette nature d'un homme que la rumeur publique lui a déjà prêté pour amant. Fores- tier aurait peut-être toléré cela, lui, mais moi, non.

Elle murmura avec douceur : – Eh bien ! mon ami, n'acceptons pas, ce sera un million de moins dans notre
210 poche, voilà tout.

Il marchait toujours, et il se mit à penser tout haut, par- lant pour sa femme sans s'adresser à elle :

– Eh bien ! oui… un million… tant pis… Il n'a pas compris en testant quelle faute de tact, quel oubli des convenances il commettait. Il n'a pas vu dans quelle posi- tion fausse, ridicule, il allait me mettre… Tout est affaire de nuances dans la vie… Il fallait qu'il m'en laissât la moitié, ça arrangeait tout.

Il s'assit, croisa ses jambes et se mit à rouler le bout de
220 ses moustaches, comme il faisait aux heures d'ennui, d'inquiétude et de réflexion difficile.

Madeleine prit une tapisserie à laquelle elle travaillait de temps en temps, et elle dit en choisissant ses laines :

– Moi, je n'ai qu'à me taire. C'est à toi de réfléchir.

Il fut longtemps sans répondre, puis il prononça, en hésitant : – Le monde ne comprendra jamais et que Vau- drec ait fait de toi son unique héritière et que j'aie admis cela, moi. Recevoir cette fortune de cette façon, ce serait avouer… avouer de ta part une liaison coupable, et de la
230 mienne une complaisance infâme… Comprends-tu com- ment on interpréterait notre acceptation ? Il faudrait trouver un biais, un moyen adroit de pallier la chose. Il faudrait laisser entendre, par exemple, qu'il a partagé entre

nous cette fortune, en donnant la moitié au mari, la moitié à la femme.

Elle demanda : – Je ne vois pas comment cela pourrait se faire, puisque le testament est formel.

Il répondit : – Oh ! c'est bien simple. Tu pourrais me laisser la moitié de l'héritage par donation entre vifs. Nous n'avons pas d'enfants, c'est donc possible. De cette façon, on fermerait la bouche à la malignité publique.

Elle répliqua, un peu impatiente : – Je ne vois pas non plus comment on fermerait la bouche à la malignité publique, puisque l'acte est là, signé par Vaudrec.

Il reprit avec colère : – Avons-nous besoin de le montrer et de l'afficher sur les murs ? Tu es stupide, à la fin. Nous dirons que le comte de Vaudrec nous a laissé sa fortune par moitié… Voilà… Or tu ne peux accepter ce legs sans mon autorisation. Je te la donne, à la seule condition d'un partage qui m'empêchera de devenir la risée du monde.

Elle le regarda encore d'un regard perçant.

– Comme tu voudras. Je suis prête.

Alors il se leva et se remit à marcher. Il paraissait hésiter de nouveau et il évitait maintenant l'œil pénétrant de sa femme. Il disait : – Non… décidément non… peut-être vaut-il mieux y renoncer tout à fait… c'est plus digne… plus correct… plus honorable… Pourtant, de cette façon on n'aurait rien à supposer, absolument rien. Les gens les plus scrupuleux ne pourraient que s'incliner.

Il s'arrêta devant Madeleine : – Eh bien, si tu veux, ma chérie, je vais retourner tout seul chez maître Lamaneur pour le consulter et lui expliquer la chose. Je lui dirai mon scrupule, et j'ajouterai que nous nous sommes arrêtés à l'idée d'un partage, par convenance, pour qu'on ne puisse pas jaboter. Du moment que j'accepte la moitié de cet héritage, il est bien évident que personne n'a plus le droit de sourire. C'est dire hautement : « Ma femme accepte parce que j'accepte, moi, son mari, qui suis juge de ce qu'elle peut faire sans se compromettre. » Autrement, ça aurait fait scandale.

Madeleine murmura simplement : – Comme tu voudras.

Il commença à parler avec abondance :

– Oui, c'est clair comme le jour avec cet arrangement de la séparation par moitié. Nous héritons d'un ami qui n'a

pas voulu établir de différence entre nous, qui n'a pas
voulu faire de distinction, qui n'a pas voulu avoir l'air de
dire : « Je préfère l'un ou l'autre après ma mort comme je
l'ai préféré pendant ma vie. » Il aimait mieux la femme,
bien entendu, mais en laissant sa fortune à l'un comme à
280 l'autre il a voulu exprimer nettement que sa préférence
était toute platonique. Et sois certaine que, s'il y avait
songé, c'est ce qu'il aurait fait. Il n'a pas réfléchi, il n'a
pas prévu les conséquences. Comme tu le disais fort bien
tout à l'heure, c'est à toi qu'il offrait des fleurs chaque
semaine, c'est à toi qu'il a voulu laisser son dernier souvenir sans se rendre compte…

Elle l'arrêta avec une nuance d'irritation : – C'est
entendu. J'ai compris. Tu n'as pas besoin de tant d'explications. Va tout de suite chez le notaire.

290 Il balbutia, rougissant : – Tu as raison, j'y vais.

Il prit son chapeau, puis, au moment de sortir :

– Je vais tâcher d'arranger la difficulté du neveu pour
cinquante mille francs, n'est-ce pas ?

Elle répondit avec hauteur : – Non. Donne-lui les cent
mille francs qu'il demande. Et prends-les sur ma part, si tu
veux.

Il murmura, honteux soudain : – Ah ! mais non, nous
partagerons. En laissant cinquante mille francs chacun il
nous reste encore un million net.

300 Puis il ajouta : – À tout à l'heure, ma petite Made.

Et il alla expliquer au notaire la combinaison qu'il pré-
tendit imaginée par sa femme.

Ils signèrent le lendemain une donation entre vifs de
cinq cent mille francs que Madeleine Du Roy abandonnait
à son mari.

Puis, en sortant de l'étude, comme il faisait beau,
Georges proposa de descendre à pied jusqu'aux boulevards. Il se montrait gentil, plein de soins, d'égards, de
tendresse. Il riait, heureux de tout, tandis qu'elle demeu-
310 rait songeuse et un peu sévère.

C'était un jour d'automne assez froid. La foule semblait
pressée et marchait à pas rapides. Du Roy conduisit sa
femme devant la boutique où il avait regardé si souvent le
chronomètre désiré.

– Veux-tu que je t'offre un bijou ? dit-il.

Elle murmura, avec indifférence : – Comme il te plaira.

Ils entrèrent. Il demanda : – Que préfères-tu, un collier, un bracelet ou des boucles d'oreilles ?

La vue des bibelots d'or et des pierres fines emportait sa froideur voulue, et elle parcourait d'un œil allumé et curieux les vitrines pleines de joyaux.

Et soudain, émue par un désir : – Voilà un bien joli bracelet.

C'était une chaîne d'une forme bizarre, dont chaque anneau portait une pierre différente.

Georges demanda : – Combien ce bracelet ?

Le joaillier répondit : – Trois mille francs, monsieur.

– Si vous me le laissez à deux mille cinq, c'est une affaire entendue.

L'homme hésita, puis répondit : – Non, monsieur, c'est impossible.

Du Roy reprit : – Tenez, vous ajouterez ce chronomètre pour quinze cents francs, cela fait quatre mille, que je paierai comptant. Est-ce dit ? Si vous ne voulez pas, je vais ailleurs.

Le bijoutier, perplexe, finit par accepter.

– Eh bien, soit, monsieur.

Et le journaliste, après avoir donné son adresse, ajouta :

– Vous ferez graver sur le chronomètre mes initiales G. R. C., en lettres enlacées au-dessous d'une couronne de baron.

Madeleine, surprise, se mit à sourire. Et quand ils sortirent, elle prit son bras avec une certaine tendresse. Elle le trouvait vraiment adroit et fort. Maintenant qu'il avait des rentes, il lui fallait un titre, c'était juste.

Le marchand les saluait : – Vous pouvez compter sur moi, ce sera prêt pour jeudi, monsieur le baron.

Ils passèrent devant le Vaudeville. On y jouait une pièce nouvelle.

– Si tu veux, dit-il, nous irons ce soir au théâtre, tâchons de trouver une loge.

Ils trouvèrent une loge et la prirent. Il ajouta : – Si nous dînions au cabaret ?

– Oh ! oui, je veux bien.

Il était heureux comme un souverain et cherchait ce qu'ils pourraient bien faire encore.

– Si nous allions chercher Mme de Marelle pour passer la soirée avec nous ? Son mari est ici, m'a-t-on dit. Je serai enchanté de lui serrer la main.

360 Ils y allèrent. Georges, qui redoutait un peu la première rencontre avec sa maîtresse, n'était point fâché que sa femme fût présente pour éviter toute explication.

Mais Clotilde parut ne se souvenir de rien et força même son mari à accepter l'invitation.

Le dîner fut gai et la soirée charmante.

Georges et Madeleine rentrèrent fort tard. Le gaz était éteint. Pour éclairer les marches, le journaliste enflammait de temps en temps une allumette-bougie.

En arrivant sur le palier du premier étage, la flamme
370 subite éclatant sous le frottement fit surgir dans la glace leurs deux figures illuminées au milieu des ténèbres de l'escalier.

Ils avaient l'air de fantômes apparus et prêts à s'évanouir dans la nuit.

Du Roy leva la main pour bien éclairer leurs images, et il dit, avec un rire de triomphe :

– Voilà des millionnaires qui passent.

VII

Depuis deux mois la conquête du Maroc était accomplie. La France, maîtresse de Tanger, possédait toute la côte africaine de la Méditerranée, jusqu'à la régence de Tripoli, et elle avait garanti la dette du nouveau pays annexé.

On disait que deux ministres gagnaient là une vingtaine de millions, et on citait, presque tout haut, Laroche-Mathieu.

Quand à Walter, personne dans Paris n'ignorait qu'il avait fait coup double et encaissé de trente à quarante millions sur l'emprunt, et de huit à dix millions sur des mines de cuivre et de fer, ainsi que sur d'immenses terrains achetés pour rien avant la conquête et revendus le lendemain de l'occupation française à des compagnies de colonisation.

Il était devenu, en quelques jours, un des maîtres du monde, un de ces financiers omnipotents, plus forts que des rois, qui font courber les têtes, balbutier les bouches et sortir tout ce qu'il y a de bassesse, de lâcheté et d'envie au fond du cœur humain.

Il n'était plus le juif Walter, patron d'une banque louche, directeur d'un journal suspect, député soupçonné de tripotages véreux. Il était Monsieur Walter, le riche israélite [1].

Il le voulut montrer.

1. Ce passage reflète bien l'hostilité grandissante à l'époque entre la « banque catholique » et la « banque juive », dominée par la famille Rothschild, hostilité exacerbée en 1882 par le krach de l'Union générale.

Sachant la gêne du prince de Carlsbourg qui possédait un des plus beaux hôtels de la rue du Faubourg-Saint-Honoré, avec jardin sur les Champs-Élysées, il lui proposa d'acheter, en vingt-quatre heures, cet immeuble, avec ses
30 meubles, sans changer de place un fauteuil. Il en offrait trois millions. Le prince, tenté par la somme, accepta.

Le lendemain, Walter s'installait dans son nouveau domicile.

Alors il eut une autre idée, une véritable idée de conquérant qui veut prendre Paris, une idée à la Bonaparte.

Toute la ville allait voir en ce moment un grand tableau du peintre hongrois Karl Marcowitch [1], exposé chez l'expert Jacques Lenoble, et représentant le Christ mar-
40 chant sur les flots.

Les critiques d'art, enthousiasmés, déclaraient cette toile le plus magnifique chef-d'œuvre du siècle.

Walter l'acheta cinq cent mille francs et l'enleva, coupant ainsi du jour au lendemain le courant établi de la curiosité publique et forçant Paris entier à parler de lui pour l'envier, le blâmer ou l'approuver.

Puis, il fit annoncer par les journaux qu'il inviterait tous les gens connus dans la société parisienne à contempler, chez lui, un soir, l'œuvre magistrale du maître étranger,
50 afin qu'on ne pût pas dire qu'il avait séquestré une œuvre d'art.

Sa maison serait ouverte. Y viendrait qui voudrait. Il suffirait de montrer à la porte la lettre de convocation.

Elle était rédigée ainsi : « Monsieur et Madame Walter vous prient de leur faire l'honneur de venir voir chez eux, le trente décembre, de neuf heures à minuit, la toile de Karl Marcowitch : *Jésus marchant sur les flots*, éclairée à la lumière électrique [2]. »

---

1. Il s'agit ici du tableau du peintre hongrois pompier Michel Munkacsy, *Le Christ devant Pilate*, dont l'exposition, en 1881, dans des conditions comparables à celles de l'hôtel Walter, avait constitué un événement pour le Tout-Paris.
2. L'électricité représente encore un luxe. Maupassant lui-même s'était distingué en décidant l'installation électrique de son cabinet de travail, rue Montchanin.

Puis, en post-scriptum, en toutes petites lettres, on pouvait lire : « On dansera après minuit. » 60

Donc, ceux qui voudraient rester resteraient, et parmi ceux-là les Walter recruteraient leurs connaissances du lendemain.

Les autres regarderaient la toile, l'hôtel et les propriétaires, avec une curiosité mondaine, insolente ou indifférente, puis s'en iraient comme ils étaient venus. Et le père Walter savait bien qu'ils reviendraient, plus tard, comme ils étaient allés chez ses frères israélites devenus riches comme lui.

Il fallait d'abord qu'ils entrassent dans sa maison, tous 70 les pannés [1] titrés qu'on cite dans les feuilles ; et ils y entreraient pour voir la figure d'un homme qui a gagné cinquante millions en six semaines ; ils y entreraient aussi pour voir et compter ceux qui viendraient là ; ils y entreraient encore parce qu'il avait eu le bon goût et l'adresse de les appeler à admirer un tableau chrétien chez lui, fils d'Israël.

Il semblait leur dire : « Voyez, j'ai payé cinq cent mille francs le chef-d'œuvre religieux de Marcowitch, *Jésus marchant sur les flots*. Et ce chef-d'œuvre demeurera chez 80 moi, sous mes yeux, toujours, dans la maison du juif Walter. »

Dans le monde, dans le monde des duchesses et du Jockey [2], on avait beaucoup discuté cette invitation qui n'engageait à rien, en somme. On irait là comme on allait voir des aquarelles chez M. Petit [3]. Les Walter possédaient un chef-d'œuvre ; ils ouvraient leurs portes un soir pour que tout le monde pût l'admirer. Rien de mieux.

La Vie française, depuis quinze jours, faisait chaque matin un écho sur cette soirée du trente décembre et 90 s'efforçait d'allumer la curiosité publique.

Du Roy rageait du triomphe du Patron.

---

1. Les pannés désignent, dans l'argot du XIXᵉ siècle, ceux qui sont sans argent, dans la misère (de « panne » : chiffon, tissu).
2. C'est le club le plus snob de Paris ; les conditions d'admission y sont redoutables. Swann, le héros de *À la recherche du temps perdu*, en est un membre assidu.
3. Georges Petit dirigeait une galerie qui défendait l'art moderne.

Il s'était cru riche avec les cinq cent mille francs extorqués à sa femme, et maintenant, il se jugeait pauvre, affreusement pauvre, en comparant sa piètre fortune à la pluie de millions tombée autour de lui, sans qu'il eût su en rien ramasser.

Sa colère envieuse augmentait chaque jour. Il en voulait à tout le monde, aux Walter qu'il n'avait plus été voir
100 chez eux, à sa femme qui, trompée par Laroche, lui avait déconseillé de prendre des fonds marocains, et il en voulait surtout au ministre qui l'avait joué, qui s'était servi de lui et qui dînait à sa table deux fois par semaine. Georges lui servait de secrétaire, d'agent, de porte-plume, et quand il écrivait sous sa dictée, il se sentait des envies folles d'étrangler ce bellâtre triomphant. Comme ministre, Laroche avait le succès modeste, et pour garder son portefeuille, il ne laissait point deviner qu'il était gonflé d'or. Mais Du Roy le sentait, cet or, dans la parole plus hautaine
110 de l'avocat parvenu, dans son geste plus insolent, dans ses affirmations plus hardies, dans sa confiance en lui complète.

Laroche régnait, maintenant, dans la maison Du Roy, ayant pris la place et les jours du comte de Vaudrec, et parlant aux domestiques ainsi qu'aurait fait un second maître.

Georges le tolérait en frémissant, comme un chien qui veut mordre, et n'ose pas. Mais il était souvent dur et brutal pour Madeleine, qui haussait les épaules et le traitait en enfant maladroit. Elle s'étonnait d'ailleurs de sa
120 constante mauvaise humeur, et répétait : – Je ne te comprends pas. Tu es toujours à te plaindre. Ta position est pourtant superbe.

Il tournait le dos et ne répondait rien.

Il avait déclaré d'abord qu'il n'irait point à la fête du patron, et qu'il ne voulait plus mettre les pieds chez ce sale juif.

Depuis deux mois, Mme Walter lui écrivait chaque jour pour le supplier de venir, de lui donner un rendez-vous où il lui plairait, afin qu'elle lui remît, disait-elle, les
130 soixante-dix mille francs qu'elle avait gagnés pour lui.

Il ne répondait pas et jetait au feu ces lettres désespérées. Non pas qu'il eût renoncé à recevoir sa part de leur bénéfice, mais il voulait l'affoler, la traiter par le mépris, la fouler aux pieds. Elle était trop riche ! Il voulait se montrer fier.

Le jour même de l'exposition du tableau, comme Madeleine lui représentait qu'il avait grand tort de n'y vouloir pas aller, il répondit :

– Fiche-moi la paix. Je reste chez moi.

Puis, après le dîner, il déclara tout à coup :

– Il vaut tout de même mieux subir cette corvée. Prépare-toi vite.

Elle s'y attendait.

– Je serai prête dans un quart d'heure, dit-elle.

Il s'habilla en grognant, et même dans le fiacre il continua à expectorer sa bile.

La cour d'honneur de l'hôtel de Carlsbourg était illuminée par quatre globes électriques qui avaient l'air de quatre petites lunes bleuâtres, aux quatre coins. Un magnifique tapis descendait les degrés du haut perron et, sur chacun, un homme en livrée restait roide comme une statue.

Du Roy murmura : – En voilà de l'épate. – Il levait les épaules, le cœur crispé de jalousie.

Sa femme lui dit :

– Tais-toi donc et fais-en autant.

Ils entrèrent et remirent leurs lourds vêtements de sortie aux valets de pied qui s'avancèrent.

Plusieurs femmes étaient là avec leurs maris, se débarrassaient aussi de leurs fourrures. On entendait murmurer :

– C'est fort beau ! fort beau !

Le vestibule énorme était tendu de tapisseries qui représentaient l'aventure de Mars et de Vénus. À droite et à gauche partaient les deux bras d'un escalier monumental, qui se rejoignaient au premier étage. La rampe était une merveille de fer forgé, dont la vieille dorure éteinte faisait courir une lueur discrète le long des marches de marbre rouge.

À l'entrée des salons, deux petites filles, habillées l'une en folie rose, et l'autre en folie bleue, offraient des bouquets aux dames. On trouvait cela charmant.

Il y avait déjà foule dans les salons.

La plupart des femmes étaient en toilette de ville pour bien indiquer qu'elles venaient là comme elles allaient à toutes les expositions particulières. Celles qui comptaient rester au bal avaient les bras et la gorge nus.

Mme Walter, entourée d'amies, se tenait dans la seconde pièce, et répondait aux saluts des visiteurs. Beaucoup ne la connaissaient point et se promenaient comme
180 dans un musée, sans s'occuper des maîtres du logis.

Quand elle aperçut Du Roy, elle devint livide et fit un mouvement pour aller à lui. Puis elle demeura immobile, l'attendant. Il la salua avec cérémonie, tandis que Madeleine l'accablait de tendresses et de compliments. Alors Georges laissa sa femme auprès de la Patronne ; et il se perdit au milieu du public pour écouter les choses malveillantes qu'on devait dire, assurément.

Cinq salons se suivaient, tendus d'étoffes précieuses, de broderies italiennes ou de tapis d'Orient de nuances et de
190 styles différents, et portant sur leurs murailles des tableaux de maîtres anciens. On s'arrêtait surtout pour admirer une petite pièce Louis XVI, une sorte de boudoir tout capitonné en soie à bouquets roses sur un fond bleu pâle. Les meubles bas, en bois doré, couverts d'étoffe pareille à celle des murs, étaient d'une admirable finesse [1].

Georges reconnaissait des gens célèbres, la duchesse de Ferracine, le comte et la comtesse de Ravenel, le général prince d'Andremont, la toute belle marquise des Dunes, puis tous ceux et toutes celles qu'on voit aux premières
200 représentations.

On le saisit par le bras et une voix jeune, une voix heureuse lui murmura dans l'oreille : – Ah ! vous voilà enfin, méchant Bel-Ami. Pourquoi ne vous voit-on plus ?

C'était Suzanne Walter le regardant avec ses yeux d'émail fin, sous le nuage frisé de ses cheveux blonds.

Il fut enchanté de la revoir et lui serra franchement la main. Puis s'excusant : – Je n'ai pas pu. J'ai eu tant à faire, depuis deux mois, que je ne suis pas sorti.

---

1. Après l'appartement des Forestier, l'hôtel Walter illustre encore le goût du second XIXᵉ siècle pour l'accumulation éclectique des styles et des antiquités. L'essentiel semble être d'assurer le cloisonnement entre un espace intérieur, surprotégé par plusieurs épaisseurs d'étoffes et de capitons, et un espace extérieur toujours susceptible d'abriter des émeutes populaires.

Elle reprit d'un air sérieux : – C'est mal, très mal, très mal. Vous nous faites beaucoup de peine, car nous vous adorons, maman et moi. Quant à moi, je ne puis me passer de vous. Si vous n'êtes pas là, je m'ennuie à mourir. Vous voyez que je vous le dis carrément pour que vous n'ayez plus le droit de disparaître comme ça. Donnez-moi le bras, je vais vous montrer moi-même *Jésus marchant sur les flots*, c'est au fond, derrière la serre. Papa l'a mis là-bas afin qu'on soit obligé de passer partout. C'est étonnant comme il fait le paon, papa, avec cet hôtel.

Ils allaient doucement à travers la foule. On se retournait pour regarder ce beau garçon et cette ravissante poupée.

Un peintre connu prononça : – Tiens ! Voilà un joli couple. Il est amusant comme tout.

Georges pensait : – Si j'avais été vraiment fort, c'est celle-là que j'aurais épousée. C'était possible, pourtant. Comment n'y ai-je pas songé ? Comment me suis-je laissé aller à prendre l'autre ? Quelle folie ! On agit toujours trop vite, on ne réfléchit jamais assez.

Et l'envie, l'envie amère, lui tombait dans l'âme goutte à goutte, comme un fiel qui corrompait toutes ses joies, rendait odieuse son existence.

Suzanne disait : – Oh ! venez souvent, Bel-Ami, nous ferons des folies maintenant que papa est si riche. Nous nous amuserons comme des toqués.

Il répondit, suivant toujours son idée : – Oh ! vous allez vous marier maintenant. Vous épouserez quelque beau prince, un peu ruiné, et nous ne nous verrons plus guère.

Elle s'écria avec franchise : – Oh ! non, pas encore, je veux quelqu'un qui me plaise, qui me plaise beaucoup, qui me plaise tout à fait. Je suis assez riche pour deux.

Il souriait d'un sourire ironique et hautain et il se mit à lui nommer les gens qui passaient, des gens très nobles, qui avaient vendu leurs titres rouillés à des filles de financiers comme elle, et qui vivaient maintenant près ou loin de leurs femmes, mais libres, impudents, connus et respectés.

Il conclut : – Je ne vous donne pas six mois pour vous laisser prendre à cet appât-là. Vous serez madame la Mar-

quise, madame la Duchesse, ou madame la Princesse, et
250 vous me regarderez de très haut, mamz'elle.

Elle s'indignait, lui tapait sur le bras avec son éventail,
jurait qu'elle ne se marierait que selon son cœur.

Il ricanait : – Nous verrons bien, vous êtes trop riche.

Elle lui dit : – Mais vous aussi, vous avez eu un héritage.

Il fit un « Oh ! » de pitié : – Parlons-en. À peine vingt
mille livres de rentes. Ce n'est pas lourd par le temps présent.

– Mais votre femme a hérité également.

260 – Oui. Un million à nous deux. Quarante mille de
revenu. Nous ne pouvons même pas avoir une voiture à
nous avec ça.

Ils arrivaient au dernier salon, et, en face d'eux s'ouvrait
la serre, un large jardin d'hiver plein de grands arbres des
pays chauds abritant des massifs de fleurs rares [1]. En
entrant sous cette verdure sombre où la lumière glissait
comme une ondée d'argent, on respirait la fraîcheur tiède
de la terre humide et un souffle lourd de parfums. C'était
une étrange sensation douce, malsaine et charmante, de
270 nature factice, énervante et molle. On marchait sur des
tapis tout pareils à de la mousse entre deux épais massifs
d'arbustes. Soudain Du Roy aperçut à sa gauche, sous un
large dôme de palmiers, un vaste bassin de marbre blanc
où l'on aurait pu se baigner et sur les bords duquel quatre
grands cygnes en faïence de Delft laissaient tomber l'eau
de leurs becs entrouverts.

Le fond du bassin était sablé de poudre d'or et l'on
voyait nager dedans quelques énormes poissons rouges,
bizarres monstres chinois aux yeux saillants, aux écailles

---

1. Apparues dans la première moitié du XIXᵉ siècle, les serres, ou jardins
d'hiver, se multiplient sous le Second Empire, et signent une maison de
grande classe. Le modèle le plus connu était le jardin d'hiver de la princesse Mathilde, petite-fille de Napoléon Iᵉʳ. Le spéculateur Aristide
Saccard, dans *La Curée* de Zola, ou la duchesse de Guermantes, dans *À
la recherche du temps perdu*, bénéficient de ce privilège propre aux
classes riches de bavarder sous les palmiers ou au bord d'un bassin quand
il neige à l'extérieur. Mais, chez Maupassant comme chez Zola, cette
reproduction artificielle de la luxuriance naturelle est inévitablement
associée à des mœurs malsaines.

bordées de bleu, sortes de mandarins des ondes qui rappe- 280
laient, errants et suspendus ainsi sur ce fond d'or, les
étranges broderies de là-bas.

Le journaliste s'arrêta le cœur battant. Il se disait :

« Voilà, voilà le luxe. Voilà les maisons où il faut vivre.
D'autres y sont parvenus. Pourquoi n'y arriverais-je
point ? » Il songeait aux moyens, n'en trouvait pas sur-
le-champ, et s'irritait de son impuissance.

Sa compagne ne parlait plus, un peu songeuse. Il la
regarda de côté et il pensa encore une fois : « Il suffisait
pourtant d'épouser cette marionnette de chair. »   290

Mais Suzanne tout d'un coup parut se réveiller :

– Attention, dit-elle. Elle poussa Georges à travers un
groupe qui barrait leur chemin, et le fit brusquement
tourner à droite.

Au milieu d'un bosquet de plantes singulières qui ten-
daient en l'air leurs feuilles tremblantes, ouvertes comme
des mains aux doigts minces, on apercevait un homme
immobile, debout sur la mer.

L'effet était surprenant. Le tableau, dont les côtés se
trouvaient cachés dans les verdures mobiles, semblait un 300
trou noir sur un lointain fantastique et saisissant.

Il fallait bien regarder pour comprendre. Le cadre coupait le milieu de la barque où se trouvaient les apôtres à
peine éclairés par les rayons obliques d'une lanterne, dont
l'un d'eux, assis sur le bordage, projetait toute la lumière
sur Jésus qui s'en venait.

Le Christ avançait le pied sur une vague qu'on voyait se
creuser, soumise, aplanie, caressante sous le pas divin qui
la foulait. Tout était sombre autour de l'Homme-Dieu.
Seules les étoiles brillaient au ciel.   310

Les figures des apôtres, dans la lueur vague du fanal
porté par celui qui montrait le Seigneur, paraissaient
convulsées par la surprise.

C'était bien là l'œuvre puissante et inattendue d'un
maître, une de ces œuvres qui bouleversent la pensée et
vous laissent du rêve pour des années.

Les gens qui regardaient cela demeuraient d'abord
silencieux, puis s'en allaient, songeurs, et ne parlaient
qu'ensuite de la valeur de la peinture.

Du Roy, l'ayant contemplée quelque temps, déclara :   320

– C'est chic de pouvoir se payer ces bibelots-là.

Mais comme on le heurtait, en le poussant pour voir, il repartit, gardant toujours sous son bras la petite main de Suzanne qu'il serrait un peu.

Elle lui demanda : – Voulez-vous boire un verre de champagne ? Allons au buffet. Nous y trouverons papa.

Et ils retraversèrent lentement tous les salons où la foule grossissait, houleuse, chez elle, une foule élégante de fête publique.

330   Georges soudain crut entendre une voix prononcer :

– C'est Laroche et Mme Du Roy. – Ces paroles lui effleurèrent l'oreille comme ces bruits lointains qui courent dans le vent. D'où venaient-elles ?

Il chercha de tous les côtés, et il aperçut en effet sa femme qui passait, au bras du ministre. Ils causaient tout bas d'une façon intime en souriant, et les yeux dans les yeux.

Il s'imagina remarquer qu'on chuchotait en les regardant, et il sentit en lui une envie brutale et stupide de
340   sauter sur ces deux êtres et de les assommer à coups de poing.

Elle le rendait ridicule. Il pensa à Forestier. On disait peut-être : « Ce cocu de Du Roy. » Qui était-elle ? une petite parvenue assez adroite, mais sans grands moyens, en vérité. On venait chez lui parce qu'on le redoutait, parce qu'on le sentait fort, mais on devait parler sans gêne de ce petit ménage de journalistes. Jamais il n'irait loin avec cette femme qui faisait sa maison toujours suspecte, qui se compromettrait toujours, dont l'allure dénonçait
350   l'intrigante. Elle serait maintenant un boulet à son pied. Ah ! s'il avait deviné, s'il avait su ! Comme il aurait joué un peu plus large, plus fort ! Quelle belle partie il aurait pu gagner avec la petite Suzanne pour enjeu ! Comment avait-il été assez aveugle pour ne pas comprendre ça ?

Ils arrivaient à la salle à manger, une immense pièce à colonnes de marbre, aux murs tendus de vieux Gobelins.

Walter aperçut son chroniqueur et s'élança pour lui prendre les mains. Il était ivre de joie : – Avez-vous tout vu ? Dis, Suzanne, lui as-tu tout montré ? Que de monde,
360   n'est-ce pas, Bel-Ami ? Avez-vous vu le prince de

Guerche ? Il est venu boire un verre de punch, tout à l'heure.

Puis il s'élança vers le sénateur Rissolin qui traînait sa femme étourdie et ornée comme une boutique foraine.

Un monsieur saluait Suzanne, un grand garçon mince, à favoris blonds, un peu chauve, avec cet air mondain qu'on reconnaît partout. Georges l'entendit nommer : le marquis de Cazolles, et il fut brusquement jaloux de cet homme. Depuis quand le connaissait-elle ? Depuis sa fortune sans doute ? Il devinait un prétendant. 370

On le prit par le bras. C'était Norbert de Varenne. Le vieux poète promenait ses cheveux gras et son habit fatigué d'un air indifférent et las.

– Voilà ce qu'on appelle s'amuser, dit-il. Tout à l'heure on dansera ; et puis on se couchera ; et les petites filles seront contentes. Prenez du champagne, il est excellent.

Il se fit emplir un verre et, saluant Du Roy qui en avait pris un autre : – Je bois à la revanche de l'esprit sur les millions.

Puis il ajouta, d'une voix douce : – Non pas qu'ils me 380 gênent chez les autres ou que je leur en veuille. Mais je proteste par principe.

Georges ne l'écoutait plus. Il cherchait Suzanne qui venait de disparaître avec le marquis de Cazolles, et quittant brusquement Norbert de Varenne, il se mit à la poursuite de la jeune fille.

Une cohue épaisse qui voulait boire l'arrêta. Comme il l'avait enfin franchie, il se trouva nez à nez avec le ménage de Marelle.

Il voyait toujours la femme ; mais il n'avait pas ren- 390 contré depuis longtemps le mari, qui lui saisit les deux mains : – Que je vous remercie, mon cher, du conseil que vous m'avez fait donner par Clotilde. J'ai gagné près de cent mille francs avec l'emprunt marocain. C'est à vous que je les dois. On peut dire que vous êtes un ami pré- cieux.

Des hommes se retournaient pour regarder cette bru- nette élégante et jolie. Du Roy répondit : – En échange de ce service, mon cher, je prends votre femme, ou plutôt je lui offre mon bras. Il faut toujours séparer les époux. 400

M. de Marelle s'inclina : – C'est juste. Si je vous perds, nous nous retrouverons ici dans une heure.

– Parfaitement.

Et les deux jeunes gens s'enfoncèrent dans la foule, suivis par le mari. Clotilde répétait : – Quels veinards que ces Walter. Ce que c'est tout de même que d'avoir l'intelligence des affaires.

Georges répondit : – Bah ! les hommes forts arrivent toujours, soit par un moyen, soit par un autre.

410   Elle reprit : – Voilà deux filles qui auront de vingt à trente millions chacune. Sans compter que Suzanne est jolie.

Il ne dit rien. Sa propre pensée sortie d'une autre bouche l'irritait.

Elle n'avait pas encore vu *Jésus marchant sur les flots*. Il proposa de l'y conduire. Ils s'amusaient à dire du mal des gens, à se moquer des figures inconnues. Saint-Potin passa près d'eux, portant sur le revers de son habit des décorations nombreuses, ce qui les amusa beaucoup. Un

420   ancien ambassadeur, venant derrière, montrait une brochette moins garnie.

Du Roy déclara : – Quelle salade de société !

Boisrenard, qui lui serra la main, avait aussi orné sa boutonnière du ruban vert et jaune sorti le jour du duel.

La vicomtesse de Percemur, énorme et parée, causait avec un duc dans le petit boudoir Louis XVI.

Georges murmura : – Un tête-à-tête galant. – Mais en traversant la serre, il revit sa femme assise près de Laroche-Mathieu, presque cachés tous deux derrière un

430   bouquet de plantes. Ils semblaient dire : « Nous nous sommes donné un rendez-vous ici, un rendez-vous public. Car nous nous fichons de l'opinion. »

Mme de Marelle reconnut que ce Jésus de Karl Marcowitch était très étonnant ; et ils revinrent. Ils avaient perdu le mari.

Il demanda : – Et Laurine, est-ce qu'elle m'en veut toujours ?

– Oui, toujours autant. Elle refuse de te voir et s'en va quand on parle de toi.

440   Il ne répondit rien. L'inimitié de cette fillette le chagrinait et lui pesait.

Suzanne les saisit au détour d'une porte, criant :

– Ah ! vous voilà ! Eh bien, Bel-Ami, vous allez rester seul. J'enlève la belle Clotilde pour lui montrer ma chambre.

Et les deux femmes s'en allèrent, d'un pas pressé, glissant à travers le monde, de ce mouvement onduleux, de ce mouvement de couleuvre qu'elles savent prendre dans les foules.

Presque aussitôt une voix murmura : – Georges ! C'était Mme Walter. Elle reprit très bas : – Oh ! que vous êtes férocement cruel ! Que vous me faites souffrir inutilement. J'ai chargé Suzette d'emmener celle qui vous accompagnait afin de pouvoir vous dire un mot. Écoutez, il faut… que je vous parle ce soir… ou bien… ou bien… vous ne savez pas ce que je ferai. Allez dans la serre. Vous y trouverez une porte à gauche et vous sortirez dans le jardin. Suivez l'allée qui est en face. Tout au bout vous verrez une tonnelle. Attendez-moi là dans dix minutes. Si vous ne voulez pas, je vous jure que je fais un scandale, ici, tout de suite !

Il répondit avec hauteur :

– Soit. J'y serai dans dix minutes à l'endroit que vous m'indiquez.

Et ils se séparèrent. Mais Jacques Rival faillit le mettre en retard. Il l'avait pris par le bras et lui racontait un tas de choses avec l'air très exalté. Il venait sans doute du buffet. Enfin Du Roy le laissa aux mains de M. de Marelle retrouvé entre deux portes, et il s'enfuit. Il lui fallut encore prendre garde de n'être pas vu par sa femme et par Laroche. Il y parvint, car ils semblaient fort animés, et il se trouva dans le jardin.

L'air froid le saisit comme un bain de glace. Il pensa : « Cristi, je vais attraper un rhume », et il mit son mouchoir à son cou en manière de cravate. Puis il suivit à pas lents l'allée, y voyant mal au sortir de la grande lumière des salons.

Il distinguait à sa droite et à sa gauche des arbustes sans feuilles dont les branches menues frémissaient. Des lueurs grises passaient dans ces ramures, des lueurs venues des fenêtres de l'hôtel. Il aperçut quelque chose de blanc, au milieu du chemin, devant lui, et Mme Walter, les bras nus, la gorge nue, balbutia d'une voix frémissante.

– Ah ! te voilà ? tu veux donc me tuer ?

Il répondit tranquillement : – Je t'en prie, pas de drame, n'est-ce pas, ou je fiche le camp tout de suite.

Elle l'avait saisi par le cou, et, les lèvres tout près des lèvres, elle disait : – Mais qu'est-ce que je t'ai fait ? Tu te conduis avec moi comme un misérable ! Qu'est-ce que je
490 t'ai fait ?

Il essayait de la repousser : – Tu as entortillé tes cheveux à tous mes boutons la dernière fois que je t'ai vue, et ça a failli amener une rupture entre ma femme et moi.

Elle demeura surprise, puis, faisant « non » de la tête :

– Oh ! ta femme s'en moque bien. C'est quelqu'une de tes maîtresses qui t'aura fait une scène.

– Je n'ai pas de maîtresses.

– Tais-toi donc ! Mais pourquoi ne viens-tu plus même me voir ? Pourquoi refuses-tu de dîner, rien qu'un jour par
500 semaine, avec moi ? C'est atroce ce que je souffre ; je t'aime à n'avoir plus une pensée qui ne soit pour toi, à ne pouvoir rien regarder sans te voir devant mes yeux, à ne plus oser prononcer un mot sans avoir peur de dire ton nom ! Tu ne comprends pas ça, toi ! Il me semble que je suis prise dans des griffes, nouée dans un sac, je ne sais pas. Ton souvenir, toujours présent, me serre la gorge, me déchire quelque chose là, dans la poitrine, sous le sein, me casse les jambes à ne plus me laisser la force de marcher. Et je reste comme une bête, toute la journée, sur une
510 chaise, en pensant à toi.

Il la regardait avec étonnement. Ce n'était plus la grosse gamine folâtre qu'il avait connue, mais une femme éperdue, désespérée, capable de tout.

Un projet vague, cependant, naissait dans son esprit. Il répondit :

– Ma chère, l'amour n'est pas éternel. On se prend et on se quitte. Mais quand ça dure comme entre nous ça devient un boulet horrible. Je n'en veux plus. Voilà la vérité. Cependant, si tu sais devenir raisonnable, me recevoir et
520 me traiter ainsi qu'un ami, je reviendrai comme autrefois. Te sens-tu capable de ça ?

Elle posa ses deux bras nus sur l'habit noir de Georges et murmura : – Je suis capable de tout pour te voir.

– Alors, c'est convenu, dit-il, nous sommes amis, rien de plus.

Elle balbutia : – C'est convenu. – Puis tendant ses lèvres vers lui :

– Encore un baiser... le dernier.

Il refusa doucement : – Non. Il faut tenir nos conventions.   530

Elle se détourna en essuyant deux larmes, puis, tirant de son corsage un paquet de papiers noués avec un ruban de soie rose, elle l'offrit à Du Roy : – Tiens. C'est ta part de bénéfice dans l'affaire du Maroc. J'étais si contente d'avoir gagné cela pour toi. Tiens, prends-le donc...

Il voulait refuser : – Non, je ne recevrai point cet argent !

Alors elle se révolta : – Ah ! tu ne me feras pas ça, maintenant ! Il est à toi, rien qu'à toi. Si tu ne le prends point, je le jetterai dans un égout. Tu ne me feras pas cela, 540 Georges ?

Il reçut le petit paquet et le glissa dans sa poche.

– Il faut rentrer, dit-il, tu vas attraper une fluxion de poitrine.

Elle murmura : – Tant mieux ! si je pouvais mourir.

Elle lui prit une main, la baisa avec passion, avec rage, avec désespoir, et elle se sauva vers l'hôtel.

Il revint doucement, en réfléchissant. Puis il rentra dans la serre, le front hautain, la lèvre souriante.

Sa femme et Laroche n'étaient plus là. La foule dimi- 550 nuait. Il devenait évident qu'on ne resterait pas au bal. Il aperçut Suzanne qui tenait le bras de sa sœur. Elles vinrent vers lui toutes les deux pour lui demander de danser le premier quadrille avec le comte de Latour-Yvelin.

Il s'étonna.

– Qu'est-ce encore que celui-là ?

Suzanne répondit avec malice :

– C'est un nouvel ami de ma sœur.

Rose rougit et murmura :

– Tu es méchante, Suzette, ce monsieur n'est pas plus 560 mon ami que le tien.

L'autre souriait : – Je m'entends.

Rose, fâchée, leur tourna le dos et s'éloigna.

Du Roy prit familièrement le coude de la jeune fille restée près de lui, et de sa voix caressante : – Écoutez, ma chère petite, me croyez-vous bien votre ami ?

– Mais oui, Bel-Ami.

– Vous avez confiance en moi ?

– Tout à fait.

570   – Vous vous rappelez ce que je vous disais tantôt ?

– À propos de quoi ?

– À propos de votre mariage, ou plutôt de l'homme que vous épouserez.

– Oui.

– Eh bien ! voulez-vous me promettre une chose ?

– Oui, mais quoi ?

– C'est de me consulter toutes les fois qu'on demandera votre main, et de n'accepter personne sans avoir pris mon avis.

580   – Oui, je veux bien.

– Et c'est un secret entre nous deux. Pas un mot de ça à votre père ni à votre mère.

– Pas un mot.

– C'est juré ?

– C'est juré.

Rival arrivait, l'air affairé :

– Mademoiselle, votre papa vous demande pour le bal.

Elle dit : – Allons, Bel-Ami.

Mais il refusa, décidé à partir tout de suite, voulant être
590 seul pour penser. Trop de choses nouvelles venaient de pénétrer dans son esprit et il se mit à chercher sa femme. Au bout de quelque temps, il l'aperçut qui buvait du chocolat, au buffet, avec deux messieurs inconnus. Elle leur présenta son mari, sans les nommer à lui.

Après quelques instants, il demanda :

– Partons-nous ?

– Quand tu voudras.

Elle prit son bras et ils retraversèrent les salons où le public devenait rare.

600   Elle demanda : – Où est la Patronne ? je voudrais lui dire adieu.

– C'est inutile. Elle essaierait de nous garder au bal et j'en ai assez.

– C'est vrai, tu as raison.

Tout le long de la route ils furent silencieux. Mais aussitôt rentrés en leur chambre, Madeleine souriante lui dit, sans même ôter son voile :

– Tu ne sais pas, j'ai une surprise pour toi.

Il grogna avec mauvaise humeur :

– Quoi donc ?

– Devine.

– Je ne ferai pas cet effort.

– Eh bien, c'est après-demain le premier janvier.

– Oui.

– C'est le moment des étrennes.

– Oui.

– Voici les tiennes, que Laroche m'a remises tout à l'heure.

Elle lui présenta une petite boîte noire qui semblait un écrin à bijoux.

Il l'ouvrit avec indifférence et aperçut la croix de la Légion d'honneur [1].

Il devint un peu pâle, puis il sourit et déclara :

– J'aurais préféré dix millions. Cela ne lui coûte pas cher.

Elle s'attendait à un transport de joie, et elle fut irritée de cette froideur.

– Tu es vraiment incroyable. Rien ne te satisfait maintenant.

Il répondit tranquillement.

– Cet homme ne fait que payer sa dette. Et il me doit encore beaucoup.

Elle fut étonnée de son accent, et reprit : – C'est pourtant beau, à ton âge.

Il déclara : – Tout est relatif. Je pourrais avoir davantage, aujourd'hui.

Il avait pris l'écrin, il le posa tout ouvert sur la cheminée, considéra quelques instants l'étoile brillante couchée

---

1. Le trafic des décorations devait provoquer, en 1887, l'affaire du « scandale des décorations », qui déstabilisa le régime républicain, en confortant l'antiparlementarisme alimenté par les partisans du général Boulanger. On avait dévoilé les manigances mises en œuvre par le gendre même du président de la République pour obtenir la Légion d'honneur. Ce scandale provoqua la chute du gouvernement en place.

dedans. Puis il le referma, et se mit au lit en haussant les
640 épaules.

   L'Officiel du 1ᵉʳ janvier annonça, en effet, la nomination
de M. Prosper-Georges Du Roy, publiciste, au grade de
chevalier de la Légion d'honneur, pour services exception-
nels.

   Le nom était écrit en deux mots, ce qui fit à Georges
plus de plaisir que la décoration même.

   Une heure après avoir lu cette nouvelle devenue
publique, il reçut un mot de la Patronne qui le suppliait de
venir dîner chez elle, le soir même, avec sa femme, pour
650 fêter cette distinction. Il hésita quelques minutes, puis
jetant au feu ce billet écrit en termes ambigus, il dit à
Madeleine :

   – Nous dînerons ce soir chez les Walter.

   Elle fut étonnée.

   – Tiens ! mais je croyais que tu ne voulais plus y mettre
les pieds ?

   Il murmura seulement : – J'ai changé d'avis.

   Quand ils arrivèrent, la Patronne était seule dans le petit
boudoir Louis XVI adopté pour ses réceptions intimes.
660 Vêtue de noir, elle avait poudré ses cheveux, ce qui la rendait charmante. Elle avait l'air, de loin, d'une vieille, de
près d'une jeune, et, quand on la regardait bien, d'un joli
piège pour les yeux.

   – Vous êtes en deuil ? demanda Madeleine.

   Elle répondit tristement : – Oui et non. Je n'ai perdu
personne des miens. Mais je suis arrivée à l'âge où on fait
le deuil de sa vie. Je le porte aujourd'hui pour l'inaugurer.
Désormais, je le porterai dans mon cœur.

   Du Roy pensa : – Ça tiendra-t-il, cette résolution-là ?

670 Le dîner fut un peu morne. Seule Suzanne bavardait
sans cesse. Rose semblait préoccupée. On félicita beaucoup le journaliste.

   Le soir on s'en alla, errant et causant, par les salons et
par la serre. Comme Du Roy marchait derrière, avec la
Patronne, elle le retint par le bras.

   – Écoutez, dit-elle à voix basse… Je ne vous parlerai
plus de rien, jamais… Mais venez me voir, Georges. Vous
voyez que je ne vous tutoie plus. Il m'est impossible de
vivre sans vous, impossible. C'est une torture inimagi-

nable. Je vous sens, je vous garde dans mes yeux, dans 680
mon cœur et dans ma chair tout le jour et toute la nuit.
C'est comme si vous m'aviez fait boire un poison qui me
rongerait en dedans. Je ne puis pas. Non. Je ne puis pas. Je
veux bien n'être pour vous qu'une vieille femme. Je me
suis mise en cheveux blancs pour vous le montrer, mais
venez ici, venez de temps en temps, en ami.

Elle lui avait pris la main et elle la serrait, la broyait,
enfonçant ses ongles dans sa chair.

Il répondit avec calme : – C'est entendu. Il est inutile de
reparler de ça. Vous voyez bien que je suis venu 690
aujourd'hui, tout de suite, sur votre lettre.

Walter, qui allait devant avec ses deux filles et Madeleine, attendit Du Roy auprès du *Jésus marchant sur les
flots*.

– Figurez-vous, dit-il en riant, que j'ai trouvé ma
femme hier à genoux devant ce tableau comme dans une
chapelle. Elle faisait là ses dévotions. Ce que j'ai ri !

Mme Walter répliqua d'une voix ferme, d'une voix où
vibrait une exaltation secrète : – C'est ce Christ-là qui sau-
vera mon âme. Il me donne du courage et de la force toutes 700
les fois que je le regarde.

Et, s'arrêtant en face du Dieu debout sur la mer, elle
murmura : – Comme il est beau ! Comme ils en ont peur
et comme ils l'aiment, ces hommes ! Regardez donc sa
tête, ses yeux, comme il est simple et surnaturel en même
temps !

Suzanne s'écria : – Mais il vous ressemble, Bel-Ami. Je
suis sûre qu'il vous ressemble. Si vous aviez des favoris,
ou bien s'il était rasé, vous seriez tout pareils tous les
deux. Oh ! mais c'est frappant ! 710

Elle voulut qu'il se mît debout à côté du tableau ; et tout
le monde reconnut en effet que les deux figures se
ressemblaient !

Chacun s'étonna. Walter trouva la chose bien singulière.
Madeleine, en souriant, déclara que Jésus avait l'air plus
viril.

Mme Walter demeurait immobile, contemplant d'un œil
fixe le visage de son amant à côté du visage du Christ, et
elle était devenue aussi blanche que ses cheveux blancs.

VIII

Pendant le reste de l'hiver, les Du Roy allèrent souvent chez les Walter. Georges même y dînait seul à tout instant, Madeleine se disant fatiguée et préférant rester chez elle.

Il avait adopté le vendredi comme jour fixe, et la Patronne n'invitait jamais personne ce soir-là ; il appartenait à Bel-Ami, rien qu'à lui. Après dîner, on jouait aux cartes, on donnait à manger aux poissons chinois, on vivait et on s'amusait en famille. Plusieurs fois, derrière une porte, derrière un massif de la serre, dans un coin sombre,
10 Mme Walter avait saisi brusquement dans ses bras le jeune homme, et, le serrant de toute sa force sur sa poitrine, lui avait jeté dans l'oreille : – Je t'aime !... je t'aime !... je t'aime à en mourir ! – Mais toujours il l'avait repoussée froidement, en répondant d'un ton sec : – Si vous recommencez, je ne viendrai plus ici.

Vers la fin de mars, on parla tout à coup du mariage des deux sœurs. Rose devait épouser, disait-on, le comte de Latour-Yvelin, et Suzanne le marquis de Cazolles. Ces deux hommes étaient devenus des familiers de la maison,
20 de ces familiers à qui on accorde des faveurs spéciales, des prérogatives sensibles.

Georges et Suzanne vivaient dans une sorte d'intimité fraternelle et libre, bavardaient pendant des heures, se moquaient de tout le monde et semblaient se plaire beaucoup ensemble.

Jamais ils n'avaient reparlé du mariage possible de la jeune fille, ni des prétendants qui se présentaient.

Comme le Patron avait emmené Du Roy pour déjeuner, un matin, Mme Walter, après le repas, fut appelée pour
30 répondre à un fournisseur. Et Georges dit à Suzanne :

– Allons donner du pain aux poissons rouges.

Ils prirent chacun sur la table un gros morceau de mie et s'en allèrent dans la serre.

Tout le long de la vasque de marbre, on laissait par terre des coussins afin qu'on pût se mettre à genoux autour du bassin, pour être plus près des bêtes nageantes. Les jeunes gens en prirent chacun un, côte à côte, et, penchés vers l'eau, commencèrent à jeter dedans des boulettes qu'ils roulaient entre leurs doigts. Les poissons, dès qu'ils les aperçurent, s'en vinrent, en remuant la queue, battant des nageoires, roulant leurs gros yeux saillants, tournant sur eux-mêmes, plongeant pour attraper la proie ronde qui s'enfonçait, et remontant aussitôt pour en demander une autre.

Ils avaient des mouvements drôles de la bouche, des élans brusques et rapides, une allure étrange de petits monstres ; et sur le sable d'or du fond ils se détachaient en rouge ardent, passant comme des flammes dans l'onde transparente, ou montrant, aussitôt qu'ils s'arrêtaient, le filet bleu qui bordait leurs écailles.

Georges et Suzanne voyaient leurs propres figures renversées dans l'eau, et ils souriaient à leurs images.

Tout à coup, il dit à voix basse : – Ce n'est pas bien de me faire des cachotteries, Suzanne.

Elle demanda : – Quoi donc, Bel-Ami ?

– Vous ne vous rappelez pas ce que vous m'avez promis, ici même, le soir de la fête ?

– Mais non.

– De me consulter toutes les fois qu'on demanderait votre main.

– Eh bien ?

– Eh bien, on l'a demandée.

– Qui ça ?

– Vous le savez bien.

– Non. Je vous jure.

– Si, vous le savez ! Ce grand fat de marquis de Cazolles.

– Il n'est pas fat, d'abord.

– C'est possible ; mais il est stupide, ruiné par le jeu et usé par la noce. C'est vraiment un joli parti pour vous, si jolie, si fraîche et si intelligente.

Elle demanda en souriant :

– Qu'est-ce que vous avez contre lui ?

– Moi ? Rien.

– Mais si. Il n'est pas tout ce que vous dites.

– Allons donc. C'est un sot et un intrigant.

Elle se tourna un peu, cessant de regarder dans l'eau :

– Voyons, qu'est-ce que vous avez ?

Il prononça, comme si on lui eût arraché un secret du
80 fond du cœur :

– J'ai… j'ai… j'ai que je suis jaloux de lui.

Elle s'étonna modérément : – Vous ?

– Oui, moi !

– Tiens. Pourquoi ça ?

– Parce que je suis amoureux de vous, et vous le savez
bien, méchante !

Alors elle dit d'un ton sévère : – Vous êtes fou, Bel-
Ami !

Il reprit : – Je le sais bien que je suis fou. Est-ce que je
90 devrais vous avouer cela, moi, un homme marié, à vous,
une jeune fille ? Je suis plus que fou, je suis coupable,
presque misérable. Je n'ai pas d'espoir possible, et je
perds la raison à cette pensée. Et quand j'entends dire que
vous allez vous marier, j'ai des accès de fureur à tuer
quelqu'un. Il faut me pardonner ça, Suzanne !

Il se tut. Tous les poissons à qui on ne jetait plus de pain
demeuraient immobiles, rangés presque en ligne, pareils à
des soldats anglais, et regardant les figures penchées de
ces deux personnes qui ne s'occupaient plus d'eux.

100   La jeune fille murmura, moitié tristement, moitié
gaiement : – C'est dommage que vous soyez marié. Que
voulez-vous ? On n'y peut rien. C'est fini !

Il se retourna brusquement vers elle, et il lui dit, tout
près, dans la figure :

– Si j'étais libre, moi, m'épouseriez-vous ?

Elle répondit, avec un accent sincère :

– Oui, Bel-Ami, je vous épouserais, car vous me plaisez
beaucoup plus que tous les autres.

Il se leva, et balbutiant : – Merci…, merci…, je vous en
110 supplie, ne dites « oui » à personne ? Attendez encore un
peu. Je vous en supplie ! Me le promettez-vous ?

Elle murmura, un peu troublée et sans comprendre ce qu'il voulait : – Je vous le promets.

Du Roy jeta dans l'eau le gros morceau de pain qu'il tenait encore aux mains, et il s'enfuit, comme s'il eût perdu la tête, sans dire adieu.

Tous les poissons se jetèrent avidement sur ce paquet de mie qui flottait n'ayant point été pétri par les doigts, et ils le dépecèrent de leurs bouches voraces. Ils l'entraînaient à l'autre bout du bassin, s'agitaient au-dessous, formant 120 maintenant une grappe mouvante, une espèce de fleur animée et tournoyante, une fleur vivante, tombée à l'eau la tête en bas.

Suzanne, surprise, inquiète, se redressa, et s'en revint tout doucement. Le journaliste était parti.

Il rentra chez lui, fort calme, et comme Madeleine écrivait des lettres, il lui demanda : – Dînes-tu vendredi chez les Walter ? Moi, j'irai.

Elle hésita : – Non. Je suis un peu souffrante. J'aime mieux rester ici. 130

Il répondit : – Comme il te plaira. Personne ne te force.

Puis il reprit son chapeau et ressortit aussitôt.

Depuis longtemps il l'épiait, la surveillait et la suivait, sachant toutes ses démarches. L'heure qu'il attendait était enfin venue. Il ne s'était point trompé au ton dont elle avait répondu : « J'aime mieux rester ici. »

Il fut aimable pour elle pendant les jours qui suivirent. Il parut même gai, ce qui ne lui était plus ordinaire. Elle disait : – Voilà que tu redeviens gentil.

Il s'habilla de bonne heure le vendredi pour faire 140 quelques courses avant d'aller chez le Patron, affirmait-il.

Puis il partit vers six heures, après avoir embrassé sa femme, et il alla chercher un fiacre place Notre-Dame-de-Lorette.

Il dit au cocher :

– Vous vous arrêterez en face du numéro 17, rue Fontaine, et vous resterez là jusqu'à ce que je vous donne l'ordre de vous en aller. Vous me conduirez ensuite au restaurant du Coq-Faisan, rue Lafayette.

La voiture se mit en route au trot lent du cheval, et Du 150 Roy baissa les stores. Dès qu'il fut en face de sa porte, il ne la quitta plus des yeux. Après dix minutes d'attente, il

vit sortir Madeleine qui remonta vers les boulevards extérieurs.

Aussitôt qu'elle fut loin, il passa la tête à la portière, et
il cria : – Allez.

Le fiacre se remit en marche, et le déposa devant le
Coq-Faisan, restaurant bourgeois connu dans le quartier.
Georges entra dans la salle commune, et mangea douce-
160 ment, en regardant l'heure à sa montre de temps en temps.
À sept heures et demie, comme il avait bu son café, pris
deux verres de fine champagne et fumé, avec lenteur, un
bon cigare, il sortit, héla une autre voiture qui passait à
vide, et se fit conduire rue La Rochefoucauld.

Il monta, sans rien demander au concierge, au troisième
étage de la maison qu'il avait indiquée, et quand une
bonne lui eut ouvert : – M. Guibert de Lorme est chez lui,
n'est-ce pas ?

– Oui, monsieur.

170 On le fit pénétrer dans le salon, où il attendit quelques
instants. Puis un homme entra, grand, décoré, avec l'air
militaire, et portant des cheveux gris, bien qu'il fût jeune
encore.

Du Roy le salua, puis lui dit : – Comme je le prévoyais,
Monsieur le commissaire de police, ma femme dîne avec
son amant dans le logement garni qu'ils ont loué rue des
Martyrs.

Le magistrat s'inclina : – Je suis à votre disposition,
monsieur.

180 Georges reprit : – Vous avez jusqu'à neuf heures, n'est-
ce pas ? Cette limite passée, vous ne pouvez plus pénétrer
dans un domicile particulier pour y constater un adultère.

– Non, monsieur, sept heures en hiver, neuf heures à
partir du 31 mars. Nous sommes au 5 avril, nous avons
donc jusqu'à neuf heures.

– Eh bien, monsieur le commissaire, j'ai une voiture en
bas, nous pouvons prendre les agents qui vous accompa-
gneront, puis nous attendrons un peu devant la porte. Plus
nous arriverons tard, plus nous avons de chance de bien les
190 surprendre en flagrant délit.

– Comme il vous plaira, monsieur.

Le commissaire sortit, puis revint, vêtu d'un pardessus
qui cachait sa ceinture tricolore. Il s'effaça pour laisser

passer Du Roy. Mais le journaliste, dont l'esprit était préoccupé, refusait de sortir le premier, et répétait : « Après vous…, après vous. »

Le magistrat prononça : – Passez donc, monsieur, je suis chez moi.

L'autre, aussitôt, franchit la porte en saluant.

Ils allèrent d'abord au commissariat chercher trois 200 agents en bourgeois qui attendaient, car Georges avait prévenu dans la journée que la surprise aurait lieu ce soir-là. Un des hommes monta sur le siège, à côté du cocher. Les deux autres entrèrent dans le fiacre, qui gagna la rue des Martyrs.

Du Roy disait : – J'ai le plan de l'appartement. C'est au second. Nous trouverons d'abord un petit vestibule, puis la chambre à coucher. Les trois pièces se commandent. Aucune sortie ne peut faciliter la fuite. Il y a un serrurier un peu plus loin. Il se tiendra prêt à être réquisitionné par 210 vous.

Quand ils furent devant la maison indiquée, il n'était encore que huit heures un quart, et ils attendirent en silence pendant plus de vingt minutes. Mais lorsqu'il vit que les trois quarts allaient sonner, Georges dit : – Allons maintenant. Et ils montèrent l'escalier sans s'occuper du portier, qui ne les remarqua point, d'ailleurs. Un des agents demeura dans la rue pour surveiller la sortie.

Les quatre hommes s'arrêtèrent au second étage, et Du Roy colla d'abord son oreille contre la porte, puis son œil 220 au trou de la serrure. Il n'entendit rien et ne vit rien. Il sonna.

Le commissaire dit à ses agents : – Vous resterez ici, prêts à tout appel.

Et ils attendirent. Au bout de deux ou trois minutes Georges tira de nouveau le bouton du timbre plusieurs fois de suite. Ils perçurent un bruit au fond de l'appartement ; puis un pas léger s'approcha. Quelqu'un venait épier. Le journaliste alors frappa vivement avec son doigt plié contre le bois des panneaux. 230

Une voix, une voix de femme, qu'on cherchait à déguiser, demanda : – Qui est là ?

L'officier municipal répondit : – Ouvrez, au nom de la loi.

La voix répéta : – Qui êtes-vous ?

– Je suis le commissaire de police. Ouvrez, ou je fais forcer la porte.

La voix reprit : – Que voulez-vous ?

Et Du Roy dit : – C'est moi. Il est inutile de chercher à
240 nous échapper.

Le pas léger, un pas de pieds nus, s'éloigna, puis revint au bout de quelques secondes.

Georges dit : – Si vous ne voulez pas ouvrir, nous enfonçons la porte. – Il serrait la poignée de cuivre, et d'une épaule il poussait lentement. Comme on ne répondait plus, il donna tout à coup une secousse si violente et si vigoureuse que la vieille serrure de cette maison meublée céda. Les vis arrachées sortirent du bois, et le jeune homme faillit tomber sur Madeleine qui se tenait debout
250 dans l'antichambre, vêtue d'une chemise et d'un jupon, les cheveux défaits, les jambes dévêtues, une bougie à la main.

Il s'écria : – C'est elle, nous les tenons. – Et il se jeta dans l'appartement. Le commissaire ayant ôté son chapeau, le suivit. Et la jeune femme effarée s'en vint derrière eux en les éclairant.

Ils traversèrent une salle à manger dont la table non desservie montrait les restes du repas : des bouteilles à champagne vides, une terrine de foie gras ouverte, une carcasse
260 de poulet et des morceaux de pain à moitié mangés. Deux assiettes posées sur le dressoir portaient des piles d'écailles d'huîtres.

La chambre semblait ravagée par une lutte. Une robe coiffait une chaise, une culotte d'homme restait à cheval sur le bras d'un fauteuil. Quatre bottines, deux grandes et deux petites, traînaient au pied du lit, tombées sur le flanc.

C'était une chambre de maison garnie, aux meubles communs, où flottait cette odeur odieuse et fade des appartements d'hôtel, odeur émanée des rideaux, des matelas,
270 des murs, des sièges, odeur de toutes les personnes qui avaient couché ou vécu, un jour ou six mois, dans ce logis public, et laissé là un peu de leur senteur, de cette senteur humaine qui, s'ajoutant à celle des devanciers, formait à la longue une puanteur confuse, douce et intolérable, la même dans tous ces lieux.

Une assiette à gâteaux, une bouteille de chartreuse et deux petits verres encore à moitié pleins encombraient la cheminée. Le sujet de la pendule de bronze était caché par un grand chapeau d'homme.

Le commissaire se retourna vivement, et regardant 280 Madeleine dans les yeux :

– Vous êtes bien Mme Claire-Madeleine Du Roy, épouse légitime de M. Prosper-Georges Du Roy, publiciste, ici présent ?

Elle articula, d'une voix étranglée :

– Oui, monsieur.

– Que faites-vous ici ?

Elle ne répondit pas.

Le magistrat reprit : – Que faites-vous ici ? Je vous trouve hors de chez vous, presque dévêtue, dans un appar- 290 tement meublé. Qu'êtes-vous venue y faire ?

Il attendit quelques instants. Puis, comme elle gardait toujours le silence : – Du moment que vous ne voulez pas l'avouer, madame, je vais être contraint de le constater.

On voyait dans le lit la forme d'un corps caché sous le drap.

Le commissaire s'approcha et appela :

– Monsieur ?

L'homme caché ne remua pas. Il paraissait tourner le dos, la tête enfoncée sous un oreiller. 300

L'officier toucha ce qui semblait être l'épaule, et répéta :

– Monsieur, ne me forcez pas, je vous prie, à des actes.

Mais le corps voilé demeurait aussi immobile que s'il eût été mort.

Du Roy, qui s'était avancé vivement, saisit la couverture, la tira et, arrachant l'oreiller, découvrit la figure livide de M. Laroche-Mathieu. Il se pencha vers lui et, frémissant de l'envie de le saisir au cou pour l'étrangler, il lui dit, les dents serrées : 310

– Ayez donc au moins le courage de votre infamie.

Le magistrat demanda encore : – Qui êtes-vous ?

L'amant, éperdu, ne répondant pas, il reprit : – Je suis commissaire de police et je vous somme de me dire votre nom !

Georges, qu'une colère bestiale faisait trembler, cria :

– Mais répondez donc, lâche, ou je vais vous nommer, moi.

Alors l'homme couché balbutia :

320 – Monsieur le commissaire, vous ne devez pas me laisser insulter par cet individu. Est-ce à vous ou à lui que j'ai affaire ? Est-ce à vous ou à lui que je dois répondre ?

Il paraissait n'avoir plus de salive dans la bouche.

L'officier répondit : – C'est à moi, monsieur, à moi seul. Je vous demande qui vous êtes ?

L'autre se tut. Il tenait le drap serré contre son cou et roulait des yeux effarés. Ses petites moustaches retroussées semblaient toutes noires sur sa figure blême.

Le commissaire reprit : – Vous ne voulez pas répondre ?
330 Alors je serai forcé de vous arrêter. Dans tous les cas, levez-vous. Je vous interrogerai lorsque vous serez vêtu.

Le corps s'agita dans le lit, et la tête murmura : – Mais je ne peux pas devant vous.

Le magistrat demanda : – Pourquoi ça ?

L'autre balbutia : – C'est que je suis… je suis… je suis tout nu.

Du Roy se mit à ricaner, et ramassant une chemise tombée à terre, il la jeta sur la couche en criant : – Allons donc… levez-vous… Puisque vous vous êtes déshabillé
340 devant ma femme, vous pouvez bien vous habiller devant moi.

Puis il tourna le dos et revint vers la cheminée.

Madeleine avait retrouvé son sang-froid, et voyant tout perdu, elle était prête à tout oser. Une audace de bravade faisait briller son œil ; et, roulant un morceau de papier, elle alluma, comme pour une réception, les dix bougies des vilains candélabres posés au coin de la cheminée. Puis elle s'adossa au marbre et tendant au feu mourant un de ses pieds nus, qui soulevait par-derrière son jupon à peine
350 arrêté sur les hanches, elle prit une cigarette dans son étui de papier rose, l'enflamma et se mit à fumer.

Le commissaire était revenu vers elle, attendant que son complice fût debout.

Elle demanda avec insolence : – Vous faites souvent ce métier-là, monsieur ?

Il répondit gravement : – Le moins possible, madame.

Elle lui souriait sous le nez : – Je vous en félicite, ça n'est pas propre.

Elle affectait de ne pas regarder, de ne pas voir son mari.

Mais le monsieur du lit s'habillait. Il avait passé son pantalon, chaussé ses bottines et il se rapprocha, en endossant son gilet.

L'officier de police se tourna vers lui : – Maintenant, monsieur, voulez-vous me dire qui vous êtes ?

L'autre ne répondit pas.

Le commissaire prononça : – Je me vois forcé de vous arrêter.

Alors l'homme s'écria brusquement : – Ne me touchez pas. Je suis inviolable !

Du Roy s'élança vers lui, comme pour le terrasser, et il lui grogna dans la figure : – Il y a flagrant délit... flagrant délit. Je peux vous faire arrêter, si je veux... oui, je le peux. – Puis, d'un ton vibrant : – Cet homme s'appelle Laroche-Mathieu, ministre des Affaires étrangères.

Le commissaire de police recula stupéfait, et balbutiant : – En vérité, monsieur, voulez-vous me dire qui vous êtes, à la fin ?

L'homme se décida, et avec force : – Pour une fois, ce misérable-là n'a point menti. Je me nomme, en effet, Laroche-Mathieu, ministre.

Puis, tendant le bras vers la poitrine de Georges, où apparaissait comme une lueur, un petit point rouge, il ajouta : – Et le gredin que voici porte sur son habit la croix d'honneur que je lui ai donnée.

Du Roy était devenu livide. D'un geste rapide, il arracha de sa boutonnière la courte flamme de ruban, et, la jetant dans la cheminée : – Voilà ce que vaut une décoration qui vient de salops de votre espèce.

Ils étaient face à face, les dents près des dents, exaspérés, les poings serrés, l'un maigre et la moustache au vent, l'autre gras et la moustache en croc.

Le commissaire passa vivement entre les deux et, les écartant avec ses mains : – Messieurs, vous vous oubliez, vous manquez de dignité !

Ils se turent et se tournèrent les talons. Madeleine, immobile, fumait toujours, en souriant.

L'officier de police reprit :

– Monsieur le ministre, je vous ai surpris, seul avec Mme Du Roy, que voici, vous couché, elle presque nue.
400 Vos vêtements étant jetés pêle-mêle à travers l'appartement, cela constitue un flagrant délit d'adultère. Vous ne pouvez nier l'évidence. Qu'avez-vous à répondre ?

Laroche-Mathieu murmura : – Je n'ai rien à dire, faites votre devoir.

Le commissaire s'adressa à Madeleine : – Avouez-vous, madame, que monsieur soit votre amant ?

Elle prononça crânement : – Je ne le nie pas, il est mon amant !

– Cela suffit.

410 Puis le magistrat prit quelques notes sur l'état et la disposition du logis. Comme il finissait d'écrire, le ministre qui avait achevé de s'habiller, et qui attendait, le paletot sur le bras, le chapeau à la main, demanda :

– Avez-vous encore besoin de moi, monsieur ? Que dois-je faire ? Puis-je me retirer ?

Du Roy se retourna vers lui et souriant avec insolence :
– Pourquoi donc ? Nous avons fini. Vous pouvez vous recoucher, monsieur ; nous allons vous laisser seuls.

Et posant le doigt sur le bras de l'officier de police :
420 – Retirons-nous, monsieur le commissaire, nous n'avons plus rien à faire en ce lieu.

Un peu surpris, le magistrat le suivit ; mais, sur le seuil de la chambre, Georges s'arrêta pour le laisser passer. L'autre s'y refusait par cérémonie.

Du Roy insistait : – Passez donc, monsieur. Le commissaire dit : – Après vous. – Alors le journaliste salua, et sur le ton d'une politesse ironique : – C'est votre tour, monsieur le commissaire de police. Je suis presque chez moi, ici.

430 Puis il referma la porte doucement, avec un air de discrétion.

Une heure plus tard, Georges Du Roy entrait dans les bureaux de La Vie française.

M. Walter était déjà là, car il continuait à diriger et à surveiller avec sollicitude son journal qui avait pris une extension énorme et qui favorisait beaucoup les opérations grandissantes de sa banque.

Le directeur leva la tête et demanda : – Tiens, vous voici ? Vous semblez tout drôle ! Pourquoi n'êtes-vous pas venu dîner à la maison ? D'où sortez-vous donc ?   440

Le jeune homme, qui était sûr de son effet, déclara, en pesant sur chaque mot : – Je viens de jeter bas le ministre des Affaires étrangères.

L'autre crut qu'il plaisantait.

– De jeter bas… Comment ?

– Je vais changer le cabinet. Voilà tout ! il n'est pas trop tôt de chasser cette charogne.

Le vieux, stupéfait, crut que son chroniqueur était gris. Il murmura : – Voyons, vous déraisonnez.

– Pas du tout. Je viens de surprendre M. Laroche-   450
Mathieu en flagrant délit d'adultère avec ma femme. Le commissaire de police a constaté la chose. Le ministre est foutu.

Walter, interdit, releva tout à fait ses lunettes sur son front et demanda : – Vous ne vous moquez pas de moi ?

– Pas du tout. Je vais même faire un écho là-dessus.

– Mais alors que voulez-vous ?

– Jeter bas ce fripon, ce misérable, ce malfaiteur public !

Georges posa son chapeau sur un fauteuil, puis ajouta :   460

– Gare à ceux que je trouve sur mon chemin. Je ne pardonne jamais.

Le directeur hésitait encore à comprendre. Il murmura :

– Mais… votre femme ?

– Ma demande en divorce [1] sera faite dès demain matin. Je la renvoie à feu Forestier.

– Vous voulez divorcer ?

– Parbleu. J'étais ridicule. Mais il me fallait faire la bête pour les surprendre. Ça y est. Je suis maître de la situation.

M. Walter n'en revenait pas ; et il regardait Du Roy avec   470
des yeux effarés, pensant : – Bigre. C'est un gaillard bon à ménager.

---

1. Supprimé sous la Restauration, le divorce est rétabli en 1884. Ses modalités restent très favorables au mari : la femme adultère est passible d'un emprisonnement de trois mois à deux ans, quand le mari volage ne risque qu'une amende. Le mari a, par ailleurs, le droit d'utiliser les lettres compromettantes reçues par son épouse, quand l'inverse n'est pas vrai.

Georges reprit : – Me voici libre… J'ai une certaine fortune. Je me présenterai aux élections au renouvellement
d'octobre, dans mon pays où je suis fort connu. Je ne pouvais pas me poser ni me faire respecter avec cette femme
qui était suspecte à tout le monde. Elle m'avait pris
comme un niais, elle m'avait enjôlé et capturé. Mais
depuis que je savais son jeu, je la surveillais, la gredine.

480   Il se mit à rire et ajouta : – C'est ce pauvre Forestier qui
était cocu… cocu sans s'en douter, confiant et tranquille.
Me voici débarrassé de la teigne qu'il m'avait laissée. J'ai
les mains déliées. Maintenant, j'irai loin.

Il s'était mis à califourchon sur une chaise. Il répéta,
comme s'il eût songé : – J'irai loin.

Et le père Walter le regardait toujours de ses yeux
découverts, ses lunettes restant relevées sur le front, et il se
disait : – Oui, il ira loin, le gredin.

Georges se releva : – Je vais rédiger l'écho. Il faut le
490 faire avec discrétion. Mais vous savez, il sera terrible pour
le ministre. C'est un homme à la mer. On ne peut pas le
repêcher. *La Vie française* n'a plus d'intérêt à le ménager.

Le vieux hésita quelques instants, puis il en prit son
parti : – Faites, dit-il, tant pis pour ceux qui se fichent dans
ces pétrins-là.

IX

Trois mois s'étaient écoulés. Le divorce de Du Roy venait d'être prononcé. Sa femme avait repris son nom de Forestier, et comme les Walter devaient partir, le 15 juillet, pour Trouville, on décida de passer une journée à la campagne, avant de se séparer.

On choisit un jeudi, et on se mit en route dès neuf heures du matin, dans un grand landau de voyage à six places, attelé en poste à quatre chevaux.

On allait déjeuner à Saint-Germain, au pavillon Henri-IV. Bel-Ami avait demandé à être le seul homme de la partie, car il ne pouvait supporter la présence et la figure du marquis de Cazolles. Mais, au dernier moment, il fut décidé que le comte de Latour-Yvelin serait enlevé, au saut du lit. On l'avait prévenu la veille.

La voiture remonta au grand trot l'avenue des Champs-Élysées, puis traversa le bois de Boulogne.

Il faisait un admirable temps d'été, pas trop chaud. Les hirondelles traçaient sur le bleu du ciel de grandes lignes courbes qu'on croyait voir encore quand elles étaient passées.

Les trois femmes se tenaient au fond du landau, la mère entre ses deux filles ; et les trois hommes, à reculons, Walter entre les deux invités.

On traversa la Seine, on contourna le Mont-Valérien, puis on gagna Bougival, pour longer ensuite la rivière jusqu'au Pecq.

Le comte de Latour-Yvelin, un homme un peu mûr à longs favoris légers, dont le moindre souffle d'air agitait les pointes, ce qui faisait dire à Du Roy : « Il obtient de

30 jolis effets de vent dans sa barbe », contemplait Rose tendrement. Ils étaient fiancés depuis un mois.

Georges, fort pâle, regardait souvent Suzanne, qui était
pâle aussi. Leurs yeux se rencontraient, semblaient se
concerter, se comprendre, échanger secrètement une
pensée, puis se fuyaient. Mme Walter était tranquille, heureuse.

Le déjeuner fut long. Avant de repartir pour Paris,
Georges proposa de faire un tour sur la terrasse.

On s'arrêta d'abord pour examiner la vue. Tout le
40 monde se mit en ligne le long du mur et on s'extasia sur
l'étendue de l'horizon. La Seine, au pied d'une longue col-
line, coulait vers Maisons-Laffitte, comme un immense
serpent couché dans la verdure. À droite, sur le sommet de
la côte, l'aqueduc de Marly projetait sur le ciel son profil
énorme de chenille à grandes pattes, et Marly disparaissait, au-dessous, dans un épais bouquet d'arbres.

Par la plaine immense, qui s'étendait en face, on voyait
des villages, de place en place. Les pièces d'eau
du Vésinet faisaient des taches nettes et propres dans la
50 maigre verdure de la petite forêt. À gauche, tout au loin,
on apercevait en l'air le clocher pointu de Sartrouville.

Walter déclara : – On ne peut trouver nulle part au
monde un semblable panorama. Il n'y en a pas un pareil en
Suisse.

Puis on se remit en marche doucement pour faire une
promenade et jouir un peu de cette perspective.

Georges et Suzanne restèrent en arrière. Dès qu'ils
furent écartés de quelques pas, il lui dit d'une voix basse
et contenue : – Suzanne, je vous adore. Je vous aime à en
60 perdre la tête.

Elle murmura : – Moi aussi, Bel-Ami.

Il reprit : – Si je ne vous ai pas pour femme, je quitterai
Paris et ce pays.

Elle répondit : – Essayez donc de me demander à papa.
Peut-être qu'il voudra bien.

Il eut un petit geste d'impatience : – Non, je vous le
répète pour la dixième fois, c'est inutile. On me fermera la
porte de votre maison ; on m'expulsera du journal ; et
nous ne pourrons plus même nous voir. Voilà le joli
70 résultat auquel je suis certain d'arriver par une demande

en règle. On vous a promise au marquis de Cazolles. On espère que vous finirez par dire : « Oui ». Et on attend.

Elle demanda : – Qu'est-ce qu'il faut faire alors ?

Il hésitait, la regardant de côté : – M'aimez-vous assez pour commettre une folie ?

Elle répondit résolument :

– Oui.

– Une grande folie ?

– Oui.

– La plus grande des folies ?   80

– Oui.

– Aurez-vous aussi assez de courage pour braver votre père et votre mère ?

– Oui.

– Bien vrai ?

– Oui.

– Eh bien, il y a un moyen, un seul ! Il faut que la chose vienne de vous, et pas de moi. Vous êtes une enfant gâtée ; on vous laisse tout dire, on ne s'étonnera pas trop d'une audace de plus de votre part. Écoutez donc. Ce soir, en   90 rentrant, vous irez trouver votre maman, d'abord, votre maman toute seule. Et vous lui avouerez que vous voulez m'épouser. Elle aura une grosse émotion et une grosse colère…

Suzanne l'interrompit : – Oh ! maman voudra bien.

Il reprit vivement : – Non. Vous ne la connaissez pas. Elle sera plus fâchée et plus furieuse que votre père. Vous verrez comme elle refusera. Mais vous tiendrez bon, vous ne céderez pas, vous répéterez que vous voulez m'épouser, moi seul, rien que moi. Le ferez-vous ?   100

– Je le ferai.

– Et en sortant de chez votre mère, vous direz la même chose à votre père, d'un air très sérieux et très décidé.

– Oui, oui. Et puis ?

– Et puis, c'est là que ça devient grave. Si vous êtes résolue, bien résolue, bien, bien, bien résolue à être ma femme, ma chère, chère petite Suzanne… Je vous… je vous enlèverai.

Elle eut une grande secousse de joie et faillit battre des mains. – Oh ! quel bonheur ! vous m'enlèverez ? Quand   110 ça m'enlèverez-vous ?

Toute la vieille poésie des enlèvements nocturnes, des chaises de poste, des auberges, toutes les charmantes aventures des livres lui passèrent d'un coup dans l'esprit comme un songe enchanteur prêt à se réaliser.

Elle répéta : – Quand ça m'enlèverez-vous ?

Il répondit très bas : – Mais... ce soir... cette nuit.

Elle demanda, frémissante : – Et où irons-nous ?

– Ça, c'est mon secret. Réfléchissez à ce que vous faites. Songez bien qu'après cette fuite vous ne pourrez plus être que ma femme ! C'est le seul moyen, mais il est... il est très dangereux... pour vous.

Elle déclara : – Je suis décidée... où vous retrouverai-je ?

– Vous pourrez sortir de l'hôtel, toute seule ?

– Oui. Je sais ouvrir la petite porte.

– Eh bien ! quand le concierge sera couché, vers minuit, venez me rejoindre place de la Concorde. Vous me trouverez dans un fiacre arrêté en face du ministère de la Marine.

– J'irai.

– Bien vrai ?

– Bien vrai.

Il lui prit la main et la serra : – Oh ! que je vous aime ! Comme vous êtes bonne et brave ! Alors, vous ne voulez pas épouser M. de Cazolles ?

– Oh ! non.

– Votre père s'est beaucoup fâché quand vous avez dit non ?

– Je crois bien, il voulait me remettre au couvent.

– Vous voyez qu'il est nécessaire d'être énergique.

– Je le serai.

Elle regardait le vaste horizon, la tête pleine de cette idée d'enlèvement. Elle irait plus loin que là-bas... avec lui !... Elle serait enlevée !... Elle était fière de ça ! Elle ne songeait guère à sa réputation, à ce qui pouvait lui arriver d'infâme. Le savait-elle, même ? Le soupçonnait-elle [1] ?

---

1. Suzanne cède, comme Emma Bovary, à la passion romanesque de l'enlèvement. Mais l'amant d'Emma, Rodolphe, gagné par la médiocrité provinciale, renonce finalement à l'aventure et fuit, seul, « les questions indiscrètes, le dédain, l'outrage » d'un « monde cruel ».

Mme Walter, se retournant, cria : – Mais viens donc, petite. Qu'est-ce que tu fais avec Bel-Ami ?

Ils rejoignirent les autres. On parlait des bains de mer 150 où on serait bientôt.

Puis, on revint par Chatou pour ne pas refaire la même route.

George ne disait plus rien. Il songeait : Donc, si cette petite avait un peu d'audace, il allait réussir, enfin ! Depuis trois mois, il l'enveloppait dans l'irrésistible filet de sa tendresse. Il la séduisait, la captivait, la conquérait. Il s'était fait aimer par elle, comme il savait se faire aimer. Il avait cueilli sans peine son âme légère de poupée.

Il avait obtenu d'abord qu'elle refusât M. de Cazolles. Il 160 venait d'obtenir qu'elle s'enfuît avec lui. Car il n'y avait pas d'autre moyen.

Mme Walter, il le comprenait bien, ne consentirait jamais à lui donner sa fille. Elle l'aimait encore, elle l'aimerait toujours, avec une violence intraitable. Il la contenait par sa froideur calculée, mais il la sentait rongée par une passion impuissante et vorace. Jamais il ne pourrait la fléchir. Jamais elle n'admettrait qu'il prît Suzanne.

Mais une fois qu'il tiendrait la petite au loin, il traiterait 170 de puissance à puissance, avec le père.

Pensant à tout cela, il répondait par phrases hachées aux choses qu'on lui disait et qu'il n'écoutait guère. Il parut revenir à lui lorsqu'il rentra dans Paris.

Suzanne aussi songeait ; et le grelot des quatre chevaux sonnait dans sa tête, lui faisait voir des grandes routes infinies sous des clairs de lune éternels, des forêts sombres traversées, des auberges au bord du chemin, et la hâte des hommes d'écurie à changer l'attelage, car tout le monde devine qu'ils sont poursuivis [1]. 180

Quand le landau fut arrivé dans la cour de l'hôtel, on voulut retenir Georges à dîner. Il refusa et revint chez lui.

---

[1]. Emma Bovary, encore collégienne, lisait avec délices des romans où « ce n'étaient qu'amours, amants, amantes, dames persécutées s'évanouissant dans des pavillons solitaires, postillons qu'on tue à tous les relais, chevaux qu'on crève à toutes les pages, forêts sombres, troubles du cœur, serments, sanglots, larmes et baisers, nacelles au clair de lune ».

Après avoir un peu mangé, il mit de l'ordre dans ses papiers comme s'il allait faire un grand voyage. Il brûla des lettres compromettantes, en cacha d'autres, écrivit à quelques amis.

De temps en temps, il regardait la pendule, en pensant : « Ça doit chauffer là-bas. » Et une inquiétude le mordait au cœur. S'il allait échouer ? Mais que pouvait-il
190 craindre ? Il se tirerait toujours d'affaire ! Pourtant c'était une grosse partie qu'il jouait, ce soir-là !

Il ressortit vers onze heures, erra quelque temps, prit un fiacre et se fit arrêter place de la Concorde, le long des arcades du ministère de la Marine.

De temps en temps, il enflammait une allumette pour regarder l'heure à sa montre. Quand il vit approcher minuit, son impatience devint fiévreuse. À tout moment il passait la tête à la portière pour regarder.

Une horloge lointaine sonna douze coups, puis une
200 autre plus près, puis deux ensemble, puis une dernière très loin. Quand celle-là eut cessé de tinter, il pensa : « C'est fini. C'est raté. Elle ne viendra pas. »

Il était cependant résolu à demeurer jusqu'au jour. Dans ces cas-là, il faut être patient.

Il entendit encore sonner le quart, puis la demie, puis les trois quarts ; et toutes les horloges répétèrent une heure comme elles avaient annoncé minuit.

Il n'attendait plus, il restait, creusant sa pensée pour deviner ce qui avait pu arriver. Tout à coup une tête de
210 femme passa par la portière et demanda : – Êtes-vous là, Bel-Ami ?

Il eut un sursaut et une suffocation.

– C'est vous, Suzanne ?

– Oui, c'est moi.

Il ne parvenait point à tourner la poignée assez vite, et répétait : – Ah !… c'est vous… c'est vous… entrez.

Elle entra et se laissa tomber contre lui. Il cria au cocher : « Allez ! » Et le fiacre se mit en route.

Elle haletait, sans parler.
220 Il demanda : – Eh bien ! comment ça s'est-il passé ?

Alors elle murmura, presque défaillante :

– Oh ! ça a été terrible, chez maman surtout.

Il était inquiet et frémissant.

– Votre maman ? Qu'est-ce qu'elle a dit ? Contez-moi ça.

– Oh ! ça a été affreux. Je suis entrée chez elle et je lui ai récité ma petite affaire que j'avais bien préparée. Alors elle a pâli, puis elle a crié : « Jamais ! jamais ! » Moi, j'ai pleuré, je me suis fâchée, j'ai juré que je n'épouserais que vous. J'ai cru qu'elle allait me battre. Elle est devenue comme folle ; elle a déclaré qu'on me renverrait au couvent, dès le lendemain. Je ne l'avais jamais vue comme ça, jamais ! Alors papa est arrivé en l'entendant débiter toutes ses sottises. Il ne s'est pas fâché tant qu'elle, mais il a déclaré que vous n'étiez pas un assez beau parti.

Comme ils m'avaient mise en colère aussi, j'ai crié plus fort qu'eux. Et papa m'a dit de sortir avec un air dramatique qui ne lui allait pas du tout. C'est ce qui m'a décidée à me sauver avec vous. Me voilà, où allons-nous ?

Il avait enlacé sa taille doucement ; et il écoutait de toutes ses oreilles, le cœur battant, une rancune haineuse s'éveillant en lui contre ces gens. Mais il la tenait, leur fille. Ils verraient, à présent.

Il répondit : – Il est trop tard pour prendre le train ; cette voiture-là va donc nous conduire à Sèvres où nous passerons la nuit. Et demain nous partirons pour La Roche-Guyon. C'est un joli village, au bord de la Seine, entre Mantes et Bonnières.

Elle murmura : – C'est que je n'ai pas d'effets. Je n'ai rien.

Il sourit, avec insouciance : – Bah ! nous nous arrangerons là-bas.

Le fiacre roulait le long des rues. Georges prit une main de la jeune fille et se mit à la baiser, lentement, avec respect. Il ne savait que lui raconter, n'étant guère accoutumé aux tendresses platoniques. Mais soudain il crut s'apercevoir qu'elle pleurait.

Il demanda, avec terreur : – Qu'est-ce que vous avez, ma chère petite ?

Elle répondit, d'une voix toute mouillée : – C'est ma pauvre maman qui ne doit pas dormir à cette heure, si elle s'est aperçue de mon départ.

Sa mère, en effet, ne dormait pas.

Aussitôt Suzanne sortie de sa chambre, Mme Walter était restée en face de son mari.

Elle demanda, éperdue, atterrée :

– Mon Dieu ! Qu'est-ce que cela veut dire ?

Walter cria, furieux : – Ça veut dire que cet intrigant l'a enjôlée. C'est lui qui a fait refuser Cazolles. Il trouve la
270 dot bonne, parbleu !

Il se mit à marcher avec rage à travers l'appartement et reprit : – Tu l'attirais sans cesse, aussi, toi, tu le flattais, tu le cajolais, tu n'avais pas assez de chatteries pour lui. C'était Bel-Ami par-ci, Bel-Ami par-là, du matin au soir. Te voilà payée.

Elle murmura, livide : – Moi ?… je l'attirais !

Il lui vociféra dans le nez : – Oui, toi ! Vous êtes toutes folles de lui, la Marelle, Suzanne, Suzanne et les autres. Crois-tu que je ne voyais pas que tu ne pouvais point rester
280 deux jours sans le faire venir ici ?

Elle se dressa, tragique : – Je ne vous permettrai pas de me parler ainsi. Vous oubliez que je n'ai pas été élevée, comme vous, dans une boutique.

Il demeura d'abord immobile et stupéfait, puis il lâcha un « Nom de Dieu » furibond, et il sortit en tapant la porte.

Dès qu'elle fut seule, elle alla, par instinct, vers la glace pour se regarder, comme pour voir si rien n'était changé en elle, tant ce qui arrivait lui paraissait impossible, monstrueux. Suzanne était amoureuse de Bel-Ami ! et Bel-Ami
290 voulait épouser Suzanne ! Non ! elle s'était trompée, ce n'était pas vrai. La fillette avait eu une toquade bien naturelle pour ce beau garçon, elle avait espéré qu'on le lui donnerait pour mari ; elle avait fait son petit coup de tête ! Mais lui ? lui ne pouvait pas être complice de ça ! Elle réfléchissait, troublée comme on l'est devant les grandes catastrophes. Non, Bel-Ami ne devait rien savoir de l'escapade de Suzanne.

Et elle songea longtemps à la perfidie et à l'innocence possibles de cet homme. Quel misérable, s'il avait préparé
300 le coup ! Et qu'arriverait-il ? Que de dangers et de tourments elle prévoyait !

S'il ne savait rien, tout pouvait s'arranger encore. On ferait un voyage avec Suzanne pendant six mois, et ce serait fini. Mais comment pourrait-elle le revoir, elle, ensuite ? Car elle l'aimait toujours. Cette passion était entrée en elle à la façon de ces pointes de flèche qu'on ne peut plus arracher.

Vivre sans lui était impossible. Autant mourir. Sa pensée s'égarait dans ces angoisses et dans ces incertitudes. Une douleur commençait à poindre dans sa tête ; ses idées devenaient pénibles, troubles, lui faisaient mal. Elle s'énervait à chercher, s'exaspérait de ne pas savoir. Elle regarda sa pendule, il était une heure passée. Elle se dit : « Je ne veux pas rester ainsi, je deviens folle. Il faut que je sache. Je vais réveiller Suzanne pour l'interroger. »

Et elle s'en alla, déchaussée, pour ne pas faire de bruit, une bougie à la main, vers la chambre de sa fille. Elle l'ouvrit bien doucement, entra, regarda le lit. Il n'était pas défait. Elle ne comprit point d'abord, et pensa que la fillette discutait encore avec son père. Mais aussitôt un soupçon horrible l'effleura et elle courut chez son mari. Elle y arriva d'un élan, blême et haletante. Il était couché et lisait encore.

Il demanda effaré : – Eh bien ! quoi ? Qu'est-ce que tu as ?

Elle balbutiait : – As-tu vu Suzanne ?

– Moi ? Non. Pourquoi ?

– Elle est… elle est… partie. Elle n'est pas dans… sa chambre.

Il sauta d'un bond sur le tapis, chaussa ses pantoufles et, sans caleçon, la chemise au vent, il se précipita à son tour vers l'appartement de sa fille.

Dès qu'il l'eut vu, il ne conserva point de doute. Elle s'était enfuie.

Il tomba sur un fauteuil et posa sa lampe par terre devant lui.

Sa femme l'avait rejoint. Elle bégaya : – Eh bien ?

Il n'avait plus la force de répondre ; il n'avait plus de colère, il gémit :

– C'est fait, il la tient. Nous sommes perdus.

Elle ne comprenait pas : – Comment perdus ?

– Eh ! oui, parbleu. Il faut bien qu'il l'épouse maintenant.

Elle poussa une sorte de cri de bête :

– Lui ! jamais ! Tu es donc fou ?

Il répondit tristement : – Ça ne sert à rien de hurler. Il l'a enlevée, il l'a déshonorée. Le mieux est encore de la lui donner. En s'y prenant bien, personne ne saura cette aventure.

350   Elle répéta, secouée d'une émotion terrible : – Jamais ! jamais il n'aura Suzanne ! Jamais je ne consentirai !

Walter murmura avec accablement :

– Mais il l'a. C'est fait. Et il la gardera et la cachera tant que nous n'aurons point cédé. Donc, pour éviter le scandale, il faut céder tout de suite.

Sa femme, déchirée par une inavouable douleur, répéta :

– Non ! non ! Jamais je ne consentirai !

Il reprit, s'impatientant : – Mais il n'y a pas à discuter. Il le faut. Ah ! le gredin, comme il nous a joués… Il est
360 fort tout de même. Nous aurions pu trouver beaucoup mieux comme position, mais pas comme intelligence et comme avenir. C'est un homme d'avenir. Il sera député et ministre.

Mme Walter déclara, avec une énergie farouche :

– Jamais je ne lui laisserai épouser Suzanne… Tu entends… jamais !

Il finit par se fâcher et par prendre, en homme pratique, la défense de Bel-Ami.

– Mais, tais-toi donc… Je te répète qu'il le faut… qu'il
370 le faut absolument. Et qui sait ? Peut-être ne le regretterons-nous pas. Avec les êtres de cette trempe-là, on ne sait jamais ce qui peut arriver. Tu as vu comme il a jeté bas, en trois articles, ce niais de Laroche-Mathieu, et comme il l'a fait avec dignité, ce qui était rudement difficile dans sa situation de mari. Enfin nous verrons. Toujours est-il que nous sommes pris. Nous ne pouvons plus nous tirer de là.

Elle avait envie de crier, de se rouler par terre, de s'arracher les cheveux. Elle prononça encore, d'une voix exaspérée :

380   – Il ne l'aura pas… Je… ne… veux… pas !

Walter se leva, ramassa sa lampe, reprit :

– Tiens, tu es stupide comme toutes les femmes. Vous n'agissez jamais que par passion. Vous ne savez pas vous plier aux circonstances… vous êtes stupides ! Moi, je te dis qu'il l'épousera… Il le faut.

Et il sortit, en traînant ses pantoufles. Il traversa, fantôme comique en chemise de nuit, le large corridor du vaste hôtel endormi, et rentra, sans bruit, dans sa chambre.

Mme Walter restait debout, déchirée par une intolérable douleur. Elle ne comprenait pas encore bien, d'ailleurs. 390 Elle souffrait seulement. Puis il lui sembla qu'elle ne pourrait pas demeurer là, immobile, jusqu'au jour. Elle sentait en elle un besoin violent de se sauver, de courir devant elle, de s'en aller, de chercher de l'aide, d'être secourue.

Elle cherchait qui elle pourrait bien appeler à elle. Quel homme ! elle n'en trouvait pas ! Un prêtre ! oui, un prêtre ! Elle se jetterait à ses pieds, lui avouerait tout, lui confesserait sa faute et son désespoir. Il comprendrait, lui, que ce misérable ne pouvait pas épouser Suzanne et il empêcherait cela. 400

Il lui fallait un prêtre tout de suite ! Mais où le trouver ? Où aller ? Pourtant elle ne pouvait rester ainsi.

Alors passa devant ses yeux, ainsi qu'une vision, l'image sereine de Jésus marchant sur les flots. Elle le vit comme elle le voyait en regardant le tableau. Donc il l'appelait. Il lui disait : « Venez à moi. Venez vous agenouiller à mes pieds. Je vous consolerai et je vous inspirerai ce qu'il faut faire. »

Elle prit sa bougie, sortit, et descendit pour gagner la serre. Le Jésus était tout au bout, dans un petit salon qu'on 410 fermait par une porte vitrée afin que l'humidité des terres ne détériorât point la toile.

Cela faisait une sorte de chapelle dans une forêt d'arbres singuliers.

Quand Mme Walter entra dans le jardin d'hiver, ne l'ayant jamais vu que plein de lumière, elle demeura saisie devant sa profondeur obscure. Les lourdes plantes des pays chauds épaississaient l'atmosphère de leur haleine pesante. Et les portes n'étant plus ouvertes, l'air de ce bois étrange, enfermé sous un dôme de verre, entrait dans la 420 poitrine avec peine, étourdissait, grisait, faisait plaisir et mal, donnait à la chair une sensation confuse de volupté énervante et de mort.

La pauvre femme marchait doucement, émue par les ténèbres où apparaissaient, à la lueur errante de sa bougie des plantes extravagantes, avec des aspects de monstres, des apparences d'êtres, des difformités bizarres.

Tout d'un coup, elle aperçut le Christ. Elle ouvrit la porte qui le séparait d'elle, et tomba à genoux.

430   Elle le pria d'abord éperdument, balbutiant des mots d'amour, des invocations passionnées et désespérées. Puis, l'ardeur de son appel se calmant, elle leva les yeux vers lui, et demeura saisie d'angoisse. Il ressemblait tellement à Bel-Ami, à la clarté tremblante de cette seule lumière l'éclairant à peine et d'en bas, que ce n'était plus Dieu, c'était son amant qui la regardait. C'étaient ses yeux, son front, l'expression de son visage, son air froid et hautain !

Elle balbutiait : « Jésus ! – Jésus ! – Jésus ! » Et le mot « Georges » lui venait aux lèvres. Tout à coup, elle pensa 440   qu'à cette heure même, Georges, peut-être, possédait sa fille. Il était seul avec elle, quelque part, dans une chambre. Lui ! lui ! avec Suzanne !

Elle répétait : « Jésus !… Jésus ! » Mais elle pensait à eux… à sa fille et à son amant ! Ils étaient seuls, dans une chambre… et c'était la nuit. Elle les voyait. Elle les voyait si nettement qu'ils se dressaient devant elle, à la place du tableau. Ils se souriaient. Ils s'embrassaient. La chambre était sombre, le lit entrouvert. Elle se souleva pour aller vers eux, pour prendre sa fille par les cheveux et l'arracher 450   à cette étreinte. Elle allait la saisir à la gorge, l'étrangler, sa fille qu'elle haïssait, sa fille qui se donnait à cet homme. Elle la touchait… ses mains rencontrèrent la toile. Elle heurtait les pieds du Christ.

Elle poussa un grand cri et tomba sur le dos. Sa bougie, renversée, s'éteignit.

Que se passa-t-il ensuite ? Elle rêva longtemps des choses étranges, effrayantes. Toujours Georges et Suzanne passaient devant ses yeux enlacés avec Jésus-Christ qui bénissait leur horrible amour.

460   Elle sentait vaguement qu'elle n'était point chez elle. Elle voulait se lever, fuir, elle ne le pouvait pas. Une torpeur l'avait envahie, qui liait ses membres et ne lui laissait que sa pensée en éveil, trouble cependant, torturée par des images affreuses, irréelles, fantastiques, perdue dans un songe malsain, le songe étrange et parfois mortel que font

entrer dans les cerveaux humains les plantes endormeuses
des pays chauds, aux formes bizarres et aux parfums épais.

Le jour venu, on ramassa Mme Walter, étendue sans
connaissance, presque asphyxiée, devant *Jésus marchant
sur les flots*. Elle fut si malade qu'on craignit pour sa vie. 470
Elle ne reprit que le lendemain l'usage complet de sa
raison. Alors, elle se mit à pleurer.

La disparition de Suzanne fut expliquée aux domestiques par un envoi brusque au couvent. Et M. Walter
répondit à une longue lettre de Du Roy, en lui accordant la
main de sa fille.

Bel-Ami avait jeté cette épître à la poste au moment de
quitter Paris, car il l'avait préparée d'avance le soir de son
départ. Il y disait, en termes respectueux, qu'il aimait
depuis longtemps la jeune fille, que jamais aucun accord 480
n'avait eu lieu entre eux, mais que la voyant venir à lui, en
toute liberté, pour lui dire : « Je serai votre femme », il se
jugeait autorisé à la garder, à la cacher même, jusqu'à ce
qu'il eût obtenu une réponse des parents dont la volonté
légale avait pour lui une valeur moindre que la volonté de
sa fiancée.

Il demandait que M. Walter répondît poste restante, un
ami devant lui faire parvenir la lettre.

Quand il eut obtenu ce qu'il voulait, il ramena Suzanne
à Paris et la renvoya chez ses parents, s'abstenant lui- 490
même de paraître avant quelque temps.

Ils avaient passé six jours au bord de la Seine, à La
Roche-Guyon.

Jamais la jeune fille ne s'était tant amusée. Elle avait
joué à la bergère. Comme il la faisait passer pour sa sœur,
ils vivaient dans une intimité libre et chaste, une sorte de
camaraderie amoureuse. Il jugeait habile de la respecter.
Dès le lendemain de leur arrivée, elle acheta du linge et
des vêtements de paysanne, et elle se mit à pêcher à la
ligne, la tête couverte d'un immense chapeau de paille 500
orné de fleurs des champs. Elle trouvait le pays délicieux.
Il y avait là une vieille tour et un vieux château où l'on
montrait d'admirables tapisseries.

Georges, vêtu d'une vareuse achetée toute faite chez un
commerçant du pays, promenait Suzanne, soit à pied, le
long des berges, soit en bateau. Ils s'embrassaient à tout

moment, frémissants, elle innocente et lui prêt à suc-
comber. Mais il savait être fort ; et quand il lui dit : – Nous
retournerons à Paris demain, votre père m'accorde votre
510 main, – elle murmura naïvement : – Déjà, ça m'amusait
tant d'être votre femme !

X

Il faisait sombre dans le petit appartement de la rue de Constantinople, car Georges Du Roy et Clotilde de Marelle s'étant rencontrés sous la porte étaient entrés brusquement, et elle lui avait dit, sans lui laisser le temps d'ouvrir les persiennes :

– Ainsi, tu épouses Suzanne Walter ?

Il avoua avec douceur et ajouta :

– Tu ne le savais pas ?

Elle reprit, debout devant lui, furieuse, indignée :

– Tu épouses Suzanne Walter ! C'est trop fort ! C'est 10 trop fort ! Voilà trois mois que tu me cajoles pour me cacher ça. Tout le monde le sait, excepté moi. C'est mon mari qui me l'a appris !

Du Roy se mit à ricaner, un peu confus tout de même et, ayant posé son chapeau sur un coin de la cheminée, il s'assit dans un fauteuil.

Elle le regardait bien en face, et elle dit d'une voix irritée et basse : – Depuis que tu as quitté ta femme, tu préparais ce coup-là, et tu me gardais gentiment comme maîtresse, pour faire l'intérim ? Quel gredin tu es ! 20

Il demanda : – Pourquoi ça ? J'avais une femme qui me trompait. Je l'ai surprise ; j'ai obtenu le divorce, et j'en épouse une autre. Quoi de plus simple ?

Elle murmura, frémissante : – Oh ! comme tu es roué et dangereux, toi !

Il se remit à sourire : – Parbleu ! Les imbéciles et les niais sont toujours des dupes !

Mais elle suivait son idée : – Comme j'aurais dû te deviner dès le commencement. Mais non, je ne pouvais pas croire que tu serais crapule comme ça. 30

Il prit un air digne : – Je te prie de faire attention aux mots que tu emploies.

Elle se révolta contre cette indignation : – Quoi ! tu veux que je prenne des gants pour te parler maintenant ! Tu te conduis avec moi comme un gueux depuis que je te connais, et tu prétends que je ne te le dise pas ? Tu trompes tout le monde, tu exploites tout le monde, tu prends du plaisir et de l'argent partout, et tu veux que je te traite comme un honnête homme ?

40 Il se leva, et la lèvre tremblante : – Tais-toi, ou je te fais sortir d'ici.

Elle balbutia : – Sortir d'ici... Sortir d'ici... Tu me ferais sortir d'ici... toi... toi ?...

Elle ne pouvait plus parler, tant elle suffoquait de colère, et brusquement, comme si la porte de sa fureur se fût brisée, elle éclata :

– Sortir d'ici ? Tu oublies donc que c'est moi qui l'ai payé, depuis le premier jour, ce logement-là ! Ah ! oui, tu l'as bien pris à ton compte de temps en temps. Mais qui 50 est-ce qui l'a loué ?... C'est moi... Qui est-ce qui l'a gardé ?... C'est moi... Et tu veux me faire sortir d'ici. Tais-toi donc, vaurien ! Crois-tu que je ne sais pas comment tu as volé à Madeleine la moitié de l'héritage de Vaudrec ? Crois-tu que je ne sais pas comment tu as couché avec Suzanne pour la forcer à t'épouser...

Il la saisit par les épaules et la secouant entre ses mains :
– Ne parle pas de celle-là ! Je te le défends !

Elle cria : – Tu as couché avec, je le sais.

Il eût accepté n'importe quoi, mais ce mensonge l'exas-60 pérait. Les vérités qu'elle lui avait criées par le visage lui faisaient passer tout à l'heure des frissons de rage dans le cœur, mais cette fausseté sur cette petite fille qui allait devenir sa femme éveillait dans le creux de sa main un besoin furieux de frapper.

Il répéta : – Tais-toi... prends garde... tais-toi... – Et il l'agitait comme on agite une branche pour en faire tomber les fruits.

Elle hurla, décoiffée, la bouche grande ouverte, les yeux fous :
70 – Tu as couché avec !

Il la lâcha et lui lança par la figure un tel soufflet qu'elle alla tomber contre le mur. Mais elle se retourna vers lui, et, soulevée sur ses poignets, vociféra encore une fois : – Tu as couché avec !

Il se rua sur elle, et, la tenant sous lui, la frappa comme s'il tapait sur un homme.

Elle se tut soudain, et se mit à gémir sous les coups. Elle ne remuait plus. Elle avait caché sa figure dans l'angle du parquet de la muraille, et elle poussait des cris plaintifs.

Il cessa de la battre et se redressa. Puis il fit quelques pas par la pièce pour reprendre son sang-froid ; et, une idée lui étant venue, il passa dans la chambre, emplit la cuvette d'eau froide et se trempa la tête dedans. Ensuite, il se lava les mains, et il revint voir ce qu'elle faisait en s'essuyant les doigts avec soin.

Elle n'avait point bougé. Elle restait étendue par terre, pleurant doucement.

Il demanda : – Auras-tu bientôt fini de larmoyer ?

Elle ne répondit pas. Alors il demeura debout au milieu de l'appartement, un peu gêné, un peu honteux en face de ce corps allongé devant lui.

Puis, tout à coup, il prit une résolution, et saisit son chapeau sur la cheminée : – Bonsoir. Tu remettras la clef au concierge quand tu seras prête. Je n'attendrai pas ton bon plaisir.

Il sortit, ferma la porte, pénétra chez le portier, et lui dit :

– Madame est restée. Elle s'en ira tout à l'heure. Vous direz au propriétaire que je donne congé pour le 1er octobre. Nous sommes au 16 août, je me trouve donc dans les limites.

Et il s'en alla à grands pas, car il avait des courses pressées à faire pour les derniers achats de la corbeille.

Le mariage était fixé au 20 octobre, après la rentrée des Chambres. Il aurait lieu à l'église de la Madeleine. On en avait beaucoup jasé sans savoir au juste la vérité. Différentes histoires circulaient. On chuchotait qu'un enlèvement avait eu lieu, mais on n'était sûr de rien.

D'après les domestiques, Mme Walter, qui ne parlait plus à son futur gendre, s'était empoisonnée de colère le soir où cette union avait été décidée, après avoir fait conduire sa fille au couvent, à minuit.

On l'avait ramenée presque morte. Assurément, elle ne se remettrait jamais. Elle avait l'air maintenant d'une vieille femme ; ses cheveux devenaient tout gris : et elle tombait dans la dévotion, communiant tous les dimanches.

Dans les premiers jours de septembre *La Vie française* annonça que le baron Du Roy de Cantel devenait son rédacteur en chef, M. Walter conservant le titre de direc-
120 teur.

Alors on s'adjoignit un bataillon de chroniqueurs connus, d'échotiers, de rédacteurs politiques, de critiques d'art et de théâtre, enlevés à force d'argent aux grands journaux, aux vieux journaux puissants et posés.

Les anciens journalistes, les journalistes graves et respectables ne haussaient plus les épaules en parlant de *La Vie française*. Le succès rapide et complet avait effacé la mésestime des écrivains sérieux pour les débuts de cette feuille.

130 Le mariage de son rédacteur en chef fut ce qu'on appelle un fait parisien, Georges Du Roy et les Walter ayant soulevé beaucoup de curiosité depuis quelque temps. Tous les gens qu'on cite dans les échos se promirent d'y aller.

Cet événement eut lieu par un jour clair d'automne.

Dès huit heures du matin, tout le personnel de la Madeleine, étendant sur les marches du haut perron de cette église qui domine la rue Royale un large tapis rouge, faisait arrêter les passants, annonçait au peuple de Paris
140 qu'une grande cérémonie allait avoir lieu.

Les employés se rendant à leur bureau, les petites ouvrières, les garçons de magasin, s'arrêtaient, regardaient et songeaient vaguement aux gens riches qui dépensaient tant d'argent pour s'accoupler.

Vers dix heures, les curieux commencèrent à stationner. Ils demeuraient là quelques minutes, espérant que peut-être ça commencerait tout de suite, puis ils s'en allaient.

À onze heures, des détachements de sergents de ville arrivèrent et se mirent presque aussitôt à faire circuler la
150 foule, car des attroupements se formaient à chaque instant.

Les premiers invités apparurent bientôt, ceux qui voulaient être bien placés pour tout voir. Ils prirent les chaises en bordure, le long de la nef centrale.

Peu à peu il en venait d'autres, des femmes qui faisaient un bruit d'étoffes, un bruit de soie, des hommes sévères, presque tous chauves, marchant avec une correction mondaine, plus graves encore en ce lieu.

L'église s'emplissait lentement. Un flot de soleil entrait par l'immense porte ouverte éclairant les premiers rangs d'amis. Dans le chœur qui semblait un peu sombre, l'autel 160 couvert de cierges faisait une clarté jaune, humble et pâle en face du trou de lumière de la grande porte.

On se reconnaissait, on s'appelait d'un signe, on se réunissait par groupes. Les hommes de lettres, moins respectueux que les hommes du monde, causaient à mi-voix. On regardait les femmes.

Norbert de Varenne, qui cherchait un ami, aperçut Jacques Rival vers le milieu des lignes de chaises, et il le rejoignit.

– Eh bien, dit-il, l'avenir est aux malins !   170

L'autre, qui n'était point envieux, répondit : – Tant mieux pour lui. Sa vie est faite. Et ils se mirent à nommer les figures aperçues.

Rival demanda : – Savez-vous ce qu'est devenue sa femme ?

Le poète sourit : – Oui et non. Elle vit très retirée, m'a-t-on dit, dans le quartier Montmartre. Mais… il y a un mais…, je lis depuis quelque temps dans *La Plume* des articles politiques qui ressemblent terriblement à ceux de Forestier et de Du Roy. Ils sont d'un nommé Jean Le Dol, 180 un jeune homme, beau garçon, intelligent, de la même race que notre ami Georges, et qui a fait la connaissance de son ancienne femme. D'où j'ai conclu qu'elle aimait les débutants et les aimerait éternellement. Elle est riche d'ailleurs. Vaudrec et Laroche-Mathieu n'ont pas été pour rien les assidus de la maison.

Rival déclara : – Elle n'est pas mal, cette petite Madeleine. Très fine et très rouée ! Elle doit être charmante au découvert. Mais, dites-moi, comment se fait-il que Du Roy se marie à l'église après un divorce prononcé ?   190

Norbert de Varenne répondit : – Il se marie à l'église parce que, pour l'église, il n'était pas marié, la première fois.

– Comment ça ?

– Notre Bel-Ami, par indifférence ou par économie, avait jugé la mairie suffisante en épousant Madeleine Forestier. Il s'était donc passé de bénédiction ecclésiastique, ce qui constituait, pour notre Sainte Mère l'Église, un simple état de concubinage. Par conséquent, il arrive
200 devant elle aujourd'hui en garçon, et elle lui prête toutes ses pompes, qui coûteront cher au père Walter.

La rumeur de la foule accrue grandissait sous la voûte. On entendait des voix qui parlaient presque haut. On se montrait des hommes célèbres, qui posaient, contents d'être vus, et gardant avec soin leur maintien adopté devant le public, habitués à se montrer ainsi dans toutes les fêtes dont ils étaient, leur semblait-il, les indispensables ornements, les bibelots d'art.

Rival reprit : – Dites donc, mon cher, vous qui allez sou-
210 vent chez le Patron, est-ce vrai que Mme Walter et Du Roy ne se parlent jamais plus ?

– Jamais. Elle ne voulait pas lui donner la petite. Mais il tenait le père par des cadavres découverts, paraît-il, des cadavres enterrés au Maroc. Il a donc menacé le vieux de révélations épouvantables. Walter s'est rappelé l'exemple de Laroche-Mathieu et il a cédé tout de suite. Mais la mère, entêtée comme toutes les femmes, a juré qu'elle n'adresserait plus la parole à son gendre. Ils sont rudement drôles, en face l'un de l'autre. Elle a l'air d'une statue, de
220 la statue de la Vengeance, et il est fort gêné, lui, bien qu'il fasse bonne contenance, car il sait se gouverner, celui-là !

Des confrères venaient leur serrer la main. On entendait des bouts de conversations politiques. Et vague comme le bruit d'une mer lointaine, le grouillement du peuple amassé devant l'église entrait par la porte avec le soleil, montait sous la voûte, au-dessus de l'agitation plus discrète du public d'élite massé dans le temple.

Tout à coup le suisse frappa trois fois le pavé du bois de sa hallebarde. Toute l'assistance se retourna avec un long
230 frou-frou de jupes et un remuement de chaises. Et la jeune

femme apparut, au bras de son père, dans la vive lumière du portail.

Elle avait toujours l'air d'un joujou, d'un délicieux joujou blanc coiffé de fleurs d'oranger.

Elle demeura quelques instants sur le seuil, puis, quand elle fit son premier pas dans la nef, les orgues poussèrent un cri puissant, annoncèrent l'entrée de la mariée avec leur grande voix de métal.

Elle s'en venait, la tête baissée, mais point timide, vaguement émue, gentille, charmante, une miniature d'épousée. Les femmes souriaient et murmuraient en la regardant passer. Les hommes chuchotaient : « Exquise, adorable. » M. Walter marchait avec une dignité exagérée, un peu pâle, les lunettes d'aplomb sur le nez.

Derrière eux, quatre demoiselles d'honneur, toutes les quatre vêtues de rose et jolies toutes les quatre, formaient une cour à ce bijou de reine. Les garçons d'honneur, bien choisis conformes au type, allaient d'un pas qui semblait réglé par un maître de ballet.

Mme Walter les suivait, donnant le bras au père de son autre gendre, au marquis de Latour-Yvelin, âgé de soixante-douze ans. Elle ne marchait pas, elle se traînait, prête à s'évanouir à chacun de ses mouvements en avant. On sentait que ses pieds se collaient aux dalles, que ses jambes refusaient d'avancer, que son cœur battait dans sa poitrine comme une bête qui bondit pour s'échapper.

Elle était devenue maigre. Ses cheveux blancs faisaient paraître plus blême encore et plus creux son visage.

Elle regardait devant elle pour ne voir personne, pour ne songer, peut-être, qu'à ce qui la torturait.

Puis Georges Du Roy parut avec une vieille dame inconnue.

Il levait la tête sans détourner non plus ses yeux fixes, durs, sous ses sourcils un peu crispés. Sa moustache semblait irritée sur sa lèvre. On le trouvait fort beau garçon. Il avait l'allure fière, la taille fine, la jambe droite. Il portait bien son habit que tachait, comme une goutte de sang, le petit ruban rouge de la Légion d'honneur.

Puis venaient les parents, Rose avec le sénateur Rissolin. Elle était mariée depuis six semaines. Le comte de Latour-Yvelin accompagnait la vicomtesse de Percemur.

Enfin ce fut une procession bizarre des alliés ou amis de Du Roy qu'il avait présentés dans sa nouvelle famille, gens connus dans l'entremonde parisien qui sont tout de suite les intimes, et, à l'occasion, les cousins éloignés des riches parvenus, gentilshommes déclassés, ruinés, tachés, mariés parfois, ce qui est pis. C'étaient M. de Belvigne, le marquis de Banjolin, le comte et la comtesse de Ravenel, le duc de Ramorano, le prince de Kravalow, le chevalier Valréali, puis des invités de Walter, le prince de Guerche, le duc et la duchesse de Ferracine, la belle marquise des Dunes. Quelques parents de Mme Walter gardaient un air comme il faut de province, au milieu de ce défilé.

Et toujours les orgues chantaient, poussaient par l'énorme monument les accents ronflants et rythmés de leurs gorges puissantes, qui crient au ciel la joie ou la douleur des hommes. On referma les grands battants de l'entrée et, tout à coup, il fit sombre comme si on venait de mettre à la porte le soleil.

Maintenant, Georges était agenouillé à côté de sa femme dans le chœur, en face de l'autel illuminé. Le nouvel évêque de Tanger, crosse en main, mitre en tête, apparut, sortant de la sacristie, pour les unir au nom de l'Éternel.

Il posa les questions d'usage, échangea les anneaux, prononça les paroles qui lient comme des chaînes, et il adressa aux nouveaux époux une allocution chrétienne. Il parla de fidélité, longuement, en termes pompeux. C'était un gros homme de grande taille, un de ces beaux prélats chez qui le ventre est une majesté.

Un bruit de sanglots fit retourner quelques têtes. Mme Walter pleurait, la figure dans ses mains.

Elle avait dû céder. Qu'aurait-elle fait ? Mais depuis le jour où elle avait chassé de sa chambre sa fille revenue, en refusant de l'embrasser, depuis le jour où elle avait dit à voix très basse à Du Roy, qui la saluait avec cérémonie en reparaissant devant elle : – Vous êtes l'être le plus vil que je connaisse, ne me parlez plus jamais, car je ne vous répondrai point ! – elle souffrait une intolérable et inapaisable torture. Elle haïssait Suzanne d'une haine aiguë, faite de passion exaspérée et de jalousie déchirante, étrange jalousie de mère et de maîtresse, inavouable, féroce, brûlante comme une plaie vive.

Et voilà qu'un évêque les mariait, sa fille et son amant, dans une église, en face de deux mille personnes, et devant elle ! Et elle ne pouvait rien dire ? Elle ne pouvait pas empêcher cela ? Elle ne pouvait pas crier : « Mais il est à moi, cet homme, c'est mon amant. Cette union que vous bénissez est infâme. »

Plusieurs femmes, attendries, murmurèrent : – Comme la pauvre mère est émue.

L'évêque déclamait : – Vous êtes parmi les heureux de la terre, parmi les plus riches et les plus respectés. Vous, Monsieur, que votre talent élève au-dessus des autres, vous qui écrivez, qui enseignez, qui conseillez, qui dirigez le peuple, vous avez une belle mission à remplir, un bel exemple à donner...

Du Roy l'écoutait, ivre d'orgueil. Un prélat de l'Église romaine lui parlait ainsi, à lui. Et il sentait, derrière son dos, une foule, une foule illustre venue pour lui. Il lui semblait qu'une force le poussait, le soulevait. Il devenait un des maîtres de la terre, lui, lui, le fils des deux pauvres paysans de Canteleu.

Il les vit tout à coup dans leur humble cabaret, au sommet de la côte, au-dessus de la grande vallée de Rouen, son père et sa mère, donnant à boire aux campagnards du pays. Il leur avait envoyé cinq mille francs en héritant du comte de Vaudrec. Il allait maintenant leur en envoyer cinquante mille ; et ils achèteraient un petit bien. Ils seraient contents, heureux.

L'évêque avait terminé sa harangue. Un prêtre vêtu d'une étole dorée montait à l'autel. Et les orgues recommencèrent à célébrer la gloire des nouveaux époux.

Tantôt elles jetaient des clameurs prolongées, énormes, enflées comme des vagues, si sonores et si puissantes, qu'il semblait qu'elles dussent soulever et faire sauter le toit pour se répandre dans le ciel bleu. Leur bruit vibrant emplissait toute l'église, faisait frissonner la chair et les âmes. Puis tout à coup elles se calmaient ; et des notes fines, alertes, couraient dans l'air, effleuraient l'oreille comme des souffles légers ; c'étaient de petits chants gracieux, menus, sautillants, qui voletaient ainsi que des oiseaux ; et soudain, cette coquette musique s'élargissait de nouveau, redevenant effrayante de force et d'ampleur, comme si un grain de sable se métamorphosait en un monde.

Puis des voix humaines s'élevèrent, passèrent au-dessus des têtes inclinées. Vauri et Landeck, de l'Opéra, chantaient. L'encens répandait une odeur fine de benjoin, et sur
360 l'autel le sacrifice divin s'accomplissait ; l'Homme-Dieu, à l'appel de son prêtre, descendait sur la terre pour consacrer le triomphe du baron Georges Du Roy.

Bel-Ami, à genoux à côté de Suzanne, avait baissé le front. Il se sentait en ce moment presque croyant, presque religieux, plein de reconnaissance pour la divinité qui l'avait ainsi favorisé, qui le traitait avec ces égards. Et sans savoir au juste à qui il s'adressait, il la remerciait de son succès.

Lorsque l'office fut terminé, il se redressa, et donnant le
370 bras à sa femme, il passa dans la sacristie. Alors commença l'interminable défilé des assistants. Georges, affolé de joie, se croyait un roi qu'un peuple venait acclamer. Il serrait des mains, balbutiait des mots qui ne signifiaient rien, saluait, répondait aux compliments : « Vous êtes bien aimable. »

Soudain il aperçut Mme de Marelle ; et le souvenir de tous les baisers qu'il lui avait donnés, qu'elle lui avait rendus, le souvenir de toutes leurs caresses, de ses gentillesses, du son de sa voix, du goût de ses lèvres, lui fit
380 passer dans le sang le désir brusque de la reprendre. Elle était jolie, élégante, avec son air gamin et ses yeux vifs. Georges pensait : « Quelle charmante maîtresse, tout de même. »

Elle s'approcha un peu timide, un peu inquiète, et lui tendit la main. Il la reçut dans la sienne et la garda. Alors il sentit l'appel discret de ces doigts de femme, la douce pression qui pardonne et reprend. Et lui-même, il la serrait, cette petite main, comme pour dire : « Je t'aime toujours, je suis à toi ! »

390 Leurs yeux se rencontrèrent, souriants, brillants, pleins d'amour. Elle murmura de sa voix gracieuse : – À bientôt, monsieur.

Il répondit gaiement : – À bientôt, madame.

Et elle s'éloigna.

D'autres personnes se poussaient. La foule coulait devant lui comme un fleuve. Enfin elle s'éclaircit. Les derniers assistants partirent.

Georges reprit le bras de Suzanne pour retraverser l'église.

Elle était pleine de monde, car chacun avait regagné sa place, afin de les voir passer ensemble. Il allait lentement, d'un pas calme, la tête haute, les yeux fixés sur la grande baie ensoleillée de la porte. Il sentait sur sa peau courir de longs frissons, ces frissons froids que donnent les immenses bonheurs. Il ne voyait personne. Il ne pensait qu'à lui.

Lorsqu'il parvint sur le seuil, il aperçut la foule amassée, une foule noire, bruissante, venue là pour lui, pour lui Georges Du Roy. Le peuple de Paris le contemplait et l'enviait.

Puis, relevant les yeux, il découvrit là-bas, derrière la place de la Concorde, la Chambre des députés. Et il lui sembla qu'il allait faire un bond du portique de la Madeleine au portique du Palais-Bourbon.

Il descendit avec lenteur les marches du haut perron entre deux haies de spectateurs. Mais il ne les voyait point ; sa pensée maintenant revenait en arrière, et devant ses yeux éblouis par l'éclatant soleil flottait l'image de Mme de Marelle rajustant en face de la glace les petits cheveux frisés de ses tempes, toujours défaits au sortir du lit.

DOSSIER

L'objectif de ce dossier consiste à donner à la fois des pistes et un matériau pour une lecture approfondie et documentée du roman de Maupassant. Aussi, à la mise en évidence de thèmes abordés isolément, nous avons préféré la présentation de textes utiles à une mise en perspective de ce roman qui s'inscrit dans une actualité historique et autobiographique précise, et qui gagne également à être lu en regard d'autres réalisations contemporaines.

Les documents proposés se situent soit en amont de *Bel-Ami* – c'est le cas des lettres à Flaubert, des chroniques publiées par Maupassant dans les journaux, de la préface composée par Maupassant pour un roman de Paul Ginisty –, soit en aval du roman : il s'agit de la réponse aux critiques, et du texte extrait de *L'Argent* d'Émile Zola, qui aborde en 1891, soit six ans après Maupassant, le même univers que *Bel-Ami*.

La comparaison entre ces différents textes permettra tout d'abord de mesurer le travail de transposition effectué par le romancier à partir d'expériences individuelles. Elle donnera aussi les outils nécessaires à l'évaluation des armes de la satire romanesque : la condamnation, dans *Bel-Ami*, des pratiques coloniales françaises, substitue l'ironie à la dénonciation directe, qui est réservée aux tribunes journalistiques. La nature des critiques adressées à Maupassant dans le milieu journalistique renvoie, elle aussi, à la question de l'ironie et de ses cibles. Un certain malentendu semble avoir brouillé les relations entre certains journalistes – qui se sont considérés comme les victimes du roman – et l'auteur – qui entendait faire le portrait d'un ambitieux et non d'un homme de presse.

En 1878, Maupassant a vingt-huit ans. Monté à Paris pour rejoindre son père et faire carrière dans le monde littéraire, il doit d'abord se contenter d'un emploi de petit fonctionnaire au ministère de la Marine et des Colonies, puis à l'Instruction publique.

LETTRES DE MAUPASSANT À FLAUBERT, 1878-1879

Les deux premières lettres expriment l'ennui du jeune homme, dont les forces s'usent à supporter un quotidien sans relief. La troisième offre des renseignements précieux quant aux conditions de vie des employés, et la quatrième, quant à celle des écrivains de l'époque, hors revenus journalistiques. Le ton de ces confidences est affectueux et respectueux à la fois : Maupassant désigne Flaubert comme son « cher maître ». L'auteur de *Madame Bovary* est un ami de la famille, ce qui explique pourquoi Maupassant détaille tout ce qui concerne la santé de sa mère – Laure Le Poittevin – autant que la sienne ; les accents les plus intimes donnent à ces missives un caractère quasiment filial. L'ennui dont se plaint Maupassant a tout, d'ailleurs, d'un trait de famille…

Dans ces années de vie de bureau, Maupassant souffre de son impuissance à écrire : il en pleure sur son papier, se décourage, comme Duroy face à sa première page blanche. À ces souffrances morales, s'ajoutent les désagréments liés à une santé déjà fragile : perte brutale des cheveux, mauvaise circulation du sang, douleurs d'estomac. Tous ces problèmes accentuent la tendance dépressive de l'écrivain, et soulignent *a contrario* le caractère délibérément optimiste et conquérant dont il a doté son héros, Georges Duroy.

Seul recours contre cette grisaille envahissante : les femmes, qui suscitent les plaisanteries les plus crues, mais qui rattachent aussi à la vie et à la ville. C'est uniquement à travers l'évocation du sort des « putains inabordables » que Maupassant fait allusion à l'Exposition universelle, qui se tient cette année-là à Paris : « […] les étrangers les exténuent. Il en mourra plus de vingt-mille poitrinaires après l'exposition. » Certes, le romancier n'entend pas céder aux femmes le pouvoir de faire sa carrière, contrairement à Bel-Ami. Mais il entend bien, comme Georges Duroy, profiter de cet atout spécifiquement parisien, qui est de proposer des distractions féminines à tout homme un peu versé dans l'art de la conversation : « [Mme Brainne] me raconte ses rêves et je lui narre des réalités. »

MAUPASSANT À FLAUBERT, 5 JUILLET 1878 [1]

Vous me demandez des nouvelles, mon cher Maître, elles sont toutes mauvaises, hélas. D'abord ma mère ne va pas bien du tout. Son oculiste, à la fin, l'a envoyée consulter Vulpian, le Doyen de l'académie de Médecine. Il a reconnu d'abord deux maladies de cœur. Un rétrécissement de l'orifice de l'aorte et un

---

1. Lettre datée du ministère de la Marine et des Colonies.

épaississement des parois de l'organe même. De plus il y a une maladie nerveuse dont le siège est dans les premiers nœuds de la colonne vertébrale et qui a paru lui causer aussi certaines inquiétudes. Peut-être est-ce cette maladie nerveuse qui est la première cause des affections du cœur. Ajoutez à cela que la solitude dans laquelle ma mère a vécu a, peu à peu, usé toute son énergie, sa force de résistance ; et qu'elle est actuellement tantôt dans un état d'accablement absolu et tantôt dans une excitation violente.

Je ne vais aussi qu'à moitié. Mes cheveux, comme je le prévoyais depuis longtemps, se sont mis à tomber si vite que tout le milieu du crâne s'est dénudé de nouveau. Cela repousse maintenant grâce à un traitement embêtant. L'estomac est mauvais et, partant, le cœur bat bruyamment et durement. Ajoutez à cela que mon ministère m'énerve, que je ne puis travailler, que j'ai l'esprit stérile, et fatigué par des additions que je fais du matin au soir ; et qu'il me vient par moments des perceptions si nettes de l'inutilité de tout, de la méchanceté inconsciente de la création, du vide de l'avenir (quel qu'il soit), que je me sens venir une indifférence triste pour toutes choses et que je voudrais seulement rester tranquille, tranquille, dans un coin, sans espoirs et sans embêtements.

Je vis tout à fait seul parce que les autres m'ennuient ; et je m'ennuie moi-même parce que je ne puis travailler. Je trouve mes pensées médiocres et monotones, et je suis si courbaturé d'esprit que je ne puis même les exprimer. Je fais moins d'erreurs dans mes additions, ce qui prouve que je suis bien bête.

De temps en temps je vais passer une heure ou deux chez notre bonne amie Mme Brainne qui est la meilleure femme de la terre et que j'aime de tout mon cœur. Je lui raconte beaucoup d'histoires qui lui semblent, je crois, par moments, un peu crues. Elle me trouve bien peu sentimental. Elle me raconte ses rêves et je lui narre des réalités.

Dossier

J'enseigne, tout bas, à d'autres belles dames que je rencontre chez elles, les arcanes de la lubricité ; et je me considère dans leurs cœurs parce qu'elles me trouvent pas assez « à genoux ».

Quant aux putains je n'en ai pas beaucoup foutu parce qu'elles sont inabordables, et que les étrangers les exténuent. Il en mourra plus de vingt mille poitrinaires après l'exposition•.

J'ai rencontré des Indiens qui m'excitent.

Zola, propriétaire à Médan (Seine-et-Oise), s'est aperçu qu'un plancher de sa maison pliait ; il en a fait lever un bout et a reconnu que les poutres étaient pourries. Alors, sans architecte, avec le conseil du maçon du pays, il les a remplacées par des poutrelles de fer. De sorte que je m'attends à voir quelque jour la maison tout entière s'écrouler. Ô Réalistes !

Il n'a pas l'air trop triste de la disparition du *Bien public*••.

Moi, je dis chaque soir, comme saint Antoine : « Encore un jour, un jour de passé. » – Ils me semblent longs, longs et tristes ; entre un collègue imbécile et un chef qui m'engueule. Je ne dis plus rien au premier ; je ne réponds plus au second. Tous deux me méprisent un peu et me trouvent inintelligent ; ce qui me console.

Les figures des étrangers font grimacer les rues. On sent le nègre sur le boulevard ; et, de place en place, un encombrement de provinciaux vous arrête. Les chevaux de fiacre me font pitié tant ils sont maigres. Ils ne meurent plus, ils disparaissent, ils se dissipent. Il flotte dans Paris tant de bêtises venues de tous les coins du monde qu'on en éprouve comme un accablement.

Adieu mon cher Maître, je vous embrasse en vous serrant les mains [1].

• *L'Exposition universelle se tint à Paris de mai à octobre 1878. Dans le contexte de la politique de colonisation, elle faisait la part belle aux pays exotiques.*

•• *Le Bien public était un quotidien républicain et anticlérical, dans lequel Zola tenait u*[?] *« Revue dramatique et littéraire » et où* [?] *publia en feuilleton son roman* Une pag[?] *d'amour.*

1. *Correspondance Flaubert-Maupassant*, éd. Yvan Leclerc, Flammarion, 1993, p. 139-140.

MAUPASSANT À FLAUBERT, 21 AOÛT 1878 [1]

Je ne vous écrivais point, mon cher Maître, parce que je suis complètement démoli moralement. Depuis trois semaines j'essaye à travailler tous les soirs sans avoir pu écrire une page propre•. Rien, rien. – Alors je descends peu à peu dans des noirs de tristesse et de découragement dont j'aurai bien du mal à sortir. Mon ministère me détruit peu à peu. Après mes sept heures de travaux administratifs, je ne puis plus me tendre assez pour rejeter toutes les lourdeurs qui m'accablent l'esprit. J'ai même essayé d'écrire quelques chroniques pour *Le Gaulois* afin de me procurer quelques sous. Je n'ai pas pu. Je ne trouve pas une ligne ; et j'ai envie de pleurer sur mon papier••. Ajoutez à cela que tout va mal autour de moi. Ma mère qui est retournée à Étretat depuis deux mois environ ne va nullement mieux. Son cœur surtout la fait beaucoup souffrir et elle a eu des syncopes fort inquiétantes. Elle est tellement affaiblie qu'elle ne m'écrit même plus, et c'est à peine si, tous les quinze jours, je reçois un mot qu'elle dicte à son jardinier.

[…]

Comment se fait-il que Zola n'ait point été décoré, après la promesse de M. Bardoux••• ? La chose a fait du bruit du reste car tous les journaux avaient annoncé sa décoration. Je dois bientôt aller passer un dimanche chez lui, j'ai envie de voir ce qu'il m'en dira. Je suis sûr qu'il est très embêté. Qu'avait-il besoin de cela ?

J'ai rencontré Tourgueneff•••• quelques jours avant son départ pour la Russie et je l'ai trouvé triste et inquiet. Quelques accidents qu'il avait eus au cœur l'avaient décidé à consulter et le médecin avait constaté une maladie du ventricule gauche. Tout le monde a donc le cœur détérioré.

Quant à moi je suis toujours déplumé. La *faculté* croit maintenant qu'il n'y a rien de

---

• *Maupassant travaille à la rédaction d'*Une vie.

•• « *Il sentait vaguement des pensées lui venir ; il les aurait dites, peut-être, mais il ne les pouvait point formuler avec des mots écrits. Et son impuissance l'enfiévrant, il se leva de nouveau, les mains humides de sueur et le sang battant aux tempes.* » (Bel Ami, I, 3, p. 177)

••• *Flaubert était intervenu auprès du ministre de l'Instruction publique, Bardoux, pour la Légion d'honneur d'Émile Zola, qui se vit préférer au dernier moment un écrivain bien-pensant, Ferdinand Fabre.*

•••• *Ivan Tourguéniev (1818-1883), écrivain russe, auteur de* Premier Amour *(1860).*

---

1. Lettre datée du ministère de la Marine et des Colonies.

syphilitique dans mon affaire mais que j'ai un rhumatisme *constitutionnel* qui a d'abord attaqué l'estomac et le cœur, puis, en dernier lieu, la peau. On me fait prendre des bains de vapeur en boîte, ce qui, jusqu'ici, ne m'a rien fait. Mais ce traitement joint aux tisanes amères, sirops, et eaux minérales de table, a mangé le peu d'argent que j'avais mis de côté pour mon été – Ça, c'est toujours un résultat –. J'espère, pour la confusion des médecins, que je n'en obtiendrai pas d'autre.

Je vous embrasse de grand cœur, mon cher Maître, et vous prie de m'écrire quelques mots entre deux phrases de B[ouvard] et P[écuchet].

Je vous serre encore les mains [1].

MAUPASSANT À FLAUBERT, 26 DÉCEMBRE 1878 [2]

J'ai été fort bousculé ces jours-ci, mon bien cher Maître, et je n'ai pu encore vous écrire. Enfin je suis installé dans un beau bureau sur des jardins, mais je trouve que ça sent le provisoire.

On m'a promis de me titulariser à 1 800 francs (j'ai hâte que ce soit fait) et de me laisser, lorsque le ministre tombera, une partie de l'indemnité de Cabinet à titre définitif.

Tant que M. Bardoux sera là la situation pécuniaire sera belle. J'aurai 1 800 francs de traitement, 1 000 d'indemnité de Cabinet et 500 francs au moins de gratifications par an. Mais s'il tombe tout de suite – Rien –.

Je n'ai pas encore vu le ministre, mais je vois souvent M. Charmes, qui m'a rendu de grands services et peut m'en rendre encore. Je suis dans la place, il s'agit de s'y établir solidement et d'avancer vite tant que la chose sera possible.

Par exemple pour du temps je n'en ai pas. J'arrive à neuf heures du matin et je pars à

---

1. *Correspondance Flaubert-Maupassant*, éd. cit., p. 143-144.
2. Lettre datée du ministère de l'Instruction publique, des Cultes et des Beaux-Arts, où Maupassant vient d'obtenir sa nouvelle affectation.

6 heures 1/2 du soir. Je sors deux heures dans le jour pour déjeuner. Mais cela n'est qu'un moment à passer et je serai fort libre quand je rentrerai dans l'administration.

Je jouis d'une haute considération. Les directeurs me traitent avec déférence et les chefs de bureaux m'adorent. Le reste me regarde de loin. Mes collègues posent. Ils me trouvent, je crois, trop simple.

Je vois des choses farces, farces, farces, et d'autres qui sont tristes, tristes, tristes, en somme, tout le monde est bête, bête, bête, ici comme ailleurs.

Une chose me gêne, j'ai déplu au lampiste qui n'a pas encore voulu me donner de lampe. Si cela continue j'en rendrai compte au chef du Cabinet.

J'ai été de nouveau à la Librairie Nouvelle. M. Achille n'a pu se procurer nulle part *Le Bien et le Mal des Femmes*•. C'est tout à fait épuisé.

[...]

Ballande•• va jouer en matinée (quand ? je l'ignore) mon *Histoire du vieux temps*. C'est toujours ça. Malheureusement ça ne rapporte rien, les matinées.

Détail embêtant. Au cabinet du ministre, on vient tous les dimanches jusqu'à midi. Je crois que j'aurai cependant du temps pour travailler ; la besogne de la maison ira vite, quand j'y serai accoutumé, elle n'est pas difficile.

Je vous embrasse tendrement mon cher Maître, en vous remerciant, et je vous prie de présenter à Madame Commanville mes compliments respectueux et dévoués [1].

MAUPASSANT À FLAUBERT, 24 AVRIL 1879 [2]

Je serai toujours, mon cher Maître, une victime des Ministères. Voici 8 jours que je veux vous écrire et je n'ai pas pu trouver une demi-heure pour le faire. J'ai ici des rapports très

• Il s'agit d'une anthologie publiée par Émile Deschanel, regroupant des extraits d'auteurs divers et des remarques personnelles. Flaubert entendait s'en servir, sans doute comme mine de lieux communs, pour la rédaction de Bouvard et Pécuchet.
•• Hilarion Ballande (1820-1887), acteur et auteur dramatique, dirigeait le théâtre Dejazet où fut représentée en février 1879 la pièce de Maupassant.

Dossier

---

1. *Correspondance Flaubert-Maupassant*, éd. cit., p. 160-161.
2. Lettre datée du ministère de l'Instruction publique, des Cultes et des Beaux-Arts.

agréables avec Charmes mon chef, nous sommes presque sur un pied d'égalité, il m'a fait donner un très beau bureau. Mai je lui appartiens, il se décharge sur moi de la moitié de sa besogne, je marche et j'écris du matin au soir ; je suis une chose obéissant à la sonnette électrique et, en résumé, je n'aurai pas plus de liberté qu'à la Marine. Les relations sont douces, c'est là leur seul avantage ; et le service est beaucoup moins ennuyeux. Et le soir de ma petite pièce, Charmes me disait : « Décidément, il faut que nous vous laissions du temps pour travailler et, soyez tranquille, nous vous en laisserons !!!!! » Ah bien oui !! Je lui suis utile et il en abuse. C'est toujours ainsi du reste. J'ai voulu me faire bien voir de lui et j'ai trop réussi. Quant à votre affaire, je vous ai dit qu'on vous offrirait 5 000 francs, et on vous les offrira : mais vous savez combien il faut de temps pour la moindre chose. Et celle-ci est considérable, puisqu'on modifie complètement tout le système des pensions pour les répartir plus équitablement. Il y a 600 hommes de lettres qui reçoivent une pension. Dans ce nombre il y en a beaucoup qui n'en ont nullement besoin et qui gagnent ou possèdent de 8 000 à 10 000 francs par an, il faut leur supprimer ce qu'on leur donne : mais vous comprenez que la chose est délicate et ne peut se faire en un jour. Pour vous, c'est une affaire décidée ; ainsi que pour Leconte de Lisle, qui avait 1 600 francs et à qui on va donner 2 000 francs. Charmes me l'a formellement annoncé. Mais naturellement, ce ne sera fait que lorsque le travail d'ensemble sera terminé.

[...]

Mme Pasca (ceci entre nous) a failli mourir de chagrin de sa rupture avec Ricard, et vous pouvez être assuré qu'elle ne jouera pas ma pièce chez la princesse Mathilde. Elle n'a pas autre chose en tête que son désespoir d'amour. Nom de Dieu que les femmes sont bêtes !

Zola m'a chargé de vous dire qu'il vous attendait avec impatience pour donner le dîner qu'il a promis pour la 50e édition de *L'Assom-*

moir. Il espère que vous serez ici dans les tout premiers jours de mai parce qu'il compte partir immédiatement après. Il a retardé son départ pour cela. Les Charpentier descendent dans des profondeurs de stupidité prodigieuses. La femme est encore plus étonnante que l'homme.

Je vous attends avec impatience. Je m'embête. Je suis un peu souffrant : le sang circule mal et les *médecins* ne peuvent que répéter leur éternelle phrase : « De l'exercice : faites de l'exercice. » Je n'ai pas le temps de travailler, ce qui me rend fort grincheux.

Adieu, mon cher Maître, je vous embrasse filialement.

À vous.

Les trois textes rassemblés ici ont été publiés par Maupassant au cours de l'année 1881, dans *Le Gaulois*. Ce quotidien délègue le romancier comme envoyé spécial en Algérie, où la révolte couve. Les « lettres » rédigées par Maupassant, et signées de son nom ou du pseudonyme « un colon », soulignent l'incompétence du gouvernement français en matière de colonisation et la nécessité de développer la connaissance de la réalité algérienne. C'est donc l'observation du réel que prônent tous ces écrits, une observation lucide, exhaustive, et dénuée de préjugés, celle-là même qui nourrit l'esthétique réaliste pratiquée par le conteur et le romancier. En ce sens, l'article publié sous le titre « Sur les hauts plateaux » ne déparerait pas dans une nouvelle de fiction. Les premières lignes décrivant l'acheminement du voyageur par le chemin de fer évoquent d'ailleurs les anecdotes mises en ordre par Madeleine Forestier pour clore le premier article de Georges Duroy, les « Souvenirs d'un chasseur d'Afrique• ».

La dimension provocatrice des prises de position anticolonialistes vise, comme le roman satirique, mais par d'autres moyens, à renverser les préjugés et à susciter une prise de conscience : « Toute notion de justice disparaît dès qu'on met le pied ici ; toutes les règles ordinaires sont renversées. »

• *« Elle termina par un séjour à Saïda, au pied des hauts plateaux, et par une jolie intrigue entre le sous-officier Georges Duroy et une ouvrière espagnole employée à la manufacture d'alfa de Aïn-el-Hadjar. »* (Bel-Ami, *I, 3, p. 77, p. 85*)

Le Gaulois, 29 juillet 1881

I
LE GOUVERNEUR CIVIL

Puisque votre journal s'occupe en ce moment des questions algériennes, permettez-moi de vous exposer quelques réflexions qui m'ont été suggérées par la longue pratique que j'ai de ce pays.

Toute l'attention de la France est depuis longtemps tournée vers l'Algérie. La crise que nous traversons, les événements graves et imminents qui se préparent, la surexcitation des esprits donnent une gravité particulière à notre situation actuelle.

On discute beaucoup, on ne dit pas grand-chose ; on propose bien des moyens, on n'en adopte aucun qui soit sage. Nous tournons dans un cercle vicieux dont il sera bien difficile de sortir tant qu'on ne convaincra pas de la nécessité absolue de placer à la tête de ce pays des hommes qui le connaissent à fond, et depuis longtemps.

[...]

Vous autres, Parisiens, qui jugez de loin et sans savoir exactement de quoi il s'agit, vous réclamez pour nous énergiquement un gouverneur militaire. Lui seul peut nous sauver, dites-vous. C'est possible... Mais à quoi bon nous sauver pour nous mieux perdre ensuite, pour nous ruiner ? Nous autres colons•, nous autres, seuls intéressés, nous demandons un civil, et il n'y a qu'une voix, sachez-le. Mais distinguons. Nous ne voulons point le premier civil venu.

Nous n'entendons pas dire par là que nous refusons la question d'un militaire. Nullement ; mais nous n'admettons pas qu'il intervienne directement dans nos affaires. Une solution me paraîtrait toute naturelle. L'Algérie se compose de deux territoires bien distincts, immenses tous deux. L'un civilisé, cultivé, habité en grande partie par une population européenne, n'a pour ainsi dire rien à craindre de l'Arabe. L'autre bande de pays qui sépare nos *posses-*

• *L'auteur de l'article est censé être « un homme très considérable de l'Algérie, et qui l'habite depuis l'enfance ».*

sions absolues des contrées sauvages occupées par les indigènes, est à tout moment menacé par l'insurrection. Pourquoi celui-ci ne dépendrait-il pas uniquement d'un militaire, et celui-là uniquement d'un civil ? L'autorité militaire, énergique mais stérilisante, préparerait la domination européenne sur les terres encore menacées. L'autorité civile assurerait la prospérité des parties du pays entièrement conquises. Est-il donc possible que deux gouvernements vivent côte à côte comme le préfet et le général dans un département français ?

Arrivons maintenant aux fautes qu'ont commises jusqu'ici tous les gouverneurs,

M. Grévy• comme les autres, même plus que les autres.

L'Algérie, grande comme un royaume d'Europe, est formée de régions très diverses, habitées par des populations essentiellement différentes. Voilà ce qu'aucun gouverneur n'a paru comprendre jusqu'ici.

• Il s'agit d'Albert Grévy (1824-1889), frère du président de la République Jules Grévy, gouverneur général de l'Algérie entre 1879 et 1881.

Il faut une connaissance approfondie de chaque contrée pour prétendre l'administrer, car chacune a besoin de lois, de règlements, de dispositions et de précautions totalement opposées. Or, le gouverneur, qui qu'il soit, ignore fatalement et absolument toutes ces questions de détails et de mœurs : il ne peut donc que s'en rapporter aux administrateurs qui le représentent.

Quels sont ces administrateurs ? Des colons ? Des gens élevés dans le pays, au courant de tous ses besoins ? Nullement ! Ce sont simplement les petits jeunes gens venus à Paris à la suite du vice-roi : les ratés de toutes les professions, ceux qui s'intitulent les ATTACHÉS des grandes administrations. Or, cette classe d'ATTACHÉS, ou plutôt de déclassés ignorants et nuls est pire ici que partout ailleurs. On ne nous expédie que des ratés.

Voilà donc un de ces jeunes imbéciles administrant cinquante ou cent mille hommes. Il fait sottise sur sottise et ruine le pays. C'est naturel.

[…]

Ce n'est donc pas un bon gouverneur qu'il nous faut avant tout, mais un bon entourage du gouverneur.

On a tenté, pour remédier à ce déplorable état de choses, à ces désastreuses coutumes, de créer ici une école d'administration, où les principes élémentaires indispensables pour conduire ce pays seraient inculqués à toute une classe de jeunes gens. On échoua. L'entourage du gouverneur, à force d'intrigues, fit avorter ce projet. Le favoritisme, encore une fois, eut la victoire.

Voilà la plus grande plaie de ce gouvernement. Voilà aussi pourquoi nous réclamons un civil pour toutes les contrées définitivement conquises, car les officiers plus que n'importe qui ont des idées arrêtées, inflexibles, se refusent à modifier leur action. Le sabre est un principe. Il nous faut, au contraire, des hommes souples, travailleurs, instruits du pays, et sans aucune idée préconçue.

II
LES CAUSES DES INSURRECTIONS

C'est une opinion répandue et indiscutée aujourd'hui que l'Arabe (et par Arabe le Parisien entend toutes les races africaines) que l'Arabe, dis-je, est rebelle à toute civilisation, à toute soumission. Prétendre le contraire soulèverait des ouragans de colère et d'indignation, me ferait traiter d'imbécile, d'imprévoyant et d'inobservateur, par tous les gens qui dirigent les affaires d'Algérie du boulevard des Italiens .

Les soldats, qui ont besoin d'avancement, autant que nous avons besoin de calme, ont répandu et fait accepter par tout le monde cette doctrine que l'Arabe demande à être massacré ; et on le massacre à toute occasion. Quand on manque d'occasions, on le bat comme plâtre, on le pille, on le ruine et on le force à mourir de faim. L'Arabe demande à vivre et il ne se révolte guère jusqu'à la dernière extrémité•.

« Et il se rappelait es deux années l'Afrique, la façon ont il rançonnait les rabes dans les petits ostes du Sud. Et un ourire cruel et gai assa sur ses lèvres u souvenir d'une scapade qui avait oûté la vie à trois ommes de la tribu es Ouled-Alane. [...] n n'avait jamais rouvé les coupables, u'on n'avait guère herchés d'ailleurs, Arabe étant un peu onsidéré comme la roie naturelle du oldat. » (Bel-Ami, I, p. 48)

Dossier

J'ai vécu pendant des années au milieu des Arabes et surtout au milieu des Kabyles, et j'affirme qu'il n'y a pas de population plus douce, plus soumise et plus résignée aux abominables traitements que nous lui infligeons.

Je suis colon et me révolte, et je proteste, comme homme et comme colon, contre les moyens qu'on emploie pour livrer à l'Européen cet admirable pays où il y aurait place pour tout le monde.

Voici comment on procède.

Un particulier quelconque, ruiné, failli, peu honorable presque toujours, mais européen, va demander au bureau chargé de la répartition des terrains une concession en Algérie. On lui présente un chapeau avec des papiers dedans, et il tire un numéro quelconque correspondant à un lot de terre. Ce lot, désormais, lui appartient.

Il part. Il trouve là-bas, dans un village toute une famille installée sur la concession qu'on lui a désignée. Cette famille a défriché, mis en rapport *ce bien* sur lequel elle a toujours vécu. Elle ne possède rien autre chose. Il l'expulse ; elle part résignée, puisque *c'est la loi française*. Mais ces gens sans ressources désormais, gagnent le désert et deviennent des bandits.

Saviez-vous cela, monsieur Albert Grévy ?

D'autres fois, on s'entend. Le *colon* européen effrayé, par la chaleur, la solitude, l'aspect du pays, entre en pourparlers avec le Kabyle qui devient son fermier.

Et l'indigène, resté sur *sa* terre, envoie bon an, mal an, mille, quinze cents, ou deux mille francs à l'Européen retourné en France.

Cela équivaut à une concession de bureau de tabac.

Autre méthode.

M. Albert Grévy, le stupéfiant gouverneur actuel, et qui semble avoir été choisi spécialement par le parti militaire pour couler le gouvernement civil, vient de demander et d'obtenir 50 millions destinés à la colonisation. Là-dessus on crie bravo. Eh bien, ces cinquante millions feront plus de mal à la colonie que si on n'avait rien demandé. Et, s'il y avait cent millions, ce serait pis ; deux cents millions, ce serait pis encore. Pourquoi ? Parce qu'on emploie cet argent d'une façon déplorable ; et voici comment.

En Kabylie• (la partie du pays où on jette le plus d'Européens, parce que c'est la plus fertile), la terre a acquis une valeur considérable. Elle atteint dans les meilleurs endroits SEIZE CENTS FRANCS L'HECTARE et elle se vend communément huit cents francs. Les Kabyles, propriétaires, vivent tranquilles sur leurs exploitations. Riches, ils ne se révoltent pas ; ils ne demandent qu'à rester en paix.

Qu'arrive-t-il ? M. Grévy dispose de cinquante millions. La Kabylie est le plus beau pays d'Algérie. Eh bien, on exproprie les Kabyles au profit de colons inconnus.

Mais comment les exproprie-t-on ? On leur paie QUARANTE FRANCS l'hectare qui vaut au MINIMUM HUITS CENTS FRANCS.

Et le chef de famille s'en va sans rien dire (c'est la loi), n'importe où, avec son monde, les hommes désœuvrés, les femmes et les enfants.

Ce peuple n'est point commerçant, ni industriel, il N'EST QUE CULTIVATEUR.

Donc, la famille vit tant qu'il reste quelque chose de la somme dérisoire qu'on lui a donnée. Puis la misère arrive ; les hommes prennent le fusil et suivent un Bou-Ahmema quelconque pour prouver une fois de plus que l'Algérie ne peut être gouvernée que par un militaire.

Saviez-vous cela, monsieur Albert Grévy ?

Mais voilà, vous dites : Nous laissons l'indigène dans les parties fertiles tant que nous manquons d'Européens ; puis, quand il en vient, nous exproprions le premier occupant. – Très bien. Mais quand vous n'aurez plus de parties fertiles que ferez-vous ? – Nous fertiliserons, parbleu ! – Eh bien, pourquoi ne fertilisez-vous pas tout de suite, puisque vous avez cinquante millions ?

Comment ! vous voyez des compagnies particulières créer des barrages gigantesques pour donner de l'eau à des régions entières ; vous

• « Ce qui manque le plus là-bas, c'est la bonne terre. Les propriétés vraiment fertiles coûtent aussi cher qu'en France, et sont achetées, comme placement de fonds, par des Parisiens très riches. Les vrais colons, les pauvres, ceux qui s'exilent faute de pain, sont rejetés dans le désert, où il ne pousse rien, par manque d'eau. »
(Bel-Ami, I, 2, p. 68)

savez, par les travaux remarquables d'ingénieurs de talent, qu'il suffirait de boiser certains sommets pour gagner à l'agriculture des lieues de pays qui s'étendent au-dessous et vous ne trouvez pas d'autre moyen que celui d'expulser les Kabyles, que vous traitez en moines français !

Au moins, les soldats savent défendre le pays, s'ils s'entendent peu à le faire produire (et ce n'est par leur métier de cultiver la terre). Mais vous, monsieur Grévy, vous n'avez rien fait, vous ne savez rien faire ; vous vivez comme les rois fainéants dans le fond mystérieux de votre palais, cachant votre figure autant que possible (et vous avez raison), mais ne cachant à personne votre immense incapacité et votre colossale incompréhension des affaires de l'Algérie.

UN COLON.

« SUR LES HAUTS-PLATEAUX »,
LE GAULOIS, 31 JUILLET 1881

D'Arzew à Saïda•, le chemin de fer à voie étroite, construit par la Compagnie franco-algérienne pour l'exploitation de l'alfa, monte sans cesse, court en serpentant sur le flanc des côtes de sable jaune, pivote en des courbes rapides pour éviter les obstacles, puis soudain s'élance dans une plaine à toute vitesse, en zigzaguant toujours un peu comme par suite de l'habitude prise. Il côtoie les difficultés du sol ; et soufflant, râlant, comme exténué parfois, il marche vers le désert, vers les solitudes mornes des hauts plateaux, vers l'inconnu, à la façon de ces deux voyageurs hardis du Moyen Âge qui découvraient des continents.

Toute la contrée qu'il traverse est aride et désolée. C'est le pays du feu, le royaume brûlé du soleil. Il règne là, en maître absolu, l'astre ardent qu'on pourrait appeler le roi d'Afrique. Le train s'arrête à Saïda. C'est une petite ville qui ressemble à un village de France. Ce point, en ce moment, ne semble habité que par des généraux. On en rencontre partout : général Saussier, général Delebecque, général Colo-

• On se reportera à l'épisode de la rédaction de l'article « Lettre d'un chasseur d'Afrique. » dans (Bel-Ami, I, 3, p. 83sq.)

nieu, général Germain (un invalide toujours au lit, qu'on a justement envoyé dans le pays où il faudrait être toujours à cheval) ; plus deux ou trois généraux du commun, qui se promènent sous l'ironie des habitants et des réfugiés. Parmi ces réfugiés, il en est qui sont restés huit jours enfermés avec quelques hommes dans des fermes assiégées par les Arabes, et ces fermes, détruites aujourd'hui par les révoltés, existeraient encore si l'autorité militaire avait envoyé seulement vingt soldats au secours de leurs énergiques défenseurs.

On revoit ici chaque jour la prodigieuse confusion et l'indicible incapacité dont nous avons été témoins pendant toute la campagne de Prusse. Seulement, le chef ennemi, au lieu de s'appeler le feld-maréchal de Moltke, s'appelle Bou-Amama, un simple bandit, un pillard à la tête d'une bande, rien de plus.

Saïda fut autrefois une résidence d'Abd-el-Kader•. La ville du célèbre émir se trouve un peu au sud de la colonie européenne.

Il n'en reste presque rien. On voit un roc à pic d'un rouge superbe, d'un rouge de brique panée au four, et sur ce roc, un reste de muraille. Il est séparé de la montagne par un adorable ravin, tout rempli, tapissé, fleuri de lauriers-roses. Ces merveilleux arbustes poussent jusque dans le lit du FLEUVE, l'OUED Saïda, large de deux mètres, mais le seul fleuve du pays dont l'eau ne soit pas tarie tout de suite par le soleil et par le sable, ces deux insatiables buveurs.

On y voit même des cascades, et des sources claires au pied des figuiers, sous le squelette morne de la vieille forteresse arabe.

[...]

J'ai donc traversé les hauts-plateaux depuis Saïda jusqu'aux Chotts. C'est sinistre et lamentable. Les Espagnols qui n'ont pas été tués sont partis, de sorte que le train court un jour entier dans ces solitudes sans rencontrer un être. Quant à Bou-Amama, où est-il aujourd'hui ? Personne ne le sait, pas plus les militaires que nous. Il attend sans doute, embusqué quelque part, car il n'a pas encore pu charger les quatre

• Abd-el Kader (1807-1883), émir algérien qui établit son autorité sur les deux tiers de l'Algérie, mena pendant quinze ans la guerre sainte contre les Français.

Dossier

cents chameaux qui le suivent. Cet homme, je
le répète, n'est qu'un chef de bandits. Il ne se
bat pas pour l'indépendance de son pays, mais
pour voler seulement. On dirait vraiment que
toute cette ridicule et sanglante insurrection a
été jusqu'à un certain point favorisée ; car on
entend des gens dire sérieusement que ce *massacre des Espagnols n'est pas un mal*. Tout cela
est louche, ténébreux. Qu'y a-t-il dessous ?
Quant aux dépêches communiquées par les
agences aux journaux parisiens, elles sont
presque toutes d'une fausseté impudente et
révoltante. Pourquoi trompe-t-on ainsi ?

Enfin le général Saussier vient d'arriver.
C'est, paraît-il, un homme habile, énergique et
intègre. Ce n'est pas trop tôt. Voir clair dans ces
affaires algériennes où chacun travaille pour
soi ; saisir la vérité dans ce pays où tout le
monde trafique, pille, ment et tue à l'occasion ;
où l'Arabe, sans cesse pressuré, volé et
assommé, ne vaut pas mieux que l'Européen
qui pressure, vole et assomme, semble un problème trop compliqué pour l'intelligence
humaine.

Toute notion de justice disparaît dès qu'on
met le pied ici ; toutes les règles ordinaires sont
renversées ; toute droiture est inconnue ; toute
raison est bafouée, toute question devient inso-
luble par la faute des intéressés. « Buvons de
l'absinthe, rossons l'Arabe et trompons tout le
monde », semble être la devise des Algériens.
Seulement, quand l'Arabe enfin se fâche, c'est
lui qui rosse à son tour, voilà le mal.

GUY DE MAUPASSANT.

LE GAULOIS, 20 AOÛT 1881

Djelfa, 10 août.

Mon cher directeur,

J'apprends que plusieurs journaux algériens
ont répondu avec aigreur à mes chroniques sur
l'Algérie. Comme je me suis trouvé presque
toujours en route, aucun de ces articles ne m'est
tombé sous les yeux. Je n'en ai entendu parler
que par des étrangers, et il m'est fort difficile,

par conséquent, de savoir au juste ce qu'ils contenaient.

Voici pourtant, à ce que je crois, les points sur lesquels on m'a le plus critiqué. J'ai écrit que le monde jetait en Algérie ses aventuriers. Là-dessus, un journal local m'a répondu : « Aventuriers vous-mêmes ! » L'argument m'a réjoui et m'a ouvert des horizons. Comme j'ai l'intention d'ajouter à mes critiques sur l'Algérie celle de la détestable cuisine qu'on mange en ce pays, je m'attends à lire dans quelques jours d'autres injures analogues à la première, et je frémirai certainement en apprenant que je suis moi-même un mauvais cuisinier ou un détestable coiffeur, si je proteste contre la façon dont on m'a coupé les cheveux. Quant au fond de la question, je mets en fait qu'il est impossible de passer une demi-journée avec un Algérien intelligent et aimant l'Algérie sans l'entendre s'élever avec violence, et peut-être avec raison, contre le flot d'aventuriers étrangers qui s'est jeté sur son pays.

Que ne dit-on pas contre les Espagnols• qui peuplent toute la province d'Oran, contre certains Italiens dont l'argent coûte cher à ceux qui sont gênés, et contre les juifs cosmopolites dont l'extermination par les Arabes suivrait de près, sans doute, celle des alfatiers espagnols si les Français cessaient soudain d'occuper le pays.

À propos des alfatiers espagnols massacrés, permettez-moi d'ouvrir une parenthèse. Je viens de parcourir tout le pays qu'ils occupaient, et j'ai beaucoup entendu parler d'eux par des gens assurément impartiaux et qui se désespéraient de la fuite des survivants. Or, voici ma conviction : si on les a tués, c'est leur faute bien plus encore que la nôtre.

L'histoire nous a appris comment l'Espagnol se comporte ordinairement en pays conquis : avec quelle violence il traite les vaincus.

Eh bien, il me paraît évident que les alfatiers ont suivi en Algérie leur coutume nationale ; et qu'il n'est point de durs traitements qu'ils n'aient infligé aux Arabes dont ils occupaient le territoire et qu'ils privaient de travail en acca-

• « [Duroy] avait fait vibrer la corde patriotique et bombardé l'Espagne avec tout l'arsenal d'arguments méprisants qu'on emploie contre les peuples dont les intérêts sont contraires aux vôtres. » (Bel-Ami, II, 5, p. 285) parant la cueillette de l'alfa. Ce sont les tribus au milieu desquelles vivaient ces étrangers qui les ont massacrés, et non les cavaliers de Bou-Amama. Or, aucun Français n'a été tué ; la ligne de chemin de fer qui traverse le pays n'a point été endommagée ; et les personnes forcées par leurs fonctions de parcourir cette contrée m'ont affirmé qu'elles se seraient estimées beaucoup plus en sûreté au milieu d'une tribu insurgée qu'au milieu d'un de ces groupes d'alfatiers qui vivaient isolés sur les hauts-plateaux. Quoi d'étonnant à cela ? ces émigrés étaient pour la plupart le rebut de leur nation. C'est la règle, d'ailleurs ; ce que rejette un pays ne constitue pas ordinairement ce qu'il possède de meilleur. Des Espagnols établis en Algérie, et fort bien vus sous tous les rapports, ne m'ont pas paru éloignés de penser ainsi.

D'où je conclus que les revendications de l'Espagne, très fondées en principe, le sont, en fait, beaucoup moins.

Or, s'il arrivait que des Français, tentés par l'argent qu'on peut gagner dans l'industrie de l'alfa (dans les ateliers d'Aïn-el-Hadjar, les femmes sont payées jusqu'à cinq francs par jour), s'il arrivait, dis-je, que des Français, tentés par ces bénéfices, émigrassent à leur tour et vinssent en foule ici, vous entendriez les Espagnols pousser bien d'autres cris, car ils attendent, ces fugitifs, que la question d'indemnité soit réglée entre les deux pays, et nous ne tarderons pas à les voir revenir en plus grand nombre encore qu'auparavant.

On m'a reproché, en outre, d'avoir affirmé que la France envoyait ici ses fonctionnaires avariés. Il n'en est plus ainsi, paraît-il. Tant mieux. Je voudrais bien seulement savoir s'il en a été ainsi et si on n'a pas, pendant longtemps, livré la colonie à bon nombre d'autorités d'un placement difficile dans la mère patrie.

Au fond, on m'en a surtout voulu, je crois, de la sympathie que l'Arabe m'a inspirée à première vue, et de l'indignation qui m'a saisi en découvrant quels sont les procédés de civilisation qu'on emploie envers lui.

Nous n'avons, à Paris, aucun soupçon de ce qu'on pense ici. Nous nous imaginons bonnement que l'application du régime civil est l'inauguration d'un régime de douceur. C'est, au contraire, dans l'espérance de la plupart des Algériens, le signal de l'extermination de l'Arabe. Les journaux les plus hostiles au système des bureaux arabes publient à tout instant des articles avec des titres comme celui-ci « Plus d'arabophiles ! », ce qui équivaut à ce cri « Vivent les arabophages ! » Le mot d'ordre est : « Extermination ! » la pensée : « Ôte-toi de là que je m'y mette ! » Qui parle ainsi ? – Des Algériens d'Alger qui dirigent les affaires à la place du gouvernement. Ils n'ont point vu d'autres Arabes que ceux qui leur cirent les bottes : ils font de la colonisation en chambre et de la culture en gandoura.

Ont-ils parcouru leur pays ? – Jamais. Ont-ils passé huit jours dans un cercle militaire ; puis huit jours dans une commune, auprès d'un administrateur civil, pour se rendre compte de la façon dont les deux principes sont appliqués ? – Jamais. Ils crient : « L'Arabe est un peuple ingouvernable, il faut le rejeter dans le désert, le tuer ou le chasser ; pas de milieu. »

Alors on part pour l'intérieur du pays avec les idées que les journaux algériens vous ont inculquées. On gagne un cercle militaire et on se présente chez ces légendaires capitaines de bureaux arabes, ces ogres féroces, ces monstres, ces spoliateurs ! ! ! On trouve des hommes charmants, instruits, pleins de réflexion, de douceur et de pitié pour l'Arabe. Ils vous disent : « C'est un peuple enfant qu'on gouverne avec une parole. On en fait ce qu'on veut, il suffit de savoir les prendre. » Et savez-vous ce qu'ils font, ces capitaines de bureaux indigènes ? – Ils défendent l'Arabe contre les vexations et les exactions du colon.

Alors vous dites : « Je comprends : c'est un rôle nouveau qu'ils jouent pour faire pièce à l'autorité civile. C'est de bonne guerre. Allons voir la boutique à côté. » Et on se rend dans un pays gouverné par un administrateur en redingote. À vos questions, il répond : « Oh ! mes idées ont bien changé depuis que je suis ici. À Alger, je pensais tout autrement. Avec de la justice et de la fermeté, de la bienveillance sévère, on fait ce qu'on veut de l'Arabe. Il est docile et toujours prêt pour les corvées. Il tient de l'enfant et de la femme. Il suffit de savoir le prendre. »

La stupéfaction vous saisit. Et on s'écrie : « Alors nous sommes terriblement coupables. Comment ! ce peuple qu'il suffit de surveiller avec soin, les citadins ne parlent de rien moins que de l'exterminer et le chasser au désert, sans s'occuper de la façon dont on le remplacera. »

Il se révolte, dites-vous ; mais est-il vrai qu'on l'exproprie et qu'on lui paie ses terres un centième de ce qu'elles valent ?

Il se révolte. – Est-il vrai que, sans raison, même sans prétexte, on lui prenne des propriétés qui valent environ soixante mille francs et qu'on lui donne comme compensation une rente de trois cents francs par an ?

On lui a reconnu le droit de parcours dans ses forêts, seul moyen qui lui reste de faire paître ses troupeaux quand toutes les plaines sont séchées par le soleil et quand on lui ferme l'entrée du Tell ; mais est-il vrai que l'administration forestière, la plus tracassière et la plus injuste des administrations algériennes, ait mis alors la presque totalité de ces forêts en défense et fasse procès sur procès aux pauvres diables dont les chèvres passent les limites, limites que peut seul apprécier l'œil exercé des forestiers ?

Alors qu'arrive-t-il ? Les forêts brûlent•.

Elles brûlent en ce moment partout : des milliers d'hectares sont dévorés, des parties du pays sont ruinées par le feu. On a vu, de loin, des incendiaires. Et on crie : « Extermination ! » Mais, c'est justement quand on l'extermine qu'il se révolte, ce peuple.

Ce que je dis là, du reste, il n'est peut-être pas un officier du bureau arabe qui ne le pense et ne le dise à l'occasion.

Mais à Alger, les gens sédentaires et compétents ne voient que les torts et les vices de

• « La terre d'Afrique est en effet une cheminée pour la France, messieurs, une cheminée qui brûle notre meilleur bois, une cheminée à grand tirage qu'on allume avec le papier de la banque. » (Bel-Ami, II, 5, p. 284)

l'Arabe. Ils répètent sans fin que c'est un peuple féroce, voleur, menteur, sournois et sauvage. Tout cela est vrai. Mais, à côté des défauts, il faut voir des qualités.

J'aurais peut-être cédé moi-même et accepté enfin la manière de voir des fougueux Algériens, si je n'avais appris tout à coup, par l'article virulent d'un petit article local, qu'il se fonde en ce moment, à Paris, une société protectrice des indigènes algériens.

À la tête de cette société, on voit les noms de MM. de Lesseps, Schœlcher, Élisée Reclus• etc., etc.

Or, si les indigènes ont tant besoin d'être protégés, c'est donc qu'on les opprime. Qui les opprime ? Ce n'est pas moi assurément. Alors c'est l'Algérien. Vraiment, si des hommes comme MM. de Lesseps, et Élisée Reclus reconnaissent qu'il faut secourir ce peuple, à la façon des animaux que protège la loi Grammont, c'est qu'il est bien nécessaire de venir à son secours.

Ici, dans l'intérieur, tout à fait au sud de la province où je me trouve en ce moment, les Algériens sortis d'Alger admettent parfaitement l'utilité de cette société.

J'ai dit également qu'on perdait en ce pays la notion du droit. C'est tellement vrai que je n'ai pu m'empêcher de rire à mon tour en voyant un conducteur de voiture payer à coups de matraque deux perdrix achetées à un Arabe. Ici, on s'accoutume à l'injustice, tant on vit dans l'injustice ; mais je défie un Français quelconque de ne pas s'indigner véhémentement s'il passe, comme je viens de le faire, vingt jours sous la tente, au milieu des Arabes, allant de tribu en tribu.

Et cependant, les bureaux arabes sont animés d'un esprit de justice qui m'a fortement surpris ; les administrateurs civils sont, pour la plupart, dans les mêmes idées. Mais, que voulez-vous ? l'habitude est prise, et Alger pousse à la roue.

Pardon pour cette longue lettre. Je pars pour l'oasis de Laghouat, et je suivrai ensuite le sud

• Ferdinand de Lesseps (1805-1894), diplomate et administrateur français, dirigea les opérations de percement du canal de Suez ; on doit à Victor Schœlcher (1804-1893) le décret sur l'abolition de l'esclavage dans les colonies ; Élisée Reclus (1830-1905), géographe et théoricien français de l'anarchisme.

Dossier

de la province d'Alger et de Constantine par Aïn, Rich et Bou-Saada. On dit que les tribus de ce côté sont travaillées et qu'un mouvement aura lieu dès la fin du Ramadan. Je vous parlerai incessamment de ce pays, dont il n'existe même aucune carte et que bien peu de voyageurs ont visité. Les officiers des bureaux sont presque seuls à le connaître. C'est avec deux officiers que je pars.

GUY DE MAUPASSANT.

Dossier

« Quel roman on pourrait écrire, mon cher ami, sur certains ménages à trois » : ce constat, glissé dans cette préface au roman de Paul Ginisty, semble résumer le programme narratif de *Bel-Ami*. Le métier de l'homme, suggère plus loin Maupassant, est de séduire ; celui de la femme, de plaire. Polygamie et « polyandrie » sont donc dans l'ordre des choses. L'impératif de lucidité, aux accents naturalistes, alterne ici avec le goût mondain pour le potin, qui fait la fortune de *La Vie française* : « Il ne faut chercher que la vérité, sans s'occuper de la morale enseignée, orthodoxe et officielle. »

Cette défense du ménage à trois annonce un motif récurrent dans *Bel-Ami*. Georges Duroy y accomplit avec une habileté exceptionnelle son métier d'homme, en séduisant toutes les femmes qui croisent son chemin. Il répond donc à cet impératif naturel qui, à en croire Maupassant, veut que « le mâle ait plusieurs épouses ». Mais il obéit aussi à un schéma social, ou culturel, qui veut que l'amant finisse par s'accommoder du mari, et réciproquement. Nombreuses sont les scènes où Duroy sympathise avec son rival en titre : M. de Marelle se prend de sympathie pour lui, et tous deux conversent des soirées entières, en oubliant « tout à fait *leur* femme sommeillant sur le canapé• ». Plus tard, une fois marié avec Madeleine, Duroy joue le rôle inverse. Il accepte avec chaleur la présence régulière du comte de Vaudrec,

Bel-Ami, I, 8, 189. (Nous soulignons.)

qui est de toute évidence l'amant de sa femme : au cours de leur premier dîner à trois, Madeleine, après s'être absentée un court moment, retrouve les deux hommes « causant théâtre, à propos d'une pièce nouvelle, et si complètement du même avis qu'une sorte d'amitié rapide s'éveillait dans leurs yeux à la découverte de cette absolue parité d'idées• ». L'harmonie de ce ménage à trois avait d'ailleurs été soulignée par un détail très symbolique : les deux hommes offrent à Madeleine, ce soir-là, le même bouquet de roses. Les deux vases ainsi ornés complètent alors avec une symétrie parfaite la cheminée de Madeleine, ravie de cette heureuse coïncidence : « Que je suis contente ! Voilà ma cheminée garnie maintenant•• . » Rappelons encore, pour compléter ce panorama, que le dernier caprice de Forestier avant sa mort avait été d'acheter précisément un vase de faïence pour décorer la cheminée de son appartement parisien… Enfin, le dernier ménage à trois de Georges Duroy prend naissance dans un lieu prédestiné, l'église de la *Trinité* : c'est là en effet que le jeune homme conquiert Mme Walter, qui succombe à son pouvoir de séduction après avoir, en vain, invoqué la protection divine. Le ménage à trois, serait-on tenté d'avancer, constitue bien la trinité inévitable d'une société bourgeoise vouée aux appétits naturels…

• Bel-Ami, *II, 2, p. 237.*

•• Bel-Ami, *II, 2, p. 236.*

Préface au roman de Paul Ginisty, *L'Amour à trois* (1884)

Vous touchez, mon cher ami, dans ces vives et charmantes nouvelles, au plus gros problème moral de notre époque, ou même au plus gros problème de tous les temps.

Depuis que le monde et le mariage existent, la religion, la littérature et la loi se sont cassé le nez à cet écueil de l'amour à trois. Ces trois têtes sur le même oreiller font rire les uns, indignent les autres, sont la plus fréquente cause de procès, de crimes ou de bonheur qui soit encore connue.

Il ne sert à rien de se fâcher là-contre. Ça est parce que ça est. Constatons simplement, comme vous le faites si bien, tous les cas si variés, si drôles ou si dramatiques de l'adultère, servons-nous-en dans les livres et au théâtre, laissons les législateurs chercher le remède, et philosophons un peu, par moments.

Le remède ? En est-il un ? M. Naquet• répond : « Le Divorce. »

• *Albert Naquet (1834-1916), sénateur du Vaucluse, fit voter en 1884 par la Chambre haute la loi autorisant le divorce.*

Et M. Naquet pourrait bien avoir raison.

Deux cas surtout sont intéressants, l'un parce qu'il est mystérieux, l'autre parce qu'il est terrible.

Dans le premier, l'aveuglement de certains maris passe les bornes du possible, et fait rêver.

Dans le second, la vengeance de certains jaloux surprend, révolte les observateurs désintéressés.

Quel roman on pourrait écrire, mon cher ami, sur certains ménages à trois, alors que l'amant est installé dans la maison comme un époux préféré ! Quelle situation singulière, complexe, comique, étrange, et cependant naturelle, puisqu'elle est fréquente ! Nous en connaissons tous, de ces associations où les hommes se partagent amicalement les bénéfices et les charges. Liés par une étroite amitié, intimes comme deux complices, ils ont les mêmes soins pour leur femme qui, elle, préfère, on le voit, l'ami choisi par son cœur à l'homme imposé par la famille et par la loi. Ils vivent ensemble, au vu et au su de tous, déjeunent et dînent à la même table. On en conclut avec vraisemblance que tous les autres meubles de la maison leur sont également communs, la nuit comme le jour.

Dans la rue, on les rencontre. Elle et Lui devant (car elle a pris son bras), le mari derrière car on ne peut aller trois de front, partout ; et les trottoirs n'ont pas tout à fait la largeur d'un lit.

Le monde sourit et ferme les yeux. Qui pourrait les ouvrir assez grands, les yeux, pour voir au fond de ces trois cœurs, surtout au fond du cœur du troisième, du mari impénétrable, ignorant ou complaisant, lâche ou indifférent, plein de colère étouffée, de haine et de désirs de vengeance, ou simplement heureux peut-être ?

Sous cette rubrique : « Les Drames de l'adultère », les journaux nous apprennent tous les jours qu'un époux trompé vient de massacrer sa femme, ou l'amant, ou tous les deux. Les jurés, tous mariés, sont pleins d'indulgence pour ces fureurs de propriétaire outragé. Ils acquittent ce meurtrier, et l'assistance spéciale des cours d'assises, lecteurs de romans-feuilletons, venue pour l'émotion, gonflée de sensiblerie larmoyante, applaudit à ce verdict, jugeant que le mari trompé a *lavé son honneur dans le sang*, qu'il s'est réhabilité par ce meurtre. C'est avec ces grands mots qu'on nous élève, avec ces préjugés qu'on nous instruit, avec ces idées qu'on nous prépare au mariage.

Ce que je vais dire paraîtra sans doute déplorablement subversif. Tant pis ; il ne faut chercher que la vérité, sans s'occuper de la morale enseignée, orthodoxe et officielle ; de la morale, cette prétendue loi naturelle, indéfiniment variable, facultative, cette chose dosée différemment pour chaque pays, appréciée de façon nouvelle par chaque expert, prêtre ou législateur, et sans cesse modifiée par tout le monde.

La seule loi qui importe est la loi suprême de l'humanité, cette loi qui gouverne les baisers humains, et qui sert de thème éternel aux poètes.

Nous vivons dans une société affreusement bourgeoise, timorée et médiocre. Jamais peut-être on n'a eu l'esprit plus étroit et moins humain.

La faiblesse (disons faute, si vous voulez) d'une femme mariée, entraînée à mal par un séducteur, a pris des proportions si mélodramatiques qu'on la considère généralement comme digne de mort.

Des hommes comme M. Dumas fils• raisonnent et argumentent pendant des livres entiers, avec talent, esprit et partialité, et peut-être avec incompétence, sur les entraînements et les chutes de ces pauvres êtres sans énergie contre l'amour. Les baisers illégaux acquièrent sous leur plume une gravité de crimes ; et les femmes payent pour tous : pour le mariage indissoluble, chose horrible ; pour la loi, injuste à leur égard ; pour le préjugé féroce qui les condamne ; pour l'opinion monstrueuse qui permet tout à leurs maris et leur défend tout••.

Je ne veux point absoudre l'adultère. Je ne veux que constater la situation absolument injuste que crée le mariage.

Le mariage est la loi. Nous devons donc nous y soumettre. Il est cependant permis de le discuter.

Constatons d'abord que les médecins et les philosophes affirment, pour la plupart, que nous sommes des polygames et non des monogames. Donc les femmes seraient des polyandres. (J'ignore si le mot est académique.) Ainsi, l'individu qui se contenterait d'une femme toute sa vie serait tout autant en dehors des lois de la nature que celui qui ne vivrait que de salade. L'examen de nos mâchoires nous révèle créés pour manger de la viande et des légumes ; mais à quoi voit-on que nous sommes des polygames ? Il suffit d'un raisonnement pour le prouver. Une femme ne peut porter qu'un enfant par an, tandis qu'un homme… a la production plus facile. La loi de nature veut donc que le mâle ait plusieurs épouses. D'où il résulte que le harem est une institution sage. Et pourtant… on pourrait dire encore beaucoup d'autres choses, mais, cette fois, à l'avantage des femmes et au détriment des hommes ! Passons.

Admettons que nous soyons absolument ni carnivores ni herbivores, mais omnivores. Nous nous arrangerons en Orient de la polygamie, et en Occident de la monogamie, et encore de la monogamie avec accommodements. Je voudrais bien qu'on me citât un seul homme – un seul –

Dossier

sain de corps et d'esprit, demeuré toute sa vie absolument monogame.

Donc le mariage crée une situation anormale, antinaturelle, et à laquelle on ne peut se résigner que grâce à des abnégations infinies, à une vertu supérieure, à des mérites absolument religieux, une situation à laquelle le mari ne se résigne jamais, une situation qui met éternellement la conscience en lutte avec l'instinct, avec l'amour.

Lequel est le monstre au point de vue naturel et humain : la femme qui succombe ou le mari qui tue ?

Ici un homme, parce qu'il est trompé dans son égoïsme, blessé dans sa vanité, déçu dans sa prétention (peut-être exorbitante) de possession exclusive, détruit un être, supprime la vie, la vie que rien ne peut rendre, commet le seul acte vraiment monstrueux qu'on puisse commettre, et le plus horrible, et le plus immoral, tue !

Là, une femme, élevée pour plaire, instruite dans cette pensée que l'amour est son domaine, sa faculté et sa seule joie au monde (tels sont, en effet, les enseignements de la société) ; créée par la nature même faible, changeante, capricieuse, entraînable ; faite coquette par la société et la nature ensemble, vivant presque toujours seule pendant que son mari fait ce qu'il veut et s'amuse à son gré ; une femme donc se laisse captiver par un homme qui met tous ses soins, toute son ardeur, toute son habileté, toute sa puissance à l'entraîner ! Il fait, lui, son métier d'homme du monde, de séducteur ! Elle tombe entre ses bras, obéissant à l'invincible amour ; elle commet un acte blâmable, condamnable au point de vue des législations, mais humain, fatal, si fatal que rien n'a jamais pu l'entraver depuis que les règlements de la moralité civile et religieuse le combattent ; et on proclame cette femme une gueuse, une misérable, une souillée, tandis qu'on salue jusqu'à terre son mari qui l'assassine, parce qu'on le juge réhabilité !

Pourquoi tue-t-il ? Parce qu'il se croit déshonoré ! Nous touchons ici à un de ces préjugés prodigieux qui servent généralement de bases à toutes nos croyances.

Êtes-vous déshonorés parce que votre marchand de vin vous a filouté ? – Non ? – Parce que votre bonne vous a volé ? – Non ? – Et vous l'êtes parce que votre femme vous a trompé ! Vous, le volé, le trompé, le lésé, le filouté enfin, vous vous considérez comme déshonoré tant que vous n'aurez pas lardé de coups de couteau l'amant que tout le monde considère comme honorable, comme accomplissant légitimement ses fonctions de maraudeur d'amour, et la femme qui s'est abandonnée, séduite, entraînée ! Que la logique est une belle chose !

Mais, sacrebleu, le déshonneur ne peut résulter que d'un acte absolument personnel, et ne peut, en aucun cas, provenir du fait d'un autre.

Est-il admissible qu'on puisse être atteint dans son honneur par une action à laquelle on est pour rien – bien au contraire –, une action qu'on met tous ses soins à empêcher ? Nous voyons heureusement aujourd'hui une phalange de maris philosophes, qui, ayant déterminé exactement la situation, les droits et les devoirs de chacun des époux, et respectant les convenances, aiment à leur guise, laissent leur femme vivre à son aise, tout en surveillant de l'œil ses allures comme ferait le gardien d'une chèvre capricieuse, pour empêcher ses escapades.

Cette sagesse n'est-elle pas morale au fond [1] ?

1. Cité in Maupassant, *Œuvres complètes*, t. XV, « Chroniques littéraires et chroniques parisiennes », Albin Michel, « Cercle du bibliophile », 1972.

Dossier

Dans ce texte publié immédiatement après la parution du dernier chapitre de *Bel-Ami*, Maupassant se livre à un exercice délicat : définir la relation entre réalité et fiction. Son roman a heurté certains lecteurs, et a provoqué la colère de nombreux journalistes, qui y ont vu une critique directe et sans nuance de leur profession. Maupassant doit donc préciser la portée de ses attaques, mais dans tous les cas sa position est peu défendable : si ses attaques sont générales, aucun individu ne doit s'estimer précisément visé, pas plus Aurélien Scholl que John Lemoine ; mais dans ce cas, c'est l'ensemble du corps journalistique qui est en droit de s'indigner. Si sa peinture est spécifique, et se consacre au portrait d'un individu singulier, fictif de surcroît, alors la profession est sauve ; mais c'est le roman qui perd toute valeur documentaire. Or, Maupassant le rappelle au début de cette réponse, s'il a choisi pour cadre l'univers journalistique, c'est que « ce milieu [lui] était plus favorable que tout autre pour montrer nettement les étapes de [son personnage] ».

La presse est à la fois un lieu polymorphe, où l'on trouve des « crapules » comme partout ailleurs, des bons et des mauvais journaux, et un milieu très spécifique, « sorte d'immense république qui s'étend de tous les côtés ». Et le roman de Maupassant entretient avec cet univers des liens qui sont à la fois de vraisemblance et d'élaboration fictionnelle : les différentes rubriques évoquées dans cette lettre, les Échos, la chronique politique, le reportage, existent en tant que telles et jouent dans le sens du réalisme. Mais la vraisemblance doit s'arrêter net dès lors qu'un Duroy, personnage de fiction, et par ailleurs enveloppe vide de toute qualité individuelle, occupe des fonctions dans ces différents secteurs.

La défense trouvée par Maupassant paraît très délicate. On pourrait la réduire à cette formule : *la fonction ne fait pas l'homme, le milieu ne détermine pas la personnalité*, contrairement aux thèses défendues par les naturalistes. « Si [Duroy] est arrivé, par la pratique, à une certaine souplesse de plume, il n'en devient pas pour cela un écrivain, ni un véritable journaliste. »

Dans les circonvolutions rhétoriques auxquelles doit ici se plier Maupassant, se fait jour une fois de plus toute l'ambiguïté d'un roman qui mêle réalisme et satire, sérieux et dérision ; c'est l'instabilité constitutive de ce récit qui ne vaut que par la dynamique du succès que nous évoquions en introduction : Duroy, rappelle Maupassant, « traverse toutes les spécialités du journal sans s'arrêter, car il monte à la fortune sans s'attarder sur les marches ».

« UNE RÉPONSE », *GIL BLAS*, 7 JUIN 1885

Nous recevons de notre collaborateur, Guy de Maupassant, la lettre suivante, que nous nous empressons de publier :

Rome, 1er juin 1885.

MON CHER RÉDACTEUR EN CHEF,

Au retour d'une très longue excursion qui m'a mis fort en retard avec le *Gil Blas*, je trouve à Rome une quantité de journaux dont les appréciations sur mon roman *Bel-Ami* me surprennent autant qu'elles m'affligent.

J'avais reçu à Catane un article de Mont-
joyeux, à qui j'ai écrit aussitôt. Il me semble
nécessaire de donner quelques explications
dans le journal même où a paru mon feuilleton.

Je ne m'attendais guère, je l'avoue, à être
obligé de raconter mes intentions, qui ont été
fort bien comprises, il est vrai, par quelques
confrères moins susceptibles que les autres.

Donc les journalistes, dont on peut dire
comme on disait jadis des poètes : *Irritabile
genus*, supposent que j'ai voulu peindre la
Presse contemporaine tout entière, et généra-
liser de telle sorte que tous les journaux fussent
fondus dans *La Vie française*, et tous les rédacteurs dans les trois ou quatre personnages que
j'ai mis en mouvement. Il me semble pourtant
qu'il n'y avait pas moyen de se méprendre, en
réfléchissant un peu.

J'ai voulu simplement raconter la vie d'un
aventurier pareil à tous ceux que nous cou-
doyons chaque jour dans Paris, et qu'on rencontre dans toutes les professions existantes.

Est-il, en réalité, journaliste ? Non. Je le
prends au moment où il va se faire écuyer dans
un manège. Ce n'est donc pas la vocation qui
l'a poussé. J'ai soin de dire qu'il ne sait rien,
qu'il est simplement affamé d'argent et privé
de conscience. Je montre dès les premières
lignes qu'on a devant soi une graine de gredin,
qui va pousser sur le terrain où elle tombera. Ce
terrain est un journal. Pourquoi ce choix, dira-
t-on ?

Pourquoi ? Parce que ce milieu m'était plus
favorable que tout autre pour montrer nettement les étapes de mon personnage ; et aussi
parce que le journal mène à tout comme on l'a
souvent répété. Dans une autre profession, il
fallait des connaissances spéciales, des préparations plus longues. Les portes pour entrer
sont plus fermées, celles pour sortir sont moins
nombreuses. La Presse est une sorte d'immense
république qui s'étend de tous les côtés, où on
trouve de tout, où on peut tout faire, où il est
aussi facile d'être un fort honnête homme que
d'être un fripon. Donc, mon homme, entrant

dans le journalisme pouvait employer facilement les moyens spéciaux qu'il devait prendre pour parvenir.

Il n'a aucun talent. C'est par les femmes seules qu'il arrive. Devient-il journaliste, au moins ? Non. Il traverse toutes les spécialités du journal sans s'arrêter, car il monte à la fortune sans s'attarder sur les marches. Il débute comme reporter, et il passe. Or, en général, dans la Presse, comme ailleurs, on se cantonne dans un coin, et les reporters, nés avec cette vocation, restent souvent reporters toute leur vie. On en cite devenus célèbres. Beaucoup sont de braves gens, mariés, qui font cela comme ils seraient employés dans un ministère. Duroy devient le chef des Échos. Autre spécialité fort difficile et qui garde aussi ses gens quand ils y sont passés maîtres. Les Échos font souvent la fortune d'un journal, et on connaît dans Paris quelques échotiers dont la plume est aussi enviée que celle d'écrivains connus. De là Bel-Ami arrive rapidement à la chronique politique. J'espère, au moins, qu'on ne m'accusera pas d'avoir visé MM. J.-J. Weiss ou John Lemoine• ? Mais comment me suspecterait-on d'avoir visé quelqu'un ?

Les rédacteurs politiques, plus que tous les autres, peut-être, sont des gens sédentaires et graves qui ne changent ni de profession ni de feuille. Ils font toute leur vie le même article ; selon leur opinion, avec plus ou moins de fantaisie, de variété et de talent dans la forme. Et quand ils changent d'opinion, ils ne font que changer de journal. Or, il est bien évident que mon aventurier marche vers la politique militante, vers la députation, vers une autre vie et d'autres événements. Et s'il est arrivé, par la pratique, à une certaine souplesse de plume, il n'en devient pas pour cela un écrivain ni un véritable journaliste. C'est aux femmes qu'il devra son avenir. Le titre : *Bel-Ami*, ne l'indique-t-il pas assez ?

Donc, devenu journaliste par hasard, par le hasard d'une rencontre, au moment où il allait se faire écuyer, il s'est servi de la Presse

J.-J. Weiss et John Lemoine étaient collaborateurs au Journal des débats. Aurélien Scholl, mentionné plus haut était, lui, chroniqueur à L'Événement.

comme un voleur se sert d'une échelle. S'ensuit-il que d'honnêtes gens ne peuvent employer la même échelle ?

Mais j'arrive à un autre reproche. On semble croire que j'ai voulu dans le journal que j'ai inventé, *La Vie française*, faire la critique ou plutôt le procès de toute la presse parisienne.

Si j'avais choisi pour cadre un grand journal, un vrai journal, ceux qui se fâchent auraient absolument raison contre moi ; mais j'ai eu soin, au contraire, de prendre une de ces feuilles interlopes, sorte d'agence d'une bande de tripoteurs politiques et d'écumeurs de bourses, comme il en existe quelques-uns, malheureusement. J'ai eu soin de la qualifier à tout moment, de n'y placer en réalité que deux journalistes, Norbert de Varenne et Jacques Rival, qui apportent simplement leur copie, et demeurent en dehors de toutes les spéculations de la maison.

Voulant analyser une crapule, je l'ai développée dans un milieu digne d'elle, afin de donner plus de relief à ce personnage. J'avais ce droit absolu comme j'aurais eu celui de prendre le plus honorable des journaux pour y montrer la vie laborieuse et calme d'un brave homme.

Or, comment a-t-on pu supposer une seconde que j'ai eu la pensée de synthétiser tous les journaux de Paris en un seul ? Quel écrivain ayant des prétentions justes ou non, à l'observation, à la logique et à sa bonne foi, qui croirait pouvoir créer un type rappelant en même temps *La Gazette de France*, le *Gil Blas*, *Le Temps*, *Le Figaro*, *Les Débats*, *Le Charivari*, *Le Gaulois*, *La Vie Parisienne*, *L'Intransigeant*, etc., etc. Et j'aurais imaginé *La Vie française* pour donner une idée de *L'Union* et des *Débats*, par exemple !... Cela est tellement ridicule que je ne comprends pas vraiment quelle mouche a piqué mes confrères ! Et je voudrais bien qu'on essayât d'inventer une feuille qui ressemblerait à *L'Univers* d'un côté et de l'autre aux papiers obscènes qu'on vend à la criée, le soir sur les boulevards ! Or elles existent, ces feuilles obscènes, n'est-ce pas ? Il en existe aussi d'autres qui ne sont en vérité que des cavernes de maraudeurs financiers, des usines à chantage et à émission de valeurs fictives.

C'est une de celles-là que j'ai choisie.

Ai-je révélé leur existence à quelqu'un ? Non. Le public les connaît ; et que de fois des journalistes de mes amis se sont indignés devant moi des agissements de ces usines de friponnerie !

Alors, de quoi se plaint-on ? De ce que le vice triomphe à la fin ? Cela n'arrive-t-il jamais et ne pourrait-on citer personne parmi les financiers puissants dont les débuts aient été aussi douteux que ceux de Georges Duroy ?

Quelqu'un peut-il se reconnaître dans un seul de mes personnages ? Non. – Peut-on affirmer même que j'ai songé à quelqu'un ? Non. – Car je n'ai visé personne.

J'ai décrit le journalisme interlope comme on décrit le monde interlope. Cela était-il donc interdit ?

Et si on me reproche de voir trop noir, de ne regarder que des gens véreux, je répondrai justement que ce n'est pas dans le milieu de mes personnages que j'aurais pu rencontrer beaucoup d'êtres vertueux et probes. Je n'ai pas inventé ce proverbe : « Qui se ressemble, s'assemble. »

Enfin, comme dernier argument, je prierai les mécontents de relire l'immortel roman qui a donné un titre à ce journal : *Gil Blas*, et de me faire ensuite la liste des gens sympathiques que Le Sage nous a montrés, bien que dans son œuvre il ait parcouru un peu tous les mondes.

Je compte, mon cher rédacteur en chef, que vous voudrez bien donner l'hospitalité à cette défense, et je vous serre bien cordialement la main.

UNE AUTRE VISION NATURALISTE :
L'ARGENT D'ÉMILE ZOLA

Paru en 1891, l'*Argent* est le dix-septième volume des *Rougon-Macquart* ; trois romans seulement suivront avant la fin du cycle, en 1893, avec *Le Docteur Pascal*. Comme *Bel-Ami*, *L'Argent* évoque la collusion entre les milieux d'affaires, la presse et le pouvoir. Le lien entre ces trois univers est assuré par le héros du roman, Aristide Saccard, banquier audacieux, prêt à tout risquer pour faire fortune. Son appétit de pouvoir apparaissait déjà dans *La Curée*, deuxième tome du cycle, paru en 1872. Le personnage y accomplissait la métamorphose qui devait faire d'Aristide Rougon, petit employé parisien récemment monté à Paris depuis sa Provence natale, le riche financier Saccard – selon un pseudonyme qu'il s'est lui-même attribué, comme Duroy dans *Bel-Ami*.

Si les mécanismes qui régissent les milieux du pouvoir sont les mêmes dans le roman zolien et dans celui de Maupassant, pourtant l'époque diffère. Les *Rougon-Macquart* portent comme sous-titre « Histoire naturelle et sociale d'une famille sous le Second Empire ». *Bel-Ami*, au contraire, se déroule à l'époque même de sa rédaction, c'est-à-dire dans les années 1880. Mais la proximité d'inspiration entre ces deux œuvres est patente. C'est que Zola, comme Maupassant, transpose les événements décrits dans son roman. La transposition est ici chronologique, et non, comme dans *Bel-Ami*, géographique. L'entreprise fondée par Saccard dans *L'Argent*, la Banque universelle, s'inspire au plus près de l'exemple de l'Union générale, dont le krach, en 1882, avait aussi fortement marqué Maupassant. Le Second Empire de Saccard doit beaucoup à la Troisième République, aussi étonnant que cela puisse paraître : affairisme, antisémitisme et même colonialisme sont en effet pour une large part empruntés aux années 1880-1890.

Le réalisme de Zola dans le roman joue donc, comme celui de Maupassant, d'une série de déplacements : les allusions à l'actualité des années 1885-1890 se mêlent aux détails historiques renvoyant au Second Empire (expédition du Mexique, éloignement du régime et du pape, déclarations de Napoléon III sur « l'empire libéral »). Le frère de Saccard, Eugène Rougon, est un ministre important du régime en place. Le lien entre le pouvoir politique (l'Empire), l'argent (la Banque universelle) et la presse (*L'Espérance*), occupe le centre du roman. Toutefois, les techniques narratives adoptées par Zola diffèrent d'emblée de celles qui caractérisent *Bel-Ami*. Alors que Maupassant se montre volontiers complice de son personnage, Zola conserve vis-à-vis de l'univers décrit la distance de l'observateur, et va même jusqu'à laisser paraître son hostilité face au milieu évoqué.

L'extrait choisi décrit l'atmosphère régnant dans les locaux de *L'Espérance*, journal acheté par Saccard pour assurer la publicité de la Banque universelle dans le grand public. On y retrouve, comme à *La*

Vie française, le contraste opposant le brillant du monde financier, au caractère sordide et clandestin des activités journalistiques.

Les bureaux de *L'Espérance*, le journal catholique en détresse que, sur l'offre de Jantrou, Saccard avait acheté, pour travailler au lancement de l'Universelle, se trouvaient rue Saint-Joseph, dans un vieil hôtel noir et humide, dont ils occupaient le premier étage, au fond de la cour. Un couloir partait de l'antichambre, où le gaz brûlait éternellement ; et il y avait, à gauche, le cabinet de Jantrou, le directeur, puis une pièce que Saccard s'était réservée, tandis que s'alignaient, à droite, la salle commune de la rédaction, le cabinet du secrétaire, des cabinets destinés aux différents services. De l'autre côté du palier, étaient installées l'administration et la caisse, qu'un couloir intérieur, tournant derrière l'escalier, reliait à la rédaction.

Ce jour-là, Jordan, en train d'achever une chronique, dans la salle commune, où il s'était installé de bonne heure pour ne pas être dérangé, en sortit comme quatre heures sonnaient, et vint trouver Dejoie, le garçon de bureau, qui, à la flamme large du gaz, malgré la radieuse journée de juin qu'il faisait dehors, lisait avidement le bulletin de la Bourse, qu'on apportait et dont il prenait le premier connaissance.

– Dites donc, Dejoie, c'est monsieur Jantrou qui vient d'arriver ?

– Oui, monsieur Jordan.

Le jeune homme eut une hésitation, un court malaise qui l'arrêta pendant quelques secondes. Dans les commencements difficiles de son heureux ménage, des dettes anciennes étaient tombées ; et, malgré sa chance d'avoir trouvé ce journal où il plaçait des articles, il traversait une atroce gêne, d'autant plus qu'une saisie-arrêt était mise sur ses appointements et qu'il avait à payer, ce jour-là, un nouveau billet, sous la menace de voir ses quatre meubles vendus.

Déjà, deux fois, il avait demandé vainement une avance au directeur, qui s'était retranché derrière la saisie-arrêt, faite entre ses mains.

Pourtant, il se décidait, s'approchait de la porte, lorsque le garçon de bureau reprit :

– C'est que monsieur Jantrou n'est pas seul.

– Ah !… Avec qui est-il ?

– Il est arrivé avec monsieur Saccard, et monsieur Saccard m'a bien dit de ne laisser entrer que monsieur Huret, qu'il attend.

Jordan respira, soulagé par ce délai, tant les demandes d'argent lui étaient pénibles.

– C'est bon, je vais finir mon article. Avertissez-moi, quand le directeur sera libre.

Mais, comme il s'en allait, Dejoie le retint, avec un éclat de jubilation extrême.

– Vous savez que l'Universelle a fait 750.

D'un geste, le jeune homme dit qu'il s'en moquait bien, et il rentra dans la salle de rédaction.

Presque chaque jour, Saccard montait ainsi au journal, après la Bourse, et souvent même il donnait des rendez-vous dans la pièce qu'il s'était réservée, traitant là des affaires spéciales et mystérieuses. Jantrou, du reste, bien qu'officiellement il ne fût que directeur de *L'Espérance*, où il écrivait des articles politiques d'une littérature universitaire soignée et fleurie, que ses adversaires eux-mêmes reconnaissaient « du plus pur atticisme », était son agent secret, l'ouvrier complaisant des besognes délicates. Et, entre autres choses, c'était lui qui venait d'organiser toute une vaste publicité autour de l'Universelle. Parmi les petites feuilles financières qui pullulaient, il en avait choisi et acheté une dizaine. Les meilleures appartenaient à de louches maisons de banque, dont la tactique, très simple, consistait à les publier et à les donner pour deux ou trois francs par an, somme qui ne représentait même pas le prix de l'affranchissement ; et elles se rattrapaient d'autre part, trafiquaient sur l'argent et les titres des clients que leur amenait le journal. Sous le prétexte de publier les cours de la Bourse, les numéros sortis des valeurs à lots, tous les renseignements techniques, utiles aux petits rentiers, peu à peu des réclames se glissaient, en forme de recommandations et de conseils, d'abord modestes, raisonnables, bientôt sans mesure, d'une impudence tranquille, soufflant la ruine parmi les abonnés crédules•. Dans le tas, au milieu des deux ou trois cents publications qui ravageaient ainsi Paris et la France, son flair venait d'être de choisir celles qui n'avaient pas trop menti encore, qui n'étaient point trop déconsidérées. Mais la grosse affaire qu'il méditait, c'était d'acheter une d'elle, *La Cote financière*, qui avait déjà douze ans de probité absolue ; seulement, ça menaçait d'être très cher, une probité pareille ; et il attendait que l'Universelle fût plus riche et se trouvât dans une de ces situations où un dernier coup de trompette détermine les sonneries assourdissantes du triomphe. Son effort, d'ailleurs, ne s'était pas borné à grouper un bataillon docile de ces feuilles spéciales, célébrant dans chaque numéro la beauté des opérations de Saccard ; il traitait aussi à forfait avec les grands journaux politiques et littéraires, y entretenait un courant de notes aimables, d'articles louangeurs, à tant la ligne, s'assurait de leur concours par des cadeaux de titres, lors des émissions nouvelles. Sans parler de la campagne quotidienne menée sous ses ordres par *L'Espérance*, non point une campagne brutale, violemment approbative, mais des explications, de la discussion même, une façon lente de s'emparer du public et de l'étrangler, correctement.

Ce jour-là, c'était pour causer du journal que Saccard s'enfermait avec Jantrou. Il avait trouvé, dans le numéro du matin, un article d'Huret d'un éloge si outré sur un discours de Rougon, prononcé la veille à la Chambre, qu'il était entré dans une violente colère, et qu'il attendait le député, pour s'en expliquer avec lui. Est-ce qu'on le croyait à la solde de son frère ? est-ce qu'on le payait pour qu'il laissât compromettre la ligne du journal par une approbation sans réserve des moindres actes du ministre ? Lorsqu'il entendit parler de la ligne

• « Duroy demanda : – Ça doit rapporter bon d'être reporter dans ces conditions-là ? Le journaliste répondit avec mystère : – Oui, mais rien ne rapporte autant que les échos, à cause des réclames déguisées. » (Bel-Ami, I, 4, p. 100)

du journal, Jantrou eut un muet sourire. D'ailleurs, il l'écoutait, très calme, en s'examinant les ongles, du moment que l'orage ne menaçait pas de crever sur ses épaules. Lui, avec son cynisme de lettré désabusé, avait le plus parfait dédain pour la littérature, pour la une et la deux, comme il disait en désignant les pages du journal où paraissaient les articles, même les siens ; et il ne commençait à s'émouvoir qu'aux annonces. Maintenant, il était tout flambant neuf, serré dans une élégante redingote, la boutonnière fleurie d'une rosette panachée de couleurs vives, portant l'été sur le bras un mince pardessus de nuance claire, enfoncé l'hiver dans une fourrure de cent louis, soignant surtout sa coiffure, des chapeaux irréprochables, d'un luisant de glace. Avec cela, il gardait des trous dans son élégance, la vague impression d'une malpropreté persistant en dessous, l'ancienne crasse du professeur déclassé, tombé du lycée de Bordeaux à la Bourse de Paris, la peau pénétrée et teinte des saletés immondes qu'il y avait essuyées pendant dix ans ; de même que, dans l'arrogante assurance de sa nouvelle fortune, il avait de basses humilités, s'effaçant, pris de la peur brusque de quelque coup de pied au derrière, ainsi qu'autrefois. Il gagnait cent mille francs par an, en mangeait le double, on ne savait à quoi, car il n'affichait pas de maîtresse, tenaillé sans doute par quelque ignoble vice, la cause secrète qui l'avait fait chasser de l'Université. L'absinthe, du reste, le dévorait peu à peu, depuis ses jours de misère, continuant son œuvre, des infâmes cafés de jadis au cercle luxueux d'aujourd'hui, fauchant ses derniers cheveux, plombant son crâne et sa face, dont sa barbe noire en éventail demeurait l'unique gloire, une barbe de bel homme qui faisait illusion encore. Et Saccard ayant de nouveau invoqué la ligne du journal, il l'avait arrêté d'un geste, de l'air fatigué d'un homme qui, n'aimant point perdre son temps en passion inutile, se décidait à lui parler d'affaires sérieuses, puisque Huret se faisait attendre.

Dossier

Depuis quelque temps, Jantrou nourrissait des idées neuves de publicité. Il songeait d'abord à écrire une brochure, une vingtaine de pages sur les grandes entreprises que lançait l'Universelle, mais en leur donnant l'intérêt d'un petit roman, dramatisé en un style familier ; et il voulait inonder la province de cette brochure, qu'on distribuerait pour rien, au fond des campagnes les plus reculées. Ensuite, il projetait de créer une agence qui rédigerait et ferait autographier un bulletin de la Bourse, pour l'envoyer à une centaine des meilleurs journaux des départements : on leur ferait cadeau de ce bulletin, ou ils le payeraient un prix dérisoire, et l'on aurait bientôt ainsi dans les mains une arme puissante, une force avec laquelle toutes les maisons de banque rivales seraient obligées de compter. Connaissant Saccard, il lui soufflait ainsi ses idées, jusqu'à ce que celui-ci les adoptât, les fît siennes, les élargît au point de les recréer réellement. Les minutes s'écoulaient, tous deux en étaient venus à régler l'emploi des fonds de la publicité pour le trimestre, les subventions à payer aux grands journaux, le terrible bulletinier d'une maison adverse dont il fallait acheter le silence, une part à prendre dans la mise aux enchères de la quatrième page d'une très ancienne feuille, très respectée. Et, de leur prodigalité, de tout cet argent qu'ils jetaient de la sorte en vacarme, aux quatre coins du ciel, se dégageait surtout leur dédain immense du public, le mépris de leur intelligence d'hommes d'affaires pour la noire ignorance du troupeau, prêt à croire tous les contes, tellement fermé aux opérations compliquées de la Bourse, que les raccrochages les plus éhontés allumaient les passants et faisaient pleuvoir les millions.

[…]

Saccard, puissant à cette heure, redevenu le maître, voulait être obéi, sachant qu'il les tenait tous par l'espoir du gain et la terreur de la perte, dans la partie de colossale fortune qu'il jouait avec eux.

– Ah ! vous voilà donc, cria-t-il en apercevant Huret. Est-ce que c'est pour offrir au grand homme votre article encadré, que vous vous êtes attardé à la Chambre ?... J'en ai assez, vous savez, des coups d'encensoir dont vous lui cassez la figure, et je vous ai attendu pour vous dire que c'est fini, qu'il faudra, à l'avenir, nous donner autre chose.

Interloqué, Huret regarda Jantrou. Mais celui-ci, bien décidé à ne pas s'attirer des ennuis en le secourant, s'était mis à passer les doigts dans sa belle barbe, les yeux perdus.

– Comment, autre chose ? finit par répondre le député, mais je vous donne ce que vous m'avez demandé !... Quand vous avez pris *L'Espérance*, cette feuille avancée du catholicisme et de la royauté, qui menait une si rude campagne contre Rougon, c'est vous qui m'avez prié d'écrire une série d'articles élogieux, pour montrer à votre frère que vous n'entendiez pas lui être hostile, et pour bien indiquer ainsi la nouvelle ligne du journal•.

– La ligne du journal, précisément, reprit Saccard avec plus de violence, c'est la ligne du journal que je vous accuse de compromettre... Est-ce que vous croyez que je veux m'inféoder à mon frère ? Certes, je n'ai jamais marchandé mon admiration et mon affection reconnaissantes à l'empereur, je n'oublie pas ce que nous lui devons tous, ce que je lui dois, moi, en particulier. Seulement, ce n'est pas attaquer l'empire, c'est faire au contraire son devoir de sujet fidèle, que de signaler les fautes commises... La voilà, la ligne du journal : dévouement à la dynastie, mais indépendance entière à l'égard des ministres, des personnalités ambitieuses qui s'agitent et qui se disputent la faveur des Tuileries !

Et il se livra à un examen de la situation politique, pour prouver que l'empereur était mal conseillé. Il accusait Rougon de n'avoir plus son énergie autoritaire, sa foi de jadis au pouvoir absolu, de pactiser enfin avec les idées libérales, dans l'unique but de garder son portefeuille. Lui se tapait du poing contre la poitrine,

• « *Le père Walter reprit : [...] Eh bien ! voilà, nous avons de gros événements. Le ministère est tombé sur un vote de trois cent dix voix contre cent deux. [...] Nous allons devenir une feuille officieuse. Je fais l'article de tête, une simple déclaration de principes, en traçant leur voie aux ministres.* »
(Bel-Ami, *II, 4,* p. 279)

Dossier

en se disant immuable, bonapartiste de la première heure, croyant du coup d'État, convaincu que le salut de la France était, aujourd'hui comme autrefois, dans le génie et la force d'un seul. Oui, plutôt que d'aider à l'évolution de son frère, plutôt que de laisser l'empereur se suicider par de nouvelles concessions, il rallierait les intransigeants de la dictature, il ferait cause commune avec les catholiques, pour enrayer la chute rapide qu'il prévoyait. Et que Rougon prît garde, car *L'Espérance* pouvait reprendre sa campagne en faveur de Rome !

Huret et Jantrou l'écoutaient stupéfaits de sa colère, n'ayant jamais soupçonné en lui des convictions politiques si ardentes. Le premier s'avisa de vouloir défendre les derniers actes du gouvernement.

– Dame ! mon cher, si l'empire va à la liberté, c'est que toute la France est là qui le pousse ferme… L'empereur est entraîné, Rougon se trouve bien obligé de le suivre.

Mais Saccard, déjà, sautait à d'autres griefs, sans se soucier de mettre quelque logique dans ses attaques.

– Et, tenez ! c'est comme notre situation extérieure, eh bien ! elle est déplorable… Depuis le traité de Villafranca•, après Solférino, l'Italie nous garde rancune de ne pas être allés jusqu'au bout de la campagne et de ne pas lui avoir donné la Vénétie ; si bien que la voici alliée avec la Prusse, dans la certitude que celle-ci l'aidera à battre l'Autriche… Lorsque la guerre éclatera, vous allez voir la bagarre, et quel ennui sera le nôtre ; d'autant plus que nous avons eu grand tort de laisser Bismarck et le roi Guillaume s'emparer des duchés••, dans l'affaire du Danemark, au mépris d'un traité que la France avait signé : c'est un soufflet, il n'y a pas à dire, nous n'avons plus qu'à tendre l'autre joue… Ah ! la guerre, elle est certaine, vous vous rappelez la baisse du mois dernier sur les fonds français et italiens, quand on a cru à une intervention possible de notre part dans les affaires d'Allemagne. Avant quinze jours peut-être, l'Europe sera en feu.

• *Le traité de Villafranca signé en 1859 entre Napoléon III et l'empereur d'Autriche mettait fin, après la défaite autrichienne de Sébastopol, à la guerre d'Italie : l'Autriche gardait la Vénétie et les souverains d'Italie centrale devaient être restaurés.*
•• *Le chancelier Bismarck avait entrepris en 1864 la conquête des duchés danois de Slesvig et d'Holstein, sans que la France s'oppose à ce coup de force.*

De plus en plus surpris, Huret se passionna, contre son habitude.

– Vous parlez comme les journaux de l'opposition, vous ne voulez pourtant pas que *L'Espérance* emboîte le pas derrière *Le Siècle* et les autres… Il ne vous reste plus qu'à insinuer, à l'exemple de ces feuilles, que, si l'empereur s'est laissé humilier, dans l'affaire des duchés, et s'il permet à la Prusse de grandir impunément, c'est qu'il a immobilisé tout un corps d'armée, pendant de longs mois, au Mexique•. Voyons, soyez de bonne foi, c'est fini, le Mexique, nos troupes reviennent… Et puis, je ne vous comprends pas, mon cher. Si vous voulez garder Rome au pape, pourquoi avez-vous l'air de blâmer la paix hâtive de Villafranca ? La Vénétie à l'Italie, mais c'est les Italiens à Rome avant deux ans, vous le savez comme moi ; et Rougon le sait aussi, bien qu'il jure le contraire à la tribune…

– Ah ! vous voyez que c'est un fourbe ! cria superbement Saccard. Jamais on ne touchera au pape, entendez-vous ! sans que la France catholique entière se lève pour le défendre… Nous lui porterions notre argent, oui ! tout l'argent de l'Universelle. J'ai mon projet, notre affaire est là, et vraiment, à force de m'exaspérer, vous me feriez dire des choses que je ne veux pas dire encore !

Jantrou, très intéressé, avait brusquement dressé l'oreille, commençant à comprendre, tâchant de faire son profit d'une parole surprise au passage.

– Enfin, reprit Huret, je désire savoir à quoi m'en tenir, moi, à cause de mes articles, et il s'agit de nous entendre… Voulez-vous qu'on intervienne, voulez-vous qu'on n'intervienne pas ? Si nous sommes pour le principe des nationalités, de quel droit irions-nous nous mêler des affaires de l'Italie et de l'Allemagne ?… Voulez-vous que nous fassions une campagne contre Bismarck ? oui ! au nom de nos frontières menacées…

Mais Saccard, hors de lui, debout, éclata.

L'expédition mexicaine (1862-867) fut sans doute 'un des plus grands fiascos de l'histoire extérieure du Second Empire.

Dossier

– Ce que je veux, c'est que Rougon ne se fiche pas de moi davantage !... Comment ! après tout ce que j'ai fait ! J'achète un journal, le pire de ses ennemis, j'en fait un organe dévoué à sa politique, je vous laisse pendant des mois y chanter ses louanges. Et jamais ce bougre-là ne nous donnerait un coup d'épaule, j'en suis encore à attendre un service de sa part !

Timidement, le député fit remarquer que, là-bas, en Orient, l'appui du ministre avait singulièrement aidé l'ingénieur Hamelin, en lui ouvrant toutes les portes, en exerçant une pression sur certains personnages.

– Laissez-moi donc tranquille ! Il n'a pas pu faire autrement... Mais est-ce qu'il m'a jamais averti, la veille d'une hausse ou d'une baisse, lui qui est si bien placé pour tout savoir ? Souvenez-vous ! vingt fois je vous ai chargé de le sonder, vous qui le voyez tous les jours, et vous en êtes encore à m'apporter un vrai renseignement utile... Ce ne serait pourtant pas si grave, un simple mot que vous me répéteriez.

– Sans doute, mais il n'aime pas ça, il dit que ce sont des tripotages dont on se repent toujours.

– Allons-donc ! est-ce qu'il a de ces scrupules avec Gundermann [1] ! Il fait de l'honnêteté avec moi, et il renseigne Gundermann.

– Oh ! Gundermann, sans doute ! Ils ont tous besoin de Gundermann, ils ne pourraient pas faire un emprunt sans lui.

Du coup, Saccard triompha violemment, tapant dans ses mains.

– Nous y voilà donc, vous avouez ! L'empire est vendu aux juifs•, aux sales juifs. Tout notre argent est condamné à tomber entre leurs pattes crochues. L'Universelle n'a plus qu'à crouler devant leur toute-puissance.

Et il exhala sa haine héréditaire, il reprit ses accusations contre cette race de trafiquants et

• « – Le patron ? Un vrai juif ! Et vous savez, les juifs, on ne les changera jamais. Quelle race ! – Et il cita des traits étonnants d'avarice, de cette avarice particulière aux fils d'Israël, des économies de dix centimes, des marchandages de cuisinière, des rabais honteux demandés et obtenus, toute une manière d'être d'usurier, de prêteur à gages. » (Bel-Ami, I, 4, p. 98)

---

1. Gundermann, banquier juif, est l'ennemi juré de Saccard. Il provoquera la chute de la Banque universelle.

d'usuriers, en marche depuis des siècles à travers les peuples, dont ils sucent le sang, comme les parasites de la teigne et de la gale, allant quand même, sous les crachats et les coups, à la conquête certaine du monde, qu'ils posséderont un jour par la force invincible de l'or. Et il s'archanait surtout contre Gundermann, cédant à sa rancune ancienne, au désir irréalisable et enragé de l'abattre, malgré le pressentiment que celui-là était la borne où il s'écraserait, s'il entrait jamais en lutte. Ah ! ce Gundermann ! un Prussien à l'intérieur, bien qu'il fût né en France ! car il faisait évidemment des vœux pour la Prusse, il l'aurait volontiers soutenue de son argent, peut-être même la soutenait-il en secret ! N'avait-il pas osé dire, un soir, dans un salon, que, si jamais une guerre éclatait entre la Prusse et la France, cette dernière serait vaincue !

– J'en ai assez, comprenez-vous, Huret ! et mettez-vous bien ça dans la tête : c'est que, si mon frère ne me sert à rien, j'entends ne lui servir à rien non plus... Quand vous m'aurez apporté de sa part une bonne parole, je veux dire un renseignement que nous puissions utiliser, je vous laisserais reprendre vos dithyrambes en sa faveur. Est-ce clair ?

C'était trop clair. Jantrou, qui retrouvait son Saccard, sous le théoricien politique, s'était remis à peigner sa barbe du bout de ses doigts. Mais Huret, bousculé dans sa finasserie prudente de paysan normand, paraissait fort ennuyé, car il avait placé sa fortune sur les deux frères, et il aurait bien voulu ne se fâcher ni avec l'un ni avec l'autre.

– Vous avez raison, murmura-t-il, mettons une sourdine, d'autant plus qu'il faut voir venir les événements... Et je vous promets de tout faire pour obtenir les confidences du grand homme. À la première nouvelle qu'il m'apprend, je saute dans un fiacre et je vous l'apporte.

Déjà, ayant joué son rôle, Saccard plaisantait.

– C'est pour vous tous que je travaille, mes bons amis… Moi, j'ai toujours été ruiné et j'ai toujours mangé un million par an.

Et, revenant à la publicité :

– Ah ! dites donc, Jantrou, vous devriez bien égayer un peu votre bulletin de la Bourse… Oui, vous savez, des mots pour rire, des calembours. Le public aime ça, rien ne l'aide comme l'esprit à avaler les choses… N'est-ce pas ? des calembours !

Ce fut le tour du directeur à être contrarié. Il se piquait de distinction littéraire. Mais il dut promettre. Et, comme il inventa une histoire, des femmes très bien qui lui avaient offert de se faire tatouer des annonces aux endroits les plus délicats de leur personne, les trois hommes, riant très fort, redevinrent les meilleurs amis du monde [1].

1. Émile Zola, *L'Argent*, GF-Flammarion, 1974, ch. VI, p. 220-230.

BIBLIOGRAPHIE

Le manuscrit de *Bel-Ami* – le seul retrouvé à ce jour – se trouve à la Morgan Pierpont Library de New York. Ce manuscrit qui porte le cachet de « Victor Havard éditeur » et la date du « 16 février 1885 » a servi à l'impression du roman en volume. Les corrections de Maupassant vont le plus souvent dans le sens de la concision. On constate que le romancier a eu maintes hésitations sur les noms à attribuer à ses personnages. Ainsi Duroy a longtemps été « Leroy » et même, à un moment, « Joliroy » ; Clotilde de Marelle, « Julie et Grisolle » ; Madeleine Forestier, « Clémence Forestier ».

Bel-Ami a paru en préoriginal dans le *Gil Blas,* du 6 avril au 30 mai 1885.

PRINCIPALES ÉDITIONS

Bel-Ami, Paris, Victor Havard, 1885.
 (C'est la leçon de cette édition que nous avons adaptée.)
Bel-Ami, Garnier, 1959 (éd. Gérard Delaisement).
Bel-Ami, Gallimard, « Folio », 1973 (éd. Jean-Louis Bory).
Bel-Ami, Paris, Imprimerie nationale, « Lettres françaises », 1979 (éd. Marie-Claire Bancquart).
Bel-Ami, Librairie générale française, « Le Livre de poche », 1983 (éd. Jacques Laurent et Philippe Bonnefis).
Bel-Ami, Garnier, 1988 (éd. Daniel Leuwers).
Œuvres complètes, Louis Conard, 1907-1910 (éd. Pol Neveux).
Œuvres complètes, Librairie de France, 1934-1938 (éd. René Dumesnil).
Œuvres complètes, Albin Michel, « Cercle du bibliophile », 1969-1973 (éd. Pascal Pia et Gilbert Sigaux).
Romans, Albin Michel, 1959 (éd. Albert-Marie Schmidt).
Romans, Gallimard, « Bibliothèque de la Pléiade », 1987 (éd. Louis Forestier).

OUVRAGES SUR MAUPASSANT

BONNEFIS (Philippe) : *Comme Maupassant,* Presses universitaires de Lille, 1981.

CASTELLA (Charles) : *Structures romanesques et vision sociale chez Maupassant,* Lausanne, L'Âge d'homme, 1972.

COGNY (Pierre) : *Maupassant, l'homme sans Dieu,* La Renaissance du livre, 1968.

DELAISEMENT (Gérard) : *Maupassant journaliste et chroniqueur,* Albin Michel, 1956.

DUMESNIL (René) : *Guy de Maupassant,* Jules Tallandier, 1933 ; nouvelle édition, 1947.

GRIVEL (Charles) : *Maupassant dénaturé,* Presses universitaires de Lille et Van Gorcum, 1976.

JANSSEN (C. Luplau) : *Le Décor chez Guy de Maupassant,* Copenhague, Munksgaard ; Bruxelles, La Renaissance du livre, 1960.

LANOUX (Armand) : *Maupassant le Bel-Ami,* Fayard, 1967 ; nouvelle édition augmentée, Librairie générale française, « Le Livre de poche », 1983.

MORAND (Paul) : *Vie de Guy de Maupassant,* Flammarion, 1942.

RÉDA (Jacques) : *Album Maupassant,* Gallimard, « Bibliothèque de la Pléiade », 1987.

STEEGMULLER (F.) : *Maupassant. A Lion in the Path,* New York, Random House, 1949.

SULLIVAN (Edward D.) : *Maupassant the Novelist,* Princeton University Press, 1954 (réimpression en 1972).

TOLSTOÏ (Léon) : *Guy de Maupassant,* traduit du russe par V. Tcherkoff, New York, Haskell House, 1974.

VIAL (André) : *Guy de Maupassant et l'art du roman,* Nizet, 1954.

QUELQUES ARTICLES

BANCQUART (Marie-Claire) : « Maupassant et l'argent », *Romantisme,* n° 40, 1983.

–, « Maupassant journaliste », in *Flaubert et Maupassant écrivains normands,* Publications de l'université de Rouen, PUF, 1981.

BESNARD-COURSODON (Micheline) : « Regard et destin chez Guy de Maupassant », *Revue des sciences humaines,* n° 167, 1977.

BILLY (André) : « Maupassant et l'érysipèle tunisien », *Le Figaro littéraire,* 16 mai 1953.

BISMUT (Roger) : « Quelques problèmes de création littéraire dans *Bel-Ami* », *Revue d'histoire littéraire de la France,* juillet-septembre 1967.

BONNEFIS (Philippe) : « Le cri de l'étain », *Revue des sciences humaines,* n° 160, 1975.

–, « Clair obscur », *Littérature,* n° 16, mai 1977.

BOUVIER-AJAM (Maurice) : « Maupassant et le monde des affaires », *Europe,* juin 1969.

BUISINE (Alain) : « Prose tombale », *Revue des sciences humaines,* n° 160, 1975.

–, « Peuple et famille », *Littérature,* n° 26, mai 1977.

–, « Profits et pertes », *Revue des sciences humaines,* n° 173, 1979.

CASTELLA (Charles) : « À propos de Maupassant romancier : une problématique des miroirs ou de la chimère du contenu historique et social », in *Le Naturalisme,* colloque de Cérisy, U.G.E., « 10/18 », 1978.

CHAIKIN (Milton) : « Maupassant's *Bel-Ami* and Balzac », *Romance Notes,* printemps 1960.

CROUZET (Michel) : « Une rhétorique de Maupassant ? », *Revue d'histoire littéraire de la France,* mars-avril 1980.

DANILINE (Iouri) : « Guy de Maupassant [...] », II. « Bel-Ami [...] », *Recherches soviétiques,* cahier n° 6, 1957.

DELAISEMENT (Gérard) : « L'Univers de *Bel-Ami* », *Revue des sciences humaines,* janvier-mars 1953.

–, « *Bel-Ami* et les écrits antérieurs de Maupassant », *Revue des sciences humaines,* avril-juin 1956.

–, *Maupassant, Bel-Ami. Analyse critique,* Hatier, « Profil d'une œuvre », 1972.

DONALDSON-EVANS (Mary) : *A Woman's Revenge,* Lexington, Kentucky, U.S.A., French Forum Publischers, 1986.

GIACCHETTI (Claudine) : « L'Écriture dans les romans de Maupassant. La lettre et le livre », *Flaubert et Maupassant écrivains normands,* Publications de l'université de Rouen, PUF, 1981.

GRIVEL (Charles) : « L'Entre-jeu de la représentation. Maupassant, la science et le désir », *Revue des sciences humaines,* n° 160, 1975.

LANOUX (Armand) : « Le Roman des grandes œuvres : *Bel-Ami* », *Les Nouvelles littéraires,* 26 décembre 1957.

–, « Peut-on tout dire ? Les silences sur *Bel-Ami* », *Les Nouvelles littéraires,* 27 avril 1967.

NORRESLET (Éva) : « Analyse de Bel-Ami », *Revue romaine,* n° 2, 1971.

PLUCHON (Pierre) : « La politique dans l'œuvre de Maupassant », *Revue politique et parlementaire,* n° 764, février 1966.

PRINCE (Gerald) : « *Bel-Ami* and narrative as antagonist », *French Forum,* volume 11, mai 1986.

RITCHIE (Adrian C.) : « Maupassant et la démocratie parlementaire », *Studi Francesi,* septembre-décembre 1982.

LECTURES COMPLÉMENTAIRES

BERTAUT (Jules) : *Le Boulevard,* Tallandier, 1957.

BOUVIER (Jean) : *Étude sur le Krach de l'Union générale,* PUF, 1960.

CHEVREL (Yves) : *Le Naturalisme,* PUF, 1982.

GANIAGE (Jean) : *Les Origines du protectorat français en Tunisie,* PUF, 1969.

MARTINO (Pierre) : *Le Naturalisme français (1870-1895),* édition revue par Robert Ricatte, Colin, 1969.

MAYEUR (Jean-Marie) : *La Vie politique sous la Troisième République,* Seuil, « Points », 1984.

Le Naturalisme, Colloque de Cérisy, U.G.E., « 10/18 », 1978.

DERNIÈRES PARUTIONS

GF Flammarion

02/09/97123-IX-2002 – Impr. MAURY Eurolivres, 45300 Manchecourt.
N° d'édition FG107115. – juin 1999. – Printed in France.